Mon Afrique

Lucie Pagé

Mon Afrique

www.quebecloisirs.com

UNE ÉDITION DU CLUB QUÉBEC LOISIRS INC.
© Avec l'autorisation des Éditions Libre Expression
© 2001, Éditions Libre Expression ltée
Dépôt légal — Bibliothèque nationale du Québec, 2002
ISBN 2-89430-528-1
(publié précédemment sous ISBN 2-89111-954-1)

Imprimé au Canada

À Léandre;
à Jay, qui m'a donné l'amour et la paix, Kami et Shanti;
à mes parents, Pierre et Louise,
qui m'ont appris à foncer,
toujours foncer.

C'est blessant
Vivre en noir et blanc
Quand t'as le coeur
Rempli de couleurs

Serge FIORI

Prologue

En 1990, je me suis rendue en Afrique du Sud en reportage, dans le cadre de l'émission *Nord-Sud*, de Radio-Québec. Je devais préparer une dizaine de documentaires sur ce pays, bien connu pour son régime politique de séparation des races, l'apartheid. J'avais le mandat de décrire la période de transition qu'entamait l'Afrique du Sud après la libération du plus célèbre prisonnier politique du monde, Nelson Mandela, sorti de prison quelques mois plus tôt, le 11 février 1990.

Je suis restée cinq semaines en Afrique du Sud. C'était la première fois que je partais si longtemps sans mon fils. Trente-cinq dodos exactement… Je lui avais préparé une petite enveloppe pour chaque soir, contenant chacune une courte histoire et une surprise. Cinq semaines d'absence, c'est long, très long pour un cœur de mère.

Léandre avait alors quatre ans. Petit bonhomme curieux, éveillé, heureux aussi, je crois; malgré la séparation de ses parents, il s'était habitué au train de vie de la garde partagée entre son père et moi. Il avait tout en double : amis, chambre, jouets. Deux vies. Comme tant d'enfants victimes de nos relations modernes et impatientes.

Dans l'avion qui me ramenait à Montréal, je ne pensais plus à ces cinq semaines pendant lesquelles j'avais vécu

11

des moments passionnants de ma carrière journalistique, mais à mon petit cœur à l'autre bout du globe. Et plus je m'en rapprochais, plus j'avais hâte de me pelotonner dans ma petite routine de sept dodos — sept dodos que rien au monde ne pouvait venir déranger.

* * *

Huit mois après mon retour, je liquidais ou entreposais mes affaires dans des sous-sols, granges et greniers d'amis. Je repartais pour l'Afrique du Sud, pour y rester, cette fois. Mon fils m'y rejoindrait dans six mois. Son père et moi en étions arrivés au seul compromis possible : la garde partagée entre deux continents. Un arrangement invraisemblable, insensé peut-être, mais qui paraissait la solution la plus juste pour Léandre et pour nous.

— Dans cent quatre-vingts dodos, maman?
— Oui, mon chou.
— Mais c'est long, ça, non?
— Oui, mon chou. Mais je t'appellerai chaque semaine. Je t'enverrai de belles histoires, des surprises, des photos.

Léandre pleurait. Il s'accrochait à mon cou comme s'il s'agissait d'un adieu définitif. Son étreinte m'étouffait, littéralement. «Mais qu'est-ce que j'ai fait?» me disais-je. Nous avons dû nous mettre à deux, son père et moi, pour arracher ses petits bras tendus et tremblants de mon cou. J'ai dévalé l'escalier à toute vitesse, aveuglée par mes larmes. Les cris et les pleurs de mon fils me suivirent jusque dans la rue.

1

L'entrevue

Le 27 octobre 1990, 22 h 58 : «C'est un *wrap*!» crie Patricio Henriquez, le réalisateur de *Nord-Sud* qui dirige l'équipe de Radio-Québec avec laquelle je suis venue faire des reportages en Afrique du Sud. Nous sommes dans le vestibule du Jamieson's Bar, une boîte de jazz du centre-ville de Johannesburg. Nous tournons, en ce moment, un documentaire sur l'histoire du jazz en Afrique du Sud avec le groupe The African Jazz Pioneers qui donne un concert ici, ce soir. Le Jamieson's Bar loge dans un sous-sol sombre et enfumé, mais la foule y est mixte et joyeuse. En ce lieu, l'apartheid n'existe pas.

Il faut cesser le tournage parce qu'à vingt-trois heures pile Patricio devra commencer à payer l'équipe technique à taux double et que notre budget est serré. Mais au moment où il sonne l'heure du départ, un grand type mince, aux traits indiens, entre avec quelques personnes et fait irruption dans le nuage de fumée. Le reconnaissant, je m'écrie : «*You're Jay Naidoo!*»

Plus tôt dans la journée, pendant que nous tournions à Soweto, c'est lui qui avait réussi à faire taire la foule de cinquante mille personnes massée dans l'Orlando Stadium, un immense stade plus reconnu pour ses rassemblements politiques que pour ses tournois sportifs. On célébrait la création de la ligue des jeunes de l'ANC (Congrès national africain). Le stade était rempli à craquer de jeunes militants survoltés.

Impossible d'oublier la scène. Les dizaines de milliers de jeunes scandaient des chants de libération et faisaient le *toyi-toyi*[1]. L'or, le vert et le noir, les couleurs de l'ANC, symboles des richesses du sous-sol, de la terre et du peuple, flottaient sous toutes les formes : drapeaux, chapeaux, manteaux, gilets, écussons, foulards.

L'équipe de *Nord-Sud* se trouvait près de l'estrade, derrière un cordon, avec des centaines d'autres journalistes. Des célébrités de la lutte anti-apartheid se succédaient sur le podium pour prononcer des discours. Walter Sisulu, compagnon de lutte et de prison de Nelson Mandela, et Joe Slovo, le secrétaire général du Parti communiste, un Blanc sud-africain qui dit «nous» en parlant des Noirs, étaient les grandes vedettes de la journée. Mais la foule était turbulente et certains groupes chantaient pendant les discours.

Et puis, un homme vêtu d'un simple jean et d'une chemise de soie rouge est monté sur la scène. Ce fut l'ovation. Dès ses premiers mots, le silence s'est imposé dans le stade. Cet homme réussissait à se faire écouter.

Je ne pouvais pas parler parce que la caméra tournait. Alors, j'ai écrit «Qui est cet Indien?» sur mon calepin et l'ai remis à notre recherchiste, Marie-Hélène Bonin, une Québécoise installée dans le pays depuis un an. Le calepin m'est revenu avec la réponse : «Jay Naidoo, secrétaire général du COSATU.» Le COSATU — pour Congress of South African Trade Unions, le Congrès des syndicats sud-africains — est la grande centrale syndicale du pays,

---

1. Les chants de libération sont des chants populaires caractérisés par de courts slogans dénonçant le régime de l'apartheid et appelant le peuple à la révolte. Ils sont souvent accompagnés du *toyi-toyi*, une danse frénétique où l'on saute en cadence en levant les genoux à hauteur de poitrine.

celle qui a mené les grèves générales contre le gouvernement de l'apartheid, à partir de 1985. J'ai passé de nouveau le carnet à Marie-Hélène : « Je veux une entrevue avec lui. »

Le soir, dans le vestibule du Jamieson's Bar, j'avais oublié cette requête, jusqu'à ce que je tombe nez à nez avec Jay Naidoo.

— Je veux une entrevue avec vous! me suis-je écriée.

Il me regarde, l'air excédé.

— Pas une autre journaliste! C'est la première fois que je sors dans un bar en un an et demi et il faut encore qu'un reporter vienne me casser les pieds! Désolé. Je ne suis pas disponible!

Avant de s'engouffrer dans le bar, il échange avec Marie-Hélène un salut discret. Ils semblent se connaître... Je laisse mon équipe et fonce à la poursuite de Jay Naidoo. Je le trouve assis à une table, avec son groupe d'amis. Je prends possession des quelques centimètres encore libres sur le bout du banc et y pose mes fesses.

En tendant ma carte de visite, j'entreprends d'expliquer à Jay Naidoo qui je suis, ce que je fais en Afrique du Sud, aussi brièvement que possible, car il n'a pas du tout l'air intéressé. Je dois presque crier tant la musique est forte. Marie-Hélène, qui m'a suivie, me tape l'épaule et me glisse à l'oreille : « Attention à Jay Naidoo! C'est un coureur de jupon! » Je lui réponds que je m'en fous, que je ne fais que lui demander une entrevue. Je continue à vendre ma salade à M. Naidoo quand Patricio, le réalisateur, vient me couper la parole.

— Il faut partir, Lucie. Je ne peux pas payer des heures supplémentaires aux gars.

— Mais j'ai Jay Naidoo avec moi! Laisse-moi organiser l'entrevue et j'arrive.

— Nous ne pouvons pas attendre. Il est tard et nous avons une grosse journée demain.

— Cinq minutes. Donne-moi cinq minutes.

— Je suis désolé, Lucie. Il faut rentrer.

— Dans ce cas, partez. Je reste.

Patricio me fait des gros yeux et part furieux.

Comment rentrerai-je à l'hôtel? Il paraît que les taxis ne se hasardent pas dans ce coin de la ville le soir parce que c'est trop dangereux. Je verrai bien. Pour l'instant, je dois obtenir cette entrevue.

Je reprends mon monologue, et cette fois-ci, c'est Jay Naidoo qui m'interrompt.

— Écoute. Tu peux rester, mais à une condition : qu'on ne parle ni de politique ni de travail. C'est ma première soirée de congé depuis très longtemps et j'accompagne des collègues syndicalistes scandinaves. J'aimerais qu'ils se divertissent. Et moi aussi, j'ai envie de m'amuser pendant quelques heures.

— Pas de problème.

Mais je me dis que je finirai bien par le persuader de m'accorder une entrevue d'ici notre départ, dans deux semaines. Ensuite, je pourrai aller me coucher.

À peine quelques minutes plus tard, Jay tourne le dos à ses collègues et se fait de plus en plus volubile. Nous conversons à bâtons rompus, discutant de tout et de rien, de son désir de rire, de son besoin de pleurer sans en être capable. La conversation devient vite intime. Nous parlons beaucoup de nos mères, car la sienne vient de mourir. Il y a tant de choses, me confie-t-il, qu'il aurait aimé lui dire et faire pour elle avant qu'elle ne meure. Les regrets de Jay et sa peine, privée du soulagement des larmes, m'émeuvent. J'ai l'impression qu'en quelques minutes cet étranger est devenu un ami intime.

Nous nous défoulons sur la piste de danse au rythme de la musique des African Jazz Pioneers. Après avoir dansé tout notre soûl, nous nous assoyons au bar, où Jay me montre du doigt les multiples bouteilles de boisson. Ses émotions sont toutes enfermées dans des bouteilles de couleurs et de formes différentes, comme celles-là. Mais, dit-il, savoir étouffer ses émotions est une des règles de survie pour un militant politique en Afrique du Sud.

Il est deux heures trente du matin. Je n'ai pas encore osé rompre notre «pacte». Je n'ai parlé ni d'entrevue, ni de politique, ni de travail...

— Je dois partir, Jay. Une rude journée de travail m'attend, demain.

— Comment te rends-tu à ton hôtel?

— En taxi.

— Tu es complètement cinglée? Tu n'auras jamais de taxi! Je te raccompagne à pied.

— Non. Je suis certaine que ça ira. Après tout, l'hôtel n'est pas très loin.

— Ici, le danger n'a rien à voir avec la distance. J'insiste. Partons. De toute façon, moi aussi, je suis fatigué.

Plongés dans une conversation intense, nous marchons dans les rues noires de Johannesburg, oubliant les risques possibles de parler à voix haute d'une façon si nonchalante, comme on le ferait en plein jour dans les rues de Montréal. Nous bifurquons bientôt dans une rue piétonne. Tous les commerces sont barricadés derrière de lourdes grilles de métal en forme d'accordéon. Les petites lumières rouges des systèmes d'alarme clignotent à l'intérieur des boutiques.

Le silence règne, presque lugubre, lorsqu'un groupe de cinq jeunes, sortis d'on ne sait où, bondissent devant nous. Ils étaient cachés et, de toute évidence, attendaient les premiers passants. L'un d'eux me brandit un couteau sous la gorge. Un autre m'agrippe le bras. Ils veulent notre argent, nos bijoux, nos montres. Notre vie? Immédiatement, Jay passe à l'offensive en se plantant entre eux et moi. Il leur ordonne de déguerpir, sans aucune hésitation qui pourrait laisser transparaître la peur. Alors, coup de chance, l'un d'eux le reconnaît! L'agresseur s'excuse au nom des autres et tous s'enfuient.

En se tournant vers moi, Jay présente à son tour des excuses, comme s'il se tenait pour responsable de l'incident. Il m'explique qu'il y a tant à accomplir pour rebâtir ce pays où les jeunes sont enragés et ne reconnaissent même plus la valeur de la vie. Il voudrait changer cela, dit-il. Ce à quoi il aspire, c'est donner à l'Afrique du Sud un nouveau visage. Rhétorique d'un politicien ou conviction sincère d'un sage? Je ne connais Jay Naidoo que depuis quelques heures, mais, pour une raison que j'ignore, je sais déjà que cet homme est foncièrement honnête et vrai.

Nous arrivons finalement à l'hôtel. Je ne peux pas le laisser partir sans lui demander cette entrevue. Je me risque à poser la question qui me brûle les lèvres depuis des heures.

— Tiens, répond-il simplement, voilà le numéro de mon secrétaire. Appelle-le. Il arrangera quelque chose.

Nous nous regardons, gênés par le silence qui s'est soudain installé entre nous. Comment se dire au revoir après une si belle soirée? Je me sens à la fois une étrangère et une amie. Cet homme est beau, physiquement beau, et une spiritualité profonde émane de lui. Je brise finalement la glace en lui souhaitant bonne nuit. Nous nous embrassons. Un simple baiser sur la bouche. Mais il dure une seconde de plus qu'un baiser ordinaire. Une petite seconde.

* * *

Le lundi suivant, j'appelle le secrétaire de Jay. Comme il est absent, je laisse un message à la réceptionniste, avec le numéro de mon téléavertisseur. Mardi, et les jours suivants, c'est le même scénario. Nous abandonnons finalement l'idée de cette interview et entreprenons des recherches en vue de trouver un autre porte-parole des syndicats. Mais le dimanche, alors que nous sommes en plein tournage, mon téléavertisseur sonne.

— Tiens! C'est Jay Naidoo! Il a peut-être accepté de nous accorder une entrevue.

— Rappelle-le tout de suite, suggère Marie-Hélène.

Au bout du fil, Jay n'aborde pas du tout le sujet de l'entrevue, mais m'invite plutôt à souper chez lui. Je cache mal ma surprise.

— Souper? Quel genre de souper?

— Un petit souper simple à la maison. C'est moi qui cuisine. Alors?

Je ne peux m'empêcher d'accepter. Je veux à tout prix avoir cet orateur hors pair dans mon documentaire. Marie-Hélène me répète son avertissement : «Attention, c'est un coureur de jupon!»

Jay m'a donné quelques indications vagues pour me rendre chez lui. Mais le chauffeur de taxi se perd, disant venir très rarement dans cette partie de la ville. J'ai peur. Tout ce qui bouge est une cible. Dans le quartier délabré où nous pénétrons, les maisons sont tristes, désolantes, tassées les unes sur les autres. Les rues sans lampadaires sont désertes. De toutes mes lectures sur ce pays, aucune ne laissait deviner le silence total, le calme plat qui pèse sur la ville le soir venu. J'ai lu des articles sur la violence, le sang, les combats que se livrent les différentes factions, les bancs publics réservés aux Blancs, ou les maladies infantiles dont sont victimes les enfants noirs. Mais rien sur le silence pétrifié des soirées de Johannesburg. Où se cache la guerre, le soir?

Après de nombreux détours, nous arrivons à destination. Jay Naidoo habite une maison planquée derrière un immense mur jauni et dont seul le toit est visible, couvert de tuiles rouges. Tout est fermé à clé, la barrière de l'entrée, les deux portes de la cour intérieure et la porte de la maison. J'entends les clés qui ouvrent, une à une, les serrures. Jay vient m'ouvrir la porte dans la cour. Il m'accueille sans grand enthousiasme. Bizarrement, il me traite comme une journaliste indiscrète venue perturber sa vie intime. Son attitude s'explique-t-elle par la timidité? Il me présente Colette, la propriétaire de la maison chez qui il loue une chambre. Elle est sur le point d'aller manger chez des amis. Est-ce Jay qui lui a demandé s'il pouvait avoir la maison pour lui seul ce soir? Je pense à l'avertissement de Marie-Hélène. Ce ne sont pas les mésaventures avec les hommes qui manquent dans ma vie. Des patrons, des collègues, des amis, un médecin, même, m'ont agressée. Mais curieusement, je me sens plutôt en confiance avec ce Jay Naidoo.

C'est lui qui a tout préparé. Du curry au poulet, du dahl et du riz, des plats qui me sont très familiers et que je cuisine moi-même, depuis mon voyage en Inde il y a quatre ans. Jay se sert une assiette et m'invite à faire de même, puis va s'asseoir devant la télévision! Vexée, je m'apprête à formuler une remarque un peu crue lorsqu'il m'invite à prendre place sur le canapé en précisant que l'heure du journal télévisé est sacrée pour lui. Au bulletin d'informations, on rapporte, encore, des nouvelles atroces. D'autres morts. Chaque soir, on fait le décompte des assassinats politiques, des victimes d'affrontements entre groupes rivaux ou avec la police. C'est la réalité de tous les jours…

Après le journal télévisé, Jay est enragé. Peiné. Il parle avec passion. Il pose des questions et, sans attendre la réponse, affirme que ce qui manque dans ce pays, sur ce continent, sur cette planète, c'est le respect de la dignité de chaque être vivant. Je l'écoute. Je veux cette passion dans mon documentaire. Puis, soudain, de but en blanc, il m'invite à le suivre dans sa chambre. Marie-Hélène… Il explique que sa chaîne stéréo s'y trouve et qu'il a envie d'écouter de la bonne musique.

La pièce est petite, encombrée de centaines de livres et de disques compacts. Il en fait jouer un d'Édith Piaf. Voilà la tactique qu'il a imaginée pour séduire une *French lady*! La conversation devient plus diffuse. Nous sommes assis par terre. Puis, d'un geste calculé, mais si doux, il me prend la tête et m'embrasse. Plus rien n'existe.

Marie-Hélène avait raison…

* * *

Six heures du matin. Il faut que je parte! Je me sens coupable. Mon équipe, le tournage… Quel sort me réserverait-on s'il fallait qu'on apprenne que j'ai couché avec quelqu'un que nous voulons interviewer? Jay me dit de ne pas paniquer, qu'il va me déposer à l'hôtel. Il est si calme. Il rit. En descendant de la voiture, je le supplie de me donner un rendez-vous pour notre tournage. Je ne pouvais tout de même pas revenir de ce souper «d'affaires» sans une promesse d'entrevue! Il ouvre son agenda, tourne les pages noircies et trouve une fenêtre de trente minutes.

À six heures et demie, je me précipite sous la douche de ma chambre d'hôtel. Je n'ai dormi que quelques heures. Mais je me sens en pleine forme! Nous nous reverrons ce soir.

Après une intense journée de tournage, je soupe avec mes collègues, puis nous nous retirons dans nos chambres, toutes voisines. J'attends quelques minutes que tout le monde disparaisse, et ressors ensuite en douce, en prenant soin d'accrocher à la poignée de ma porte l'avertissement de «ne pas déranger».

Je prends un taxi et me rends chez Jay. Il m'attend. Nous allons au cinéma dans un quartier riche de la ville — Rosebank. J'ai passé la journée dans des townships noirs en banlieue de Johannesburg, à tourner des reportages sur une autre réalité de ce pays. Le contraste est criant. Ici, les sièges de cinéma sont ultra-confortables, les toilettes, impeccables. Le centre commercial où se trouve le cinéma est luxueux. L'argent et l'or brillent dans les vitrines et au cou des femmes. Jay est le seul Noir dans la salle de cinéma. Ça devient notre sujet de conversation. Même s'il est d'origine indienne (un million de Sud-Africains sont des descendants d'immigrants venus de l'Inde pendant la colonisation britannique), Jay se considère comme un Noir. Il m'explique que les militants anti-apartheid se sont tous réunis sous l'identité «noire», peu importe que la loi sur la classification raciale, le *Population Registration Act*, les identifie comme étant des Africains, des Métis ou des Indiens.

Après le film, nous retournons chez lui où, encore cette nuit-là, je me laisse aller à savourer le moment présent. J'ai l'impression que c'est la première fois de ma vie que je m'abandonne ainsi, surtout avec un homme que je viens à peine de rencontrer!

Nous nous levons à six heures du matin. Jay me dépose de nouveau derrière l'hôtel. J'arrive à ma chambre à sept heures, cette fois. Je décroche l'affichette NE PAS DÉ-RANGER et saute sous la douche. Trente minutes plus tard, je descends déjeuner.

— Où étais-tu? me demande Patricio.

— Comment, où j'étais? J'étais là!

— J'ai frappé à ta chambre à six heures trente, mais tu n'y étais pas, dit-il d'un ton accusateur et sec, comme il en a l'habitude avec moi.

— Ah! Ce matin, je ne dormais pas. Je suis allée marcher un peu au centre-ville, dis-je, en sentant la rougeur envahir mon visage.

— Nous avions un tournage à faire à la gare!

— Mais tu ne me l'avais pas dit!

— Non, j'ai décidé ça ce matin, mais on ne te trouvait pas.

— Désolée.

Je me tais avant d'avoir à proférer d'autres mensonges. J'ai honte de ce que j'ai fait. Mais en même temps, je suis heureuse.

Le lendemain matin, nous nous rendons au siège social du COSATU, au centre-ville, pour l'entrevue avec Jay. On nous fait attendre dans une minuscule pièce où nous commençons l'installation de l'équipement. Sipho, le secrétaire du grand patron, vient me chercher : «*Comrade Naidoo would like to see you.*» Camarade Naidoo. C'est la formule des communistes. Pourtant, Jay Naidoo n'est pas, à proprement parler, un communiste. Il n'a jamais été membre du Parti communiste sud-africain. Mais le syndicalisme sud-africain a été fortement influencé par le communisme, et les militants anti-apartheid ont reçu l'appui concret du bloc soviétique bien avant que leur lutte ne réussisse à émouvoir les Occidentaux.

Le bureau de Jay est petit, on ne peut plus modeste et bien ordonné. Il n'y a qu'un seul dossier ouvert sur sa table de travail, qu'il referme aussitôt que j'ai franchi le seuil de la porte. Je suis mal à l'aise. Je prends place sur la chaise devant son simple meuble en bois. Je me sens paralysée par l'ambiguïté de la situation. Il sourit, et rit, même. Il me fait du pied sous la table tout en parlant. Nous planifions l'entrevue, puis allons rejoindre l'équipe.

Durant l'interview, j'oublie nos quelques nuits d'aventure et me mets dans ma peau de journaliste. Plus rien n'existe que mon travail. Pour lui non plus. Il est le syndicaliste et militant passionné que j'ai écouté, le 27 octobre 1990, au stade Orlando, à Soweto. Jay est un orateur-né. Je l'écouterais longtemps, mais je dois clore cet entretien. Il se lève aussitôt l'entrevue terminée et salue toute l'équipe. La poignée de main qu'il me donne est très professionnelle. Personne ne pourrait se douter de quoi que ce soit. Je suis soulagée que ce travail soit fait! Ce soir même, notre vie clandestine reprendra.

En fin de journée, les membres de l'équipe sortent ensemble pour aller souper, mais je feins la fatigue et leur dis que je vais me coucher. Après leur départ, je vais plutôt rejoindre Jay dans un restaurant indien de Yeoville, un des rares quartiers de Johannesburg qui restent animés jusque tard dans la nuit. On y vend de la drogue et du sexe. Mais le petit restaurant asiatique dans lequel nous pénétrons nous fait vite oublier le brouhaha extérieur. L'endroit est modeste et chaleureux. Les petites tables sont recouvertes de simples nappes fleuries sur lesquelles on a déposé une rose et une bougie. Un parfum d'encens complète le tableau tout à fait romantique. Jay a bien choisi. Et comme si cela ne suffisait pas, pendant le repas, la pièce d'Édith Piaf qu'il avait fait jouer l'autre soir pour me séduire résonne dans le restaurant. Surprise, j'accuse Jay de complot avec la propriétaire des lieux, qu'il connaît vaguement. Mais il me jure qu'il n'a rien à voir avec cette coïncidence !

Jay parle d'une voix toute douce. Je dois tendre l'oreille pour l'entendre. Tout en mangeant, nous parlons de nos vies. Il lui est difficile d'évoquer des souvenirs qui ne soient pas politiques.

— Quand j'avais quatre ans, raconte-t-il, le gouvernement a forcé ma famille à déménager parce que nous n'étions pas de la bonne race. Les Blancs voulaient s'approprier le quartier où nous habitions. Je m'en souviendrai toujours. C'était la politique des « pelles mécaniques » : on rasait des quartiers entiers pour faire place nette. Les Blancs s'emparaient des territoires qui leur plaisaient.

Je lui pose des questions au sujet de Gandhi, qui a vécu vingt et un ans en Afrique du Sud avant de regagner l'Inde dont il deviendra le libérateur. Mais Jay ne s'identifie pas du tout au leader indien. Pour lui, se dire Indien, ce serait confirmer la séparation des races imposée par les lois de l'apartheid. Ce serait accepter ce régime raciste. Les militants anti-apartheid se battent pour un pays sans différences, où être Sud-Africain, quelle que soit la couleur de sa peau, veut dire la même chose pour tous.

— Je ne suis pas Indien. Je suis Sud-Africain. Un Sud-Africain noir!

Le ton sur lequel il affirme son identité ne laisse aucune place à la contradiction.

— Mais tu es si indien dans tes manières!

— Comment ça, je suis si *indien*?

— La façon dont tu manges, dont tu penses, dont tu agis, tout cela est imprégné par l'Inde.

Ce jour-là, 7 novembre 1990, c'est moi qui initie Jay à l'Inde, au pays de ses ancêtres. Jay fait partie de la troisième génération née en Afrique du Sud. Mais il lui faudra des années avant d'accepter qu'il puisse être à la fois Sud-Africain et d'origine indienne. Je n'insiste pas trop. J'essaie plutôt d'écouter, de saisir ce que cela signifie d'être un Sud-Africain noir et d'avoir été pourchassé par la police pendant des années. Toute personne qui milite contre l'apartheid est une cible pour le gouvernement, et Jay, en tant que leader des syndicats, compte parmi les cibles les plus importantes. Il me raconte que pendant deux ans il changeait continuellement de résidence, pour éviter la prison. Deux années passées à courir, le jour, la nuit, tout le temps; courir pour pouvoir continuer à travailler, à se battre; courir, déguisé en avocat, en comptable ou en médecin, c'est-à-dire en veston et cravate, en se rasant la moustache et la barbiche, pour avoir le moins possible l'allure d'un militant syndicaliste enragé. Je l'écoute attentivement. J'essaie de comprendre ce que cela veut dire de donner sa vie pour la cause. Je lui demande finalement où il trouve le temps pour une vie personnelle, amoureuse.

— Je ne peux pas avoir de relation amoureuse, répond-il. Mon travail occupe quatre-vingt-quinze pour cent de mon temps. Et les cinq pour cent qui restent, c'est pour dormir.

Cette nuit-là, je n'ai, moi non plus, pas beaucoup dormi. En arrivant à l'hôtel, je reprends, presque machinalement, la petite affiche NE PAS DÉRANGER. Je suis vannée. Je commence à sentir les effets de ma double vie. Elle prendra fin dans quelques jours.

Le lendemain, nous tournons à Soweto dans un *hostel* pour hommes noirs, travailleurs des mines. Des centaines d'hommes, pauvres, désespérés, enragés, soûls, sont entassés dans d'affreuses constructions en ciment. Ça pue la merde jusque dans les cuisines. Il paraît qu'on n'a pas souvent vu une femme blanche s'aventurer sur le «territoire» d'un *hostel*. Avec le développement de la lutte contre le régime, ces refuges pour hommes sont devenus des fiefs politiques contrôlés par différents partis — ANC, Inkatha, PAC — et leurs factions armées. Chaque hostel constitue une forteresse de cette guerre civile larvée que se mènent les différentes factions pour le contrôle des townships.

Dans celui où nous nous trouvons, c'est l'Inkatha qui règne. Je fais une courte entrevue avec le leader local, qui est un peu ivre et agressif. Puis, en parcourant l'édifice, je rencontre un type en train d'aiguiser une hache. Une arme parmi tant d'autres. Un peu naïvement, je fais une remarque sur la violence et je prononce les trois lettres qui sont taboues ici : ANC. Le type bondit de son tabouret, me prend au cou et y approche le tranchant encore chaud de sa hache en disant : «On ne prononce pas ce mot ici!» Je suis tétanisée. Il se rassoit et ne dit plus un mot.

Quinze minutes plus tard, je reçois un message sur mon téléavertisseur : confirmation d'une entrevue avec Nelson Mandela! Je n'y croyais plus. Après des mois d'efforts, le chef de l'ANC accepte enfin de nous recevoir. Je préfère ne pas penser à ce qui me serait arrivé si l'homme à la hache avait lu ce message…

Le matin du dernier jour de tournage, nous faisons nos valises avant de partir pour Soweto, car l'entrevue avec Nelson Mandela n'aura lieu que deux heures avant notre départ pour l'aéroport. La demeure du couple Mandela contraste avec celle des voisins de ce quartier de Soweto. La maison est spacieuse et compte de nombreux systèmes de sécurité, allant de murs munis de fils barbelés et électriques jusqu'à une équipe de gardes armés. Nelson Mandela sort sur la terrasse de la cour arrière où nous l'attendons. Il a le sourire franc et donne des poignées de main chaudes et énergiques. Il salue tous les membres de l'équipe de la même façon, ne faisant aucune distinction entre le réalisateur — le patron — et le preneur de son. Il prend le temps de nous poser des questions sur notre bien-être général et sur notre pays, puis nous invite à nous asseoir sous le parasol. Je commence l'interview en lui disant : « Vous avez passé l'équivalent de ma vie en prison. » Il sursaute. En effet, j'ai vingt-huit ans et il vient d'en passer vingt-sept derrière les barreaux...

On lui pose sûrement les mêmes questions depuis des mois : « Comment se porte le pays ? Quels sont les principaux défis, maintenant ? Pourquoi la montée de la violence ? À quand le grand jour d'*une personne, un vote* ? » Nelson Mandela se prête néanmoins de bonne grâce au jeu. C'est un habile orateur et sa lucidité agit comme un fouet sur la conscience. Son calme surprend, tant il est intense. Mandela est un homme posé. Il ne nourrit aucun désir de vengeance. Il doit négocier avec ceux-là mêmes qui l'ont maintenu en prison durant toutes ces années. Pendant ses vingt-sept ans d'emprisonnement, il s'est familiarisé avec la culture et l'histoire des Afrikaners, dévorant quantité de livres sur ces sujets. Il a appris leur langue et cherché à comprendre ce qui fait battre le cœur de ce peuple. Il faut une certaine grandeur d'âme pour comprendre et respecter son oppresseur.

Nous sommes tous envoûtés par ses paroles, par sa simple présence. Une énergie émane de lui, inexplicable mais presque palpable. Pour toute l'équipe, cette rencontre restera un moment précieux passé en compagnie d'une des légendes vivantes du XXᵉ siècle.

Je quitte l'Afrique du Sud éblouie par son peuple, par les différentes cultures, par la magie des chants de libération. Et j'emporte avec moi le souvenir d'un grand bonheur : celui des heures passées en catimini avec Jay. Je ne le reverrai jamais. Du moins, c'est ce que je me disais chaque minute que je passais en sa compagnie. Je m'étais consciemment et volontairement forgé un cœur de pierre pendant mes nuits d'amour. Ce matin, j'étais prête pour les adieux. Heureuse, même. Car le souvenir de ces moments bien à moi, de mon doux secret, me ferait sourire toute ma vie.

À six heures du matin, dans la rue derrière mon hôtel, Jay m'avait déposée pour la dernière fois. Il avait serré mes mains dans les siennes, et avait tout simplement dit : «C'était beau. C'était bon. Merci.» Et j'avais répondu : «Je te souhaite une belle vie!» En refermant la portière, je croyais ne plus jamais le revoir.

2

Partir ou rester?

Le jour de mon anniversaire, le 29 novembre 1990, il fait déjà noir sur Montréal quand je rentre de travailler. L'hiver est à nos portes et je songe aux vêtements appropriés à ressortir et aux fenêtres à calfeutrer. Dire qu'il y a quelques semaines j'étais en plein printemps sud-africain. Dans l'hémisphère Sud, les saisons sont inversées par rapport à celles de l'hémisphère Nord. La période des fêtes de Noël représente, là-bas, le début des vacances d'été.

Je revis quotidiennement mon voyage en Afrique du Sud, car, tous les jours, je travaille au montage des documents que nous y avons recueillis. En revoyant les scènes des tournages avec Jay, j'ai un petit pincement au cœur. Son discours devant la foule du stade Orlando me donne des frissons à chaque visionnement.

En rentrant à mon appartement de la rue des Écores, dans le quartier Rosemont, j'ai un message de lui, justement, sur le répondeur. Il me souhaite un joyeux anniversaire pour mes vingt-neuf ans. Il dit qu'il a bien aimé le temps passé avec moi et me souhaite bonne chance dans mes projets.

Je le rappelle le lendemain matin. Nous parlons longuement. Et puis, une idée farfelue me passe par la tête. Je l'exprime sans même réfléchir aux conséquences :

— Qu'est-ce que tu fais aux fêtes?

— Je ne sais pas encore. Et toi?

— Je vais dans l'Arctique québécois visiter ma mère. Elle y enseigne aux Inuits. Viens-tu?

— Où?

— À Umiujaq, au pôle Nord! Viens-tu?

Nous rions.

Il viendra.

La veille du Jour de l'an, nous nous retrouvons à Umiujaq. Le village inuit, sur la côte de la baie d'Hudson, compte environ deux cent cinquante personnes. La mer est gelée. Les vagues sont immobilisées dans leur mouvement, comme par magie. La petite agglomération bourdonne sous le bruit des motoneiges filant à toute vitesse. Elles circulent un peu partout de façon assez anarchique, car il n'y a pas de chemins.

À minuit, on tire des coups de carabine dans la neige pour marquer le début de l'année 1991. Jay sursaute. Ce son, familier pour lui, n'accompagne habituellement pas les réjouissances...

Nous allons à la pêche sur glace, nous faisons des excursions en motoneige et en traîneau à chiens, des balades en ski et des glissades en luge sur les dunes de neige. Nous nous amusons comme des fous. C'est blanc. C'est beau. C'est pur.

Jay et moi tombons amoureux dans la neige, à cinquante degrés au-dessous de zéro...

Au chaud, dans l'appartement de ma mère, Jay me demande :

— Pourquoi ne viens-tu pas vivre avec moi en Afrique du Sud?

— Mais t'es fou! J'ai un fils en garde partagée. C'est impossible!

— Bien sûr.

Nous voilà plongés dans un amour impossible. Jay ne peut quitter l'Afrique du Sud, car il constitue l'un des rouages principaux de la lutte contre l'apartheid. Il a une mission à accomplir, bien que je ne comprenne pas encore tout ce que cela signifie. Quant à moi, je ne prendrai certainement pas le risque de tout laisser pour un homme, pour un amour...

Mais je suis torturée. Et si c'était là l'occasion de réaliser mon rêve d'être correspondante à l'étranger? Depuis longtemps, je désire vivre cette aventure, celle d'exercer mon métier dans un pays tout à découvrir. M'exposer à une autre culture, à une réalité différente. Toute petite, déjà, je savais que je voulais voyager en accomplissant une mission précise, mais j'ignorais encore quel métier me permettrait de concrétiser cette aspiration. Après avoir obtenu mon baccalauréat en journalisme, je suis partie pendant un an en Asie, sac au dos et micro à la main. Pendant ce périple, je me suis retrouvée à Beijing, en Chine, à quêter un lit chez Jean-François Lépine qui y était à l'époque correspondant pour Radio-Canada. Il m'avait épatée. J'admirais sa rigueur journalistique et son dynamisme à toute épreuve. Il m'avait parlé de l'exaltation que procure le travail de correspondant à l'étranger. Pour moi, ce fut une révélation. C'était ça que je voulais faire. Devenir correspondante à l'étranger. Et voilà maintenant que se présente peut-être l'occasion de réaliser ce rêve si cher. L'Afrique du Sud m'a séduite. Je me vois bien y vivre, un an ou deux.

Mais non, c'est impossible. Léandre...

* * *

Jour de la Saint-Valentin, 1991. Les relations entre les syndicats d'Afrique du Sud et ceux de l'AFL-CIO (American Federation of Labour — Congress of Industrial Organizations) aux États-Unis changent de cap après des années de discorde. Jay Naidoo a en effet séjourné quelque temps à Miami avec pour mandat de construire des relations avec la puissante centrale américaine. Ce que les

31

dirigeants de l'AFL-CIO ne savent pas, toutefois, c'est que Jay Naidoo avait d'autres idées en tête que la coopération syndicale internationale en acceptant ce voyage aux États-Unis. «Dire que les relations syndicales internationales ont changé parce que je voulais te voir!» me dira-t-il un jour.

Nous nous retrouvons à New York. L'amour est encore au rendez-vous, même si, parfois, j'espérais qu'il meure... Pour m'éviter d'avoir à prendre des décisions impossibles...

— J'ai une surprise pour toi.

— Quoi? dis-je, intriguée.

— Il faut s'y rendre à pied. Viens.

Nous marchons longtemps dans Central Park, au cœur de Manhattan. Il fait froid. Nous avons les oreilles glacées. J'interroge Jay au sujet du petit colis qu'il a dans la main.

— Attends. Le moment n'est pas parfait. Il faut que tout soit parfait, dit-il.

Finalement, nous arrivons au Strawberry Fields Park, juste devant l'appartement où John Lennon a habité et qui surplombe l'arbre sous lequel nous nous installons.

De son paquet, Jay sort un livre, un recueil de poèmes de Pablo Neruda, le poète chilien. Neruda est un romantique, passionné et doux, comme l'homme qui se met à lire ses poèmes devant moi. Il en lit deux, trois, quatre, tantôt avec vigueur, parfois avec douceur, toujours avec des gestes à l'appui. Je suis séduite, mais perplexe.

Et puis, d'un petit sac en papier chiffonné, il sort une bague d'une qualité douteuse.

— Lucie, veux-tu m'épouser?

Je reste bouche bée. Je ne trouve qu'une chose à dire :

— Je vais y penser.

C'est au tour de Jay de rester bouche bée. Il s'attendait à tout, sauf à ça!

— Tu es la seule femme à qui j'ai demandé de m'épouser. Tu es la seule femme dont j'ai rencontré les parents.

Je ne doute pas de son amour. Mais il me faut une vie bien à moi. Je ne peux m'imaginer tout abandonner pour suivre un homme.

— Jay, je n'irai dans ton pays que si je peux y travailler. Il faut que je fasse des recherches de ce côté.

* * *

Je propose mes services à titre de correspondante à l'étranger. Partout, la réponse est à peu près la même : « Avec la libération de Nelson Mandela, il est certain qu'il y a maintenant de la matière à nouvelles en Afrique du Sud, mais... »

Je rencontre Gilles Le Bigot, responsable de l'affectation des correspondants étrangers à la radio de Radio-Canada. Il a déjà, dit-il, une correspondante française en Afrique du Sud, Ariane Bonzon. Mais celle-ci pense quitter Johannesburg « bientôt ». Lorsqu'elle partira, il me donnera ma chance, dit-il.

L'autre question, plus cruciale encore, est celle de Léandre. Comment donner suite à un tel projet *avec* mon fils ? La solution serait si simple si je pouvais l'emmener vivre là-bas avec moi. Mais son père s'y opposerait certainement. La garde partagée est-elle possible, entre deux continents ? Il faut d'abord que j'en parle à Léandre. J'ai besoin de voir sa réaction.

— Que dirais-tu de cent quatre-vingts dodos chez papa, puis cent quatre-vingts dodos chez maman au lieu de sept dodos, sept dodos, comme maintenant ?

— Cent quatre-vingts, c'est beaucoup ?

Silence. Ses grands yeux bruns me questionnent. C'est l'inquiétude qui parle.

— Maman, ça fait combien, cent quatre-vingts dodos ?

Je compte à haute voix jusqu'à cent quatre-vingts. Léandre reste bouche bée, comme une statue. À partir de ce moment, il viendra dormir avec moi la nuit, chose qu'il n'avait jamais faite auparavant. Je suis moi-même torturée. Pourrais-je vivre six mois sans mon fils?

Mes amies me disent de foncer. Ma mère aussi. Mon père me demande de bien réfléchir...

Il faut que je prenne une décision. Partir ou rester? Vivre ou oublier mon rêve? Oublier Jay?...

Une nuit d'insomnie, après quatre mois d'agitation nocturne, les mots suivants sortent de ma bouche, tout haut, comme pour dire assez, c'est assez!

«Si je ne le fais pas maintenant, je ne le ferai jamais! Et puis, je peux toujours revenir!»

J'organise une grande vente-débarras. Ma mère et mes amies m'appuient dans toutes mes démarches, mais scrutent continuellement mes états d'âme. Elles sont inquiètes. «Es-tu toujours certaine de ton affaire?» Oui, oui.

Mais le 1er juillet 1991, seule au milieu de mon appartement vide, je ne sais plus. Léandre... Cela fait des mois que nous parlons de mon départ. «Cent quatre-vingts dodos, maman, c'est beaucoup, non?» Il est trop tard pour reculer...

Ni l'un ni l'autre nous ne savons vraiment dans quelle aventure je m'apprête à nous entraîner.

Léandre, mon amour, Léandre. Quand tes yeux se sont posés sur moi, étonnés, apeurés, j'ai fondu. J'ai pleuré. J'ai pleuré des jours et des nuits. Le choix que j'ai fait a été le plus difficile de ma vie.

État de choc

Mes dictionnaires et mes vêtements tournent en rond sur le carrousel de l'aéroport international Jan Smuts, de Johannesburg. J'ai les genoux qui tremblent.

Comme un robot, je prends mes valises et les place sur un chariot. Je n'éprouve aucune sensation. Mon cerveau est embrouillé. Mon corps, anesthésié. Je viens de laisser Léandre. Je suis en état de choc.

Je passe par l'allée rouge — oui, j'ai quelque chose à déclarer! C'est trop lourd à porter de toute façon. Et puis ça fait mal. Mais le douanier me dit que l'on n'est pas tenu de déclarer ses peines, qu'il est tout à fait légal de les importer.

J'arrive aussi avec mon «infirmité». Je ne suis ni sourde, ni muette, ni manchote, ni paraplégique. Je souffre de honte chronique. Lorsque je me regarde dans la glace, mon image me rend mal à l'aise. Je ne me sens jamais à la hauteur. La faible estime de soi est un mal qui touche une grande proportion des gens. Et les femmes, en général, en souffrent plus que les hommes...

J'ai toujours fait semblant d'être forte et à l'épreuve de tout. Et j'apprendrai vite que faire semblant d'être fort, en Afrique du Sud, peut parfois vous sauver la vie. Mais le soir, seule dans mon lit, je redevenais l'autre, celle qui doute. Moi et l'autre habitions le même corps. Celle qui blague et qui sourit, et celle qui veut se cacher sous le tapis. Et voilà qu'un des pires sentiments est venu s'ajouter à mon handicap : celui d'être une mauvaise mère. Car quelle «bonne» mère laisserait son enfant à l'autre bout du monde pour réaliser un rêve?

Jay m'attend à l'aéroport. Il n'a aucune idée de mon état intérieur. Il n'a aucune idée de ce que cela peut vouloir dire que de laisser son enfant. Il m'accueille avec Nisha, sa sœur, et Sagaren, son beau-frère. Tous affichent un beau sourire franc. Ils ne savent rien du déluge qui se déverse en moi et qui finira par rompre toutes les digues.

Coupable

Une semaine après mon arrivée, je me retrouve dans la salle d'audience d'une cour de justice. Quatre accusés noirs. Un juge blanc. Jay est assis dans le box des accusés...
— Tout va bien se passer, m'avait-il assuré.
— Mais se peut-il que tu sois envoyé en prison?
— Oui, c'est possible.

Il m'avait répondu avec un air nonchalant, comme si rien n'était plus anodin qu'un séjour de quelques années en prison. Je m'apercevrai d'ailleurs très vite qu'en Afrique du Sud on inscrit fièrement ses années de prison sur son curriculum vitæ. «Trois ans en prison? C'est tout? Moi, j'en ai fait douze!» ai-je déjà entendu dans une soirée. Ou encore : «Regarde ce type là-bas, il a passé quinze ans en prison!» On se dit alors que ce doit être quelqu'un de bien. Et on compatit avec celui qui n'a jamais été emprisonné : «Pas de prison? Ah! C'est dommage. Ça manque à ton CV!»

Cette fierté remonte à l'époque de la Campagne de défi (*Defiance Campaign*) de 1952, qui fut l'acte de baptême d'une nouvelle génération de leaders de l'ANC, celle des Nelson Mandela, Walter Sisulu, Oliver Tambo, James Moroka et plusieurs autres. Quatre années auparavant, en 1948, le Parti national afrikaner de Daniel Malan avait pris le pouvoir et entrepris un ensemble de réformes en vue de créer un paradis blanc sur la pointe australe de l'Afrique. Après son élection, le premier ministre Malan avait déclaré : « Aujourd'hui, nous reprenons possession de l'Afrique du Sud. » Le nationalisme afrikaner venait de triompher, quarante-six ans après sa défaite dans la guerre entre les Anglais et les Boers. Une série de lois visant à maintenir et à renforcer la ségrégation raciale furent adoptées et formèrent cette politique dite d'apartheid.

Une des premières lois du gouvernement Malan fut le *Group Areas Act,* un des piliers de l'apartheid, qui attribuait un territoire géographique résidentiel particulier selon la classification raciale. L'appropriation du territoire était la clé du régime. Ainsi, en vertu de diverses lois régissant la terre, le gouvernement nationaliste a attribué quatre-vingt-sept pour cent du territoire sud-africain à onze pour cent de la population, c'est-à-dire aux Blancs. Les treize pour cent restants étaient divisés en dix bantoustans pour les dix peuples bantous, c'est-à-dire les nations noires. La carte géographique de certains de ces bantoustans, dont celui du Kwazulu, réservé aux Zoulous, avait l'aspect d'une peau de léopard, allouant aux Noirs quelques poches de territoire éparpillées comme autant d'îles dans un archipel. Il s'agissait en général des régions les plus arides du pays.

C'est pour quitter la misère des bantoustans que les hommes se sont rapprochés des villes pour y trouver du travail, souvent dans les mines d'or ou de diamant. C'est ainsi que des townships ont pris naissance autour des villes blanches. Les hommes qui y vivaient n'avaient le droit de se trouver dans la ville blanche que pendant certaines heures du jour et certaines périodes de l'année, pour autant qu'ils soient munis de leur permis.

En 1952, l'ANC, influencé par Gandhi, préconisait la résistance passive aux lois les plus iniques, à commencer par les *pass laws*, différentes lois imposant aux Noirs de porter un permis (une « passe ») pour se déplacer entre leur lieu de résidence et leur lieu de travail. Pour bien des gens, ce furent les lois les plus humiliantes, car la police les arrêtait dans la rue pour vérifier leur permis de circuler sur le sol de leur propre pays!

Les participants à la Campagne de défi refusaient de porter leur permis, défiaient d'autres lois, dont celle qui interdisait d'appartenir au Parti communiste, organisaient de grandes manifestations pacifiques, ne respectaient pas les couvre-feu, faisaient fi des règlements qui régissaient les lieux publics en se rendant dans des endroits réservés aux Blancs, etc. « Ne résistez pas. Faites-vous arrêter. » Tel était leur mot d'ordre. Plus de huit mille personnes furent arrêtées. Ce succès de mobilisation confirma le leadership de Nelson Mandela qui, avant et pendant la campagne, avait parcouru le pays pour lancer et soutenir l'ANC.

Mandela écrira dans son autobiographie, *Un long chemin vers la liberté* : « À partir de la Campagne de défi, aller en prison devint une médaille d'honneur chez les Africains. »

Mais dans le cas qui me préoccupait, cette fierté était difficile à accepter. Et quand Jay m'a annoncé calmement qu'il pourrait bien aller en prison — « Pas longtemps, seulement deux ou trois ans » —, j'ai paniqué. Deux ou trois ans, c'était l'éternité. Pourquoi m'avait-il suppliée de venir dans son pays alors qu'il irait m'attendre en cellule?

Je sais pourtant que, pour Jay Naidoo, sauver un pays est un emploi à plein temps. C'est son unique mission. Les yeux ouverts, il travaille. Les yeux fermés, il rêve du pays à naître.

À titre de secrétaire général du COSATU, Jay est une cible privilégiée du régime. Le COSATU a été, pendant des années, le fer de lance de la mobilisation anti-apartheid. Car pendant que l'ANC, le Parti communiste et les autres mouvements anti-apartheid étaient bannis, de 1960 à 1990, les syndicats avaient gagné le droit d'exister. En 1979, pour apaiser la communauté internationale, le président P. W. Botha les avait légalisés. À partir de cette date, les syndicats devinrent un pilier du mouvement. En 1985, des centaines de milliers de travailleurs de différents syndicats se sont regroupés pour former le COSATU, élisant à sa tête un Sud-Africain d'origine indienne, Jay Naidoo. C'est lui qui mènera la centrale lorsqu'elle plongera le pays, sporadiquement, dans la grève générale, entraînant d'importantes pertes économiques pour celui-ci, mais faisant avancer, à petits pas, la majorité noire vers la libération.

La comparution de Jay Naidoo est donc un événement, et j'ai dû me frayer un chemin dans une foule enflammée pour venir m'asseoir dans le tribunal. Des centaines de personnes sont massées dehors, scandant des slogans pro-COSATU et anti-apartheid. À l'intérieur, la salle est pleine à craquer; les policiers sont très nerveux. Mais dans le box des accusés, Jay affiche un air parfaitement calme; jambes croisées, il lit son journal. Il n'a pas levé les yeux de toute la séance.

Le « crime » dont on l'accuse remonte à 1990. Lui et son équipe avaient aperçu un homme muni d'un walkie-talkie à l'extérieur des bureaux du COSATU. C'était louche. Plusieurs de leurs collègues avaient été assassinés, leur siège social avait explosé plus d'une fois et on craignait que ces scénarios ne se répètent; on craignait aussi une intervention policière contre le COSATU (soupçons qui se révéleront fondés). Ils sont donc sortis pour demander à l'intrus ce qu'il faisait. Ce dernier a refusé de répondre, mais Jay le soupçonnait d'être un membre des escadrons de la mort. Jay et ses collègues, après avoir procédé à une arrestation civile, ont trouvé dans les poches du suspect une photo d'une collègue de Jay (Geraldine Fraser-Moleketi, qui deviendra ministre de l'Aide sociale et du Développement de la population sous Nelson Mandela). Ils ont amené l'homme dans l'édifice et Jay a appelé la police, l'informant qu'ils détenaient ce qu'ils croyaient être un membre des escadrons de la mort.

Deux heures plus tard, Jay donnait une conférence de presse pour exposer la situation. Quand il est allé chercher le suspect pour l'amener devant les représentants des médias, il a été pris au dépourvu. Les employés du COSATU qui gardaient l'homme l'avaient complètement déshabillé! Puis, on lui avait administré quelques gifles. Jay a explosé de rage. «Que diable faites-vous avec cet homme? Rhabillez-le!» Il l'a ensuite conduit devant les journalistes pour qu'il réponde à leurs questions. L'homme a catégoriquement nié être un membre des forces de sécurité et a refusé de répondre à toute question. (Plus tard, il sera confirmé qu'il était bel et bien un policier en «mission».)

Entre-temps, cinquante policiers armés de fusils automatiques avaient encerclé le siège social du COSATU. Après la conférence de presse, Jay et trois collègues (dont Sydney Mufamadi, qui deviendra ministre responsable de la police sous Nelson Mandela) ont été arrêtés et amenés au poste. Détenir un policier, c'était déjà très grave. Le séquestrer, le mettre nu et le gifler, c'était catastrophique!

On a promis la liberté aux quatre accusés en échange des noms de ceux qui avaient frappé le policier. Ils ont tous refusé de parler. C'est ainsi que Jay et ses camarades furent accusés d'enlèvement et de coups et blessures.

À son procès, donc, Jay lit son journal. En adoptant cette attitude d'arrogance, il semble dire au juge: «Je me fous de votre justice.» Mais dans le fond, c'est parce qu'il ne sait pas où poser le regard. Sur le juge? Sur moi? Sur l'avocat de la défense? Sur le procureur de la Couronne? Il a lu tous les petits recoins du journal, cette journée-là, même la section des sports. Et si Jay lit cette section du journal, c'est qu'il y a quelque chose qui ne va pas.

«Jay Naidoo, accusé numéro un, coupable de séquestration et de coups et blessures. Accusé numéro deux, coupable. Accusé numéro trois, coupable.» L'histoire se répète, comme l'écho. C'est exactement sur ce ton, de cette manière, qu'on a volé tant d'années de vie à Nelson Mandela et à ses collègues. «Accusé numéro quatre, coupable», dit encore le juge. (En appel, l'accusation de coups et blessures contre Jay sera retirée, et en l'an 2000 son dossier criminel sera effacé par la Commission de la vérité et de la réconciliation, qui lui accordera l'amnistie.)

Pendant que le magistrat déplie la feuille de papier précisant la sentence, je tremble. Toute la salle, sauf Jay, a les yeux rivés sur le juge. Finalement, la sentence tombe : «Trois ans de prison avec sursis.» Jay ne bronche pas. Moi, je ne sais plus ce que ça veut dire. Mes oreilles n'ont entendu que les mots «trois ans». Je suis sous le choc.

Jay sort en riant. À travers la foule qui l'acclame, il me lance :

— Ne t'en fais pas. On s'en va à la maison. Tout va pour le mieux.

— Comment ça, tout va pour le mieux ?

— Je suis libre. Je n'ai qu'à ne pas commettre de crime pendant trois ans.

Facile à dire, dans un pays où l'égalité et la justice sont illégales !

5

Qui va acheter
le shampoing «spécial»?

Je me suis effondrée sur le lit de la chambre de Jay et j'ai pleuré. J'ai pleuré pendant des heures, pendant des jours, et même des semaines. Je voulais voir Léandre, tout de suite. Je regrettais ma décision. Après des mois de planification raisonnée, je découvrais la réalité de mes émotions. Côté travail, rien n'allait plus. Il me faudrait attendre cinq mois encore avant que la correspondante de Radio-Canada quitte le pays et que je puisse espérer lui succéder. Quant aux négociations que j'avais entreprises avec une maison de production, elles étaient tombées à l'eau, faute de financement.

La logeuse de Jay, Colette Tilley, habite dans Judith's Paarl, à deux pas de Bezuidenhout Valley — qu'on appelle tout simplement Bez Valley — et de Kensington, des quartiers ouvriers officiellement blancs, mais plutôt mixtes dans les faits. Ces trois quartiers forment une grande vallée. Bez Valley occupe un flanc de la montagne et Kensington, l'autre. Judith's Paarl se trouve au fond. Les gros arbres et quelques palmiers réussissent à peine à égayer le décor. Les maisons sont collées les unes sur les autres, et plus on s'approche du centre, plus elles sont petites et délabrées. Dans les rues bruyantes, on remarque beaucoup d'enfants. Ici, les gens sont pauvres.

Mais même chez ces Blancs défavorisés, on a des domestiques noirs. Ceux-ci habitent derrière les maisons des Blancs, dans des réduits lugubres, constructions sommaires en ciment érigées dans l'arrière-cour. Les occupants s'y entassent, parfois à quinze ou vingt, dans une pièce de quelques mètres carrés, sans aucune fenêtre. Ces cabanes sont les demeures « non officielles » des Noirs. Les domestiques sont surtout des femmes. Officiellement, elles devraient résider dans le bantoustan qui leur est assigné, mais, faute de travail chez elles, elles s'installent ici au service d'une famille blanche. Avec elles vivent souvent des membres de leur propre famille, des amis, des cousins, des connaissances de leur village. Dans les pièces misérables où logent ces gens, les lits reposent sur des briques. C'est chose courante, chez les Noirs, de surélever ainsi les lits, pour se protéger contre les *tokolosh,* de petits êtres mythiques dont la description diffère selon les régions du pays. Pour certains, ils prennent la forme de lutins méchants et rabougris; pour d'autres, ils ont un œil dans le front ou sur le menton. Et c'est pour éviter que ces créatures maléfiques viennent jeter un mauvais sort pendant la nuit qu'on hausse le lit.

Pour me changer les idées, j'ai adopté une routine. Je marche six ou sept kilomètres par jour, traversant la vallée pour aller acheter des enveloppes, des timbres et des surprises pour mon fils. Tous les jours, je fais le trajet en n'ayant qu'une idée en tête : la lettre ou le paquet que j'enverrai à Léandre. Je cherche pour lui quelque chose d'amusant, des collants africains, des comprimés colorés qui, dans l'eau, se transforment en éponges en forme d'animaux, ou encore des livres, des jouets. Chaque jour, je marche pour me sentir plus près de mon fils. Son absence est une torture. J'ai mal, juste là, en plein centre, entre le cœur et l'estomac. C'est une douleur insupportable que seule la marche réussit à soulager quelques instants.

Les domestiques qui prennent leur pause, assises sur le bord du chemin, sur la terre rouge, me regardent d'un œil inquisiteur. Certaines rient. Est-ce si drôle de voir une Blanche marcher seule dans la rue? Il est vrai que je ne croise jamais d'autres femmes blanches. Les domestiques m'examinent de la tête aux pieds. J'essaie, tant bien que mal, d'esquisser un sourire, mais je suis trop déboussolée par mon changement de vie, et trop déprimée.

Je suis arrivée durant l'hiver sud-africain. J'avais moins froid dans la neige de l'hiver canadien! Il ne neige pas à Johannesburg, mais on gèle. La nuit, le mercure descend fréquemment au-dessous de zéro. La seule fois où j'aurai vu la neige tomber, ici, tout le monde était sorti dans la rue admirer les flocons. Cela se passait en plein jour, en juillet. Ce qui est moins rare, c'est de voir mourir de froid des gens qui n'ont qu'un abri de carton ou de tôle pour s'abriter.

Johannesburg est à mille six cents mètres d'altitude. Le jour, en hiver, il faut se tenir au soleil. À l'ombre, on gèle. En fait, je n'ai jamais eu aussi froid de ma vie qu'en Afrique du Sud. On me disait constamment : « Eh! la Canadienne, de quoi te plains-tu? Tu viens d'un pays froid!» Et moi, je rétorquais : « Oui, mais chez nous on ne gèle pas *dans* les maisons!»

Les maisons des Blancs ne sont ni isolées ni chauffées autrement que par de petits appareils électriques sur roues que l'on déplace d'une pièce à l'autre. Les plus riches ont des planchers chauffants. Mais ce n'est pas le cas chez Colette. Toujours grelottante, je maudis ces ouvertures qu'on retrouve dans presque toutes les pièces des maisons, en haut, dans les coins; il s'agit de plaques rectangulaires d'environ quinze centimètres sur vingt, criblées de trous. Apparemment, ces trous serviraient à l'aération. Mais je me dis que c'est peut-être plutôt pour laisser passer les geckos, ces petits lézards grimpeurs munis de ventouses aux doigts. Ils sont toujours les bienvenus, car ils mangent les moustiques et autres insectes nuisibles.

Johannesburg est aussi une ville froide par son paysage sec, poussiéreux et bétonné. Elle est encerclée par des montagnes de fine poussière, résidus des mines d'or qui s'élèvent autour des gratte-ciel du centre-ville. On n'y trouve ni cours d'eau ni étendue d'eau.

Pendant que je perds mon temps, Jay travaille sept jours sur sept comme il le fait depuis dix-sept ans. Mais, devant mon découragement, il prend trois jours de congé (vendredi, samedi et dimanche!). Nous partons dans l'est du pays, dans le Transvaal-Oriental, près du village de Machadodorp. Trois heures de route de Johannesburg, en passant par les Drakensberg, la magnifique chaîne de montagnes qui traverse le pays à l'est, du nord au sud.

Nous filons à cent quarante kilomètres à l'heure. La limite permise sur les autoroutes sud-africaines est de cent vingt, mais on y tolère aisément cent quarante. Large de deux, trois ou quatre voies, la chaussée est plane et lisse, et habituellement bordée de petits réflecteurs jaunes ou rouges. Ce sont les plus belles autoroutes que j'aie vues. Cependant, lorsqu'on entre dans un bantoustan, tout change. Les chemins y sont défoncés, troués, bosselés…

Après Machadodorp, il ne reste qu'une quarantaine de kilomètres à faire, or, en raison de l'état de la route, nous mettons une bonne heure avant d'atteindre la ferme que nous ont prêtée des amis pour la fin de semaine.

L'endroit semble tout droit sorti d'un conte de fées. Entourée de trois petits lacs artificiels remplis de truites, la ferme est sise au cœur d'une forêt de pins, loin de toute civilisation. La maison principale est juchée sur une colline. Majestueuse et silencieuse.

Nous sommes seuls. Ou presque. Une famille s'occupe des vaches et des poules, et nettoie la maison. Elle vit là-haut, derrière les arbres, à quelques minutes à pied, sans eau courante ni électricité. Les six ou sept enfants ont chacun leurs tâches, attribuées selon le sexe. Les filles portent les seaux d'eau sur la tête; les garçons, moins habiles mais plus forts, transportent le bois sur leur dos. Les plus vieux aident leurs parents à entretenir la ferme. Les plus jeunes, qui vont à l'école, partent tôt le matin. Leurs vêtements prennent la couleur de la longue route qu'ils doivent parcourir matin et soir.

La maison compte six chambres à coucher, un immense salon avec un magnifique foyer et une terrasse avec vue imprenable. Je bois le silence comme du champagne, un délice après Johannesburg, et après les nouvelles quotidiennes sur la violence. Sommes-nous vraiment dans le même pays? Je réalise pour la première fois qu'il est possible, en Afrique du Sud, de côtoyer la misère et la violence tout en vivant dans une réalité parallèle. Quatre-vingt-dix-huit pour cent des Blancs n'ont jamais mis les pieds dans un township noir!

Nous choisissons la plus belle chambre. Lit *queen*. Fenêtres qui donnent sur la montagne. Salle de bain attenante. L'endroit parfait pour une lune de miel!

Jay et moi apprenons à nous connaître, à nous découvrir. Comme deux adolescents. C'est excitant. On ne sait pas trop ce que l'autre aime ou n'aime pas. Moi, j'aime faire la vaisselle avant d'aller me coucher. J'aime trouver une cuisine propre le lendemain pour commencer la journée. «Mais tu n'as pas besoin de faire la vaisselle. Quelqu'un viendra la faire demain», me dit Jay. Ça ne fait rien. J'aime faire la vaisselle. Ça me relaxe.

Nous marchons dans la forêt autour des lacs. Puis nous nous étendons sur la pelouse pour casser la croûte. Soudain, ça me pique dans le poil du pubis. Je regarde. Horreur! Des morpions? Je n'en ai jamais eu, mais je suis certaine que c'est ça, dis-je à Jay qui, paniqué, enlève aussitôt son pantalon. Lui aussi en a! Ça bouge de partout. Moi qui m'étais juré que rien ne me ferait reprendre la route pour aller faire une course, je me ravise en moins de dix secondes.

Sur la route cahoteuse, nous nous croisons les doigts pour qu'il y ait du shampoing insecticide à l'unique pharmacie du minuscule village de Machadodorp. Lorsque nous arrivons à destination, une vive discussion s'engage dans la voiture. Qui va acheter le shampoing « spécial » ?

— C'est ton pays. Vas-y.

— C'est toi qui les as trouvés en premier. Vas-y.

— Non, c'est à toi d'y aller.

— Je ne peux pas. Peux-tu t'imaginer ce qui se passera si on me reconnaît et qu'on décide d'appeler la presse ? « Jay Naidoo a des morpions », ça en fera vendre, des exemplaires de journal !

— Mais si tu étais seul, tu irais bien !

Ce fut un long débat, prélude aux nombreuses discussions que nous aurons au fil des ans, dans toutes sortes de situations. Mais ce jour-là, pour la première fois, je goûte aux conséquences réelles du fait d'être la conjointe d'un personnage public. Il faut penser à tout. Aux moindres détails. Il faut faire attention à tout. Ainsi, plus tard, au Cap, en achetant quelque chose dans la rue, je me retrouverai avec un faux billet de cent rands. Sans le savoir, je refilerai le billet à Jay, qui s'en servira pour payer de l'essence. La police le retracera par sa plaque d'immatriculation et l'histoire fera les manchettes. Jay devra s'expliquer devant l'Assemblée nationale.

C'est moi qui vais acheter le shampoing…

De retour à la ferme, Jay va chercher le fermier qui s'occupe de la résidence, l'amène dans la chambre, découvre les draps et lui dit qu'il faut les changer parce qu'ils sont remplis de petites bestioles. Je ne sais pas quelle est la langue de cet homme, mais il ne parle pas un mot d'anglais. Le corps légèrement courbé, les mains jointes en signe de politesse devant le *Master* (il est très courant qu'un Noir appelle un Blanc, ou ses invités, *Master*), il secoue la tête pour signifier qu'il ne comprend pas. Jay s'adresse à lui en zoulou, mais il garde le même air interrogateur. Il n'a rien compris à notre histoire. J'ai finalement mis les draps dans la baignoire.

Nous n'avons pas couché dans cette chambre ce soir-là. J'ai passé un long moment à examiner les draps des autres lits avant de m'étendre sur l'un d'eux. Jay dormait déjà et je scrutais encore la couche.

On a ri comme des fous par la suite. Nous avions, malgré tout, passé une superbe fin de semaine — la seule fin de semaine d'intimité que nous allions connaître, sans enfants, sans travail, au cours des onze prochaines années.

6

La magie de Madiba

J'en ai marre de ma vallée. Voilà presque un mois que je la traverse, quotidiennement, larmes aux yeux, cadeau et carte pour Léandre en main. Je dois me secouer. Sortir. Préparer le terrain pour les reportages radio que je ferai éventuellement pour Radio-Canada. Mais pour ce, il me faut aller au-delà de la vallée et il n'est pas du tout conseillé de le faire à pied.

Le système de transport public de Johannesburg laisse à désirer. Les autobus sont peu nombreux et les circuits, limités. Seuls quelques cars par jour assurent le relais entre Judith's Paarl et le centre-ville. Ces autobus rouges à impériale, rappelant ceux de Londres, on les doit aux Britanniques qui, à divers moments de l'histoire, entre 1795 et 1948, ont occupé ou colonisé l'Afrique du Sud. Au printemps, en octobre et en novembre, ils frôlent les magnifiques jacarandas fleuris en laissant sur la chaussée une neige de pétales d'un bleu violacé.

Les Noirs utilisent un autre système de transport public, non officiel. Pourquoi investir dans un système de transport public, doivent se dire les autorités, quand «tout le monde» a une voiture, ou même deux ou trois? «Tout le monde», ce sont évidemment les Blancs. Les Noirs prennent des *kombis*, des mini-fourgonnettes toutes plus cabossées les unes que les autres. Jusqu'à vingt personnes peuvent s'entasser dans ces tacots, parfois plus. Ils sont des millions à faire le trajet tous les jours entre leur township et la ville blanche, certains pour venir y cirer les voitures des Blancs. C'est l'enfer de conduire sur les larges avenues à cause des milliers de *kombis* qui s'arrêtent là où bon leur semble ou qui filent à toute allure sans jamais signaler leur intention.

J'ai peur de conduire. Je n'ai jamais conduit à gauche ni changé les vitesses de la main gauche. Et ici, on fait tout à gauche! On marche, on monte et on descend les escaliers à gauche. J'ai passé les premiers mois à foncer droit dans les gens sur les trottoirs!

Pour mes déplacements, je choisis les autobus à impériale et prends vite l'habitude de monter à l'étage pour mieux voir. Je descends au centre-ville et le parcours dans tous les sens pour me familiariser avec sa géographie. J'en profite pour repérer les bureaux des partis politiques et de diverses organisations sociales, les maisons de production, etc.

Un jour, en rentrant du bureau, Jay m'informe que nous sommes tous les deux invités à aller casser la croûte avec le dirigeant de l'ANC, Nelson Mandela. «Veux-tu venir?» Quelle question!

Le lieu du rendez-vous se trouve dans un quartier ouvrier de Johannesburg, dans le «bas de la ville», où je remarque de nombreuses usines aux vitres cassées. C'est aussi le quartier des tailleurs qui, dans la grisaille des ateliers, créent des vêtements pleins de couleurs et de vie. Le tailleur de Nelson Mandela habite justement ici, et c'est chez lui que nous dînerons. Il s'appelle Yusuf Surtee; c'est un homme d'affaires indien prospère. Il a invité quelques personnalités, parmi lesquelles Jay Naidoo et Omar Motani. Omar, qui est aussi d'origine indienne mais de religion musulmane, est un grand ami de Jay.

Le «chef» n'est pas encore arrivé, nous annonce Yusuf Surtee comme nous entrons chez lui. Il nous invite à prendre place dans le petit salon. Sa femme, dans la minuscule cuisine, s'affaire à mettre la dernière touche au repas spécial : elle dépose des feuilles de coriandre sur le dahl, une soupe épaisse aux lentilles, ainsi que sur le curry au mouton et aux légumes, et des feuilles de menthe sur le raïta, une sauce au yogourt et aux concombres qui sert à calmer le feu des savoureuses mais puissantes épices indiennes.

Debout près de la fenêtre, à l'étage, j'aperçois deux voitures qui s'arrêtent devant l'immeuble. C'est Mandela.

Dès qu'il entre, il me paraît, cette fois encore, plus grand que nature. Il est vrai qu'il fait près de deux mètres, mais c'est autre chose. Une aura particulière émane de sa personne. Aujourd'hui, libérée de mon chapeau de journaliste et de tout ce que cela suppose de distance critique et d'effort d'objectivité, je m'abandonne plus volontiers à son charme que lors de notre première rencontre. C'était il y a presque un an déjà…

Après m'avoir serrée contre lui, ses mains géantes, des mains de boxeur, empoignent les miennes. Il me dit qu'il se souvient bien de notre rencontre et me demande des nouvelles de l'équipe de *Nord-Sud*. Tous les yeux sont rivés sur nous. En fait, quand Mandela parle, tout le monde écoute. Certains sont surpris d'apprendre que je ne suis pas *que* la partenaire de Jay, que j'exerce aussi une profession, ce qui, en Afrique du Sud, ne cessera d'étonner bien des gens…

Une expression naîtra durant le processus de négociations entamé depuis que Mandela est sorti de prison : *the Madiba magic* — la magie de Madiba. Madiba, un terme de respect, est le nom par lequel les amis les plus intimes de Mandela s'adressent à lui. C'est en fait son nom de clan : Mandela est de la nation des Xhosa, de la tribu des Thembu, et appartient au clan qui porte aussi le nom de Madiba, d'après un chef thembu qui régnait au XVIIIᵉ siècle.

Quant au mot « magie », il fait référence au don de Mandela de rallier même les plus extrémistes autour d'un but commun. Car Mandela fut à la tête d'une révolution négociée.

La magie Madiba est à l'œuvre sous mes yeux. Mandela fait le tour du salon pour saluer les convives et chacun observe religieusement ses gestes. Jay et lui se donnent l'accolade. Jay a de l'admiration pour son leader. « Je serai à ses côtés tant et aussi longtemps qu'il sera actif en politique », dit-il. Mandela est le symbole vivant de la lutte à laquelle Jay a participé toute sa vie. L'admiration est réciproque. Mandela voit en Jay la jeune relève courageuse, honnête et fiable. *« We need you »* (Nous avons besoin de toi) est une phrase qui résonnera souvent aux oreilles de Jay.

Ce jour-là, j'ai réalisé qu'avec Nelson Mandela je ne pourrai jamais porter deux chapeaux en même temps, c'est-à-dire être à la fois journaliste et membre du cercle de ses intimes. Je le verrai souvent au cours des années, dans diverses situations, officielles ou non, et jamais je ne mêlerai les cartes. Je maintiendrai étanche la cloison entre ces deux rôles et ne tenterai jamais de profiter d'une rencontre sociale pour obtenir une information ou même un rendez-vous pour une entrevue. Je ferai comme tout le monde et adresserai mes demandes à son service de presse… quitte à me faire répondre non !

Autour de la table, les convives — je suis la seule femme, la seule personne de moins de trente ans, la seule Blanche, la seule qui ne soit pas de nationalité sud-africaine — parlent de tout et de rien. Mais en Afrique du Sud, chaque « rien » est politique et concerne tous les aspects de la vie. Au cours de telles rencontres, avec Mandela ou avec d'autres, les anecdotes rapportées m'en apprendront davantage que n'importe quel cours universitaire. Elles constitueront, en quelque sorte, mon cours d'initiation à la vie sud-africaine et à l'histoire du pays.

Nelson Mandela parle beaucoup et est un maître conteur. Et des anecdotes, il en a! Il raconte ses histoires calmement, effectuant des pauses aux moments appropriés. Il écoute bien aussi et pose des questions pertinentes. D'un signe de tête, il approuve ce qui correspond à ses valeurs ou désapprouve ce qui les contredit. Il n'a jamais besoin de lever le doigt pour placer un mot. Son timbre de voix impose toujours le silence.

Je crois que le destin de Nelson Mandela était tout tracé d'avance. Comme celui de Gandhi. Ce dernier a dit : «Je suis né en Inde, mais j'ai été fait en Afrique du Sud.» Le caractère unique de ce pays, de son histoire et de son régime politique a réveillé les aspirations et le sens de la justice humaine, et, de ce fait, a élevé des hommes et des femmes au-dessus de leur condition. Car c'est dans l'absence, la négation ou la privation des droits les plus fondamentaux que surgissent les plus grandes énergies.

Nelson Mandela a à cœur la justice et l'égalité. Je n'arriverai jamais à le percevoir comme un simple politicien. Mandela est plutôt un *militant* politique. Il arrivera même que son manque d'expérience politique le mette dans l'embarras. Comme le jour où il a déclaré qu'il faudrait peut-être abaisser à quatorze ans l'âge où un citoyen peut voter. Il s'est fait réprimander par l'ANC, qui a précisé qu'à cet âge on est encore un enfant.

Avant de rencontrer Nelson Mandela, et nombre d'autres militants sud-africains, je n'avais jamais compris que l'on puisse risquer sa vie, la donner même, pour le bien d'une collectivité. Ce n'est qu'en côtoyant ces gens que je réaliserai pleinement la profondeur de leur engagement et de leur dévouement. Les meilleurs de ces militants ont une chose en commun : c'est leur cœur qui mène. La raison se met au service de ce que dicte leur cœur.

Une des citations les plus connues et, selon moi, la plus mémorable de Nelson Mandela demeure cet extrait de son plaidoyer lors de son procès, au terme duquel, en 1964, il sera condamné à la prison à vie avec travaux forcés, alors qu'il purgeait déjà une peine de cinq ans d'emprisonnement depuis 1962. Des phrases qu'il répétera avec la même ferveur dans le discours prononcé le jour de sa libération, le 11 février 1990 :

J'ai combattu la domination blanche. J'ai combattu la domination noire. J'ai chéri l'idée d'une société libre et démocratique dans laquelle tous vivent ensemble en harmonie et sur un pied d'égalité. C'est un idéal pour lequel je vis et que j'espère atteindre. Mais s'il le faut, c'est un idéal pour lequel je suis prêt à mourir.

J'ai demandé à Jay s'il était prêt à mourir pour la cause. Sans hésitation, il a répondu : «Absolument. Mais j'espère vivre!» Sa réponse m'a donné des frissons. La libération d'un pays, c'est très sérieux.

7

La folie

J'ai un couteau planté en plein cœur. Je pense à Léandre tous les jours, toutes les heures, toutes les minutes. Ça me rend malade.

Colette tente de me consoler. Elle devient rapidement une amie très chère. J'aime les femmes qui foncent, qui sont énergiques et déterminées. Colette est tout cela. Elle qui a la peau blanche, elle a scandé, avec les masses noires, des slogans anti-apartheid. Elle a accepté de travailler comme secrétaire de Jay dans un bureau qui peut exploser n'importe quand — deux bombes y ont déjà sauté... Elle n'est plus sa secrétaire à présent mais elle et Jay sont restés amis.

Colette n'a pas chômé dans la vie. Quand elle est tombée enceinte, à la mi-trentaine, son ami l'a quittée. Elle élève donc seule son fils Duncan, âgé de deux ans. Elle est toujours prête à venir en aide aux autres. Elle a pris en charge Spongi, la fille de son ancienne domestique, l'élevant comme son propre enfant, apprenant sa langue, le xhosa, qu'elle parle maintenant couramment. Sa maison est ouverte à tous ceux qui en ont besoin. Sa cuisine, par exemple, est une vraie cuisine communautaire. Esther, sa domestique, la famille et les amis de celle-ci viennent y préparer leurs plats puisqu'il n'y a pas de cuisine dans sa chambre derrière la maison. Ça sent souvent le *pap*, une sorte de gruau à base de farine de maïs, l'aliment de base des Noirs sud-africains.

Colette est toujours fauchée. Le peu qu'elle a, elle l'offre. Sa maison est modestement meublée de divans fatigués, de tables usées, de lits qui grincent. Il en émane toutefois de superbes vibrations.

Colette sent très bien mon désarroi. Je commence réellement à regretter ma décision d'avoir plié bagage et tourné la page sur mon «ancienne vie». Il ne se passe pas une journée sans que je pleure. Jay est découragé et ne sait plus quoi faire.

Un soir, au début du mois de septembre 1991, je craque. Mes pleurs me secouent de la tête aux pieds. Je ne peux plus m'arrêter. Ma vie coule dans un flot de larmes. Jay et Colette sont impuissants. Ils me caressent le dos pour me réconforter, mais cela ne sert à rien. Je n'ai jamais tant pleuré de ma vie. Après cinq heures de sanglots, je suis toujours incapable de sortir de mon gouffre liquide. Je coule. Je veux mourir ou voir Léandre. Tout de suite. Jay est troublé. Il se sent responsable de mon état. Le visage défait, il me dit, tout bas, tout doucement : «Lucie, retourne au Québec. Ça ne marche pas. Ça ne marchera pas. On s'écrira. On se verra. Mais de toute évidence tu ne peux pas rester.» Puis, après quelques secondes, il ajoute, d'une voix étranglée : «Je t'aime tant.»

Cette fois, je m'écroule. Je pleure encore plus, si cela est possible. Mon corps tout entier veut se liquéfier. Rentrer? Voir Léandre? Oui! C'est ce que je veux! Mais c'est aussi accepter l'échec. Et puis, j'aime Jay. Mes tripes me disent que c'est lui, mon grand amour. Léandre ou Jay? Voilà à quoi se résume désormais le choix de mon existence. Les deux amours de ma vie. Je crie. Je hurle. Je veux mourir. Ça fait trop mal.

J'ai l'impression de toucher pour la première fois à la vraie folie. Je réponds à tous les critères de la définition du *Petit Robert*. *Manque de jugement, de bon sens; absence de raison.* J'ai laissé Léandre, mon fils, ma chair, à l'autre bout du monde... *Passion violente, déraisonnable... À la folie...* Jay, je t'aime à la folie. Est-ce une folie de jeunesse que d'avoir enterré la seule vie que je connaissais, la mienne, celle qui me tenait, justement, en vie? *Une folie : idée, parole, action déraisonnable, extravagante. C'est encore une de ses folies.* Oui, c'est encore une de mes folies. J'entends mon père : «Lucie, n'es-tu pas capable d'avoir une vie *plate* un peu?» J'essaie, papa! Je te le jure! Je ne fais que me débattre dans les vagues de ma vie. *Faire une folie, des folies. Coup de tête, escapade, frasque...* Oui, ce doit être une frasque du destin. Je suis folle... Je ne trouve pas d'autre mot.

Jay vient de me catapulter contre le mur de la réalité : j'ai le choix entre les deux amours de ma vie. Mon fils l'emporte, évidemment. Je fais mes bagages. Jay m'y encourage. Il n'en peut plus de me voir ainsi. Je m'endors, couchée sur mes deux valises contenant mes dictionnaires et mes vêtements.

Le lendemain matin, j'ai les yeux pochés, gonflés et rouges. Si seulement je pouvais faire un reportage. Juste un, pour sauver les meubles, pour que mon échec ne soit pas tout à fait écrasant. Je ne peux pas rentrer sans avoir fait un reportage. La chance me sourit : la correspondante de Radio-Canada est en vacances et un événement majeur aura lieu dans quelques jours. C'est moi qui la remplacerai!

Le 14 septembre 1991, je me retrouve assise dans la même pièce que le président d'Afrique du Sud et du Parti national, Frederik De Klerk, le dirigeant de l'ANC, Nelson Mandela, et le chef de l'Inkatha, Mangosuthu Buthelezi, les numéros un des trois plus importants partis politiques du pays. De quoi me changer les idées...

Accord de paix

La violence politique s'est répandue comme un feu de paille depuis la légalisation des mouvements anti-apartheid, en février 1990. Elle fait des victimes tous les jours. La guerre entre l'ANC et l'Inkatha a débordé du Kwazulu pour se répandre dans les townships de la métropole de Johannesburg. De plus, l'*Inkathagate,* le scandale qui a éclaté il y a deux mois seulement, révélant la collusion entre les forces de sécurité et l'Inkatha — le gouvernement a financé des «programmes anti-ANC» du parti zoulou — a contribué à intensifier la violence. Un nouveau pays ne peut pas naître dans un tel climat.

Voilà pourquoi les dirigeants des trois plus importants partis politiques sont réunis : pour signer l'Accord de paix national. Cette entente, qu'en fait vingt-quatre partis politiques ratifieront, les engage à respecter un code de conduite interdisant la provocation et l'intimidation dans les townships, et gouverne le comportement des agents des forces de sécurité.

Mandela et De Klerk font penser à un vieux couple qui ne peut divorcer. Ils ont été réunis par l'histoire, même si tout les oppose. Ils cherchent désormais à travailler ensemble pour accomplir une transition pacifique, mais leurs opinions divergent souvent. De Klerk aimerait beaucoup négocier un partage des pouvoirs durable entre Noirs et

Blancs. Il espère conserver pour les Blancs une forme ou une autre de veto. Mandela prône plutôt la démocratie par la majorité simple : «une personne, une voix».

Si De Klerk a fait libérer Mandela, ce n'était pas par conviction morale, mais parce que le pays sombrait dans le marasme économique, étouffé par les sanctions internationales et paralysé par les grèves des travailleurs.

Quant à Buthelezi, il est déchiré entre ses deux vis-à-vis. On le sent jaloux de Mandela et de son ascendant sur la population. Son autorité à lui est légitimée par le sang : il est l'oncle du roi des Zoulous, Goodwill Zwelithini, et sa mère était la petite-fille du roi Cetshwayo. Il a étudié à l'université Fort Hare, au Transkei, la même qu'ont fréquenté d'autres gens renommés de la lutte, dont Mandela.

Mangosuthu Buthelezi est à la tête du bantoustan du Kwazulu depuis 1970. L'ANC l'avait même appuyé dans ce rôle, croyant avoir un allié dans la fonction publique du régime de l'apartheid (les bantoustans étaient, rappelons-le, une création du gouvernement de l'apartheid). L'ANC était alors banni et contraint à la lutte en exil. En 1975, Buthelezi ranime l'Inkatha, une organisation culturelle établie en 1922-1923, en reprenant les symboles et l'hymne de l'ANC, dont il est membre. Mais en 1979 il quitte l'ANC parce qu'il refuse d'accepter l'autorité du leadership en exil, de soutenir la lutte armée et les sanctions économiques contre le régime, et perd ainsi l'appui de l'ANC et de ses alliés. L'Inkatha est alors apparu comme un rival à l'ANC et le conflit entre les deux organisations n'a cessé de croître. L'Inkatha est devenu une formidable base de pouvoir dont Buthelezi a su tirer profit. Celui-ci a toujours favorisé une démocratie multiraciale et un système économique de libre marché.

Les relations se détériorent davantage après la formation du Front démocratique uni en 1983, l'organisation anti-apartheid la plus importante à l'intérieur du pays. À partir du mois d'août 1985, de violents combats pour le contrôle de territoires éclatent au Kwazulu-Natal entre l'Inkatha et le Front démocratique uni, allié de l'ANC. En 1989, l'Inkatha, d'une part, et l'ANC et le Front démocratique uni, d'autre part, étaient engagés dans une guerre civile à petite échelle. Peu de temps après, en 1990, l'Inkatha annonçait qu'il se transformait en parti politique et ouvrait ses rangs à tous pour former le Parti de la liberté Inkatha (Inkatha Freedom Party). À ce moment, le Witwatersrand (la grande région de Johannesburg) explosait dans une nouvelle flambée de violence entre l'Inkatha et les *camarades*. Les factions armées de l'Inkatha et de l'ANC se livraient désormais une guérilla continuelle pour le contrôle des townships et dans les campagnes du Kwazulu, le bantoustan des Zoulous.

Parce que la violence déchire le pays, les trois leaders n'ont d'autre choix que de signer un accord de paix. Mais comment faire passer le message de la fin des hostilités à leurs partisans? Voilà la question à laquelle ils doivent maintenant répondre.

Le jour de la ratification de l'entente, je prépare mon reportage dans une chambre de l'hôtel où a lieu la séance de signatures. Je retrouve l'énergie qui m'avait abandonnée et j'ai le sentiment de m'approcher, enfin, de mon objectif de faire de la correspondance à l'étranger.

Assise au bord du lit, quand vient le temps d'appeler Montréal pour envoyer mon premier topo radiophonique, je suis envahie d'un trac fou. Mais tout se passe bien. Après avoir raccroché le combiné, infiniment soulagée, je me sens libérée et presque euphorique. Mon premier reportage…

De retour chez Colette, je défais mes valises.

9

Séparatiste anti-apartheid

La correspondance journalistique démarre! Je commence à écrire des articles pour le quotidien montréalais *La Presse*. André Pratte, rédacteur en chef des nouvelles internationales, me confie le sujet suivant : la perception qu'ont les Blancs des changements qui se déroulent dans leur pays.

En général, les Blancs ont peur. Certains sont convaincus que la vengeance des Noirs est inévitable. D'autres redoutent tout simplement l'émergence d'un gouvernement noir et croient que le pays sombrera dans le marasme ou l'anarchie.

Quand, en 1990, Frederik De Klerk a annoncé la libération de Mandela et a légalisé les mouvements et partis anti-apartheid, plusieurs députés ont quitté leur siège et claqué la porte du Parlement. L'année suivante, au sein du Parti national qui dirige le pays, même les plus libéraux trouvent que De Klerk va trop vite et qu'il a déjà trop «donné» à la majorité noire. Parmi les Afrikaners, les Blancs d'origine néerlandaise installés en Afrique du Sud depuis trois cents ans, nombreux sont ceux qui le considèrent comme un traître. Certains ont même tourné en dérision ses initiales, FW : *Farewell Whites*, ce qui signifie «Adieu les Blancs».

Son prédécesseur à la présidence, Pieter Willem Botha, un homme autoritaire, était demeuré fidèle à la politique de l'apartheid. Sous sa direction, le pays n'était plus gouverné par le cabinet des ministres, mais par un Conseil de sécurité de l'État, formé de hauts représentants de l'armée, des forces de sécurité, de la police et de la justice. On parlera de l'ère des *Securocrats*.

Lorsque Botha a été forcé de démissionner, pour des raisons de santé, en 1989, il y avait deux candidats favoris pour lui succéder : Baron Du Plessis, un protégé de Botha, proche des *Securocrats*, perçu comme plutôt libéral, et Frederik De Klerk, le « dur », le conservateur. De Klerk l'a remporté par huit voix seulement, 69 à 61. De là l'effet de surprise que ce « conservateur » a provoqué en février 1990. Mais, aussi conservateur qu'il ait pu paraître, De Klerk estimait que Botha utilisait des moyens illégitimes pour gouverner. D'ailleurs, son premier geste, en arrivant au pouvoir en septembre 1989, fut d'abolir le Conseil de sécurité de l'État et de remplacer le régime militaire par un gouvernement civil.

Le mandat du Parti national était alors de réformer la politique de l'apartheid. Plus rien ne fonctionnait et l'économie s'effondrait. Un sondage indiquait que soixante-dix pour cent de la population blanche était en faveur de réformes. Mais De Klerk a provoqué un séisme que personne n'attendait en annonçant l'abolition progressive des mille deux cents pages de lois qui régissaient les Noirs. Même les plus libéraux ne croyaient pas qu'il toucherait aux trois piliers de l'apartheid : la loi sur l'habitation séparée, celle sur le partage des terres et, enfin, la loi sur l'enregistrement de la population, c'est-à-dire celle qui la divise, à la naissance même, selon la couleur de la peau.

Depuis l'annonce de ces réformes radicales, le gouvernement De Klerk tente de négocier une constitution de transition avec l'ANC en vue d'assurer la tenue d'élections générales. De Klerk doit du même coup tenter de sauver les meubles pour les Blancs. Il préconise deux chambres au Parlement : une basse et une haute. Les membres de la première seraient élus selon le principe d'une personne, une voix. Ceux de la seconde, une sorte de Sénat comme au Canada ou aux États-Unis, représenteraient les minorités et disposeraient d'un droit de veto leur permettant de contribuer à établir un équilibre entre la politique de la majorité et les droits des minorités.

« Les politiciens blancs ne croient tout simplement pas qu'un gouvernement noir puisse efficacement gouverner le pays », affirme le politologue Hennie Kotze de l'université Stellenbosch, au Cap, là où tous les grands dirigeants afrikaners ont étudié. En effet, pour plusieurs, un gouvernement noir est synonyme d'inefficacité et de corruption.

Après avoir mis en branle le processus des réformes, De Klerk a perdu le contrôle du pays. De plus en plus, la transition est déterminée par divers acteurs importants de la société, par les syndicats, par l'ANC et ses alliés et par une grande variété d'organisations. C'est cette perte de contrôle qui fait trembler certains membres du cabinet. Au sein du Parti national, on veut négocier, mais pas à n'importe quel prix. « Oui à la réforme, non à l'abdication », clame-t-on. (*Reform Yes — Surrender No*). Réalisant que De Klerk sera probablement le dernier président blanc de l'histoire de ce pays, les nationalistes veulent s'assurer une place importante dans le futur gouvernement, une place qui leur garantira un véritable partage des pouvoirs.

La résistance vient du côté des Afrikaners, représentant cinquante-sept pour cent de la population blanche. Seulement la moitié d'entre eux appuie De Klerk. L'autre moitié appuie le Parti conservateur, majoritairement formé d'ouvriers et de fermiers qui ne veulent pas voir le pays partir entre les mains des *kaffirs* (sales nègres). Ces Afrikaners ne veulent rien entendre des réformes. Ce qu'ils souhaitent, au contraire, c'est solidifier l'apartheid.

Certains mouvements extrémistes de la droite ont même formé leur propre « armée ». Eugene Terre'Blanche, chef de l'AWB, le mouvement de résistance afrikaner, avertit qu'il ne laissera jamais un gouvernement noir diriger le pays. «Ils devront faire face à nos canons», rage Terre'Blanche.

J'ai eu l'occasion d'interviewer cet homme. La seconde fois, alors que les gars rangeaient leur équipement après l'entrevue, au cours de laquelle il venait de se défendre d'être raciste, il m'a dit en catimini, dans le coin du bureau, devant le drapeau au sigle ressemblant étrangement à celui des nazis : «Les Noirs ont des cerveaux *petits comme ça.*» En même temps, il a serré son énorme poing et l'a brandi comme s'il voulait en frapper un. Il l'avait d'ailleurs déjà fait plus d'une fois et sera, plus tard, emprisonné pour avoir causé la paraplégie chez un Noir.

Terre'Blanche s'est peut-être senti libre de formuler son commentaire parce que j'avais la peau blanche. Dans certains cas, en effet, on me catégorise de prime abord à cause d'elle. Je suis allée, par exemple, dans une fête pour enfants avec Colette. L'hôtesse m'a demandé ce que je faisais en Afrique du Sud. Je lui ai parlé de mes projets professionnels en ajoutant que j'avais aussi rencontré un Sud-Africain avec qui je partageais maintenant ma vie. Elle m'a demandé : «Est-il anglophone ou afrikaner?» Car pour elle il était inconcevable que mon partenaire ne soit pas blanc. Sans réfléchir, j'ai répondu «anglophone» (car si la langue maternelle des parents de Jay était le tamil, sa langue à lui est l'anglais). Dans le langage de notre hôtesse, cela voulait dire «britannique». J'ai voulu savoir ce qu'elle pensait des *nouveaux développements en Afrique du Sud.* «Les Noirs ne sont capables de rien, m'a-t-elle affirmé sans scrupule, surtout pas de gouverner un pays!» Publiquement, c'est-à-dire hors de son jardin, cette même dame dira qu'elle n'est pas raciste.

Ma nationalité pique aussi beaucoup la curiosité. Et on m'accueille différemment selon que je me présente comme Canadienne ou comme Québécoise. Je soulève des interrogations lorsque je m'identifie à ma langue et à ma culture. La première question est toujours, sans exception : «Êtes-vous pour ou contre l'indépendance du Québec?» Je réponds alors, sans me prononcer en faveur de l'un ou l'autre camp, que même des indépendantistes québécois ont soutenu la lutte anti-apartheid, mot qui veut dire, littéralement, *anti-séparation*. N'est-ce pas là un merveilleux oxymoron : séparatiste anti-apartheid?

Je suis tout de même restée bouche bée lorsque j'ai interviewé Robert Von Tonder, chef du parti afrikaner Boerstaat, encore plus à droite que l'AWB d'Eugene Terre'Blanche. «Mon idole, c'est René Lévesque!» s'est-il exclamé, en ajoutant, et en le répétant plusieurs fois durant l'entrevue, que «cette terre nous appartient». Des collègues m'avaient avertie que cet extrémiste n'accordait que très rarement des entrevues. Mais quand je l'ai appelé en me présentant comme journaliste québécoise, il s'est aussitôt montré chaleureux envers moi.

Le fait que je sois Québécoise attire la sympathie spontanée des gens de l'extrême droite. C'est que ces nationalistes aiment se servir de l'exemple du Québec pour démontrer qu'il est légitime d'aspirer à la souveraineté ou à un statut particulier. Un dirigeant du Parti conservateur, M. Fanie Jacobs, m'a dit ceci : «Nous sommes presque dans la même situation que les Québécois au Canada, en ce sens que nous ne voulons pas être forcés à vivre dans un État unitaire. Je pense que le principe d'une personne, une voix, dans un État unitaire, mènera au chaos. Les Québécois comprendront ma thèse parce que vous avez les mêmes problèmes. J'ai été professeur de droit international, alors je connais très bien la situation des Québécois et j'utilise souvent cet exemple pour expliquer notre position. Le Parti conservateur veut l'autodétermination des Afrikaners, qui forment un peuple au même titre que les Allemands, les Italiens, les Français ou les Québécois. Et nous croyons que le droit international reconnaît cette autodétermination.»

La comparaison est cependant boiteuse, car, contrairement aux Québécois, les Afrikaners ne sont nulle part majoritaires en Afrique du Sud. Un jour, en conversant avec moi, un riche Blanc, magnat de la presse louangé pour ses positions anti-apartheid et son appui aux projets de l'ANC, a affirmé qu'on devrait déclarer la région du Cap terre blanche et l'accorder aux Afrikaners. Je lui ai alors demandé ce qu'il adviendrait des quelques millions de Noirs vivant à Khayelitsha, le township du Cap. Sa réponse : «Khayelitsha n'est rien sur une carte. On n'aura qu'à les envoyer ailleurs.» Encore et toujours la politique des «pelles mécaniques» de l'apartheid.

Voilà le problème des Afrikaners. Ils ont tout sauf un pays. Et certains sont déterminés à l'obtenir, ce pays.

10

Bez Valley

Jay a acheté une maison peu de temps avant mon arrivée en Afrique du Sud, bien qu'il était alors illégal que nous habitions le même quartier, et plus encore la même maison. Mais notre nouvelle demeure ne serait libre qu'en octobre et, incidemment, le *Group Areas Act* – la loi assignant aux différentes races des zones de résidence – fut abrogée peu de temps avant notre emménagement.

Le jour même de mon arrivée, Jay et moi avons visité la maison en compagnie de Nisha et de son mari Sagaren. En y entrant, je m'étais effondrée en larmes. Après un voyage de trente-deux heures, c'était bien la dernière chose qu'il me fallait : un trou à rats. La maison puait littéralement la merde. Nisha a demandé à Jay s'il était trop tard pour annuler la vente. «Oui, trop tard», a-t-il répondu.

Jay est un impulsif, comme moi. Il n'avait jamais visité l'intérieur de la maison avant de l'acheter! Il l'avait choisie à cause de l'arbre centenaire sur le terrain. Un châtaignier. Majestueusement dressé. Solide.

La maison est située non loin de chez Colette, dans Bez Valley, un quartier plutôt pauvre selon les critères des Blancs, mais assez aisé en comparaison de ceux des Noirs. Y habitent des gens de la classe ouvrière blanche, des Blancs peu instruits et des couples mixtes qui ne peuvent pas vivre dans les quartiers blancs ni dans les townships noirs. Malgré son état de décrépitude et malgré la saleté repoussante, cette maison est magnifiquement située, perchée sur la colline, surplombant la vallée.

Au pied de l'arbre se trouve une grande piscine à l'abandon, vieille de cinquante ans, remplie d'eau verte gluante et épaisse. L'écosystème idéal pour les grenouilles! Je la nettoierai, car mon sport préféré est la natation.

Je ne laisserai plus jamais Jay choisir une maison seul! Mais il faut dire qu'il a trouvé une vraie occasion. Le terrain et la vue valent amplement le prix qu'il a payé.

Le sentier qui mène au garage est bordé d'arbres fruitiers. Je pourrai remplir mon panier de pêches, de mûres, de nectarines, de dates, de prunes, de pommes, de grenades, d'avocats. Sur le plateau, plus bas, à deux mètres au-dessus de la rue, des mauvaises herbes poussent dans le court de tennis, vieux comme la piscine, hors d'usage lui aussi. Plus haut, sur un talus, poussent une haie d'amandiers et une vigne fatiguée qui donne quand même quelques raisins. De là-haut, il est possible d'embrasser la vallée d'un coup d'œil : les arbres s'exondent, tels des îlots, de la mer de toits en tuiles, semblables à des écailles de poisson, ocre, noires, grises ou vertes.

Comme les lois raciales s'appliquent encore, l'agent d'immeuble a dû obtenir l'accord des voisins pour qu'une personne « non blanche » s'installe dans leur quartier. Quelle humiliation! Mais Bez Valley est un quartier où Chinois, Japonais, Noirs, Indiens, Métis et Blancs se côtoient sans friction.

Quatre mois après notre première visite de la maison, nous y entrons pour la première fois à titre de propriétaires. C'est toujours aussi sale. Et, comble du malheur, il n'y a pas de cuisine. Juste un petit lavabo dans un coin. Les murs sont craquelés. La baignoire a peut-être déjà été blanche. De petits vers rampent dans les poubelles et les excréments des rongeurs. À l'extérieur, il y a une vieille toilette, bloquée depuis des années. Je ne trouve pas de mots pour décrire l'insalubrité de cette toilette destinée aux anciens domestiques, un vieux couple usé, qui vit toujours ici. Le propriétaire est parti en laissant ces gens derrière lui. Ils habitent au-dessus du garage, à l'autre bout du terrain, dans une petite chambre lugubre, sale, misérable. Quand j'y suis entrée, la puanteur m'est montée au nez et j'ai eu envie de vomir. Il faisait noir. Il n'y avait pas de fenêtres, ni d'eau, ni d'électricité. Des excréments de rats tapissaient le plancher de ciment.

L'homme et la femme travaillaient douze heures par jour pour l'ancien propriétaire. Elle faisait le ménage — de toute évidence, elle ne l'avait pas fait depuis longtemps. Devenus trop vieux, ils sont demeurés sur place, «parasites» du *Master*, qui leur permettait de continuer à vivre dans la turne au bout de son terrain.

Lorsque nous avons pris possession de la maison, les deux vieux nous ont suppliés de les garder. Ils voulaient travailler pour nous. Je ne voyais pas ce qu'ils auraient pu faire, et, de toute façon, il n'était pas question pour moi d'engager des domestiques, surtout pas pour qu'ils vivent dans de telles conditions! Et puis, nous n'avions pas d'argent. J'avais pitié d'eux, mais je ne pouvais pas les laisser rester dans cette pièce immonde. Les renvoyer m'a déchiré le cœur.

* * *

Je me suis mise au grand nettoyage. Pendant que Jay travaille, je me rends à la maison et passe de huit à dix heures par jour à laver, sabler, peindre, détruire, reconstruire, frotter, polir, balayer, clouer, visser ou plâtrer. Pendant les travaux, je trouve, enfouis dans un trou dans un mur, les plans originaux de la maison, dessinés en 1928 et datés du jour de mon anniversaire. Signe du destin?

Un mois plus tard, notre nouvelle demeure ne se ressemble plus du tout. Même la cheminée sur le toit a été repeinte, en rose. C'est Jay qui est monté, de peine et de misère, pour la peindre de cette couleur. J'adore le rose.

J'ai loué une pompe pour vider la plus grande partie du marécage de la piscine, mais même la pompe n'en venait pas à bout. Il y avait trop de déchets et de débris, de grenouilles et d'oiseaux morts. J'ai fini par vider la piscine, pour ainsi dire, à la petite cuillère. J'ai passé une semaine à cette besogne, après quoi j'ai été malade pendant un mois! Mais je découvrirai bientôt que la piscine, à l'ombre toute la journée, est quasi inutilisable tant l'eau est froide. Johannesburg étant à mille six cents mètres d'altitude, les nuits sont fraîches tout l'été…

Nous n'avons toujours pas de cuisine. Pour l'aménager, Jay a engagé deux hommes à tout faire à Soweto. Ils sont analphabètes, mais connaissent la construction. Lorsqu'ils arrivent, le lundi matin, Jay est déjà parti travailler. Je les accueille, leur offre une tasse de thé et une tartine de beurre d'arachide qu'ils dévorent aussitôt. Ensuite, je leur explique ce qu'il faut faire : détruire le mur ici, en ériger un autre là, etc. Les deux gars me regardent, l'air hébété. Est-ce mon accent? Mais il me semble que j'ai parlé assez clairement. Un des hommes me demande enfin : « *Where's the Master?* » (Où est le maître?) Encore ce mot! Je réponds que mon mari est parti travailler. J'emploie le terme *mari* même si Jay et moi ne sommes pas mariés. Le concubinage n'est pas bien vu en Afrique du Sud. D'ailleurs, Jay me parle régulièrement de mariage — mais je ne me sens pas encore prête à sceller cette destinée intercontinentale. Je demande aux travailleurs si les ordres doivent absolument venir de *l'homme de la maison*, mais tout ce que j'obtiens comme réponse sont des rires. J'ai beau leur assurer que mon mari est d'accord et les prier de commencer le travail, ils n'en démordent pas.

— Nous voulons voir le *Master*.

— Le *Master* n'est pas ici. Il revient ce soir. Mais vous pouvez commencer!

— Non, nous voulons le voir.

Les deux hommes restent donc assis sur le perron toute la journée! Je sors quelques fois pour leur répéter de travailler, mais il n'y a rien à faire. Je suis hors de moi, mais incapable de les faire bouger. Je ne peux pas appeler Jay, le téléphone n'étant pas encore installé.

Lorsque Jay rentre à la maison, vers dix-huit heures, il demande aux hommes pourquoi ils n'ont pas commencé les travaux. Ceux-ci répondent, devant moi, comme si je n'existais pas : «Que voulez-vous que nous fassions?» Je garde mon sang-froid. Jay ne fait que répéter ce que je leur ai dit le matin même. *« Yes, Master.»*

Je découvre que le problème du sexisme en Afrique du Sud est bien plus grave que je ne pensais. Et la situation des femmes noires est bien pire que la mienne, puisqu'elles sont victimes à la fois du racisme et du sexisme…

11

Dépression

Je ne mange plus. Cela fait des semaines que je n'ai pas cuisiné. Jay me force à avaler quelque chose de temps en temps, ne serait-ce qu'un petit bout de pain. Je passe mes journées assise sur le canapé à regarder dehors, sans voir, ni entendre. Je n'ai jamais connu un tel état. Je dois rassembler toutes mes énergies pour me faire couler un bain.

Jay me regarde, impuissant. «Va passer quelques semaines au Canada pour voir Léandre.» Mais la correspondante de Radio-Canada va bientôt quitter le pays et je ne veux pas rater ma chance de la remplacer.

Je me retrouve dans le bureau de Judy, psycho-thérapeute. Judy travaille au Family Life Centre, où l'on offre des thérapies de toutes sortes, depuis la thérapie de couple jusqu'au soutien psychologique pour les séropositifs. Nous sommes le 29 novembre 1991, jour de mon trentième anniversaire. Colette, qui avait elle-même un rendez-vous avec Judy, m'a refilé sa place.

— Pourquoi es-tu venue en Afrique du Sud?

— Je veux faire des reportages sur l'Afrique du Sud pour mon pays.

— En fais-tu?

— Pas vraiment. Mais ça ne devrait pas tarder. Je devrais bientôt prendre la place de la correspondante actuelle.

— Alors qu'est-ce qu'il y a? Qu'est-ce qui te fait tant pleurer?

— Léandre! C'est mon fils. Mon amour. Mon petit chou que j'ai laissé à l'autre bout de la planète.

— Pourquoi n'y retournes-tu pas?

— Il y a Jay.

Ce qui me retient ici, ce n'est pas seulement un rêve professionnel. C'est plus que ça. Je suis aussi ici parce que j'aime un homme. Mais cette raison ne me paraissait pas suffisante pour justifier l'«abandon» de mon fils sur un autre continent. Je suis envahie de culpabilité et de honte rien qu'à y penser. J'explique à Judy que partir d'ici pour rentrer chez moi me semble aussi difficile que de rester. Mais qu'est-ce qu'on fait lorsqu'on a un fils sur un continent et un conjoint sur un autre? Même si Jay m'a promis qu'il viendrait vivre au Canada «un jour», je sais qu'il ne peut pas partir maintenant.

Judy décide de m'envoyer immédiatement voir un psychiatre afin qu'il me prescrive du Prozac. C'est urgent, me dit-elle. En sortant de son bureau, je suis effondrée par son diagnostic : dépression sévère. Je me croyais une «femme forte», à l'épreuve de tout. Je croyais qu'on pouvait encaisser sans cesse, n'importe quoi, dans son corps et sa tête, que la vie continuait malgré les obstacles, qu'il était possible de fonctionner normalement malgré les circonstances.

Le personnel du Family Life Centre doit venir me recueillir dehors, sous un arbre. J'ai perdu toute notion de réalité. Je ne sais plus où est mon auto. De toute façon, je n'aurais pas pu conduire. Je crois que je ne sais même plus épeler mon nom.

Le diagnostic de Judy résonne encore dans ma tête. «En fait, je soupçonne que tu vis dans un état dépressif depuis au moins dix ans», avait-elle précisé.

Je commencerai le jour même à prendre du Prozac, un médicament dont je n'ai encore jamais entendu parler, mais qui devrait, dit-on, me remettre en état de fonctionner.

Le viol

«Plus de mille femmes sont violées chaque jour en Afrique du Sud», m'apprend un article de l'excellent hebdomadaire *The Weekly Mail*. J'y lis qu'en ce pays une femme sur deux sera violée au cours de sa vie. Mille trente-huit viols sont commis chaque jour. Je sors ma calculatrice : plus de quarante-trois viols à l'heure! C'est le plus haut taux de viol au monde, soit, mais «une femme sur deux violée au cours de sa vie», n'est-ce pas exagéré?

Quelque chose en moi m'ordonne tout à coup de bouger. Je saute sur le téléphone et je fais une bonne ving-taine d'appels à diverses organisations, gouvernementales, universitaires, indépendantes, féministes, etc. Mis à part les services gouvernementaux, tous les organismes, sans exception, confirment les données du *Weekly Mail*. Une femme sur deux sera violée au cours de sa vie. J'ai peine à y croire.

Il se commet donc un viol toutes les quatre-vingt-trois secondes. La police ne nie pas ces chiffres. Selon plusieurs sondages et enquêtes, une femme sur vingt seulement rapportera son viol à la police.

J'appelle la SABC (South African Broadcasting Corporation) pour me renseigner sur la possibilité de visionner des reportages réalisés sur le sujet. On me répond qu'il n'y en a aucun. Viol, agression sexuelle, violence contre les femmes, violence conjugale sont des sujets inexistants pour la SABC. Pourquoi? Parce que c'est un problème noir. En fait, quatre-vingt-quinze pour cent des victimes de viol sont noires.

J'appelle les gens que je connais à VNS (Video News Services). VNS a été la mouche du coche du régime de l'apartheid dans le domaine de la télévision. On y a tourné et diffusé les images les plus subversives. Sans VNS, le monde n'aurait pas pu voir le quart des images sur l'Afrique du Sud qui ont été diffusées au cours des dix dernières années.

Je fais part de ma «découverte» à Jeremy Nathan, codirecteur de la boîte, avec qui j'ai travaillé pendant mes tournages pour *Nord-Sud*. Je propose de préparer un documentaire. «Écris un synopsis, me répond-il, et on verra ce qu'on peut faire.» J'emprunte l'ordinateur portable de Jay. Il peut s'en passer, me dit-il, tandis que moi, sans clavier, je suis handicapée.

Je commence ma recherche. J'appelle un peu partout, accumulant des statistiques, des informations, des explications sur ce haut taux de viol. À chacun de mes interlocuteurs, je demande si un documentaire sur le sujet serait utile.

— Absolument! Nous en avons besoin maintenant! Nous en avions besoin hier!

— Pourriez-vous contribuer au financement d'un tel documentaire?

— Non. Nous vivons nous-mêmes grâce à des subventions.

J'obtiens la même réponse partout, même de la part de Heather Reganass, directrice du National Institute for the Prevention of Crime and the Rehabilitation of Offenders. Mon projet de vidéo l'emballe, mais son organisme ne peut se permettre d'y participer financièrement. Par contre, elle me fournit de précieux renseignements.

Je commence à rédiger mon synopsis. Pendant deux jours, j'écris. Un viol toutes les quatre-vingt-trois secondes. Je regarde l'aiguille des secondes sur mon affreuse horloge jaune à piles, accrochée dans notre charmante cuisine neuve, et chaque fois que quatre-vingt-trois secondes passent, j'imagine le mal. Un hurlement que personne ne peut entendre. Que personne ne veut entendre. Et puis, le silence. Pour la vie. Et, chaque quatre-vingt-trois secondes, un nouveau hurlement s'ajoute au silence. Victimes de leur sexe, mille trente-huit femmes sont violées chaque jour, deux fois plus que dans tous les États-Unis.

Les féministes sud-africaines ont élaboré une théorie du viol spécifique au contexte national. Selon Heather Reganass, l'ampleur du phénomène est étroitement liée au système politique : « C'est le résultat de quarante ans d'apartheid. C'est la continuation de la violence et ça fait partie de tout ce qui va mal dans ce pays. Le pays est gouverné par la violence. Les gens répondent par la violence. » Mary Mabaso, une grande dame qui a organisé une première marche contre le viol à Soweto, en 1989, exprime un avis semblable : « Dans la mesure où le viol est un problème concentré dans les townships noirs et que, par comparaison, il survient beaucoup moins dans les communautés blanches, il semble être clairement relié à l'apartheid. »

La thèse est intéressante. Se peut-il, en effet, que nombre d'hommes noirs, privés depuis toujours du sentiment de pouvoir sur leur propre condition, répondent par la violence envers les femmes ? Car le viol est avant tout un acte de pouvoir.

Dans la société sud-africaine, gouvernée par un régime ultra-conservateur depuis des décennies, les perceptions quant au viol n'ont pas évolué. Tous, victimes ou membres de l'appareil judiciaire, entretiennent une mentalité dont les sociétés industrielles se sont débarrassées depuis bientôt un quart de siècle. Le viol est encore perçu, et par la victime, et par les autres, comme une «maladie» honteuse. On le subit, un point c'est tout. Les lois nourrissent cette attitude.

Je tombe sur un article édifiant dans le *Weekly Mail* : un homme, n'habitant plus avec sa femme mais toujours marié, est accusé de viol. Son avocat le défend en avançant que, «puisqu'ils sont encore légalement mariés, le mari a *droit d'accès* à sa femme. Il était donc légal de forcer sa femme à avoir un rapport sexuel avec lui». L'exemption maritale qui protège le mari contre les poursuites pour viol est un principe établi en Angleterre en 1773 et connu sous le nom de *Hale's Rule*. L'Afrique du Sud l'applique encore. Le viol, avec permis, est légal !

Un phénomène terrifiant est à la hausse : le viol collectif, qu'on appelle ici *gang-raping* ou *jackrolling*. C'est un «sport» dans les townships, où des hommes, jeunes surtout, s'y adonnent sans scrupule, et presque ouvertement. Les *jackrollers* considèrent que forcer une femme à avoir un rapport sexuel constitue une faveur à son endroit plutôt qu'un crime. La montée de ce phénomène semble intimement liée à la crise politique. Partout, la loi et l'ordre s'effondrent. Tout donne l'impression que la camisole de force qui retenait la population de ce pays depuis si longtemps vient de se rompre, laissant libre cours à toutes les formes de sauvagerie et de violence.

Je tiens à réaliser mon documentaire, mais il me faut de l'argent; beaucoup d'argent. Dans un pays où l'analphabétisme est le lot de près de la moitié de la population, le pouvoir de l'image est décuplé. Je veux que la caméra aille là où le silence a verrouillé la vérité, là où les femmes étouffent leurs cris, étranglés par la honte. Je veux montrer où, comment et pourquoi on viole. Mais surtout, je veux créer un outil pour briser ce mur du silence, pour dire aux femmes : «Vous avez le droit de hurler votre colère. Et même si la loi vous défend mal, vous avez le droit de crier à l'injustice.»

Dans le synopsis que je présente à divers organismes, entreprises, organisations gouvernementales et non gouvernementales dans le but de financer le film vidéo, j'avance que si ce document «peut sauver une femme du viol, juste une, il aura atteint son but, qui est de diminuer la violence faite contre les femmes». Et je termine avec l'apostille suivante : «Pendant que vous avez lu ce texte, deux femmes ont été violées.»

Deux jours plus tard, je me rends à VNS. Jeremy Nathan n'y est pas, mais je rencontre son collègue et codirecteur de la boîte, Lawrence. Il lit le synopsis devant moi, puis le pose sur la pile de papiers sur le coin de son bureau et me remercie. Il verra ce qu'il peut faire.

Je le regarde, incrédule et frustrée. Je comprends tout de suite qu'il ne donnera aucune suite à mon projet. C'est un gars et de telles histoires l'ennuient à périr... Je pars enragée.

Mais je doute, comme d'habitude. Est-ce le sujet qui ne l'intéresse pas ou serait-ce plutôt le synopsis qui est mal écrit et insignifiant?

Je retourne à la maison complètement découragée. Et je reprends mes activités habituelles : pleurer et attendre Jay.

13

Omar

Notre ami Omar Motani est un Sud-Africain d'origine indienne comme Jay. Il a pourtant la peau aussi blanche qu'un Blanc. Cela lui permettait, sous l'apartheid, de se promener sur les plages réservées aux Blancs avec une jolie femme à son bras, sans se faire arrêter et jeter en prison !

Omar, né le 2 novembre 1933, est parti de rien. Il a commencé à fabriquer des meubles dans sa cour arrière. Aujourd'hui, il dirige un empire, possédant six usines de fabrication de meubles. Il m'a fait visiter celle de Pretoria. «Nous avons repeint les murs des toilettes des travailleurs de couleurs agréables. Et la salle de repos des ouvriers dispose de grandes fenêtres, comme dans nos bureaux.» En éteignant la lumière de l'immense salle où sont rangés les peaux et les tissus, il dit : «Je veux rendre l'environnement de travail aussi agréable que possible.»

Omar a presque toujours une cigarette entre les doigts — sauf lorsqu'il joue au tennis! Même à cinquante-huit ans, il réussit à essouffler les jeunes cœurs sportifs qui viennent, tous les dimanches matin depuis des années, disputer un match chez lui. Omar fait tourner la tête des femmes : il est beau, toujours habillé de façon distinguée, et son corps reflète sa forme physique. Il est d'une politesse extrême, surtout avec les femmes, qui se sentent «spéciales» en sa présence. Il les charme, tout naturellement. «Une femme, en ma compagnie, n'allume jamais sa cigarette, ne remplit jamais son verre, n'ouvre jamais une porte.» Omar aime rire et faire rire. Son sens de l'humour est son plus cher atout. J'ai tant ri avec lui. Étendus sur son lit grand format, nous pouvions parler des heures, voire des nuits entières. De plus, Omar est authentiquement humble. Il est, par exemple, un bon ami de Nelson Mandela; mais il vous faudra cinquante rencontres avec lui avant qu'il ne parle de sa relation privilégiée avec le grand homme.

Si Omar entre chez vous et que vous l'invitez à prendre place sur votre canapé ou sur une de vos chaises de cuisine, il mettra dix minutes à s'asseoir. Il vous parlera, cigarette au bec, tout en examinant le meuble, évaluant son confort, la qualité de ses coutures, de sa base, de son tissu. Il s'assiéra au centre, puis sur le côté, sans aucunement aborder le sujet des meubles. Il sautillera discrètement, lèvera les sourcils, marmonnera puis continuera la conversation comme si de rien n'était.

Omar, le capitaliste, a fait la connaissance de Jay, le socialiste, peu de temps avant la libération de Nelson Mandela. Ce Naidoo, indien et syndicaliste, l'intriguait et il avait demandé à le rencontrer. «Je le trouvais vif d'esprit et je voulais savoir qui était l'homme derrière l'image que projetaient les médias, celle d'un être démoniaque.» Il a les yeux du diable, disait-on de Jay.

Leur rencontre eut lieu au Carleton Place, un immense hôtel, le plus haut édifice de la ville, en plein centre de Johannesburg. Jay accepta de le voir parce qu'il avait besoin d'alliés dans le monde des affaires.

Presque instantanément, disent-ils tous les deux aujourd'hui, une relation de confiance s'est établie entre eux. Les heures passaient, et, à mesure que leur conversation se prolongeait, Jay annulait ses rendez-vous de l'après-midi. Ils ont parlé de tout, guéri tous les maux de l'Afrique du Sud, cerné toutes les solutions. Ils ont parlé de la vie, de la mort, de la joie, de la peine et de la souffrance.

De cette rencontre est née une amitié inattendue entre deux hommes on ne peut plus différents : l'un hindou, chef des syndicats, l'autre musulman, capitaliste, et vingt ans plus âgé que le premier. Cette relation ne cessera jamais d'étonner le monde économique et politique d'Afrique du Sud. Jay et Omar sont des *soul mates*, comme ils disent : c'est l'âme qui les lie. Lorsqu'ils sont ensemble, j'ai souvent vu Omar passer un bras autour du cou de Jay et lui tapoter affectueusement la joue de l'autre main.

En quittant l'hôtel, Omar proposa de raccompagner Jay. Les deux hommes s'engouffrèrent dans l'immense stationnement souterrain, mais Omar ne se souvenait plus où il avait garé sa voiture. Ils la cherchèrent, parcourant les trois ou quatre niveaux du stationnement en riant. Les employés, qui reconnaissaient Jay au passage, lui lançaient : «Viva COSATU, viva!» «Au fait, demanda Jay, comment est-elle, ta voiture? De quelle couleur?» Omar hésita, puis répondit, à voix basse : «C'est une Rolls Royce... or.» Jay en resta estomaqué. Et lorsque deux employés s'approchèrent, trop heureux d'aider le camarade Naidoo à trouver sa voiture, il ne sut pas comment répondre à leurs questions sur le type de véhicule. Il finit par bafouiller une vague explication. Omar se rappela alors que sa Rolls Royce se trouvait dans un autre stationnement...

J'ai quant à moi rencontré Omar quelques jours seulement après mon arrivée en Afrique du Sud. En nous rendant chez lui pour un repas, Jay m'avait prévenue : «Ne t'étonne pas des gens autour de lui. Il a des serviteurs.» Je ne m'étais encore jamais trouvée dans une maison où s'affairaient autant de domestiques : jardiniers, cuisiniers, femmes de chambre... Ce soir-là, à la grande table rectangulaire en verre de la salle à manger, je m'assoirai à la place qui, pendant huit ans, sera toujours la mienne, la deuxième à la droite du trône d'Omar. Omar et moi avions immédiatement sympathisé. Au cours de la soirée, il m'a demandé si j'avais accepté la demande en mariage de Jay. «C'est une grosse décision pour moi, Omar. J'y réfléchis.»

Un soir, assis dans le canapé moelleux de la chambre d'Omar, Jay est revenu à la charge avec sa proposition de mariage, comme il le faisait régulièrement depuis des semaines. «Je te promets un jardin de roses, dit Jay, avec beaucoup d'épines sûrement, car il y aura des moments difficiles, mais il y aura toujours la rose, belle, grosse, pure, envoûtante, passionnée. Veux-tu m'épouser?» Quand je lui réponds que, oui, je le veux, il saute de joie et veut faire ça tout de suite! Nous décidons de nous marier en décembre, dans trois semaines, sur le court de tennis d'Omar! Ce sera le moment propice puisque Léandre vient avec ma mère. J'ai précisé à Jay et Omar qu'il n'était pas question que je célèbre mon mariage sans ma mère.

Omar est dans tous ses états. «Un mariage dans trois semaines?! Les invitations! La bouffe! Les tables, les chaises, les nappes, les fleurs, les serviettes! Trois semaines? La musique! Le prêtre! Le chapiteau! Il nous faut un chapiteau. C'est la saison des pluies.» (Entre octobre et mai, il pleut généralement une fois par jour à Johannesburg. Une pluie diluvienne accompagnée de tonnerre et d'éclairs. Ça sent l'ozone.)

Jay et Omar dressent la liste des convives. Moi, j'ai deux invités : Léandre et Louise. Mais pour Jay, c'est plus compliqué. D'abord, les Indiens, qu'ils soient hindous ou musulmans, ne savent pas ce qu'est une réception intime. Ensuite, si Jay invite une personne, il devra en inviter quatre cents! Bientôt, ils seront cinq cents, et, le jour du mariage, six cents personnes se masseront sur les terrains d'Omar pour assister au mariage d'un des fils célèbres de la communauté indienne d'Afrique du Sud et de la lutte anti-apartheid!

14

Premier mariage : en Afrique du Sud

Deux jours avant la cérémonie, Léandre arrive avec sa grand-mère… et son père !

Ce dernier tient à voir de ses propres yeux le pays où il va laisser son fils durant six mois. J'aurais fait la même chose. Je serais allée à l'autre bout du monde pour m'assurer que la pleine lune remplisse ses rêves de sonates et non de loups-garous armés d'AK-47. Mais de là à aller au mariage de mon ex…

Je lui avais pourtant écrit une longue lettre le suppliant de me faire confiance, lui promettant de ne jamais mettre la vie de Léandre en danger et lui jurant qu'en Afrique du Sud, malgré la violence politique, la vie de tous les jours était vivable. Mais il n'a pas démordu.

Le jour de leur arrivée, je compte les heures et les minutes. La chambre de Léandre est superbe. Pas un grain de poussière. Chaque objet y a été judicieusement choisi et posé. J'ai passé un mois à gratter, replâtrer, peindre, laver, frotter, décorer sa chambre, la plus spacieuse de la maison.

Nous nous rendons à l'aéroport longtemps à l'avance. Je n'en pouvais plus d'attendre à la maison. Sagaren, le beau-frère de Jay, nous accompagne. Il travaille à la South African Airways et son bureau est à l'aéroport. Louise, ma mère, a bien failli ne pas arriver. Il faisait tempête à

Umiujaq d'où elle devait partir, il y a quelques jours, et plusieurs vols ont été annulés. Quand j'ai pris connaissance des conditions météorologiques, j'ai répété à Omar que je ne me marierais pas si ma mère n'était pas là. Il m'a regardée, l'air de dire : «Tu crois que je vais annuler une réception pour cinq cents personnes?», mais il a bien vu que j'étais très sérieuse.

L'avion atterrit enfin. Un peu de patience encore. Cela prend une bonne demi-heure pour récupérer ses bagages et passer aux douanes. Puis, les portes coulissantes s'ouvrent et les passagers commencent à défiler…

Ça fait six mois que je n'ai pas vu Léandre. Comme il a presque cinq ans, cela représente dix pour cent de sa vie !

Les portes coulissantes s'ouvrent moins souvent. La fin de l'attente approche. Mais aucun visage familier ne se pointe, ni celui de Léandre, ni celui de sa grand-mère, ni celui de son père. Et puis, plus rien. Les portes demeurent immobiles.

D'un seul coup, je m'élance; je franchis les cordons de sécurité qui défendent l'accès à la section des voyageurs. Jay et Sagaren tentent en vain de me retenir. Rien ne peut m'arrêter. Rien! Je cours vers les grosses portes de verre opaque et essaie de les ouvrir en tirant de toutes mes forces. Un gardien de sécurité s'approche. Et puis, les portes s'ouvrent pour laisser passer un autre passager. J'ai eu quelques secondes pour voir à l'intérieur. Je les ai aperçus! Ils sont près du carrousel, maintenant vide. Il leur manque une valise! C'était donc cela! J'ai eu le temps d'entrevoir Léandre, assis sur le chariot à bagages, si beau, frais et innocent.

Les voilà finalement. Je ne sais pas comment les accueillir. L'atmosphère est plus calme que je ne l'avais anticipé. Comme Jay et moi l'avions prévu, le père de Léandre fait le trajet jusqu'à la maison dans une voiture avec Sagaren et Jay; Léandre, Louise et moi, dans l'autre. Cela me donne quinze minutes pour reprendre contact avec mon fils sans la présence de son père. C'est court, quinze minutes, mais si précieux.

Toute la journée, Léandre découvre sa demeure pour les cent quatre-vingts prochains dodos. Il touche à tout, fouille et regarde partout. Fréquemment, il vient m'embrasser, me donner des câlins, me répéter « Je t'aime, maman, je suis si content de te voir », avec une telle tendresse que je savoure ce moment encore aujourd'hui.

* * *

Le jour du mariage, seuls quelques nuages nous menacent. Mais, selon la tradition hindoue, un peu de pluie est souhaitable pour bénir la cérémonie.

Trouver ma robe de mariage avait été un cauchemar. Pourquoi dépenser de l'argent pour un vêtement que je ne porterais qu'une fois? me disais-je. J'ai fait les magasins de tissus au Oriental Plaza, un centre commercial dans Fordsburg, un quartier indien de Johannesburg. On trouve dans les boutiques indiennes un grand choix de tissus à prix abordables ainsi que d'immenses livres de patrons. Comme les traînes de trois mètres et les voiles en mesurant six ne sont pas mon style, j'ai finalement opté pour une robe bien modeste dans la section des filles d'honneur! Il y a un peu de dentelle sur le bord qui tombe à mi-mollet.

Jay a emprunté un très élégant costume beige, à la Nehru, dont la veste descend à mi-cuisse. Il a même emprunté les boutons du costume d'un ami pour les coudre, le temps du mariage, sur le sien.

Léandre ne comprend pas trop ce qui se passe. Il est vêtu d'un ensemble indien, une sorte de punjabi. La longue chemise blanche en soie lui tombe jusqu'aux genoux, et le pantalon lui serre la cheville.

Nous étions allés tous ensemble acheter les vêtements de Léandre, son père compris. Dans toutes les boutiques du Oriental Plaza, on reconnaissait Jay. Les gens s'enquéraient de nos projets de mariage. Jay faisait les présentations. « Voici ma future épouse, son fils, ma belle-mère et, hum… et le père de notre Léandre ici présent. » Les gens restaient bouche bée, ne sachant trop comment réagir. Nous avons tous ri, comme si l'absurdité de la situation venait de nous éclater en plein visage.

J'ai répété à mon ex qu'il n'était pas obligé d'assister à la célébration, mais qu'il était le bienvenu. Il a accepté l'invitation…

* * *

On déroule le tapis rouge pour nous. Omar m'accueille devant chez lui et m'ouvre la portière. Ça fourmille de monde. La moitié du prochain cabinet de Mandela est ici ! Les gens sont fébriles.

J'aurais beaucoup aimé que mon père soit de la cérémonie, mais, après avoir passé près de la moitié de sa vie dans l'aviation, en tant que navigateur dans les forces armées canadiennes, il ne supporte plus l'avion. De plus, comme il déteste les foules, il aurait été malheureux, ici. Alors c'est Omar qui me fera office de « père », lui qui m'a adoptée dès la première minute, m'accueillant dans sa grande famille. Il a huit enfants, quatre garçons et quatre filles, et une douzaine de petits-enfants. Ses trois dernières filles sont de Hajira, sa femme actuelle. Ils sont tous là pour nous accueillir.

Je me laisse transporter par la vague et m'abandonne à la séance de photos. Je sens que mon sourire est forcé. Jay, lui, jubile. Il retrouve tous ses amis, ses collègues, ceux et celles avec qui il a risqué sa vie dans ses activités politiques et syndicales. Dans le tourbillon de présentations, de retrouvailles, d'accolades, je suis bien perdue.

Puis, comme une vague qui vient chercher les châteaux de sable sur la plage, l'atmosphère se calme soudainement.

L'énergie de la foule vient de changer. J'étire le cou pour voir ce qui se passe. «*Hallo! Howa you?*» La voix grave est celle de Nelson Mandela qui vient d'entrer, et qui n'a pas eu à hausser le ton pour se faire entendre.

Comme chaque fois que je le rencontrerai, Nelson Mandela s'informe de mon enfant. «Léandre? Il est ici! Venez le rencontrer.»

«*Howa you, little one?*» (Comment vas-tu, mon petit?) Léandre n'est pas un nom facile à prononcer pour un non-francophone. Certains diront Leo, Leon, Lee-ander, mais rarement Léandre. «Quel âge as-tu?» Léandre a entendu parler de ce grand sage, mais, pour l'instant, ce n'est, pour lui, qu'un «petit vieux» comme les autres qui lui pose des questions dans une langue étrangère. Il ne comprend rien et se cache derrière ma robe.

«Vous êtes très élégante aujourd'hui», me complimente Mandela avant d'être entraîné ailleurs. Les gens s'attroupent autour de lui. Nombreux sont ceux qui le prennent en photo ou le filment. On ne remarque aucun flash, cependant, car tout le monde sait que le célèbre prisonnier s'est endommagé les yeux pendant ses treize ans de travaux forcés dans la blancheur des mines de chaux de Robben Island, sous l'éclat du soleil.

Le chapiteau sur le court de tennis regorge de monde. Les musiciens indiens préparent leurs tablas et sitars. Les tables de dix convives chacune sont soigneusement mises et simplement décorées : fleurs, petites serviettes agencées, condiments indiens. La grande table d'honneur accueille une vingtaine de personnes. Sont assis avec nous ma mère, Omar, Nelson Mandela et quelques figures de proue de l'ANC, dont Walter et Albertina Sisulu, et Oliver Tambo et sa femme, Adelaide. Autour de la propriété se sont amassés des curieux qui escaladent les murs pour tenter d'apercevoir, ne serait-ce qu'un instant, les célébrités réunies pour l'événement.

Oliver Tambo a été victime d'une crise cardiaque en 1989 et il s'exprime avec peine. Il est âgé de soixante-quatorze ans et il tremble maintenant. Ses gestes ont perdu de l'assurance. Pendant trois décennies, Tambo a été le chef de l'ANC. Contraint à l'exil, il a dirigé le mouvement contre l'apartheid et les opérations militaires de l'Umkhonto we Sizwe, la branche armée du mouvement, pendant toutes les années où Mandela était emprisonné.

Homme modeste et discret, Walter Sisulu est méconnu, surtout à l'étranger. Il a passé plus de vingt-six ans de sa vie en prison. Sa femme, Albertina, a été arrêtée, détenue, mise au ban de la société et harcelée pendant vingt-quatre ans. Leurs huit enfants (dont trois adoptés) et un de leurs petits-enfants ont subi ou fui la «justice» sud-africaine. Lorsque les Sisulu se sont mariés, en 1944, Albertina voulait acheter des meubles, raconte Walter, qui lui a répondu que c'était inutile, qu'il ne serait pas là pour les payer. «Je savais que j'allais passer ma vie en prison, dit-il. Je croyais que j'allais y mourir.»

Léandre a pris place à mes côtés tandis que son père est assis à l'autre bout de la table d'honneur. Omar marche fièrement. Il me chuchote à l'oreille qu'il est heureux que ce soit moi l'élue du cœur de Jay.

Quelques minutes plus tard, c'est ce que dira aussi Nelson Mandela devant la foule. Quand il se lève pour prononcer son discours, tous se taisent. Il est le seul parmi les invités à avoir choisi une tenue vestimentaire plutôt désinvolte, c'est-à-dire une petite chemise d'été blanche avec un pantalon sport. «Je me suis enquis du code vestimentaire pour cette occasion, commence-t-il. On m'avait dit que Jay Naidoo avait un style décontracté, et donc qu'un habillement un peu sport conviendrait, mais je vois que je me suis trompé.» Puis, il raconte une longue histoire au sujet de Jay, homme admirable, qui a voué sa vie à la cause. «Des femmes du monde entier avaient l'œil sur ce beau jeune homme. Je vois que c'est Lucie qui a gagné le concours. » Il n'est pas génial tout le temps, Mandela. J'ai trouvé son allusion à un « concours » un peu déplacée. Mais bon, c'est son côté un peu maladroit, qui le rend humain.

Par contre, Albertina, la femme de Walter Sisulu, qu'on appelle familièrement Ma Sisulu, est drôlement douée pour les discours. Elle se lève, avance sans hésitation vers le podium, malgré ses soixante-quinze ans, et me lance une douche froide dès les premiers mots. « Lucie, Jay est déjà marié. » Rires jaunes de l'assemblée. Puis, le silence. Elle sait parler, peser ses mots. « Oui, tu es sa deuxième femme. Sa première femme, c'est le pays, la lutte, la cause. Ton plus grand apprentissage sera de vivre dans ce ménage à trois. » Elle se tourne pour me regarder directement dans les yeux, dirigeant sur moi six cents paires d'yeux.

Le silence se transforme ensuite en rigolade. J'esquisse un sourire forcé. Entre les dents, je souffle à Jay : « Mais qu'est-ce qu'elle dit ? Elle est folle ? » Jay tente de me calmer. « Je n'ai qu'une femme et c'est toi… » Mais je n'ai pas du tout apprécié cette remarque d'Albertina. À tel point que je n'ai pas écouté le reste de son discours !

Elle avait pourtant raison, Albertina. Et si je devais prononcer, aujourd'hui, un discours à l'occasion de telles noces, je répéterais ce qu'elle a dit. Elle avait visé juste ! Je n'avais aucune idée, à ce moment-là, de la pertinence de son message. Mais elle savait de quoi elle parlait. Elle qui ne s'intéressait pas à la politique avant de rencontrer Walter, en 1942, s'était rapidement ralliée à la « lutte pour les droits égaux ».

« Mon mari ne m'a jamais obligée à devenir son ombre politique, me dira-t-elle un jour. Et s'il ne m'a jamais forcée à me battre politiquement, il ne m'a jamais non plus empêchée de le faire. » Elle a commencé, à son tour, une carrière politique, mais, étant mère de famille, elle avait plus d'obstacles à surmonter. « Une fois, l'ANC m'a interdit de participer à un événement parce que d'autres membres de la famille y participaient déjà. Il fallait bien que quelqu'un s'occupe des enfants…» Elle n'a toutefois pas raté la marche des vingt mille femmes sur Pretoria en 1956, qui avait pour objectif de protester contre la loi obligeant les Africaines à être munies de permis de circuler; elle n'a pas manqué non plus de défier les nouvelles lois sur ces «laissez-passer» en 1958, ce qui lui a valu d'être arrêtée et détenue pendant six semaines en attendant son procès. Elle allaitait alors sa fille de dix mois. «Ils m'ont empêchée de l'avoir près de moi. Ça m'a fait mal.» Au procès, elle a été innocentée. Son avocat s'appelait Nelson Mandela…

Albertina a fait de la prison et a passé dix-sept ans, de 1964 à 1981, complètement isolée de la société : le *banning order* l'avait réduite au silence; les contacts avec son mari étaient rares et difficiles. Elle a tenu le coup, presque miraculeusement, déchirée entre huit enfants, des barreaux, un amour… et un pays à changer. Entre 1982 et 1985, Albertina Sisulu passe presque deux ans en prison. En 1983, tandis qu'elle est derrière les barreaux, elle est nommée présidente du Front démocratique uni pour la région du Transvaal. Si, officiellement, Winnie Mandela est encore considérée comme la «mère de la nation» en Afrique du Sud, beaucoup accordent silencieusement ce titre à Albertina Sisulu.

Walter, qui deviendra un véritable ami, me confiera, un jour : «Sans Albertina, je n'aurais pas pu faire ce que j'ai fait. Elle est l'échine de ma vie et de celle de ma famille.»

Parmi tous les discours prononcés le jour de mon mariage, c'est celui de ma mère qui aura été le plus mémorable. Pendant des années, on ne cessera d'y faire allusion : «J'étais à votre mariage, à Johannesburg. J'ai adoré le discours de votre mère! Quelle femme!»

Ce n'est pas seulement ce que Louise dit qui charme, c'est aussi sa façon de le dire. Partout où elle passe, elle laisse des traces. Les gens s'en souviennent. Aujourd'hui, quand on lui parle de ce discours, elle en a honte. Elle nie être une femme exceptionnelle et se dénigre continuellement. Il est facile de comprendre de qui je tiens cette difficulté à me faire confiance...

Louise s'est levée, croulant sous le trac. Mais c'est une femme de scène, une artiste, une pianiste, une comédienne, et la foule la stimule même si elle la terrorise. Sans notes, sans feuilles, le regard perçant, l'esprit tranchant, Loulou s'exprime en gesticulant.

Elle a d'abord raconté l'arrivée de Jay au petit village d'Umiujaq, sur la baie d'Hudson. «J'avais dit à mes élèves inuits que quelqu'un d'Afrique du Sud venait d'arriver. Comme ils ne connaissaient que le nom de Mandela, ils ont demandé : «Mandela est ici?» Je leur ai répondu que non, que le visiteur s'appelait Jay. Les enfants se sont alors exclamés en cœur : «Jay Mandela est ici! Jay Mandela est ici!» Nelson Mandela a bien ri.

Louise souffre, comme moi, d'une certaine naïveté. Par exemple, elle n'a pas pensé qu'il n'est pas de mise de parler du nationalisme québécois en présence d'un haut-commissaire canadien... Elle a enchaîné en disant que, vivant près du pôle Nord, elle n'avait pas pu acheter un «vrai» cadeau de mariage, tel un grille-pain. Mais, sachant combien j'aimais mon pays et combien je m'ennuyais, elle avait trouvé autre chose. De son sac d'épicerie en plastique, elle a alors sorti et déplié un immense drapeau fleurdelisé! Le haut-commissaire canadien, assis parmi les invités, n'a sans doute pas apprécié. Mais ce n'était pas fini! Son sac contenait d'autres trésors!

Loulou est une tricoteuse. Elle nous avait donc tricoté un cadeau de mariage, des mitaines bleues avec de grandes fleurs de lys blanches. Elle m'en donne une paire, puis une à Jay, en continuant à parler d'identité québécoise. Puis, elle sort une troisième paire de mitaines, qu'elle avait tricotée spécialement pour Nelson Mandela! Un silence profond s'abat sur l'assemblée lorsqu'elle va les lui porter à sa place, au centre de la table d'honneur. Il l'embrasse, la remercie. Il glisse ensuite ses mains dans les moufles, puis se lève, s'étire le corps lentement, hausse les bras, très haut dans les airs, et tourne de droite à gauche, comme un président venant de remporter des élections, en montrant le devant et l'arrière des mitaines, sous les hourras et les vivats des convives. Louise avait transformé l'assemblée réunie sous le chapiteau en une foule fascinée qui aurait rempli de satisfaction René Lévesque! Le haut-commissaire canadien, m'a-t-on raconté, l'a trouvée moins drôle; il s'est levé et est parti.

Cet «incident diplomatique» finira dans les pages du magazine québécois *L'actualité* qui publiera, quelques mois plus tard, la photo de Nelson Mandela aux mains fleurdelisées. Mais l'article provoquera un autre «incident diplomatique», entre mon ami Luc Chartrand, le journaliste qui l'avait rédigé, et ma mère. La photo avait été publiée sous le titre «Vive le Phentex libre». C'était bien mal connaître Louise, fière tricoteuse qui n'utilise que de la pure laine et qui abhorre tout ce qui est artificiel. Malgré les excuses répétées de Luc, ma mère lui en voudra un bon moment.

Quant à l'idée que Nelson Mandela puisse approuver le séparatisme, quel qu'il soit, n'est évidemment pas sérieuse. Tout son combat a été mené *contre* l'apartheid, contre le séparatisme. Comme je l'ai déjà expliqué, c'est chez les Afrikaners de droite que le séparatisme était accueilli avec sympathie, ou encore chez les nationalistes zoulous. Pas du tout chez les gens de l'ANC.

Après les discours, c'est l'heure de la cérémonie. Subitement, le ciel nous tombe sur la tête. Il pleut des cordes, mais ça ne dure que quelques minutes. Jay dit que sa maman vient de nous bénir.

Deux prêtres officieront. L'un est catholique et français, le père Emmanuel Lafont, un de nos bons amis. J'avais fait un reportage sur lui dans le cadre de l'émission *Nord-Sud*. Ce prêtre remarquable habite à Soweto. Pour un Blanc, résider à Soweto exige beaucoup de courage. Il s'est donné la peine d'apprendre quelques langues africaines. Je me rends de temps à autre à Soweto pour assister à sa messe du dimanche matin, quand j'ai besoin d'un regain d'énergie. En soutane et en sandales, Emmanuel Lafont fait vibrer l'église Saint-Philippe. On oublie sa petite taille lorsqu'il lève les bras, dans un geste qui embrasse les fidèles. L'assemblée danse et entonne des chants qui m'enflamment tellement ils sont émouvants et puissants.

Emmanuel lève haut la tête pour regarder Jay. Il le questionne du regard. Non, Jay n'a pas de bague. Ce n'est pas grave. Emmanuel ne s'en formalise pas. Jay et moi nous embrassons après avoir dit *I do*.

Ensuite débute la cérémonie hindoue. Le prêtre affiche un air sérieux. Point jaune sur le front, pieds nus, robe jusqu'au sol, il arrive avec son monceau d'objets sacrés, de l'encens, du camphre, de l'eau, des fruits, du lait bénit, du feu, et deux ravissantes guirlandes tissées de fleurs bénites, que nous nous passons autour du cou et échangeons trois fois. La cérémonie, un peu plus longue que la précédente, revêt pour Jay et sa famille une plus grande signification. Ses six frères et sœurs ont des larmes aux yeux. Jay, le cadet de la famille, est le dernier à se marier. Le dernier, à l'âge de trente-sept ans (il célébrera son anniversaire la semaine suivante, le 20 décembre), à se «caser» enfin. «Ma mère aurait tant voulu assister à mon mariage!» Il n'arrête pas de penser à elle aujourd'hui. Il était très près de sa mère. C'est elle, dit-il, qui lui a transmis les valeurs d'égalité et de justice. Lorsque ses enfants invitaient des amis à la maison, des Blancs, des Noirs ou des Indiens, elle leur servait à manger. Elle leur offrait même sa portion, s'il manquait de nourriture. «La plus grande influence dans ma vie a été ma mère», affirme Jay. Son absence se fait sentir avec d'autant plus d'acuité. C'est aussi ce que diront les deux sœurs de Jay, Nisha et Dimes, et ses quatre frères, Logie, Pat, Iyaloo et Popeye.

J'ai été très bien accueillie dans la famille de Jay. Nos nombreux séjours chez ses sœurs et frères s'inscrivent toujours sous le signe du plaisir et de la convivialité. La nourriture abonde, délicieuse, épicée. Quelquefois, les femmes me drapent d'un sari, qui laisse le nombril à découvert, et me dessinent un bindi dans le front. Mais la famille ne s'attend aucunement à ce que je délaisse ma culture. Elle m'accepte comme je suis, avec mes jeans et mes t-shirts, avec ma langue, ma culture et ma fougue. La famille Naidoo est unie, un véritable noyau de vie. Cela fait partie de la culture indienne. Désormais, je suis l'une des leurs. Même si dans les soirées de trente, quarante ou cinquante personnes je suis toujours la seule Blanche, on ne fera jamais allusion à ma différence.

La cérémonie hindoue est complexe. La grande sœur de Jay, Dimes, la «maman» de la famille, celle qui pense à tout, s'occupe de tout, récite les prières appropriées, celle qui a toujours un petit plat au congélateur pour la visite inattendue, connaît bien ce rituel. Bien que Dimes soit sérieuse, elle manifeste beaucoup d'ouverture d'esprit et est prête à tout essayer. Elle ne divorcerait pas, cependant. Cela ne se fait pas dans sa culture. Le mariage est sacré. Et aujourd'hui, elle transmet cette valeur fondamentale en nous guidant dans la cérémonie, avec le prêtre indien.

La cérémonie religieuse terminée, c'est le temps de célébrer. Les musiciens indiens rangent leurs sitars et tablas pour faire place aux African Jazz Pioneers, le groupe qui nous a fait danser, Jay et moi, le soir de notre première rencontre.

Et que la fête commence! Six cents personnes chantent et dansent le *toyi-toyi*, tout en venant, tour à tour, nous féliciter.

Vers vingt et une heures, je n'en peux plus. Je suis assise avec Léandre endormi dans mes bras. Je n'ai qu'une envie, partir. Mais Jay proteste qu'il est beaucoup trop tôt et que ce serait mal vu, compte tenu que les gens se sont déplacés pour nous. Je voudrais tout de même me blottir avec Léandre à la maison et écouter la *Cinquième Saison* d'Harmonium en buvant une bonne bière. Il s'est passé trop de choses en quarante-huit heures. Je suis épuisée. Et puis, je suis comme mon père, je n'aime pas les foules.

Louise, Léandre et son père partent. Jay et moi restons encore un peu. Mais j'insiste auprès de Jay : je suis physiquement et mentalement épuisée. Finalement, nous quittons nous aussi les lieux, même si Jay aurait bien passé la nuit à fêter. Si je m'étais trouvée en présence de six cents amis, des gens avec qui j'aurais grandi, étudié, fait l'amour, pleuré, risqué ma vie, j'aurais certainement voulu rester, moi aussi. Mais ce n'était pas le cas.

Dans l'auto sur le chemin du retour, me rendant soudain compte que nous n'avons signé aucun papier, je demande à Jay si nous sommes bel et bien mariés. Jay hésite, puis répond que non. Quoi?! Tout ce manège pour rien? Nous ne sommes pas mariés? «Ce ne fut pas inutile, dit Jay. C'était pour le plaisir.» Je veux bien, mais six cents personnes et deux prêtres se sont déplacés, et le mariage n'est pas valide?

J'apprends que ni l'une ni l'autre des deux cérémonies religieuses n'officialise notre union aux yeux de la loi. La religion hindoue, malgré ses centaines de milliers de croyants dans ce pays, n'est pas reconnue par l'État sud-africain. Quant au père Lafont, son permis ne lui permet de marier les gens qu'en territoire noir, c'est-à-dire à Soweto. Et nous sommes dans la ville officiellement blanche de Johannesburg.

* * *

Toute la nuit, Jay a évoqué sa mère et lui a même parlé à voix haute, comme s'ils avaient une conversation. En fait, j'avais l'impression que sa mère me parlait à travers lui. Il ne s'est jamais remis de sa mort. Lorsqu'elle est survenue, il était en voyage d'affaires en Europe. On est venu lui annoncer la nouvelle pendant un de ses discours. Il a sauté dans le premier avion. La famille allait l'attendre pour les funérailles, qui ont habituellement lieu dans les vingt-quatre heures suivant le décès. Mais il y a eu un malentendu. Lorsque Jay est arrivé à l'aéroport, sa sœur Dimes pleurait à chaudes larmes, la mort de sa mère, bien sûr, mais aussi le fait que Jay avait manqué les funérailles, qui s'étaient déroulées sans lui. Il en a été atterré. Encore aujourd'hui, il regrette de n'avoir pu y assister. Et il aurait voulu, plus que tout au monde, que sa mère soit avec nous, en ce moment de célébration.

Bakkium Chetty, la mère de Jay, a vu le jour le 11 décembre 1913 à Newcastle. Elle était fille d'un commerçant indien. Ses parents sont tous deux nés en Afrique du Sud. C'est l'arrière-grand-mère maternelle de Jay qui était née en Inde. Celle-ci, une femme intrépide, a traversé la moitié de la terre en espérant une vie meilleure. Elle venait de l'État du Tamil-Nadu et avait quitté l'Inde pour l'Afrique en 1865, avec sa fille. Jay parlera souvent de l'immense courage de son arrière-grand-mère dans ses discours politiques, pour tenter d'inciter les gens à l'action.

Les rapports de Jay avec son père étaient plus complexes que ceux qu'il entretenait avec sa mère. À la naissance de Jay, son père, né en 1898, avait cinquante-sept ans. C'était un joueur compulsif. Il a flambé dans les courses de chevaux tout l'argent de la famille, y compris l'héritage du grand-père maternel de Jay, et les économies destinées à l'éducation des sept enfants. Seul Pat, l'aîné, réalisera son rêve de devenir médecin. Les choses se sont aussi gâtées

97

avec l'entrée en vigueur de l'apartheid. Le père de Jay est mort lorsque ce dernier avait dix-sept ans. Jay n'a pas fait la paix avec lui. «Il ne m'a pris qu'une fois dans ses bras, raconte-t-il, lorsque je me suis brûlé à la jambe à l'âge de cinq ou six ans.» Mais quelques années après notre mariage, Jay ira rencontrer les gens du village de Dundee, où son père est né, et qui se souviennent encore de lui. Il fera la paix avec son père, enfin.

Sa mère reste de loin la personne la plus significative, la plus marquante de sa vie. Elle a accouché de Jay, à la maison, à l'âge de quarante-deux ans; elle l'a allaité pendant quatre ans et l'a adoré pendant trente-cinq ans. Jay avait trente-six ans lorsque je l'ai rencontré…

Je l'ai tenu dans mes bras toute la nuit alors qu'il retenait ses sanglots. Il n'a pas pleuré. Il a étouffé son émotion. Jay ne s'est pas encore libéré de la mort de sa mère.

15

Lune de groupe

Omar nous a prêté une fourgonnette pour notre lune de miel... à cinq! Sont du voyage ma mère, Léandre et... son père!

La présence du père de Léandre me place sur la corde raide. Il nous faut surtout éviter les scènes, les discussions et les larmes en présence de Léandre. Facile à dire...

Mon ancienne vie, celle de laquelle je me suis éloignée, me rattrape et s'immisce dans la nouvelle. Marchant sur des œufs à longueur de journée, je ne sais plus où se trouve la frontière entre la politesse, nécessaire en pareille circonstance, et la soumission aux humeurs de l'autre.

J'ai toujours peur de mon ex, une peur semblable à celle que j'éprouvais quand, petite, mon père élevait la voix. J'ai dit «oui» à un autre homme en sa présence, dévorée par la culpabilité. Je me sens maintenant froide envers mon mari, dérangée par la présence de l'autre. J'attends que Léandre soit endormi pour pleurer tout mon soûl. Je vais devoir passer trois semaines intenables à rager intérieurement, sans pouvoir changer quoi que ce soit à la situation, une situation qui me semble tellement absurde lorsque je présente «ma famille», comme si un pareil ménage était normal, chez nous.

On fait des gorges chaudes de notre «lune de miel». L'histoire parvient, je ne sais comment, aux oreilles de la presse. Dans le *Weekly Mail* de la deuxième semaine de janvier 1992, on retrouve dans la chronique de Krisjan Lemmer, un éditorialiste sarcastique à l'humour parfois noir, presque toujours politique, le court texte suivant parmi les potins hebdomadaires : «On a souvent critiqué le COSATU et Jay Naidoo, ces derniers temps, mais s'il y a un homme qui donne l'exemple à suivre en matière de réconciliation pour le pays, c'est bien lui. À la suite de son récent mariage, le groupe est parti en lune de miel — Naidoo, la nouvelle mariée, la mère et l'ex-conjoint de la nouvelle mariée.» Il a oublié «le fils de la mariée».

Enfin arrive le jour où nous nous rendons à l'aéroport, Léandre et moi, pour y conduire son père qui rentre au Québec. Léandre est bouleversé. J'ai encore à l'esprit l'image de mon fils les bras autour de mon cou à mon départ. Elle me hante. J'ai peur qu'une scène semblable se répète, avec son père cette fois. Mais tout se passe bien. Léandre verse quelques larmes, son père aussi. Ils restent calmes. Le scénario avait été planifié et discuté depuis longtemps.

Je me sens maladroite avec Léandre. C'est la première fois que nous sommes seuls ensemble depuis son arrivée en Afrique du Sud. Je le redécouvre, après six mois, à la fois changé et toujours le même. Comment le réconforter? Je sais que le départ de son père lui fait mal. Je perçois sa peine, mais j'ignore la façon de le consoler, de l'encourager.

Nous montons dans la voiture. Machinalement, je présente mon billet de stationnement au préposé. Léandre est assis à mes côtés — je fais exception aujourd'hui, car j'ai l'habitude d'installer les enfants sur la banquette arrière. Un tel silence règne dans l'auto que la clochette de la caisse enregistreuse à l'extérieur résonne dans la voiture. Je range la monnaie. Je caresse Léandre de la main gauche entre deux changements de vitesse, cherchant mes mots. Et puis tout d'un coup, je sursaute! Léandre se met à taper dans la glace de la portière, à grands coups de poing; il crie, hurle et répète, en frappant la vitre : «Pourquoi es-tu venue en Afrique? Pourquoi, maman, es-tu venue en Afrique?»

Il crie à travers ses sanglots. Intérieurement, je m'effondre. Je sens son désespoir, comme s'il venait de me le transmettre par une décharge de cent mille volts! Puis, un énorme sentiment de culpabilité m'envahit. Il restera, comme un tatouage indélébile, sur mon cœur de mère pendant des années. Peut-être toute ma vie. Qui sait?

Je tente de le réconforter. «Tu vas lui parler toutes les semaines. On va lui écrire, lui envoyer des dessins, lui écrire des histoires, lui faire des cadeaux. Nous ferons de belles choses.»

Mais il continue de frapper dans la vitre. Bang! Bang! Bang! «Pourquoi, maman?»

«Je sais que c'est difficile. Je te comprends.» Le voir ainsi me torture. «Je t'aime, Léandre. Excuse-moi, Léandre. Mais tu verras, notre vie ensemble sera riche. Et on gardera ton père vivant dans la maison. Je t'aime, Léandre.»

Bang! Bang! Bang! Ça cogne dans ma tête. J'ai mal, mes tripes hurlent. Faire souffrir un enfant comme ça! *Bang! Bang! Bang!*

* * *

À la maison, ce soir-là, Jay et moi célébrons notre vraie lune de miel, seuls avec Léandre. Louise aussi est partie. Nous passons un grand moment dans les bras l'un de l'autre, sur le canapé, à jaser, à rire et à nous aimer. Nous nous baignons dans la piscine, malgré l'eau froide. Nous nous emmitouflons quelques minutes dans le lit de Léandre, le temps d'une brève histoire, de bisous et de caresses. *Bang! Bang! Bang!* Je souffre encore. C'est avec les coups de poing de Léandre dans la vitre que nous commençons notre nouvelle vie. *Bang! Bang! Bang!* Léandre m'a réveillée. Il me faut redonner un sens à ma vie.

16

La couleur de l'apprentissage

Notre vie familiale prend forme, marquée par les rituels quotidiens : donner le bain à Léandre, préparer les repas parce qu'il y a un enfant à la maison. Il nous fallait adopter une routine parce que les enfants se sentent bien quand ils ont un cadre de référence et des limites établies. Ce retour «à la normale» me fait un bien immense. Je ne saute plus de repas. Je cuisine avec motivation et j'essaie de nouvelles recettes en combinant des ingrédients et des façons de faire d'un peu partout. Bien avant de rencontrer Jay, je cuisinais déjà à l'indienne. En Inde, au Népal, et ailleurs en Asie, j'étais tombée sous le charme des épices, du piment surtout. Il paraît qu'on devient dépendant au piment fort. Si Jay passe quatre ou cinq jours sans cette épice, il videra une armoire de son contenu piquant, sautant sur n'importe quoi susceptible de lui brûler la langue. Les épices sont divines. Elles rehaussent. Comme les couleurs de l'automne...

Je n'ai pas vu d'automne cette année. Ça m'a manqué terriblement. Quelques années plus tard, quand je prendrai l'habitude de revenir au Québec tous les étés, Marie-France Bazzo, animatrice à la radio de Radio-Canada, m'invitera à son émission, *Indicatif présent*. Pendant l'entrevue, elle me demandera ce qui me manque le plus du Québec. Sans hésiter, et le plus sérieusement du monde, je répondrai «l'odeur du Québec, en particulier les effluves de l'automne».

Elle m'avait dévisagée comme si j'étais complètement toquée! Je crois qu'elle s'attendait à une réponse plus poussée, davantage intellectuelle peut-être, voire plus philosophique. Pourtant, après huit ans en Afrique du Sud, ce sont vraiment les odeurs du bois légèrement mouillé, fraîchement couvert de feuilles qui m'ont le plus manqué. Les couleurs aussi. Elles me transportent. J'adore marcher dans la forêt, entendre le crissement des feuilles et humer l'air salubre et frais. Lorsque je me remplis les poumons de cette fraîcheur d'arrière-saison, mes souvenirs les plus beaux et les plus doux me reviennent. C'est un moment où je souris à la vie. Respirer ainsi me recentre.

L'automne est une saison propice à la réflexion pour moi. Il me permet de songer aux projets de l'année, de mettre de l'ordre dans mes rêves, en plaçant les utopies en réserve, d'analyser les risques des projets que j'entreprendrai durant l'année et les obstacles que je pourrais affronter.

* * *

Léandre ne parle pas un mot d'anglais et Jay, pas un mot de français. Par mon intermédiaire, Jay annonce à Léandre qu'ils s'enseigneront chacun leur langue. Marché conclu. Les deux s'entendent à merveille. Quand ils se sont vus pour la première fois, il y a un an au Québec, Léandre a spontanément sauté dans les bras de Jay. D'abord surpris, celui-ci lui a ensuite rendu son étreinte avec la même ardeur. Jay n'a jamais eu d'enfant, mais il les adore. Il élèvera Léandre comme son propre fils. Bien des années plus tard, même devenu adolescent, Léandre s'assoira des heures durant sur les genoux de Jay pour parler de tout, de Jules César au dernier *Star Wars*, des télécommunications en Afrique aux Pokémons. Ils jouent et rient beaucoup ensemble.

Jay n'avait jamais eu à s'occuper des nombreuses tâches quotidiennes qu'implique le fait d'élever un enfant. Chez Colette, il jouait certes avec son fils Duncan, mais n'allait pas jusqu'à lui donner son bain, lui faire se brosser les dents ou lui préparer des repas. L'adaptation à cette réalité avec Léandre lui demandera un certain temps. Il découvre que la présence d'un enfant donne le ton à la maison. Nos sorties se transforment. Désormais, nous allons au zoo, au parc, parce que Léandre est là. Un enfant nous fait découvrir un monde que nous ignorons autrement.

Avant son arrivée, j'avais réservé la place de Léandre à la garderie Smarties Nursery School, tout près de la maison, dans Bez Valley. Je lui avais envoyé des photos de l'endroit, de la cour, des jeux, des enfants. Même s'il pouvait rester à la maison avec moi toute la journée, j'ai cru préférable qu'il ait une vie sociale, qu'il se familiarise avec le pays avec des enfants de son âge.

Le premier matin à la garderie, c'est le drame, et la même scène se répétera tous les matins pendant deux longs mois. Léandre ne veut pas rester. Il s'accroche à mon cou...

Bang! Bang! Bang! Pourquoi es-tu venue en Afrique, maman?

Chaque matin, cette phrase résonne dans ma tête. Léandre passe ses journées dans le bureau de la garderie avec «la madame», au lieu de jouer dehors avec les autres. Il fait des dessins, joue avec des trombones, jette les déchets à la poubelle. L'après-midi, quand je reviens le chercher, le contraste entre les deux cultures est criant. Léandre est immaculé. Les autres «amis» de la nation arc-en-ciel — Bez Valley, comme je l'ai mentionné, est un quartier mixte — ont les fesses et les t-shirts rouges, comme la terre de Johannesburg.

Léandre ne parle toujours pas anglais. Encore moins le zoulou ou le xhosa. L'éducatrice est très patiente avec lui, car elle comprend très bien la situation. Elle me rassure souvent : «Ne t'inquiète pas. Ça viendra. Faut pas pousser. Faut laisser aller.»

Malgré l'unilinguisme de Léandre et de Jay, à la maison, il y a tout de même beaucoup de communication entre eux. Lorsqu'il veut poser une question à Jay (par exemple «Veux-tu jouer aux légos avec moi?»), Léandre me demande ce qu'il faut dire. Je lui traduis la phrase et il répète chaque mot après moi en regardant Jay droit dans les yeux. «*Do — you — want — to — play — legos — with — me?*» Il ne me demande jamais de parler directement à Jay à sa place. Il veut apprendre à formuler ses demandes lui-même. Il faut de la patience. Mais c'est stimulant. Nous savons que, tôt ou tard, il saura s'exprimer avec aisance.

Un jour, en entrant dans le bureau de la garderie, je constate que Léandre n'a pas les yeux rougis. Il est plutôt rouge de la tête aux pieds! Il a joué dehors! La directrice esquisse un sourire : «Il s'est amusé avec ses camarades aujourd'hui. Et il a prononcé ses premiers mots d'anglais!» Léandre est de bonne humeur. «Je me suis balancé. Viens voir!» Je sors dans la cour avec lui. Il se lance dans l'échelle, puis court à la glissade. Il me montre le carré de sable rouge où il a construit des châteaux.

Quand Jay est revenu à la maison ce soir-là, Léandre lui a adressé la parole en anglais.

— *Do you want to play with me?* lui a-t-il demandé.

— *Do I want to play with you? Of course I want to play with you! How was your day at school?*

— *Fine! I swing.*

À partir de ce moment, comme un éclair dans un ciel bleu, Léandre a commencé à parler anglais. Deux mois après son arrivée en Afrique du Sud, les mots sont sortis en rafale; pendant ce court laps de temps, il avait tout absorbé en silence. Et du jour au lendemain, je me suis retrouvée au chômage! Il n'avait plus besoin de moi pour communiquer avec Jay. Il parlait suffisamment bien pour pouvoir converser et développer progressivement son vocabulaire d'usage. Dès le moment où Léandre a pu communiquer en anglais, il a toujours eu hâte d'aller à la garderie. Ce sera une des richesses léguées par notre expérience africaine : Léandre parle un anglais parfait, teinté de l'accent sud-africain indien de Durban!

Et Jay? Il a appris deux mots de français, qu'il répète à chacun de nous quotidiennement : je t'aime.

17

Soixante-dix secondes à la fois

Côté travail, tout débloque en même temps. Ariane Bonzon, la correspondante de Radio-Canada, a quitté le pays et c'est moi qui prends officiellement le relais à compter de janvier 1992; le quotidien *La Presse* m'achète régulièrement des articles; j'ai repris le synopsis du documentaire télé sur le viol, qui, traînant sur le coin du bureau, me hantait. Mes journées sont remplies!

En allant déposer Léandre à la garderie, j'arrête acheter les trois journaux que, pendant huit ans, je lirai presque quotidiennement : *The Star, The Business Day, The Sowetan*. Tous les vendredis matin, je prends aussi un exemplaire du *Weekly Mail* que je dévore avec avidité. C'est un journal qui «ose», qui risque la censure en publiant des articles dénonçant telle ou telle loi du gouvernement, et qui donne droit de parole aux mouvements anti-apartheid. Plus tard, rebaptisé *The Mail & Guardian*, cet hebdomadaire s'en prendra toujours au gouvernement... le nouveau gouvernement de l'ANC.

Presque tous les médias sont dans les mains des Blancs et pratiquent un journalisme conservateur. Les fils de presse sont contrôlés. Le président de la république a une ligne directe avec la salle des nouvelles. La télévision est entièrement contrôlée par le gouvernement. La SABC (South African Broadcasting Corporation) n'est pas un diffuseur public, mais d'État. Nuance. Elle possède deux chaînes : l'une destinée aux Noirs, l'autre, aux Blancs. Les nouvelles sont teintées de l'idéologie du régime. Au poste « blanc », que j'écoute non parce que je suis blanche, mais parce que je ne comprends pas les langues africaines, on donne les nouvelles alternativement en anglais et en afrikaans, à raison d'un soir sur deux pour chaque langue. Et le septième jour, le jour du Seigneur, l'afrikaans l'emporte. C'est plus qu'un symbole.

Historiquement, les Afrikaners se sont toujours considérés comme un peuple choisi par Dieu pour dominer les races « inférieures ». Tout leur était dicté par Dieu et la Bible, qu'ils interprétaient évidemment dans le sens de leurs intérêts. On ne peut comprendre l'apartheid sans tenir compte de cette dimension religieuse. C'est leur foi en leur destin qui a conduit les Afrikaners à élaborer un système politique qui, partout ailleurs dans le monde, serait inimaginable.

La télévision n'est arrivée en Afrique du Sud qu'en 1976. Très calviniste, la société blanche voyait en ce média une inspiration de Satan et en a retardé l'implantation aussi longtemps qu'elle a pu. Jay avait vingt-deux ans lorsque la télévision a fait son apparition dans sa vie!

Hormis la SABC, il n'y a qu'une autre chaîne de télévision en Afrique du Sud : M-Net. Contrôlée par des Afrikaners, cette chaîne n'a pas le droit de faire de l'information. On n'y présente que des films et du sport.

Lorsque j'ai envoyé mon CV chez M-Net, on m'a convoquée en entrevue. « Êtes-vous bilingue? » m'a demandé le cadre qui m'interviewait. « Oui, trilingue même. Je parle français, anglais et espagnol. » L'homme m'a regardée d'un air hébété. Par « être bilingue », il entendait « connaître l'anglais et l'afrikaans ». « Et j'ai suivi des cours de zoulou », ai-je ajouté, naïvement. Erreur. Il m'a sèchement répondu de revenir le voir quand je parlerais afrikaans. « Vous n'avez pas d'avenir sans cette langue », a-t-il conclu. Moi, c'est le zoulou qui m'intéressait. Je trouvais cela normal puisque c'est la langue la plus parlée en Afrique du Sud, le pays comptant plus de huit millions de Zoulous. Et une fois qu'on a appris le zoulou, le xhosa vient très facilement. Comme l'espagnol est facile pour qui parle français.

Héritage du peuple san, le zoulou est une langue à « clics ». J'ai appris à prononcer ces clics pendant quatre mois. Le *c* se prononce en claquant la langue sur le bout des dents d'en avant, comme lorsqu'on dispute un enfant qui fait quelque chose de mal. Le *q* se fait en claquant la langue au plein centre du palais, comme pour imiter un bouchon de bouteille de champagne qui saute. Le *x*, comme dans « xhosa », est le clic le plus difficile à prononcer. Il faut claquer les deux côtés de la langue entre les dents. C'est plus facile si on le fait avec un petit sourire. Cela ressemble au son qu'on émet lorsqu'on commande à un cheval d'avancer. Seule, la lettre se prononce assez aisément ; ce qui est difficile, c'est d'intégrer le clic dans le mot, sans qu'il y ait de séparation dans la sonorité. En quatre mois, j'ai appris à dire l'essentiel, comme « bonjour, comment ça va, merci, assis, fais dodo, je ne travaille pas ». Sans plus. Il m'aurait fallu plus de méthode, de persévérance, et un professeur capable de m'expliquer la grammaire. Mais les quelques mots et phrases que je connais me faciliteront beaucoup la vie pour mon travail. L'accueil sera toujours plus chaleureux.

J'écoute aussi beaucoup la radio. Assez vite, je naviguerai entre deux chaînes, celle de la SABC, la radio d'État, et celle de « 702 », une radio privée dont la programmation est presque entièrement consacrée aux tribunes téléphoniques. Évidemment, une grande proportion des appels provient des Blancs, parce qu'ils ont le téléphone. Mais, au cours des années, et surtout après 1994, l'auditoire sera de plus en plus noir. Tous les sujets, surtout politiques, sont discutés. Le racisme, le sexisme et la violence sont les sujets chauds de l'heure. Le viol, la pédophilie aussi. Le poste de radio a fait sensation lorsqu'une de ses animatrices a passé trois heures à parler de ce dernier sujet. Un pédophile a appelé, en gardant l'anonymat bien sûr. L'animatrice l'a tenu en ligne et a fait avec lui une excellente entrevue improvisée qui en a révélé beaucoup sur comment fonctionne le cerveau de ce genre de personne. Des extraits de l'entrevue ont été diffusés de nombreuses fois. Cette histoire a débouché sur un autre sujet, celui du rôle des journalistes, des médias dans la société. Doit-on dévoiler ses sources, transmettre de l'information à la police si ces renseignements peuvent mener à des arrestations et à des condamnations? Donner, par exemple, le numéro de téléphone du pédophile qui a avoué ses crimes sur les ondes publiques? De nombreux journalistes ont été poursuivis en justice et emprisonnés pour leur petit calepin de notes. Certains ont même été torturés. 702 ne craint pas de soulever ce genre de débat, ce qui est encore exceptionnel ici.

Pendant mes premiers mois à titre de correspondante de Radio-Canada, je «pédale», comme on dit. Lorsque le technicien à l'autre bout du fil me dit de commencer l'enregistrement, je panique chaque fois. Et comme à mon habitude, j'ai honte. Honte de ne pas trop savoir comment m'y prendre.

Lorsqu'on fait de la radio, il faut créer une image par le son. Pendant mes trois années à Bez Valley, quand je voulais envoyer un extrait d'entrevue, le bruit d'une foule en délire, n'importe quel son, je devais démonter la prise du téléphone dans le mur, trouver les deux petites vis et y mettre des «pinces alligator» que je raccordais à mon magnétophone. C'est Jean-François Lépine qui m'a enseigné ça, alors qu'il était correspondant de Radio-Canada en Chine.

Mon patron immédiat est Gilles Le Bigot, l'affectateur des nouvelles internationales à la salle des nouvelles radio de Radio-Canada à Montréal. Tout un personnage! C'est le frère de Joël Le Bigot, l'animateur radio bien connu. Gilles ne se contente pas de voir la réalité comme une médaille, avec ses deux côtés, comme le veut le cliché journalistique, mais comme un prisme, que l'on perçoit différemment selon le côté, le noir, le blanc, le gris... «Mais as-tu vu le rose pâle teinté de vert orangé, là-bas? Il serait peut-être intéressant d'aborder ce nouvel angle, mais attention, Lucie, de ne pas confondre l'auditeur.» L'auditeur n'entend qu'une fois; il ne peut pas revenir en arrière, comme lorsqu'on lit un journal. Il faut donc que l'information soit claire du premier coup. Ce n'est pas simple, surtout lorsqu'il faut présenter un nouvel acteur de l'actualité, dans le récit d'un événement lointain que les gens connaissent déjà très peu. Par exemple, si l'armée du Pan Africanist Congress, un parti radical, fait sauter une bombe, comment, en quelques secondes, expliquer ce qu'est ce parti, sa place sur l'échiquier politique, raconter l'attentat, ses conséquences? Toute cette information, il faut réussir à la donner en soixante-dix secondes. Voilà le défi à relever lorsqu'on fait de la nouvelle étrangère. J'adore.

Gilles parle beaucoup; jamais pour ne rien dire. Il a toujours quelque chose à ajouter. Sauf quand tout est clair, mais rien n'est jamais parfaitement clair. Gilles peut, en une minute, en quelques phrases même, aller au cœur de la nouvelle en posant les bonnes questions. Au fur et à mesure que j'accumulais de l'expérience et des connaissances, nos discussions devenaient de plus en plus riches. Je proposais un nouvel angle et aussitôt il posait la bonne question. Gilles a été mon allié pendant huit ans, et sera un ami pour la vie. Notre travail en fut un d'équipe. Gilles est aussi un maître de la langue qui corrige sans relâche les erreurs de français de ses correspondants, sans jamais les ridiculiser et sans prétention aucune.

Lorsqu'on ne dispose que de soixante-dix secondes pour raconter une nouvelle, chaque mot devient lourd de sens. C'est le défi que représente la préparation des topos radio, un défi qui m'anime, notamment à cause de la pression que crée l'heure limite, le fameux *deadline*. Voir les minutes filer quand on n'a pas d'autre choix que de pondre quelque chose crée un immense stress mais, en même temps, provoque une décharge d'adrénaline enivrante.

De temps à autre, c'est Gilles qui m'annonce une nouvelle, qu'il a apprise avant moi par un des communiqués envoyés par les agences de presse. «Ah oui? Je n'ai pas écouté le dernier bulletin d'informations.» Cela devient une obsession que d'écouter les bulletins d'informations. À toutes les heures, du lever au coucher, il faut que j'écoute les nouvelles. Au cas où Gilles me téléphonerait.

Mon équipement pour produire de la nouvelle est dérisoire. Je n'ai que mes appareils radio-cassette, toujours prêts à enregistrer, mes journaux, mon téléphone, et mon vieil ordinateur. Pas d'Internet; en 1992, c'était trop tôt. Pas d'argent. Pas d'imprimante. Pas de cellulaire.

Radio-Canada me paie quatre-vingts dollars par reportage. Je toucherai le même cachet pendant huit ans... En bout de ligne, ça m'aura coûté de l'argent pour travailler. J'ai dépensé une fortune en journaux et revues, en stationnement, en essence, en équipement de bureau, en billets d'avion pour mes vols entre Johannesburg et Le Cap, etc. Si au moins Radio-Canada m'avait remboursé le prix d'un abonnement à un quotidien ou à une agence de presse...

Et puis, dire non? Dire non et risquer sa place comme pigiste? Dire non quand c'est exactement ce qu'on ne sait pas faire dans la vie? J'ai dit non une fois. Une fois seulement, en huit ans. «Va falloir que ça attende. On annonce tout juste qu'une bombe vient de sauter et, selon ce qu'on dit à la radio, c'est à côté de l'école française, où sont mes enfants. Je veux aller voir s'ils sont en vie. Je vous rappelle après.» L'employée au bout du fil avait l'air un peu étonnée. «Oui, oui, va voir. Ne t'inquiète pas pour le reportage.» Mes enfants étaient sains et saufs. J'ai fait le topo dans la soirée, après que les petits se furent endormis.

* * *

J'aurai payé pour réaliser un rêve. Mon travail m'a procuré un plaisir immense que je savourerai toujours, mais j'ai été exploitée. Je le sais. Gilles le sait. Tout le monde à Radio-Canada le sait. Le pire, c'est que certains pensent que les correspondants de Radio-Canada à l'étranger deviennent riches!

Correspondre ainsi avec mon pays m'a cependant permis de rester en contact avec ma langue et ma culture. Radio-Canada aura été mon cordon ombilical. La société publique aura beaucoup contribué à remplacer le Prozac!

18

Cent quatre-vingts dodos... et après?

Le problème de la garde de Léandre se complique. Son père et moi nous étions entendus que, pour les deux premières années, nous alternerions chaque six mois. Cent quatre-vingts dodos. Après, on évaluerait la situation. Mais cela ne fait pas trois mois que Léandre est avec moi que les lettres de bêtises commencent à circuler entre Bez Valley et le quartier Rosemont, à Montréal. Notre «divorce», bien que nous n'ayons jamais été mariés, n'est pas terminé. Je m'en rends compte au fur et à mesure que nous échangeons ces lettres. Il ne faut pas oublier que nous en sommes encore à l'ère de la poste escargot. Le courrier électronique n'a pas encore fait sa percée spectaculaire. Une question peut donc attendre un mois avant d'obtenir une réponse. C'est dur pour les nerfs.

«La vie de trois personnes a été chambardée et meurtrie à cause de la décision d'une seule, m'écrit le père de Léandre. Nous souffrons tous de ton déménagement.»

Je lui rétorque: «Tu donnes au mot souffrance une définition qui est relative à la distance. On peut être à deux millimètres de quelqu'un et souffrir encore.»

Nos lettres sont dures. Des pages et des pages d'acrimonie et de désespoir, de part et d'autre. «Lorsque nous étions ensemble, combien de fois avons-nous parlé de partir ailleurs un an ou deux, quelque part, pour travailler? Est-ce que le divorce implique aussi la mort de tous nos rêves?»

Bientôt, mon ex-conjoint remet ouvertement en question notre entente. Je me mets dans sa peau. Qu'aurais-je fait, moi, s'il était parti avec mon fils à l'autre bout de la planète? Dans mes lettres, je m'efforce de le convaincre que je suis la meilleure mère du monde, que même si je déménageais sur la Lune, cela ne m'enlèverait ni le droit ni le devoir d'avoir mon fils avec moi. Je crois que mon plaidoyer a également pour but de me convaincre moi-même.

Bang! Bang! Bang! Pourquoi es-tu venue en Afrique, maman?

Comme je l'ai promis à Léandre, je garde son papa en vie dans la maison. Léandre accroche sa photo sur le mur, lui fait des dessins que nous allons poster ensemble. Nous achetons, ensemble aussi, son cadeau d'anniversaire. Le respect de la relation de mon fils avec son père est sacré pour moi. Léandre adore son papa. Ça le rend heureux de l'aimer. Si je ne lui laissais pas le champ libre pour exprimer son amour, c'est contre moi que cela se retournerait.

Mais que faire quand les deux parents veulent le garder pendant l'année scolaire et réserver les vacances de Noël et d'été à l'autre? «Il n'est pas question que je ne l'aie qu'à Noël et à l'été!» m'a crié son père au téléphone. Je tiens quant à moi à donner à mon fils ce que j'ai à lui donner pendant qu'il est encore petit, jeune. Il n'est pas question que je ne le trouve pas à mes côtés, le matin. Je sais qu'il a besoin de moi. Je le sens dans ses étreintes, dans ses dessins, dans ses mots tendres, le soir, lorsqu'il s'endort, son bras autour de mon cou. Un enfant a besoin de sa mère. Et une mère ne dort pas bien si elle ne transmet pas ce qu'elle a à transmettre à son enfant. Si elle ne le fait pas, ça reste pris. Ça s'accumule. Ça fait des tumeurs dans l'inconscient. Il faut que ça sorte, comme le lait des seins gonflés doit être bu.

Je sais. C'est ma faute. C'est moi qui suis venue à l'autre bout du monde. Qui tranchera? Aurons-nous besoin d'avocats et de juges? Serons-nous les acteurs de ces sales histoires de batailles de garde? Je veux me convaincre que notre bon sens finira par l'emporter, que le père de mon fils me croit lorsque je lui dis que je ne veux pas détruire sa relation avec son fils. Mais je sais bien que nous en sommes arrivés au bout de notre pacte initial. Quelqu'un devra trancher.

19

Assoiffée

Je cherche cent mille rands, ce qui équivaut à environ trente-trois mille dollars canadiens. C'est la somme qu'il me faut si je veux réaliser mon documentaire sur le viol. Je dois arrêter d'attendre que les choses viennent à moi. Le producteur Jeremy Nathan, de VNS, m'a aidée à ficeler un budget. En télé, j'ai toujours travaillé pour des grosses boîtes où je n'avais jamais à me soucier des sous. Avec Jeremy, j'ai appris à calculer tout ce qui doit entrer en ligne de compte pour la production d'une vidéo.

J'ai envoyé mon synopsis sur le viol à des dizaines d'organisations gouvernementales et non gouvernementales, ambassades, mouvements, syndicats, etc. Malgré mes efforts depuis six mois, je n'ai toujours pas trouvé un sou.

Tout va changer lors d'un souper à l'ambassade canadienne. J'y rencontre Jerry Kramer, chargé des projets spéciaux à l'ambassade. Je lui parle de mon idée. Il est emballé. Et il tient les cordons d'une importante bourse, celle de l'ACDI (Agence canadienne de développement international). Il demande à voir le synopsis. Quand je le revois, quelques jours plus tard, il ne lui faut que deux minutes pour le parcourir. «Je te donne cinquante mille rands pour ce projet», me dit-il en levant les yeux du document. Je n'en reviens pas! C'est la moitié du budget!

La participation de l'ACDI change tout. Elle apporte de la crédibilité à ma démarche. Peu après, KAGISO Trust, un regroupement d'organisations non gouvernementales, me versera aussi cinquante mille rands. Je peux commencer mon documentaire, enfin.

Ma quête démarre dans les townships. Je cherche des femmes qui ont été violées et qui sont prêtes à en parler à l'écran, à découvert. Car le message principal que je veux transmettre est : « Parlez-en. » Il me faut des femmes noires puisque quatre-vingt-quinze pour cent des victimes de viol dans ce pays sont noires. Je me rends presque chaque jour à Soweto, à Alexandra, un autre township en banlieue de Johannesburg, ou à Orange Farm, un township plus éloigné et plus misérable.

Ma quête durera trois mois. Entre-temps, je fouine dans les archives du journal *The Star* et de la bibliothèque nationale au centre-ville de Johannesburg. Il y a moins d'un an, cette bibliothèque était réservée aux Blancs. Depuis l'abolition du *Public Amenities Act* sur les déplacements des gens et l'accès aux lieux publics, on y impose un prix d'entrée. Très peu de Noirs peuvent se permettre la dépense. L'apartheid économique est beaucoup plus subtil, mais tout aussi efficace.

Le temps passe. J'ai les sous, j'ai recruté mon équipe de tournage, j'ai un scénario, mais il me manque toujours l'essentiel : deux femmes victimes de viol. Et pourtant, ce n'est pas cela qui manque dans ce pays.

Je place une annonce dans le journal : Recherche femme qui accepterait de parler de son expérience de viol devant la caméra pour un documentaire sur le sujet. Appeler au numéro suivant et demander à parler à « Marie ».

Le lendemain de la parution de l'annonce, le téléphone sonne. C'est la voix d'un homme.

— Marie ?

J'ai utilisé le nom de Marie (mon deuxième prénom) pour éviter tout problème et pour savoir immédiatement si on appelle pour mon documentaire. C'est un nom «blanc» et j'ai aussi un accent blanc.

— Oui, c'est Marie.

— Qu'est-ce qui vous donne le droit de faire une vidéo sur ce que vous appelez le viol? De quoi vous mêlez-vous? Vous, les Blanches, vous ne savez pas de quoi vous parlez! Ce que vous appelez le viol, c'est une faveur que l'on fait aux femmes!

Je n'en crois pas mes oreilles. Il me raccroche au nez.

Quelques jours plus tard, un autre homme m'appelle.

— Marie? Vous êtes Marie? Je vais vous trouver. Je vais vous violer et je vais vous tuer. Croyez-moi! Vous venez de déclarer la guerre aux hommes!

Je raccroche, ébranlée. Mais dix mille fois plus déterminée! Me tuer parce que je prépare un film sur un des pires problèmes auxquels font face les femmes en Afrique du Sud? Cet appel fouette ma détermination. C'est exactement ce qu'il me fallait pour persévérer, une menace de mort!

Pendant quelques semaines, je ne reçois que des appels d'hommes qui me menacent ou qui m'insultent. Ces appels m'encouragent à briser le mur du silence qui protège cette «coutume», comme ces hommes l'appellent, dévastatrice. Coutume! Parce que c'est la coutume de violer une femme, de l'exploiter ou de lui couper le clitoris, on devrait l'accepter? Lorsque j'exprime mon indignation, on m'accuse de manquer de respect pour les coutumes africaines. On m'accuse d'être raciste.

Le temps passe et je commence à désespérer. Dans un pays où se produit un viol toutes les quatre-vingt-trois secondes, je suis incapable de trouver deux victimes qui veuillent en parler.

Trois mois ou quatre-vingt-quinze mille viols plus tard, Mary Mabaso m'appelle. J'avais mis une affiche sur son babillard lors d'une de mes visites à Soweto. Elle dirige une organisation religieuse qui enseigne la couture et diverses techniques artistiques aux femmes. Elle me dit qu'elle a peut-être trouvé une jeune fille de seize ans, victime d'un viol collectif. Le quart des viols en Afrique du Sud sont des viols collectifs.

Je me rends voir Mary à Soweto. Dans un tacot emprunté qui est loin d'être à l'épreuve des balles ou du viol, même avec les portes verrouillées, je me dirige vers un coin perdu du township. Fidèle à mes habitudes, je me perds, ce qui est dangereux à Soweto. Il n'est pas question de m'arrêter au bord de la route pour consulter un plan de la ville. C'est fortement déconseillé. Une Blanche perdue dans les rues de Soweto s'attire inévitablement des ennuis. Si elle se fait violer, un juge conclurait à la provocation! Ce qui n'aide pas à s'orienter, c'est qu'il n'y a pas de noms de rues dans cette «ville» de quelques millions d'habitants. Les indications sont à l'avenant : «Tourne à gauche après l'épave de l'autobus à deux étages, tourne à droite à l'édifice brun aux fenêtres manquantes, va tout droit passé l'endroit où on a tué douze personnes la semaine dernière. Tu verras les taches de sang.»

Je découvre Soweto d'abord par ses principaux points de repère : les camps de squatters, les églises, les épaves et les postes de police. Je suis en nage. Je transpire de peur et de chaleur, car le soleil plombe dans les rues poussiéreuses sans arbres et je dois garder les fenêtres de la voiture closes. Je découvre Soweto nerveuse mais curieuse.

Soweto est une grande ville multiforme de quelques millions d'habitants dont personne ne connaît le nombre exact, un patchwork constitué de zones relativement habitables, où vit la classe moyenne noire, et de bidonvilles, les camps de squatters. On y trouve des gens au sourire facile, solidement attachés à la vie, mais aussi des bandes sauvages prêtes à tuer pour une voiture ou même beaucoup moins que ça. Des montagnes de déchets jonchent les rues enfumées par le charbon qu'on brûle pour se nourrir et chauffer. Quatre maisons sur cinq n'ont pas l'électricité à Soweto. Une immense ville plongée dans le noir, le soir venu, ça ne se verrait pas chez les Blancs. Plusieurs millions d'habitants n'ont pas l'eau courante, non plus.

Les toilettes resteront gravées dans ma mémoire. Un jour, dans un camp de squatters, j'avais terriblement envie. Neuf enfants vivaient sous un toit de tôle. Où faisaient-ils leurs besoins ? Dans le champ. Si on voulait bien marcher dix minutes, il y avait aussi des toilettes sèches, infectées par la maladie. J'ai choisi la marche. Les deux pieds dans la pisse et la merde, j'ai uriné les deux yeux fermés en m'éclaboussant jusqu'aux coudes. J'ai eu envie de vomir.

Je suis finalement arrivée chez Mary Mabaso en sueur avec une soif terrible. J'avais oublié ma bouteille d'eau.

Mary m'informe que l'adolescente qui a été violée par un groupe de jeunes hommes se nomme Christina. Le drame s'est produit il y a environ un an et elle en est restée traumatisée. Sa mère aussi. Je peux d'ailleurs rencontrer cette dernière tout de suite si je veux, dit Mary. Elle travaille comme femme de ménage dans un centre communautaire de Soweto. Je suis d'accord, mais avant de partir, j'aimerais bien étancher ma soif.

— Pourrais-je avoir un peu d'eau ?

— Il n'y a pas d'eau. On a coupé l'eau dans le quartier aujourd'hui.

— Un Coke ? Un jus ? N'importe quoi.

Rien. Il n'y a rien à boire. Ma soif commence à me distraire. En fait, je ne peux pas me rappeler un instant dans ma vie où j'ai eu aussi soif. Ma gorge est sèche. Ma bouche, pâteuse.

En allant trouver la mère, nous faisons halte à un centre pour enfants abandonnés qu'on inaugure aujourd'hui même. La presse y est. Une foule de dignitaires aussi, dont Walter et Albertina Sisulu.

Les deux me reconnaissent. Albertina m'enveloppe de ses bras. La phrase qu'elle a prononcée à mon mariage me revient souvent : « Tu es la deuxième femme, Jay est déjà marié. » Je n'avais pas apprécié, mais je me rends de plus en plus compte combien elle avait raison !

La soif m'arrache la gorge. En me serrant, Albertina semble avoir extrait les dernières gouttes d'eau de mon corps. Elle embrasse comme une grosse *mama*, d'une étreinte africaine chaleureuse. Elle serre fort. Je n'arrive pas à penser à autre chose qu'à ma soif. Ici aussi, l'eau a été coupée. Probablement parce que les gens ne paient pas leurs factures, forme de protestation organisée par l'ANC. La soif de liberté se paie par la soif physique.

J'embrasse Walter qui s'informe de la famille, de Jay, de Léandre. Il me prend les mains et me regarde dans les yeux. « Viens prendre un thé avec moi quand tu veux. »

Une heure plus tard, Mary et moi changeons de quartier pour aller voir la mère de Christina et obtenir sa permission pour que sa fille puisse faire partie de mon documentaire. L'eau coule, ici ! Je demande un verre d'eau. La directrice du centre envoie une employée chercher de l'eau pour nous toutes. Je la vois essuyer un à un les verres, sans se presser. Je vois le robinet couler. J'ai une folle envie d'aller me noyer la tête, la langue, le palais, le cou sous ce robinet. L'eau m'apparaît tout à coup si précieuse. J'imagine les millions de femmes, en région rurale, qui n'ont pas accès à l'eau, qui doivent marcher des heures et des heures pour aller chercher un seau d'eau. Là où il fait chaud. Là où la soif est une préoccupation quotidienne. L'hygiène passe évidemment au second rang. Au dernier, même. Si ces mères avaient accès à de l'eau propre, on pourrait épargner la vie de quatre-vingts des quelque cent enfants qui meurent de diarrhée chaque jour en Afrique du Sud ! L'eau, source de vie. Source de mort, aussi. Je ne veux plus jamais avoir soif comme j'ai soif aujourd'hui. Ça fait mal! Ça brouille les esprits. Plus rien n'est clair. Plus rien n'importe.

En Afrique du Sud, quatre-vingt-dix-neuf pour cent des Blancs ont accès à l'eau potable dans leur demeure comparativement à treize pour cent chez les Noirs.

L'employée arrive avec l'eau, une cruche et trois verres vides, posés à l'envers, impeccables, sans une trace de saleté, sur un plateau en faux argent. Elle s'approche lentement et je me retiens de l'assaillir. Elle pose le plateau. Je la regarde verser de l'eau dans un verre. Je veux avaler la cruche. Elle prend le verre plein d'eau fraîche et me le tend. Je le bois d'un coup. Une gorgée. Vidé. Ma soif est à peine apaisée. Je n'en peux plus des politesses. Je me lève, saisis la cruche, remplis mon verre et le vide encore d'un trait. Je répète le même manège une autre fois. Mon troisième verre avalé, je respire. Ça va mieux. Mon corps a encore soif, mais ma gorge ne brûle plus. Je m'aperçois alors que Mary et la mère de Christina me dévisagent, les yeux gros comme des trente sous. Je fais semblant de rien, m'assois et reprends mon rôle de journaliste. Assoiffée, enfin, d'information...

20

Christina et Nothemba

Christina, jeune élève modèle, pauvre, a été violée en se rendant à l'église un soir. C'est la victime «parfaite», pour un documentaire. Sur le chemin de l'église, huit jeunes hommes l'ont pourchassée, puis violée à tour de rôle, un couteau sur la gorge.

J'explique à sa mère pourquoi il serait important que Christina témoigne devant la caméra. Nous, journalistes, avons l'habitude de nous servir de l'argument de l'intérêt public pour convaincre les gens de nous parler. Nous nous plaçons ainsi dans une position toujours un peu ambiguë, car si, souvent, les témoignages servent vraiment l'intérêt collectif, ils servent également les intérêts professionnels du journaliste, toujours à l'affût d'information sensationnelle. Mais, cette fois-ci, je suis persuadée qu'un documentaire sera utile et aidera à prévenir des viols, à sauver des vies peut-être, à donner du pouvoir et une voix aux femmes. Je prie pour que Mary interprète correctement ma demande. Cela fait des mois que je cherche une Christina.

Sa mère me semble un peu déboussolée. Elle voit en moi, je crois, une bouée de secours. Après un an, rien n'a encore été fait pour trouver les coupables et elle pense que je pourrais l'aider dans l'enquête. Tel n'est pas mon but. Mais je lui offre — lui promets, en fait — de prendre soin de Christina. Je tiens toujours mes promesses. Après le tournage d'une reconstitution d'une visite chez le médecin, par exemple, Christina subira un véritable examen. Or, on découvrira qu'elle souffre d'une infection vaginale depuis un an, c'est-à-dire depuis le viol. Les dégâts sont importants. Je paierai les médicaments nécessaires pour traiter ses infections. J'apporterai des poulets, du pain, des litres de boisson gazeuse chaque fois que je me rendrai chez elle, dans la misérable cabane sans eau, sans électricité, sans toilettes, où elle vit. Dans le monde en voie de développement, les gens s'attendent parfois à toucher beaucoup d'argent quand ils voient arriver une équipe de télévision. J'ai précisé à la mère de Christina que je ne disposais pas d'un budget de cinéma. Les poulets, et ma sincérité, feront l'affaire.

J'aimerais trouver une autre victime. Il en faudrait au moins deux pour étayer les propos du documentaire.

Quelques semaines plus tard, une amie d'une amie m'appelle. Nothemba, c'est son nom, a été violée et n'en avait jamais parlé. Ce genre de secret tue à petit feu. Elle veut maintenant briser la glace. Sa glace. Elle me raconte les circonstances de l'agression.

Nothemba était chez elle, un dimanche après-midi. On sonne à la porte. C'est un vieil ami qu'elle invite à entrer et à qui elle offre une tasse de thé. Après quelques minutes seulement, il se jette sur elle. Certainement pas par désir sexuel, dit-elle, car il a eu de la difficulté à parvenir à l'érection. Le viol est d'abord une manifestation de pouvoir.

Nothemba n'a jamais rapporté le crime. Qui la croirait, de toute façon? Et en Afrique du Sud, qui se préoccupe qu'une femme noire soit violée?

C'est une autre histoire si la victime est blanche et l'agresseur, noir. C'est arrivé à Yeoville, le quartier de Johannesburg, juste à côté de Bez Valley, qui bouge jusque tard dans la nuit et où une femme n'est jamais vraiment en sécurité. Le lendemain du viol, on a diffusé le portrait-robot de l'homme partout, à la une des journaux et aux bulletins d'informations à la télé. Dans le cas de femmes noires agressées, on ne fait rien. Naître femme *et* noire en Afrique du Sud, c'est naître mouton dans une cage à lions.

Un jour, un dirigeant de l'ANC m'avait choquée. Après un appel fait devant moi, il avait raccroché lentement, m'avait regardée et avait dit :

— Ma femme a accouché. C'est un échec.

— Un échec ? Le bébé est mort ?

— Non, non, c'est une fille.

La lutte des femmes en Afrique du Sud a été éclipsée par l'autre, plus importante, plus «noble», plus «digne», celle contre l'apartheid. Maintenant que le mur de l'apartheid s'écroule, on découvre la souffrance des femmes. En Afrique du Sud, la pire des souffrances se lit sur le visage des femmes.

21

Toutes les quatre-vingt-trois secondes...

Ready? Set? Action!

Nous simulons le début de la scène de viol avec Christina, le soir, dans les rues de Soweto. Un gros tournage. Quatre heures de préparation, pour l'éclairage surtout. On met le feu dans un gros conteneur à ordures bleu. Et on tourne la course de Christina poursuivie par ses agresseurs armés de couteaux. Christina jouée par Christina. Ce sera le début du film.

Le tournage va durer deux semaines. Tout en travaillant, je cherche un bon titre. Un titre qui choque. Court. Qui veut tout dire. C'est Brian Tilley, mon caméraman, qui le trouvera. Le hasard veut qu'il travaille à VNS et qu'il soit le frère de Colette. «Mais il est sous ton nez, le titre! Toutes les quatre-vingt-trois secondes il y a un viol. Le voilà, le titre : Toutes les quatre-vingt-trois secondes... tout simplement.»

Après le tournage, je m'enferme avec mes rubans et mes papiers pour deux autres semaines dans le bureau froid et humide que j'ai aménagé à la maison. Jeremy Nathan est venu y installer une console de prémontage. Cet équipement me permet de découper le documentaire et de l'assembler temporairement sur un autre ruban, en préparation du montage final, qui sera confié à Shelley Wells, une monteuse blanche hors pair (j'ai insisté pour qu'une femme fasse ce travail). Nous passons une semaine intense à travailler ensemble.

Il faut ensuite préparer le lancement du documentaire. Je dois prononcer un discours devant trois cent cinquante personnes. Je n'en dors pas. Pendant une semaine entière, j'écris, récris, corrige, améliore, raffine mon discours. Une de mes faiblesses est la timidité. À l'école, si je devais faire un exposé oral, j'en avais la diarrhée pendant des jours. Et maintenant je dois monter sur une estrade, devant des centaines de personnes, pour présenter mon film. Je suis terrorisée.

La salle du Market Theatre est pleine. Elle nous a été offerte gratuitement, pour la cause des femmes. Jay est là et la foule se presse autour de lui. Comme dans le cadre de mon travail je ne parle jamais de notre relation, on ne nous présentera pas, ce soir, en disant « Voici Jay Naidoo et sa femme », mais « Voici Lucie Pagé et son mari ». Une femme à qui nous serons ainsi présentés s'adressera ensuite à Jay en l'appelant « Jay Pagé » !

Sur l'estrade, il n'y a rien. Pas de lutrin. Je me sens toute nue. Je ne savais pas ce que c'était que d'avoir trois cent cinquante paires d'yeux sur soi ! D'abord très nerveuse, je prends de plus en plus d'assurance à mesure que je lis les mots longuement réfléchis, écrits sur mes deux feuilles. À la fin du visionnement, les gens applaudissent, debout. Et puis on me remet un immense bouquet de fleurs. Comme au cinéma !

La bande vidéo est très en demande. Diverses organisations, des écoles, des centres pour femmes, des syndicats et même la police s'en servent. Le film sera diffusé quelques fois à la SABC — sur la chaîne « noire ». Tous les profits seront versés à des centres pour femmes.

Un an plus tard, des femmes de Johannesburg organiseront une marche dans la ville. Toutes les quatre-vingt-trois secondes, des milliers de femmes soufflaient, ensemble, dans un sifflet. Je participais à la marche, mais personne ne savait qui j'étais, que j'avais réalisé cette vidéo, que j'étais à l'origine de ces quatre-vingt-trois secondes symboliques…

Assez curieusement, après mon documentaire, on a arrêté quatre des huit jeunes hommes qui avaient violé Christina. Mais quelques jours avant leur comparution en cour, toutes les procédures ont été annulées. On avait «perdu» les dossiers — lire : on les avait vendus.

Christina et sa mère m'ont appelée. Elles m'ont suppliée de les aider. Mais que pouvais-je faire de plus?

Je ne sais pas ce qu'est devenue Christina.

22

La fenêtre bleue

Je me doute de quelque chose et je veux le vérifier. En avril 1992, pendant le montage du documentaire, je fais un test de grossesse. À mesure que la petite fenêtre du testeur devient bleue, je deviens blanche. Je me sens presque perdre connaissance.

— Lucie, qu'est-ce qu'il y a? me demande Shelley, la monteuse. Tu as l'air de quelqu'un qui a vu un fantôme!

— Je dois y aller. Il faut que je parte. Je suis enceinte. Je suis enceinte…

J'attrape les clés de la voiture et je cours. Il fait noir et ça me rend très nerveuse de conduire dans l'obscurité de Johannesburg. Je recule dans l'allée et frappe de plein fouet la grille métallique de l'entrée.

Enceinte? Enceinte! Le voyage d'une demi-heure jusqu'à Bez Valley me semble durer toute une nuit. À chaque feu rouge, je ressors le petit tube à la fenêtre teintée de bleu. Peut-être ai-je mal vu. Non, je vois toujours du bleu. Enceinte? J'utilise pourtant un bidule dont on vante les mérites, une espèce de thermomètre électronique qui affiche une lumière verte pour signifier «pas d'ovule» ou une rouge signifiant «danger de fécondation». Avec ces lettres de bêtises échangées entre l'Afrique et le Canada à propos de la garde de Léandre, mes ovules ont peut-être brûlé les feux rouges?

Enceinte ! J'actionne le dispositif ouvrant la porte du garage. Je suis encore sous le choc. Je grimpe les marches comme j'ai grimpé le mont Gokyo, au Népal, à court d'oxygène, étourdie. Je cours vers la maison. Il faut que je parle à Jay. J'ai besoin de connaître sa réaction.

J'arrive enfin. C'est l'heure du dodo de Léandre et Jay lui lit un livre, étendu sur le lit à ses côtés. «Déjà?» font-ils en chœur. J'avais précisé que j'en avais pour la moitié de la nuit.

Je m'assois sur le lit. Je ne sais pas comment annoncer ma nouvelle. Jay voit bien mon trouble. «Qu'est-ce qu'il y a? Tu es pâle.»

La gorge serrée, je laisse enfin tomber, d'une voix éteinte : «Tu vas être papa à Noël.»

Silence total. Deux secondes. Trois secondes, puis : «Quoi?!» Je répète à Jay qu'il sera papa à Noël. Il se lève alors d'un bond, comme Tigrou dans *Winnie l'ourson*. Il me prend dans ses bras. Il saute de joie. Il rit. Il prend Léandre qui ne comprend pas trop ce qui se passe. Il lui dit qu'il aura un frère ou une sœur. C'est la joie totale! Léandre jubile. Jay rit. Nous rions ainsi jusqu'à minuit.

* * *

Jay soulève un sujet délicat, et ce n'est pas la première fois.

Comme je suis enceinte et que je travaille à plein temps, à produire mon documentaire, à écrire des articles et à préparer des reportages pour Radio-Canada, nous pourrions engager une domestique, propose-t-il, au moins pour m'aider avec le ménage et le lavage.

Puisque je travaille à la maison, il est normal que j'assume plus de tâches ménagères que Jay. Et puis, j'aime l'ordre. Il faut toujours que ma maison soit propre et en ordre. J'aime qu'on s'y sente bien et je ne me sens pas bien dans le désordre. Et j'ai toujours fait «mon» ménage moi-même.

Je rétorque qu'il n'en est pas question, que je suis capable de m'occuper seule de ma maison.

Seule ou avec Jay, qui fait toujours sa part, lorsqu'il est à la maison. Mais il a été élevé avec une domestique. C'est chose normale, en Afrique du Sud. Chez les Blancs, il est très rare de ne pas voir une domestique dans la cuisine. Chez les Indiens, deuxième groupe «privilégié», c'est aussi chose courante que d'engager des domestiques. Ceux qui n'en ont pas se font accuser de priver d'emploi les plus pauvres, les plus démunis.

— Je ne veux pas que quelqu'un d'autre vive dans notre maison!

— Mais nous pourrions rénover la chambre au-dessus du garage, installer l'eau courante et l'électricité. La domestique pourrait vivre là.

L'idée de devenir une «madame» blanche qui a sa «servante» noire, même en versant un bon salaire, me révulse. Mon éducation québécoise y est sans aucun doute pour quelque chose. Presque tous les Québécois qui vont vivre dans le Sud éprouvent de la réticence à embaucher des domestiques. Ils s'y font, bien sûr, comme tous ceux qui profitent de ce «privilège». Mais cette pratique est étrangère à leur culture, contrairement aux Européens.

Jay accepte mon opiniâtreté. Pas de domestique. Un point, c'est tout.

23

Le dernier vote blanc

Les Blancs s'inquiètent. Le président Frederik De Klerk s'inquiète. Voilà deux ans qu'il a libéré Nelson Mandela et personne ne sait vraiment où se dirige le processus de transition entamé depuis. Les Noirs veulent une chose : *une personne, une voix.* Cette revendication revient constamment. Les Blancs ont peur. Ils veulent conserver une plus grande maîtrise sur leur destin.

De Klerk veut le dernier mot. Il annonce la tenue d'un référendum, auquel les trois quarts de la population du pays ne pourront participer. Un autre vote blanc ! Le président veut jauger l'opinion des Blancs sud-africains sur la réforme de l'apartheid qu'il a amorcée deux ans plus tôt. Il veut faire taire les critiques qui disent qu'il n'a pas de mandat pour changer le pays de fond en comble. Il veut neutraliser une fois pour toutes le Parti conservateur, l'opposition officielle au gouvernement, qui affirme qu'il ne représente plus la majorité blanche, qui l'accuse d'aller trop loin, trop vite.

Les Noirs n'apprécient pas du tout ce référendum où ils seront encore une fois exclus. L'ANC rejette évidemment le principe d'un référendum racial, mais ne peut encourager le boycottage, puisque la question à laquelle les Blancs devront répondre, le 17 mars 1992, est la suivante :

Soutenez-vous la poursuite du processus de réforme amorcé par le président De Klerk le 2 février 1990 et dont le but est l'établissement d'une nouvelle constitution par le biais de négociations?

La victoire du OUI donnerait au gouvernement le feu vert pour finalement négocier cette «nouvelle» Afrique du Sud. Celle du NON constituerait «le suicide de l'Afrique du Sud», avertit De Klerk. Mandela et l'ANC, acculés au mur par réalisme politique, n'ont d'autre choix que d'accepter ce référendum.

Bez Valley a pris une allure différente. Johannesburg a changé. Tout le pays a changé! Il n'y a pratiquement plus un poteau qui n'affiche pas une pancarte du camp du OUI ou du NON. Le référendum a propulsé le pays dans la transition. Ce mot — transition — est désormais au cœur de toutes les réflexions politiques. Le résultat du vote devrait déterminer si le processus de transition est irréversible ou non. S'il est positif, la transition sera dirigée par un nouvel organisme mis sur pied il y a quelques mois, la Codesa (Convention pour une Afrique du Sud démocratique), représentant dix-neuf partis politiques chargés de négocier une nouvelle constitution, justement pour assurer l'irréversibilité du processus.

Le président De Klerk a pris un risque audacieux, mettant non seulement sa tête, mais aussi l'avenir de son pays sur le billot. Si le OUI l'emporte, son mandat sera on ne peut plus clair et la Codesa prendra finalement toute son importance. Si c'est le NON, il a promis de démissionner. «J'accepterai votre verdict», a-t-il dit. Suivraient forcément des élections générales blanches, une victoire du Parti conservateur, et fort probablement... une guerre civile. Mais on peut se demander si, sans ce référendum, le risque de chaos ne serait pas encore plus grand.

De Klerk est un habile stratège. Les Blancs progressistes qui ont boycotté les élections durant l'apartheid, ou ceux qui ont voté contre le Parti national pendant toutes ces années, contre le parti qui a instauré le régime de l'apartheid et qui a «légalisé» le racisme, devront, cette fois, voter *pour* lui.

De Klerk a su s'allier la quasi-totalité de la population en lançant ce référendum pour marginaliser l'extrême droite, qui constitue le principal obstacle à la transition. Mais la grande majorité de la population ne peut pas voter. Tout au plus peut-elle participer à la campagne du Parti national en faveur du OUI.

Si le Parti conservateur remporte le référendum, puis des élections, il promet de bannir les syndicats noirs. Il ne préconise pas le retour au «grand apartheid», mais maintiendrait le concept au cœur de toutes ses législations. L'armée et la police reprendraient un rôle central. On créerait un conseil «ethnique» (par exemple, on offrirait à Nelson Mandela d'y participer en tant que chef de l'État xhosa et non plus comme celui de l'ANC). Le pays serait divisé en territoires ethniques et il faudrait sans doute une espèce de «passeport» pour entrer en territoire blanc.

De Klerk joue bien le jeu. Il mène une campagne «négative», c'est-à-dire qu'il mise sur les dangers de la victoire du NON au lieu de parler des avantages de celle du OUI. Le Parti national joue toutes les cartes : répondre non au référendum, c'est dire oui aux sanctions, à l'isolement international. Ce serait provoquer la destruction complète de l'économie. Ce serait commettre un acte de violence extrême contre l'État. Même l'argument du sport est invoqué. Votez non au référendum, avertit-on, et le pays ne pourra plus participer aux compétitions sportives internationales. Voilà ce qui inquiète les gens, ce dont ils parlent dans le courrier des lecteurs des journaux, dans les tribunes téléphoniques, dans la rue. Ce n'est pas le sort de la Codesa, c'est celui du sport.

Le 17 mars 1992, quatre-vingt pour cent de l'électorat blanc a voté. Le OUI l'a emporté avec soixante-huit virgule sept pour cent des voix. Les Blancs ont dit non à l'apartheid.

Ce fut le dernier vote blanc de l'histoire du pays.

24

Deuxième mariage : au Québec

Aujourd'hui, je ne songe qu'au Québec. Pour deux mois et demi, je vais renouer avec mon ancienne vie. J'espère, inconsciemment, que ce pèlerinage me redonnera la joie de vivre et que j'aurai le courage de trouver des solutions à ma situation. Je ne veux pas vivre déchirée. Je cherche la réconciliation. Je veux rire comme j'ai toujours ri. Il me semble que je n'ai pas ri depuis un an!

Léandre, qui vient de passer six mois en Afrique du Sud, rentre avec moi. Il restera au Québec pour les six prochains mois. Je ne veux pas me laisser abattre par cette séparation, parce que je porte un autre enfant. Tout ce que l'on sent, l'enfant à naître le sent.

L'atmosphère entre le père de Léandre et moi s'est beaucoup détériorée. Mais nous nous parlons encore, quoique difficilement. Je garde encore espoir de pouvoir arranger les choses.

Je suis naïve.

En un an, tout a changé. J'ai subi une dépression, fait des reportages, réalisé un gros documentaire sur le viol, je me suis (presque) mariée, je suis tombée enceinte, j'ai entamé une bataille pour la garde de mon fils. Et, surtout, évidemment, j'ai pleuré. Je ne savais pas qu'un être humain pouvait verser autant de larmes pendant si longtemps.

Léandre a hâte de voir son père. J'essaie de savourer pleinement chaque instant avec lui. J'ai passé les vingt heures de vol à jouer avec lui, à lui raconter des histoires, à l'écouter et à le regarder dormir.

Jay et moi nous marierons au Québec, cet été. Pour vrai, cette fois! Martine Boisjoly et André Ouellet, de vieux amis, nous offrent leur demeure à Lanoraie pour célébrer le mariage. Ils m'offrent aussi une chambre pour l'été puisque Jay reste en Afrique du Sud et ne viendra que pour le mariage, vers la fin août. La maison donne sur le fleuve Saint-Laurent. Dans la salle à manger complètement vitrée, on entend les vagues que les navires poussent sur la rive.

Dès mon arrivée, je me lance dans la course aux amis. Je veux voir tout le monde que je connais, comme pour me rappeler qu'il y a un autre moi, qu'il existe encore en dehors de mes souvenirs.

J'entreprends également les démarches en vue du mariage. J'appréhende d'aller au palais de justice de Joliette. Le fait de déclarer que je veux épouser un Africain suscitera-t-il des questions chargées de sous-entendus? Pas du tout. Le préposé est très coopératif. Il m'explique tout ce que je dois faire et m'assure qu'il accélérera le processus, étant donné le court laps de temps dont nous disposons.

Mes invitations se font par téléphone. Je voudrais tant que Léandre soit des nôtres, mais j'ai une peur bleue que son père tienne encore à assister à la cérémonie. Mon fils ratera donc cette belle célébration, simple et unique, et je le regretterai toujours. J'aurais dû trouver le courage d'affronter mon ex.

Le 22 août, jour du mariage, le ciel est identique à celui du 14 décembre 1991, à Johannesburg. Un ciel où flottent des nuages, certains menaçant d'éclater. Nous aurons peut-être, aujourd'hui encore, notre bénédiction du ciel.

Je porte la même robe que l'an dernier. Mon ventre de cinq mois tend le tissu à la limite de l'acceptable.

Notre très cher ami Omar est venu. C'est lui que Jay a choisi comme témoin. Quant au mien, c'est mon père, qui peut, cette fois-ci, jouer lui-même son propre rôle! Ça me fait tout chaud au cœur. Serrant le bras de Pierre, Pierrot pour ses petits-enfants, j'avance dans la courte allée de la salle éclairée aux néons du palais de justice. La juge qui dirige le mariage a le sourire engageant. Aucune indication de préjugé racial dans son regard. Ça me surprend presque. Ça me soulage. La semaine précédente, en me promenant dans les rues de Montréal, main dans la main avec Jay, j'ai entendu des remarques racistes. Comme on peut en entendre à Londres ou à Boston, mais, curieusement, presque jamais en Afrique du Sud, où le racisme est pratiqué de façon plus subtile.

Lorsque nous sortons sur le perron du palais de justice de Joliette, Martine lance des confettis, comme dans les films. Ça me fait plaisir. Au même moment, il se met à tomber quelques gouttes de pluie. Jay dit qu'encore une fois sa mère nous bénit…

Nous célébrons notre union à Lanoraie. Nous ne sommes pas six cents personnes cette fois, mais quarante-deux. Mes parents, divorcés depuis quinze ans, se retrouvent pour la première fois depuis bien des années. Mon père est avec sa femme, Suzanne Bernatchez, que j'aime beaucoup. La présence de ma sœur Anne constitue pour moi un beau cadeau. Elle a trois ans de moins que moi, et nous l'avons appelée «Bébé Anne» la moitié de sa vie, jusqu'à ce qu'elle se fâche pour de bon!

J'ai une autre sœur, plus jeune, qui se nomme Tanya. Mes parents l'ont adoptée alors qu'elle n'avait que quatre mois. C'est en fait ma cousine germaine, la fille de la sœur de mon père, Diane Pagé. Celle-ci s'est laissée mourir en cessant de prendre ses doses d'insuline contre le diabète. Au moment de son décès, Tanya avait neuf ans. Tanya est née à la suite d'une aventure d'un soir entre ma tante, qui avait alors seize ans, et un Trinidadien qui était dans la marine marchande et qui débarquait à Montréal avec des taies d'oreiller pleines de drogues. À sa naissance, Tanya avait développé une dépendance au LSD parce que sa mère en consommait pendant la grossesse. On lui a immédiatement fait une transfusion sanguine. Quand nous l'avons accueillie chez nous, à l'âge de quatre mois, la pédiatre a dit qu'elle souffrait d'une dépression grave... Tanya a fait une méningite à l'âge de quatre ans et deux encéphalites, à six et à sept ans. Enfin, elle s'est mise à souffrir d'épilepsie. Tanya a vécu avec nous pendant douze ans. Puis sa délinquance, devenue ingérable, l'a conduite dans des hôpitaux et des centres d'accueil jusqu'à sa maturité. Elle a recherché son père et l'a finalement retrouvé à l'âge de dix-huit ans. Il l'a violée...

Mon frère Gérard, réservé, plus-timide-que-ça-ça-ne-se-peut-pas, s'affaire à griller le mouton, sur la rôtissoire installée par mon oncle Daniel, le frère de mon père. Daniel n'assiste pas à la fête. Il n'aime pas les mariages. Ou plutôt, il n'aime pas les rassemblements. C'est un Pagé, il n'aime pas les groupes de plus de deux personnes. Avoir réussi à faire venir mon père à la réception tient de l'exploit. Il ne se déplace jamais pour des fêtes. Mais il ne pouvait pas rater le mariage de sa fille, le premier de la famille !

J'aurais beaucoup aimé qu'Eva, ma marraine, ma grand-mère maternelle, soit ici. Je passe de longs moments avec elle depuis ma tendre enfance. Je la vois tous les étés. J'ai habité chez elle lorsque je travaillais à la base de plein air de Lac-Mégantic. Mais elle est malade et «habite» à l'hôpital de cette ville des Cantons-de-l'Est. Elle souffre de léger délire, d'incohérence, mais elle me reconnaît toujours. On se prend les mains. Je lui raconte des histoires. Jay et moi sommes allés la voir. Malgré la barrière de la langue, Jay et Eva se sont parlé, par sourires, par regards, avec les mains. Elle ne peut pas s'imaginer d'où il vient, ni la vie à l'autre bout du monde. Mais elle est d'accord avec mon «choix». «Tu as tout un homme entre les mains», m'a-t-elle dit.

Notre union soulève beaucoup de questions. Je ne connais pas encore les réponses. Comment deux êtres complètement différents, de culture et de langue différentes, de mœurs et d'histoire différentes, de race et de religion différentes, peuvent-ils célébrer une *union*? C'est l'amour qu'on célèbre. Jay et moi, depuis le premier instant, sommes soudés. Nos moments passés ensemble sont toujours passionnés. Nos sujets de conversation semblent inépuisables. Nous avons des discussions, des débats sur tous les aspects de la vie. Partout, tout le temps, au téléphone, en personne, nous parlons, nous discutons de sujets qui nous enflamment. Je n'ai jamais eu, jusqu'à ce jour, de «temps mort» avec Jay. Jamais.

À l'âge de dix-huit ans, Jay est passé à deux doigts de mourir. Atteint d'une maladie rare, la sarcoïdose, qui attaque surtout les poumons et les yeux, il a failli y passer. Entre un et cinq pour cent des gens atteints de cette maladie en meurent. On craignait le pire, car il souffrait aussi de tuberculose au même moment.

Les médecins ont fait deux biopsies. Ses deux cicatrices au cou et ses yeux, fréquemment injectés de sang, me rappellent toujours cette histoire. Les médecins ont informé la famille qu'il fallait l'opérer, mais qu'ils ne savaient pas s'il s'en tirerait. La mère et la sœur de Jay ont fait venir Mme Patel, une vieille sage hindoue, pour qu'elle prie et demande aux cieux d'aider le jeune mourant. Elle est arrivée avec l'encens, le feu, l'eau, les petits plateaux d'argent, les fruits, le lait, la noix de coco. Jay était à demi conscient dans le lit d'hôpital. Au beau milieu de la prière, la prêtresse s'est arrêtée. Elle a dit, avec un sourire : «Cet enfant ne mourra pas. Il deviendra un mahatma, un leader du peuple.» Sur quoi elle a plié bagage et quitté la pièce!

* * *

Omar et Jay ont fait du vélo dans les petites rues de Lanoraie. Un jour, ils ont eu soif et se sont arrêtés au dépanneur du coin. Pendant que Jay tenait la porte ouverte, Omar entrait les vélos avec bien du mal et du bruit. Les quelques clients au comptoir et le caissier lui-même les ont regardés, bouche bée.

— Que faites-vous là? a crié le caissier.

Ils ont répondu, en anglais, qu'ils ne voulaient pas se faire voler les vélos.

— Mais qui pourrait bien voler vos vélos? a demandé le caissier, interloqué.

Ce sont les deux amis qui sont restés surpris…

En Afrique du Sud, le vol est partout. Les petits lampadaires qu'Omar avait fait poser devant sa maison ont été volés quelques jours après avoir été installés. On vole tout ce qu'il est possible de voler. Et parfois, lorsque quelqu'un se trouve en travers du chemin, on l'élimine.

Jay et Omar n'en reviennent pas que l'on puisse vivre dans une telle quiétude d'esprit.

L'air commence à sentir l'automne. Le début de septembre annonce mon retour en Afrique du Sud. Je ne savais pas que j'étais attachée à ce point à cette saison. Il a fallu que je m'en éloigne pour me rendre compte qu'elle m'était aussi chère. Comme tant de choses, comme tant de gens.

Je pars avec Jay. Il n'y a pas de mots pour exprimer mon bonheur.

Je pars sans Léandre. Il n'y a pas de mots pour exprimer ma douleur…

25

La possession

Chaque jour, je descends chercher le courrier, en bas, près de la rue. L'à-pic de la pente est de plus en plus difficile à remonter quand je reviens à la maison. Mon ventre de sept mois ralentit mes pas et m'essouffle. La grossesse aggrave mon problème de basse pression. Je deviens facilement étourdie, et si je ne m'assois pas aux premiers avertissements, je m'évanouis.

Aujourd'hui, j'ai enfin une lettre du père de Léandre. Voilà plus d'un mois que je lui ai envoyé le texte de l'entente à laquelle nous sommes parvenus au cours de l'été, pour qu'il me la retourne, une fois signée. Léandre commencera l'école l'an prochain, en septembre 1993, et nous devons nous entendre sur l'endroit où il ira. Évidemment, nous le voulons tous les deux avec nous. Ce sera une dure bataille.

Pendant mon séjour au Québec, j'ai mangé au restaurant avec mon ex et nous nous sommes entendus sur la garde au cours de la prochaine année, les suivantes devant être négociées durant cette période. Notre rencontre s'est déroulée de manière calme et polie. L'atmosphère avait été plus sereine que d'habitude. Je suis partie le cœur en paix. Léandre reviendra au début de décembre, à temps pour la naissance de son frère ou de sa sœur.

Essoufflée, je m'assois à la table de la cuisine pour ouvrir la lettre. En lisant les premiers mots, même assise, je deviens étourdie. Sa lettre n'a plus rien à voir avec notre entente! Il dit qu'il a réfléchi à mes propositions du mois d'août et qu'il n'est pas d'accord, et me soumet donc une nouvelle «entente». Plus je lis, plus je tremble. Il veut garder Léandre et ne m'accorder qu'un droit de garde restreint. Selon cette nouvelle proposition, je ne verrais mon fils que l'été prochain, dans presque un an, et pour quelques semaines seulement! Si je signe l'entente, précise son père, il laissera Léandre venir me voir pendant deux semaines à Noël. Sinon, il le garde.

La tête me tourne. D'un coup, je me sens projetée dans le vide, comme si on me laissait tomber du dixième étage de l'édifice de la police de Johannesburg. Tant de gens en sont tombés... Je tombe, je tombe. Je relis les mots, à travers mes larmes, pour être certaine d'avoir bien lu.

Je suis complètement chavirée. J'appelle Jay. «J'arrive», dit-il, annulant tous ses rendez-vous. Il avait senti ma détresse.

À son arrivée, je suis encore en larmes.

— Qu'est-ce qu'on fait?

— Calme-toi, dit-il. Il y a des solutions à tout problème. Il s'agit de les trouver.

— Mais, c'est lui qui a Léandre en ce moment!

— Je sais. Mais tout finira par s'arranger. Tu verras.

Ces mots ne me réconfortent pas vraiment. Plus j'analyse la situation, plus je perds confiance. Quel juge enverrait un enfant à l'autre bout du monde, dans un pays où règne la violence, alors qu'il vit à Montréal, tranquille, fréquentant une jolie maternelle où il passe ses journées à faire de beaux dessins?

* * *

— Mais tu es sa mère! dit Peter Harris, un avocat, ami de Jay. Personne ne peut t'enlever ça! Et une mère a des droits.

— Mais comment amener son père à respecter l'entente que nous avons prise ? Il nie même qu'il y ait eu entente ! Je n'ai aucune preuve, tout était verbal.

— Pourquoi n'as-tu pas mis ça sur papier ?

— C'est ce que j'ai proposé, mais il m'a répondu qu'il était trop occupé et qu'on ferait ça par lettre, en septembre.

Peter me regarde, incrédule. Pour un avocat, effectivement, c'est la pire bêtise qu'on puisse faire dans une situation comme la mienne. Il m'encourage, mais m'explique calmement que la « possession » présente de l'enfant joue en faveur de son père. Les tribunaux hésitent à retirer un enfant de son milieu. Pour cela, il faut que le milieu lui soit néfaste. Il n'en demeure pas moins que, étant sa mère, j'ai des droits. Il s'agit de savoir si on m'accorderait le droit de visite ou le droit de garde.

Je suis désespérée.

Je me suis mis en tête de faire avouer à mon ex que nous avions une entente. Je prépare mon magnétophone et l'appelle. La conversation est longue et houleuse. Chacun crie. Il finit par avouer, en précisant toutefois qu'il n'a pas l'intention de respecter l'entente. Il ne sait pas que j'enregistre nos propos, ce que je continuerai de faire pendant trois ans. À la guerre comme à la guerre.

Mercredi, 18 novembre 1992. Je vais à mon rendez-vous hebdomadaire chez ma sage-femme, qui m'assure que tout va bien. Mais, ajoute-t-elle, le bébé est encore haut. Elle ne serait pas surprise que j'accouche un peu en retard. L'événement aurait donc lieu peu avant Noël. Parfait, ça égaiera les fêtes, me dis-je. Si seulement je pouvais être certaine de la présence de Léandre !

Jeudi, 19 novembre. Le père de Léandre me soumet une nouvelle entente. Si je la signe, il mettra Léandre dans l'avion, comme prévu, dans deux semaines. Sa proposition est cependant totalement inacceptable. Je ne peux m'y résigner. Selon mon avocat, son père tient mon fils en otage.

Dans sa lettre, il dit craindre que je lui vole son fils. Alors il le fait le premier!

Samedi, 21 novembre. Le télécopieur sonne. C'est ma hantise, car depuis que nous avons cet appareil, depuis deux mois seulement, il me crache des bêtises, des accusations, des mensonges. Je vais voir la lettre de deux pages qui vient tout juste d'en sortir.

À peine rendue à la moitié de la lettre, je m'effondre. Il garde Léandre! Il refuse toute négociation! Je panique. Je n'ai pas le temps de finir la lettre qu'une contraction m'arrache le ventre. Il est dix-huit heures. Je continue la lettre. Jay est là. Je la lui traduis en pleurant. Je descends au fond du gouffre. Mon corps pèse une tonne. Je vais m'évanouir. Je suis secouée par mes pleurs et, de plus en plus sérieusement, par mes contractions. Il est pourtant trop tôt.

— Allons à l'hôpital! s'écrie Jay. Appelons la sage-femme! La valise n'est pas prête! Qu'est-ce qu'on fait?

— Laisse-moi écrire une lettre d'abord. Laisse-moi écrire une dernière lettre. Qu'il envoie l'entente et qu'on la signe. Je veux signer l'entente tout de suite. Je veux voir Léandre. Je veux Léandre. Je ne suis pas prête à avoir ce bébé!

J'écris à toute vitesse sur l'ordinateur, entre deux contractions, à travers mes larmes. On m'aurait dit que la fin du monde approchait et j'aurais tenu à écrire cette lettre, avant que tout ne s'écroule.

Mais le bébé ne supporte pas le choc. Il veut sortir. Tout de suite!

26

Kami

Il est presque minuit. Je n'en peux plus. Les contractions sont si fortes. Assise sur le bord du lit, je suis pendue au cou de Jay qui est à genoux devant moi et qui me soutient, supporte mon poids, me parle et me cajole durant mes grosses contractions.

— Arrête de penser à lui. Pense au bébé. Pense au bébé qui s'en vient. C'est notre bébé, ma chérie. *Notre* bébé!

Une autre contraction. Puis, Jay s'excuse. Il doit se lever une minute, dit-il.

— Non, j'ai besoin de toi! Ne t'en va pas!

— Attends. Je vais chercher un coussin. J'ai mal aux genoux.

J'éclate de rire. Il a mal aux genoux! Il s'aperçoit du contraste entre son mal et le mien. Nous rions, jusqu'à la prochaine contraction, et ça fait un bien immense.

Liz Harding, la sage-femme, est très calme. Jay lui raconte les derniers événements. Oui, dit-elle, un choc émotif assez puissant peut déclencher un accouchement. Il faut composer avec la situation maintenant.

À minuit, le 22 novembre 1992, Liz m'incite à pousser. Je me place en position semi-assise sur le lit, de nombreux coussins derrière le dos. Je suis trop fatiguée pour bouger. Non, je ne veux aucun médicament. Les événements m'ont assez étourdie. Je n'ai plus la force de pousser. Je me laisse aller. Liz m'encourage. Me flatte. Allez, Lucie! C'est presque fini!

Une, deux, trois poussées et, à minuit trente-sept, le bébé sort. Tout petit. Trop petit. Trop tôt. Mais il est sorti. Un garçon! Je sais, il s'appelle Kami. Il me l'a dit cet été au Québec, chez Martine, dans mon lit…

J'étais étendue, parcourant avec avidité un livre de noms indiens, d'Indiens d'Asie et d'Indiens d'Amérique. Tous des noms ayant une signification spéciale. Des milliers de noms. J'avais d'abord dressé une liste de quelques noms pour les filles. Puis, dans la partie des garçons, en parcourant la section des *K*, mes yeux se sont fixés, involontairement, sur «Kami». En voyant ce nom, je suis restée paralysée. Il était environ vingt-deux heures. La fenêtre de ma chambre était grande ouverte. Il faisait chaud. Martine et André dormaient dans leur salon au murmure de la télévision. J'avais frissonné en lisant «Kami». Je ne sais pas pourquoi. Puis j'ai lu la signification: *Dieu noir hindou de l'amour*. Kami, c'est l'amour.

Il est né, maintenant, Kami.

Jay est rayonnant. Il prend son fils et, pendant une heure, ne perdra pas son fier sourire. Un fils! Un garçon!

Kami, mon petit Kami. C'est toi qui as payé pour mes souffrances et je le regrette infiniment. Tu as été la grande victime de la chicane de garde.

Kami, mon beau Kami. Si je le pouvais, je recommencerais tout, juste pour t'assurer neuf mois de grossesse sereine et une naissance à célébrer. Kami, mon petit Kami, tu es si minuscule. Deux kilos et quelques grammes, c'est si petit. Trois mots — «je garde Léandre» — t'ont volé le droit de terminer ton règne dans mon cocon. Trois mots m'ont détruite et c'est moi, dans cet état, que tu as fui. Je ne réussirai pas à effacer mon sentiment de regret, même avec des années de thérapie. Je t'aime, Kami, je t'aime tant, mais tu es né dans la colère, dans la peur et le désespoir. Me le pardonneras-tu un jour?

27

Pannes

Kami vient de naître et Jay s'en va. Il doit assister à une conférence à Vancouver et tentera de ramener Léandre. Le père de Léandre affirme qu'il y a trop de violence en Afrique du Sud. De mon lit, je négocie avec lui. Dans des lettres, des fax, des conversations enregistrées.

L'argument de la violence sud-africaine est piégé. Je suis mal placée pour la nier, car j'en témoigne quotidiennement dans mon travail. Mais, je le sais, la distance déforme la perception, et, vue du Canada, la situation paraît encore pire que la réalité.

Il est encore possible, pourvu qu'on vive dans les «bons» quartiers, de mettre ses enfants à l'abri de cette violence. La vie dans les banlieues blanches est d'ailleurs organisée en grande partie en fonction de cet objectif. Grâce aux systèmes d'alarme et aux gardiens de sécurité, la vie d'un enfant blanc de Johannesburg n'est pas beaucoup plus dangereuse que celle d'un enfant à New York, par exemple.

Ma parole ne suffit pas. Alors j'appelle le haut-commissaire canadien. Il me rédige une lettre affirmant que lorsqu'un pays devient trop violent un avertissement est communiqué aux citoyens canadiens, mais qu'actuellement aucune mise en garde n'est nécessaire en Afrique du Sud.

Je suis seule avec Kami à la maison. Je ne sais pas si Jay réussira à ramener Léandre. Je pense à ma marraine,

Eva, que j'adore. Elle me manque. J'ai hâte de lui présenter son nouveau petit-petit-fils! En ce moment, malheureusement, il est malade. Sa jaunisse est pourtant finie. Mais il vomit beaucoup, chaque fois qu'il boit du lait, et il me semble que c'est plus que de la simple régurgitation de poupon.

Le téléphone sonne. C'est ma mère qui me souhaite un joyeux anniversaire. J'ai trente et un ans ce jour-là. Elle s'enquiert de la santé de son nouveau petit-fils, mais je n'entre pas dans les détails pour ne pas l'inquiéter. Je lui demande comment va Eva, sa mère. Elle n'allait pas très bien dernièrement. J'ai envie de l'appeler à l'hôpital. Depuis ma dernière visite, avec Jay, elle parle à tout le monde de mon «prince d'Afrique». Elle croit réellement que Jay est un prince de conte de fées.

Je répète ma question parce que je n'ai pas encore eu de réponse.

— Comment va-t-elle, grand-maman?

Grand-maman vient de mourir. Il y a quelques heures à peine. Elle est morte aujourd'hui, jour de mon anniversaire. Elle est morte sans que je puisse lui dire au revoir, lui tenir une dernière fois les mains, juste quelques minutes.

Je raccroche, sonnée par la nouvelle. Tellement sonnée que je n'aurai pas de lait pendant deux jours.

J'ai peur de ne plus pouvoir allaiter. Le médecin me prescrit de l'Eglynol, un médicament «pas très catholique», banni chez nous, mais bon, il s'agit d'un antidépresseur ayant parmi ses effets secondaires la production de lait maternel. J'ai besoin des deux effets.

Je n'ai plus de nouvelles de Léandre et ça me rend folle. Kami continue de régurgiter. Le problème s'aggrave. J'appelle la sage-femme, qui accourt. Non, dit-elle, ce n'est pas normal, il faut aller à l'hôpital.

À l'hôpital, on m'arrache le petit et il disparaît derrière une porte pour une heure. Une infirmière vient me voir pendant qu'on l'examine. Elle me lance une «brique» en plein visage :

— Vous auriez pu venir avant!

— Qu'est-ce qu'il y a? C'est grave?

— Une bonne mère serait venue avant!

— Mais je suis ici, maintenant! Je suis venue! Tout le monde me disait que c'était normal, qu'il ne faisait que régurgiter.

— Il est peut-être trop tard.

— Qu'est-ce que vous voulez dire?

— Il a peut-être une jaunisse qui a atteint le cerveau. Nous faisons les analyses à l'instant.

Une bonne mère serait venue avant. Je me demande pourquoi cette femme a senti le besoin de déverser ainsi son fiel. L'accusation m'a atteinte au plus profond de mon être. Comme si j'avais besoin d'un catalyseur de plus pour ma culpabilité.

Des amis ont tenté de me raisonner par la suite. On m'a expliqué que cette femme avait vu la couleur de Kami, qu'elle avait lu le nom du père dans le dossier et avait simplement laissé paraître sa révulsion envers les mariages interraciaux. C'est arrivé plus d'une fois. Par exemple, quand une autre infirmière a su que j'étais la femme de Jay, elle a fait exprès pour me piquer trois fois au mauvais endroit sur le bras en faisant une prise de sang. J'ai eu le bras tout bleu pendant un mois. Aujourd'hui, c'est Kami qu'on pique et moi qu'on poignarde!

Kami réapparaît au bout d'une heure, la tête bandée. Ils ont pris du sang par la fontanelle. Il paraît qu'il est interdit aux mères de voir ça.

Il n'a pas la jaunisse. Il faut d'autres tests. On me donne un rendez-vous pour le lendemain. J'appelle Jay, qui est arrivé chez mon frère, Gérard, à Montréal. C'est Gérard qui devait accompagner Léandre en Afrique du Sud au début du mois de décembre parce que Jay ne voulait pas me laisser seule au cas où j'accoucherais. Mon frère avait renouvelé son passeport, réservé son billet d'avion, et puis, à la dernière minute, on a tout annulé parce que j'avais accouché. Gérard a accepté le changement au programme sans broncher, en faisant tout pour nous aider. Nous ne lui avons pas rendu la vie facile.

Jay profite de son passage à Montréal pour rencontrer mon nouvel avocat du Québec, Me Luc Deshaies. J'avais appelé mon ami Claude Marcil, pendant la catastrophe du mois de novembre, pour lui demander de trouver le meilleur avocat en matière de garde, peu importait le prix. Claude a été mon mentor. Je peux l'appeler de la Chine ou de la Lune, vingt-quatre heures sur vingt-quatre, trois cent soixante-cinq jours par année. C'est l'un des meilleurs recherchistes au Québec. Claude sait tout. Et s'il ne sait pas, il sait où trouver en un rien de temps.

Il m'a recommandé Me Deshaies, de la firme Lafleur, Brown et associés à Montréal. Un homme réservé, sans émotion apparente, mais consciencieux. Quand le père de Léandre a reçu la lettre envoyée par cet avocat, il a constaté que j'étais sérieuse et il a accepté de laisser venir Léandre. Ne voulant sans doute pas se ridiculiser en me forçant à signer une entente sous la contrainte, il a accepté de négocier. Mais je ne le croirai que lorsque Léandre sera dans mes bras!

Kami est vraiment malade. Il ne garde toujours rien dans l'estomac. Son poids se situe au-dessous du seuil critique. Il ne pèse qu'un kilo et demi. Je retourne à l'hôpital. On le gave d'un liquide blanc. Il crie, il pleure, il hurle. On l'enfonce dans une grosse machine.

— Vous n'avez pas une sucette, bon Dieu?

— Non, il n'aime pas les sucettes.

J'ai bien essayé. Il pleure tout le temps, Kami. On dirait qu'il a mal au ventre. À vomir comme ça, il me semble évident qu'il doit souffrir. Et si je lui avais transmis mon nœud dans l'estomac? Celui qui ne se voit pas aux rayons X, mais qui est bien réel. C'est ma hantise, irrationnelle, mais ma hantise quand même.

Diagnostic : Kami a l'ouverture de l'œsophage sous-développée. Il s'agit d'une espèce de languette ne devant s'ouvrir que pour laisser descendre la nourriture. Mais celle de Kami est élastique, si molle qu'elle ne sert presque à rien; elle laisse donc à peu près tout le contenu de l'estomac s'échapper. Seule une petite quantité de lait se rend aux intestins pour être absorbée. Voilà la raison pour laquelle il maigrit.

Il n'y a pas d'opération possible pour sa condition. Seul le temps arrangera les choses. Il faudra deux ans avant qu'il ne cesse de vomir, et ensuite de régurgiter. Il faudra le faire dormir assis, l'allaiter comme ceci, le bercer comme cela, et le cajoler tout le temps parce qu'il pleure beaucoup.

Kami a maintenant dix jours. Jay et Léandre arrivent demain. Je ne me sens pas bien. J'allaite mon fils. Tout à coup, il vomit. Cette fois, le contenu de son estomac est projeté jusque sur le mur, un mètre et demi plus loin! J'appelle «Foxy», le grand ami d'Omar, notre médecin de famille au grand cœur. Il est toujours là pour nous; lorsqu'un soir Léandre s'était brûlé, il était accouru plus vite qu'une ambulance.

Le vrai nom de Foxy est Ebrahim Asvat. C'est son frère, Abu-Baker Asvat, que Winnie Mandela est suspectée d'avoir fait assassiner. Abu-Baker était médecin comme son frère, militant politique et ami de Winnie Mandela. Celle-ci avait mis sur pied un groupe de jeunes hommes, The Mandela United Football Club, qui lui servaient de gardes du corps et qui semaient la pagaille à Soweto, qui commettaient des crimes, aussi. À la fin de 1988, les membres de ce club ont séquestré quatre jeunes militants d'une église de Soweto, les soupçonnant d'être des informateurs de la police. Winnie Mandela accusait aussi le prêtre de la petite église de pratiques homosexuelles sur ces jeunes. Parmi ceux-ci se trouvait Stompie Seipei, quatorze ans. Winnie a fait appel à son ami Abu-Baker pour qu'il examine l'adolescent. Elle voulait un rapport médical prouvant ses allégations. Mais le médecin a refusé de corroborer la version de Winnie. Il a plutôt constaté que le jeune Stompie avait été sauvagement battu, voire torturé, et qu'il avait même subi des dommages au cerveau. Le lendemain, Stompie a été trouvé sans vie dans un champ, près de chez Winnie. Un mois plus tard, le 27 janvier 1989, Abu-Baker Asvat a été assassiné par deux hommes qui affirmeront plus tard avoir été payés par Winnie pour commettre ce crime. L'enquête policière a comporté beaucoup d'irrégularités. Winnie sera finalement déclarée coupable de séquestration et de complicité dans la torture de Stompie Seipei. Sa sentence de six ans de prison sera commuée, en appel, en une amende de quinze mille rands. Ce fut probablement la goutte d'eau qui a fait déborder le vase dans le couple Mandela. Nelson et Winnie ont divorcé. Foxy attend toujours que justice soit faite pour son frère…

Foxy arrive à la maison accompagné d'Omar et entreprend de nous examiner, Kami et moi. Quand il a terminé, il me regarde d'un air soucieux. « Ce n'est pas le petit qui m'inquiète, mais toi. Tu n'es pas bien. Tu as les traits tirés, le teint pâle, trop pâle. Tu fais de la fièvre aussi. » Il soupçonne une infection à l'utérus. Mais Foxy est un ami trop intime et n'oserait certainement pas me faire un examen gynécologique. Il me recommande de consulter un autre médecin.

Le lendemain matin, je ne veux pas penser à mes maux, mais à Léandre et à Jay. Ils arrivent dans une heure! Je suis surexcitée. J'attache Kami dans le siège d'auto et je pars pour l'aéroport. La voiture fait un bruit bizarre. Je me dis qu'il faudra peut-être la conduire au garage.

Sur l'autoroute, à sept kilomètres de l'aéroport, l'auto commence à vibrer, ça brasse même très fort. L'aiguille témoin du radiateur est dans le rouge jusqu'au fond et de la fumée se met à sortir de sous le capot! Pourvu qu'elle tienne jusqu'à l'aéroport.

Elle ne tiendra pas le coup. Deux kilomètres plus loin, le moteur lâche. Après l'avoir mis au point mort, je laisse rouler la voiture jusqu'au bord de la chaussée, où elle s'arrête net. Devant, il n'y a plus seulement de la fumée, mais un gros feu! Les flammes sortent de toutes parts. Je me précipite hors de la voiture, détache Kami de sur la banquette arrière et le sors en toute vitesse. Je cours. Je fais signe à des voitures d'arrêter. Un taxi s'immobilise, presque immédiatement.

J'ouvre la portière arrière et lance un avertissement au chauffeur : «Je suis la femme de Jay Naidoo. Ne me faites rien. Amenez-moi tout de suite à l'aéroport et je vous paierai!» La femme de Jay Naidoo? Il est honoré, dit-il. Tout de suite, madame!

Nous laissons derrière nous la voiture encore en flammes. Pour la première fois, je me suis servie du nom de mon mari pour demander quelque chose.

Léandre et Jay franchissent les portes. Enfin! Ils sont là. Tout d'un coup, je suis soulagée. Les larmes coulent. Mes jambes se dérobent sous moi. Je m'effondre.

Je ne me relèverai que dix jours plus tard, après un autre séjour à l'hôpital. Je souffrais d'une infection grave à l'utérus et d'une mastite au sein gauche. J'étais aussi anémique et faisais quarante de fièvre. Mon corps avait tenu jusque-là. Il avait maintenant besoin qu'on s'occupe de lui.

28

Quand l'amour fait mal

Ah non! Pas encore les femmes!

« Je suis désolée, dis-je au téléphone. Je ne peux pas faire un autre film sur les femmes. Je suis trop occupée. Désolée.»

Mon documentaire sur le viol a des répercussions auxquelles je ne m'attendais pas. Je reçois maintenant des appels de groupes de femmes, d'organisations de lutte contre le crime et pour la réhabilitation des criminels, qui veulent que j'aborde un autre problème grave, celui de la violence domestique. En effet, quantité de femmes sont battues, et certaines même violées, sur une base quotidienne. Je ne tiens cependant pas à être «étiquetée» comme cinéaste féministe.

Au NICRO (Institut national contre le crime et pour la réhabilitation des délinquants), producteur exécutif de mon film sur le viol, on insiste. Les dirigeantes de l'organisme me «harcèlent». Naomi Hill, représentante du NICRO au Cap, m'a appelée à plusieurs reprises pour tenter de me convaincre de réaliser une autre vidéo. Je finis par céder. Je lui dis que je ferai une recherche préliminaire, et que je la rappellerai.

C'est ainsi qu'entre mes reportages pour Radio-Canada, la bataille pour la garde de Léandre et les soins à apporter au nouveau bébé je m'embarque dans un projet qui me fera entrer dans la chambre à coucher des femmes sud-africaines.

Ma recherche, en fin de compte, sera plus approfondie que ce que j'avais prévu. J'écris un synopsis afin de recueillir, encore une fois, des fonds pour produire un documentaire vidéo de trente minutes.

La société sud-africaine est violente, c'est connu. Des études récentes ont dévoilé que la maison n'échappe pas à la violence. Au moins une femme sur six en Afrique du Sud est battue par son partenaire. Certains avancent le chiffre d'une sur quatre. Et d'autres disent simplement que toutes les statistiques sous-estiment la situation, que les murs de la maison cachent des réalités terribles et troublantes, à grande échelle.

Au-delà de ces chiffres, la réalité sud-africaine est particulière. La violence y est davantage «acceptée» qu'ailleurs. Et la violence domestique est encore moins dénoncée que le viol. C'est un crime «protégé».

Pourquoi les hommes battent-ils leurs femmes? Y a-t-il un portrait type du batteur de femme? Cette forme de violence est-elle une «maladie chronique»? Une étude a démontré que plus de quatre-vingt pour cent des hommes violents ont été eux-mêmes violentés. Comment peut-on sortir de ce cercle vicieux? Cela fait partie des pistes que je veux explorer.

Mon expérience de production de la vidéo sur le viol m'est très utile. Cette fois, en deux temps, trois mouvements, je planifie le documentaire, établis un budget détaillé et sollicite l'appui financier de diverses organisations. Il me faut cent quarante mille rands. En deux temps, trois mouvements aussi, l'argent arrive! Le gouvernement canadien (qui m'appuiera toujours dans mes démarches de production en Afrique du Sud), une organisation non gouvernementale japonaise et des syndicats suédois fourniront les fonds. Comme pour la vidéo précédente, je cède mes droits d'auteur au NICRO qui devra s'en servir pour financer des projets liés à l'avancement des femmes en Afrique du Sud.

Cette fois, le sujet est multiethnique, car la violence au foyer touche les populations de toutes les races. Contrairement au viol, qui survient souvent à la suite d'attaques dans les rues mal éclairées et mal fréquentées des quartiers pauvres, la violence domestique se pratique autant derrière les grilles protectrices de Sandton ou de Rivonia — les banlieues chic — que dans les cabanes de tôle d'Alexandra ou de Soweto. J'ai rencontré une victime, une Blanche, du nom de Michelle Bruce. Michelle est belle, magnifiquement belle. Dans les années 80, elle a été élue Miss South Africa. C'est aussi une femme intelligente et fonceuse. Elle a été battue pendant des années et s'est retrouvée à l'hôpital plus d'une fois. Elle a finalement réussi à s'en tirer, et comme elle souhaite dénoncer la violence conjugale, elle m'accordera une entrevue qui s'avérera éclatante.

J'ai choisi de demander aux femmes interviewées de s'adresser directement à la caméra pour répondre à ma dernière question : «Que voulez-vous dire aux femmes battues?» Les yeux bleus de Michelle crevaient l'écran lorsqu'elle a déclaré : «Vous et votre corps vous appartiennent, de la tête aux pieds, en dedans et en dehors, et personne, personne n'a le droit de vous violenter de quelque façon que ce soit, mentalement ou physiquement. Vous devez toujours vous rappeler que vous pouvez vous lever. Vous avez une bouche, vous avez un cerveau, dites ce que vous avez à dire et sortez de là! Parce que c'est votre vie, la vôtre, et que la vie est bien courte. La passer en étant continuellement humiliée et battue n'est tout simplement pas une vie!»

Dans mon documentaire, il y a aussi Zuleiga, une Métisse musulmane du Cap. Son mari la viole presque chaque jour depuis plus d'une décennie. Parfois, il la sodomise. Toujours de force. Il menace sa femme de mort si elle dit quoi que ce soit, à qui que ce soit, si elle se plaint. Il est sérieux, car il a déjà tenté de la tuer, il y a quelques années. Zuleiga est donc la seule femme du documentaire à témoigner dans le noir, sous un faux nom. Après l'entrevue, elle reprendra l'avion pour retourner à son enfer avec cet homme. Voilà justement un des aspects que je traiterai dans ce documentaire : pourquoi les femmes retournent-elles dans le milieu violent? La dépendance financière et l'espoir de changer son homme sont les principales raisons qui les y poussent. J'ai fait tout ce que j'ai pu pour donner à Zuleiga les moyens et le courage de s'en sortir. Je lui ai fourni les numéros de téléphone de femmes qui pourraient l'aider. Elle s'est finalement réfugiée dans un centre pour femmes battues, mais son mari l'y a retrouvée. Il est arrivé armé et l'a ramenée à la maison. J'ignore si elle aura le courage d'oser encore le défier.

Oser, c'est le message que transmet Rookmin, une Indienne du Kwazulu-Natal chez qui je me rends. Elle a la moitié du visage et du cou couverte de cicatrices. Son mari a raté l'aorte de quelques centimètres seulement. Il l'a poignardée de multiples coups de couteau dans l'oreille, sur le crâne et dans le cou. Sur un bras, sur les mains et sur les doigts. Il a massacré sa femme devant ses filles. Il a écopé d'un an de prison. Moins qu'un voleur de moutons! « Quel message avez-vous à donner aux femmes violentées? » Rookmin n'a pas entendu. Il faut que je répète la question. Elle est sourde d'une oreille maintenant.

Les deux filles de Rookmin sont encore traumatisées. L'aînée, Sumita, à douze ans, comprend si bien le problème que non seulement est-elle traumatisée par son père, elle entretient également une peur bleue de tous les hommes.

Je la veux à la caméra. La maman hésite. «Briser la glace fait toujours mal. Mais c'est comme ça qu'on révèle le problème. C'est la seule façon de trouver des solutions pour l'enrayer!» Elle accepte.

Sumita a les yeux profonds et tristes, même lorsqu'elle sourit. Son père la battait souvent, elle aussi. «Je voulais m'endormir avant qu'il arrive à la maison, le soir», dit-elle, se mettant ensuite à pleurer. Je suis désemparée. Je laisse parler le silence. Et puis, elle le comble. «Nous étions habituées à avoir peur de lui.» Sumita croit que ce n'est pas son père qui est à blâmer. «Du moins, ajoute-t-elle, c'est ce que le juge a dit. J'ai appris que c'était à cause de l'alcool. Il paraît que c'est une maladie qui ne peut pas être guérie.»

Je rencontre aussi deux femmes noires pour la vidéo. Un des mythes sur la violence domestique veut qu'elle ne fasse rage que dans les régions rurales, chez les femmes illettrées et pauvres. Il me faut combattre ce mythe. Les deux femmes noires que j'ai choisies proviennent de milieux totalement différents. Il y a Dinah, une vieille femme d'une région rurale, pauvre, analphabète et sans aucun pouvoir social, et Joyce, citadine, instruite, représentante syndicale à son travail.

Après trois mois de recherche, je trouve deux hommes qui battaient leur femme et qui acceptent de témoigner. Ils viennent chez moi. Ni l'un ni l'autre ne seront identifiés. On en verra un de dos, l'autre, dans l'ombre, et je leur donnerai des noms fictifs. Mais leurs témoignages, bien réels, ouvrent une autre porte sur la violence.

James, prénom fictif, est réhabilité. Divorcé, mais réhabilité. Il dit : «C'était comme une compétition pour moi. Elle restait tard au bureau et je devais prendre soin des enfants. Alors je la battais à cause de ça, pour qu'elle paie le fait de vouloir poursuivre sa carrière.» Il lui a fallu prendre son courage à deux mains pour venir me parler.

«J'ai deux diplômes universitaires, je suis professeur à l'université, je voyage partout, même outre-mer où je prononce des conférences. Je suis bien connu et je ne suis pas prêt à me montrer le visage à la caméra, pas tout de suite en tout cas. Parce que quand je me regarde dans le miroir, je vois un monstre.»

Trevor est également réhabilité. Il dit qu'il était lui aussi une victime de la situation, «comme les Blancs sont victimes de leurs propres lois en Afrique du Sud». Trevor raconte : «Nous nous disputions. Un mot en amenait un autre et la situation s'envenimait. Jusqu'à ce que la seule issue que je trouve pour m'en sortir soit de lui fermer la gueule en la frappant.» Trevor ne comprenait pas ce qui le poussait à battre sa femme. «Avant, je ne voyais pas le désastre venir. Pendant, c'était le noir total. Et après, je me sentais comme un chien. Et je me sentais seul. Complètement seul.» Il est allé en thérapie... après son divorce. Il conclut l'entrevue en disant que «la société essaie de balayer ce problème sous le tapis. Et pourtant, la violence contre les femmes est le pire des problèmes d'une société».

Les témoignages de ces hommes furent saisissants. «James» est venu au lancement de la vidéo. Il m'a félicitée. Il était seul. Il est reparti sans assister à la réception.

J'ai trouvé une perle rare qui a été mon bras droit pendant la réalisation du documentaire : Anchu Padayachee, directrice du Advice Desk for Abused Women, le plus grand centre d'aide pour femmes battues au Kwazulu-Natal. C'est elle qui m'a suggéré, pour le document, le titre *When Love Hurts* (Quand l'amour fait mal).

J'ai eu recours à une nounou durant le tournage, pour pouvoir continuer à allaiter Kami. La nounou s'occupait de lui entre les boires. Il buvait aux trois heures, jour et nuit! Ses problèmes d'œsophage l'empêchaient d'avaler beaucoup de lait à la fois.

Un jour, je donnais justement le boire à Kami quand un homme vient me chercher pour une entrevue. Je lui dis,

Kami au sein d'une façon très discrète et pas du tout choquante, que je serai avec lui dans deux minutes, que mon fils aura bientôt finit de boire. Il se rebiffe.

— Où est votre patron ?

— Je n'ai pas de patron. Je suis la productrice et réalisatrice de ce film.

— Mais vous devez bien avoir un supérieur à qui vous vous rapportez ?

— Non, c'est moi le chef d'équipe.

— Depuis quand un chef allaite-t-il un bébé durant les heures de travail ?

Je ne voulais pas sevrer Kami pour deux semaines de tournage. Difficile de trouver l'équilibre entre la mère et la professionnelle... Il n'est pas rare de se faire accuser d'être mauvaise mère parce qu'on travaille en allaitant, ou d'être incompétente, parce qu'on allaite en travaillant !

* * *

Près de quatre cents personnes assistent au lancement de la vidéo à Johannesburg. Le Market Theatre nous a de nouveau offert sa salle. Jay porte Kami dans les bras et Léandre sur le dos.

L'amphithéâtre est plein. Parmi ceux qui se sont déplacés, il y a des représentants d'organisations de femmes, évidemment, des représentants de celles contre le crime, des ONG, des différents gouvernements — sud-africain, canadien et autres —, des ambassadeurs, des chefs d'entreprise, des représentants des syndicats — dont le secrétaire général du Congrès des syndicats sud-africains, qui porte ce soir le chapeau de mari de la réalisatrice, mais qui scrute aussi le document avec son œil professionnel.

« Saviez-vous que vous êtes passible d'une peine plus sévère si vous volez des moutons que si vous battez et mutilez votre femme ? » Mon entrée en matière en surprend plus d'un. Je poursuis : « Si un meurtre survient dans une maison, c'est un crime. Si quelqu'un est attaqué et battu par un étranger, chez lui, c'est un crime. Si un étranger vous menace de mort, c'est un crime. Si un étranger vous viole, chez vous, dans votre lit, c'est un crime.» Et puis, je laisse mon texte. Je regarde les yeux braqués sur moi. Après une courte pause, je demande : «Pourquoi ces crimes deviennent-ils acceptables quand ils sont commis par un amoureux? Pourquoi l'amour donne-t-il le droit d'avoir recours à la violence avec une conjointe?» Je laisse parler le silence pendant quelques secondes, puis la salle le rompt par ses applaudissements.

J'ajoute ensuite que l'Afrique du Sud a encore un long chemin à parcourir pour éliminer cet autre apartheid, celui qui divise les femmes et les hommes. Puis, je demande à l'auditoire de poser le problème à l'inverse, d'imaginer ce qu'il adviendrait si plus de mille hommes se faisaient violer chaque jour; que des centaines de milliers d'autres, voire des millions, se faisaient battre, maltraiter, brutaliser et violer tous les jours! «Et si, en plus, ces hommes étaient des Blancs?... Croyez-vous vraiment, un seul instant, qu'on se croiserait les bras comme on le fait en ce moment?»

Des femmes dans l'auditoire crient «Viva!»

* * *

Cinq ans après avoir réalisé ce documentaire, je me retrouve en compagnie d'Ela Gandhi, la petite-fille du mahatma Gandhi, devenue députée de l'ANC au parlement sud-africain. Elle s'occupe aussi de la situation des femmes et est reconnue mondialement comme une sommité en ce domaine. Nous roulons en voiture vers le Kwazulu-Natal, assises sur la banquette arrière pendant que Jay conduit. À un moment donné, elle mentionne qu'elle veut ouvrir un nouveau centre pour femmes à Phoenix, un quartier indien près de Durban. Elle me parle d'une femme battue, mutilée, qui a failli mourir et s'en est sortie. Cette femme, précise-t-elle, a témoigné dans un documentaire vidéo dont elle se sert partout où elle va pour sensibiliser les femmes. Je lui demande comment s'intitule ce documentaire. *When Love Hurts*. C'est de Rookmin et de ma vidéo qu'elle parle ! Quand je lui apprends que j'en suis l'auteure, elle me prend les mains, me regarde droit dans les yeux et me dit merci, du fond du cœur. Même un prix Gémeau ne m'aurait pas procuré un tel bonheur !

29

Post-scriptum sur le viol

En 1993, mes vidéos reçoivent une mention spéciale au Festival des films de l'Afrique australe, qui se tient cette année-là à Harare, au Zimbabwe. Je suis invitée à y présider un débat sur le documentaire *When Love Hurts*.

À la fin de la première journée, les organisateurs offrent un banquet. Je prends un verre quand un Africain avenant, parlant un magnifique français — que j'aime l'accent ouest-africain! —, m'approche. Il est lui-même un réalisateur connu. Il a entendu parler de mon documentaire et nous échangeons nos points de vue sur la cause des femmes en Afrique du Sud, sur leur triple lutte — contre le sexisme, contre l'apartheid, contre l'exploitation de la main-d'œuvre bon marché. Il insiste sur le «crime» que représente l'exploitation des femmes. Puis, la conversation change de ton. Mariée? Oui. Enfants? Oui. Et vous? Oui, oui.

La discussion prend un virage inattendu. «Vous êtes jolie.» Que dois-je répondre? Merci? J'affiche plutôt un sourire niais. Il continue. Il aime mon corps. Il veut coucher avec moi, ce soir. Je le regarde, incrédule. Je lui répète que je suis mariée, et que je suis heureuse avec mon mari. «J'aime les femmes mariées», rétorque-t-il, un sourire malicieux dans les yeux. «Quand les femmes disent non, poursuit-il, c'est parce qu'elles aiment se faire prier.»

Ah non! Cette fois, c'est trop! Je rage. Les gens autour de nous se retournent tandis que je hausse la voix. Il me prend le bras, le serre fort, et me dit qu'il couchera avec moi ce soir, que ce sera bon. Doucement, calmement, et en souriant, je lui demande de bien vouloir tenir mon verre un instant. Puis, je prends mes jambes à mon cou et je me sauve! Pourquoi n'ai-je pas demandé de l'aide à ce moment-là? Je ne le sais pas. Ce fut une réaction non réfléchie et instantanée.

Je me retrouve dehors. Je fuis à toutes jambes. Je cours dans les petites allées, entre les bâtiments du campus où a lieu le festival. Je m'y perds. Les dortoirs se ressemblent tous. Il est là. Il est derrière moi. J'entends ses pas. Je trouve enfin mon dortoir et me précipite dans le couloir. En courant, je cherche la clé de ma chambre dans mon sac. Aussi nerveuse que je puisse être, je l'introduis dans la serrure sans trembler. J'ouvre la porte, la referme aussitôt et la verrouille. Je suis essoufflée. J'ai peur. J'attends. Je n'allume pas la lumière, parce qu'il y a une petite fenêtre au-dessus de la porte.

Une minute plus tard, j'entends ce que je craignais. Les pas de l'homme. Il ne sait pas dans quelle chambre je suis entrée. Il frappe à chaque porte en criant mon nom. Je me cache sous le lit. Je l'entends s'approcher, cognant à poings fermés sur chacune des portes, de chaque côté du couloir. Puis, la mienne se met à trembler sous les coups.

C'est parce que j'ai fait un film sur la violence contre les femmes qu'il s'en prend à moi! Je représente un défi encore plus attrayant à ses yeux. J'en ai la certitude. Ma course m'a complètement essoufflée, mais j'arrête de respirer, je ne sais pas comment. Je suis paralysée. Il frappe à la porte voisine, puis à la suivante. Il rage. Il crie : «Je t'aurai!»

Je tremble jusqu'à minuit. Il n'y a pas de téléphone dans ma chambre et j'ai trop peur de sortir. Et s'il était là, à m'attendre?

J'avais déjà connu une course semblable, sur un sentier, entre des bâtiments. J'avais douze ans et je vivais à Ottawa...

Il était vingt et une heures. Les magasins venaient tout juste de fermer et je retournais au Collège Algonquin où travaillait ma mère. Il faisait noir. Le stationnement était immense. Un homme dans une camionnette s'est arrêté près de moi, m'a pointé une carabine au visage et m'a dit de monter dans son véhicule. J'ai crié. Il a été surpris par la puissance de ma voix. J'ai pris mes jambes à mon cou et j'ai couru! Je suis entrée dans le bureau de ma mère, blanche comme un drap. Je n'ai pas eu besoin de dire un mot, elle savait. Elle a appelé la police. J'ai tout raconté, mais je crois qu'on ne m'a pas prise au sérieux.

Une semaine plus tard, une jeune fille de mon âge a été retrouvée, violée et tuée d'une balle de carabine dans la tête, dans le quartier où ma mésaventure s'était produite. Au poste de police, en regardant des photos de criminels, j'ai identifié le gars qui m'avait menacée. Il a été arrêté peu après. C'était bien lui qui avait tué la jeune fille. Il est mort d'une crise de foie, sept ans plus tard, en prison. J'ai célébré l'événement.

Lorsque j'avais dix-sept ans, mon compagnon m'a forcée à faire l'amour avec lui. Aujourd'hui, je sais que cela s'appelle un viol. Quand j'avais vingt-sept ans, un journaliste connu de Radio-Canada m'a attaquée chez moi. Un bouton de ma blouse a sauté lorsqu'il a essayé de l'enlever, de force. Je l'ai poussé dans l'escalier de mon petit logement.

À la même époque, et ce, pendant deux ans, j'ai été continuellement harcelée par un de mes patrons dans une boîte de production télé de Montréal. Pendant deux ans, j'ai eu peur de faire mon travail, car, parfois, lorsque j'étais assise à ma table de montage, il se tenait debout derrière moi et je sentais son pénis dans mon dos. Il me disait :

«As-tu peur de moi? Tu as peur de perdre ton emploi si tu me dénonces?» Oui, j'avais peur. J'ai même appelé un ami, un soir, parce que j'étais seule avec lui et avais peur qu'il me viole.

Toute ma vie, j'ai repoussé des avances sexuelles. Tout récemment encore, le nettoyeur, en me rendant ma monnaie, m'a serré les mains en disant : «Je peux te faire une autre sorte de nettoyage si tu veux — gratuit, celui-là.» Des collègues de travail, certains qui étaient devenus des amis, ainsi que des professeurs au cégep et à l'université, ont parfois tenté leur chance avec un peu trop d'ardeur. Il y a également eu un patron, dans un magasin de disques, qui prenait plaisir à me forcer sa langue dans la bouche en me prenant par surprise, qui me touchait les fesses et les seins. Quand, dans des situations semblables, une femme élève la voix, certains hommes disent : «Attention à elle, elle t'amène devant le tribunal si tu la regardes.» Je n'ai jamais élevé la voix. J'ai toujours couru.

Peut-être mes vidéos ont-elles constitué ma façon d'exprimer ma colère envers ces hommes qui entretiennent un rapport de pouvoir malsain avec les femmes. Ma mère a été violée trois fois dans sa vie! La première fois, elle n'avait que sept ans... Un «ami de la famille» a agressé sexuellement une de mes sœurs. Un autre avait mis ses doigts dans mon sexe alors que je n'avais que neuf ans. Ma mère avait rapporté l'incident à la police, qui n'a absolument rien fait...

Toutes les femmes ont de telles histoires à raconter. Et ce soir, voilà que, sous un lit au Zimbabwe, je tremble encore. J'en ai marre.

Le lendemain matin, je suis allée raconter l'incident à la responsable des allées et venues des réalisateurs invités au festival. Elle était complètement ahurie. «C'est pourtant quelqu'un d'une si grande renommée!» «Ça n'a rien à voir, madame», ai-je rétorqué.

J'ai annulé tous mes ateliers et exigé qu'on me conduise à l'aéroport pour que je puisse rentrer, sur-le-champ, en Afrique du Sud. J'ai déposé une plainte auprès des organisateurs du festival. Mais pas à la police. Je n'en ai pas eu le courage. J'avais trop peur. Et puis, qui aurait-on cru? Le réalisateur de grande renommée ou la jeune débutante?

L'ironie, presque cynique, de cette situation, c'est que le message principal de mes deux documentaires était : «Parlez! Dénoncez votre agresseur!» J'ai eu peur de cet homme. Peur qu'il me retrouve un jour. J'ai voulu disparaître.

30

Elizabeth

Léandre est avec moi pour six mois. Son père a finalement accepté de respecter l'entente que nous avions prise
l'été dernier au Québec, à la suite de l'intervention de mon
avocat. De toute façon, ses arguments au sujet de la violence n'étaient pas solides. Mais, surtout, Léandre tenait
absolument à venir. Il a donc commencé la maternelle, à
l'école française de Johannesburg, en janvier 1993.

Kami ballotte sur mon dos depuis sa naissance, dans
un porte-bébé que j'avais acheté à Guilin, dans le sud de
la Chine. Le bébé est soutenu par une espèce de couche
que l'on attache en croisant, dans le dos ou sur le ventre,
deux longs bouts de tissu d'environ trois mètres chacun. Il
est bien. Il pleure rarement, ainsi accroché. Et c'est
confortable pour moi, son poids étant réparti sur chaque
épaule, contrairement à la méthode africaine, où l'on
installe le bébé dans le dos au moyen d'une serviette nouée
sur les seins; il faut de gros seins pour que cette façon de
faire soit confortable.

Je lis mes journaux en marchant de long en large pour
bercer Kami. Je le berce aussi tout en travaillant à l'ordinateur. Ce n'est pas idéal pour la concentration, mais c'est
mieux que de le laisser pleurer dans son lit.

Ces jours-ci, je prépare le terrain et fais la recherche
pour une série de documentaires que Claude Charron et son

équipe de l'émission *Le Match de la vie* viendront tourner. Je fais toujours des topos radio pour les bulletins d'informations de Radio-Canada. Je prends soin de mes deux garçons, de la maison, et les démarches pour la garde de Léandre continuent de m'occuper beaucoup. Tout cela fait partie de ma «description de tâches» de femme, mère et professionnelle.

Un jour, Jay vient à la maison à midi, tandis que j'essaie tant bien que mal de rédiger un texte pour la radio. Je lui mets aussitôt Kami dans les bras et m'enferme dans mon bureau pendant deux heures, le temps d'écrire et d'envoyer le topo à Radio-Canada.

Lorsque je reviens au salon, Jay propose de nouveau d'engager une domestique. Depuis la naissance de Kami, il insiste davantage. «Il nous faut quelqu'un pour t'aider, Lucie. Quelqu'un pour s'occuper de Kami lorsque tu travailles. Disons une nounou, et non une domestique.» Je réfléchis. Oui, peut-être me faudrait-il quelqu'un pour veiller sur Kami, ce qui me permettrait de travailler en paix. Cela me donnerait, entre les boires, quelques heures à la fois pour travailler efficacement.

J'accepte enfin, après presque deux ans de palabres! Je pense que je résistais surtout à l'idée de devenir la patronne d'une femme noire et de briser à mes propres yeux mon image d'ennemie des exploiteurs.

Je trouve, assez vite, cinq candidates. Pour que je puisse les évaluer, chacune vient travailler une journée. Je leur demande seulement de s'occuper de Kami. Mais toutes, sans exception, commencent à faire du ménage dès l'instant où elles mettent le pied dans la maison. Finalement, un petit coup de main pour le ménage ne fait peut-être pas de tort…

Elizabeth se démarque des autres. À la fin de sa journée d'essai, la maison est immaculée, le lavage a été fait et Kami ronronne. Je choisis donc Elizabeth. J'ai maintenant une domestique — ou plutôt une nounou. Je n'en reviens pas. Mais quel plaisir de me cacher dans mon bureau et de travailler sans soucis pendant que les tâches ménagères s'accomplissent sans moi!

Elizabeth appartient à la tribu des Vendas. Âgée de vingt-huit ans, elle a trois garçons. Elle a fait du ménage toute sa vie. Ses enfants sont dans le bantoustan du Venda, avec sa mère. Elle voit ses fils deux fois par année, parfois trois, comme des millions d'autres femmes en Afrique du Sud. Les enfants noirs ne connaissent que rarement la vie en famille puisque leurs parents doivent habiter au loin pour pouvoir travailler. Ils sont élevés, en général, par leurs grands-parents.

Moi qui ai tant pleuré l'absence de Léandre, je côtoie tous les jours une mère qui ne voit pratiquement jamais ses enfants. Lorsque je lui en parle, ses yeux se remplissent d'eau. Alors je me dis que je n'ai pas à me plaindre. Des millions de domestiques vivent séparées de leurs enfants, ici même, dans leur propre pays. Elles éprouvent une déchirure semblable à la mienne, non parce qu'elles ont cherché à réaliser un rêve, comme moi, mais parce qu'elles vivent un cauchemar, l'apartheid.

Le mari d'Elizabeth travaille dans un magasin de laminage de photos et gagne mille rands par mois. C'est un bon salaire pour un Noir (Jay en touche deux mille à titre de secrétaire général de la plus grosse centrale syndicale du pays!), sauf qu'il garde l'argent pour lui et ses maîtresses... Elizabeth et son mari demeurent ensemble dans une minuscule maison à Tembisa, un township en banlieue de Johannesburg, où la pauvreté et la violence font de tels ravages qu'il n'est pas rare de trouver des cadavres dans la rue.

Elizabeth doit voyager plus d'une heure, matin et soir, pour venir travailler chez nous. Elle voudrait bien habiter dans le «trou» au-dessus du garage au bout du terrain. Mais je lui dis qu'il n'en est pas question, qu'un être humain ne peut pas vivre là. J'ai l'impression qu'elle ne me comprend pas, qu'elle croit que je veux l'empêcher de demeurer chez nous. Mais en fait, j'aimerais bien avoir une petite chambre propre et ensoleillée pour elle.

Nous décidons donc de rénover le logement au-dessus du garage. Nous empruntons l'argent nécessaire pour y installer l'eau et l'électricité, une douche et des toilettes, une cuisinette, un petit salon et une chambre à coucher. C'est petit, mais propre et éclairé. J'ai déniché de beaux meubles au marché aux puces. Ce logis, affirme Elizabeth, est mille fois plus confortable que le sien, à Tembisa. «Ici, au moins, je peux aller aux toilettes et me laver. Je n'ai pas d'eau dans ma maison.» Sa «maison» est un abri en tôle.

Elizabeth est analphabète. Elle n'a pas une santé de fer, mais elle sait entretenir une maison et prendre soin d'un enfant. Je commence à la gâter. Une relation d'amitié s'installe entre elle et moi. Je lui prête de l'argent, car elle a souvent besoin d'un peu plus que son salaire pour subvenir aux besoins de ses trois enfants. Bien qu'elle promette toujours de me rembourser, elle ne le fait jamais, mais je lui pardonne. Elle a si peu. «Attention, me prévient Omar. Il ne faut pas développer des relations personnelles avec ses employés.» Je fais fi de son avertissement et, plus tard, en paierai le prix.

Six mois après ses débuts chez nous, Elizabeth m'annonce qu'elle est enceinte. Elle pleure. Elle ne veut pas, ne peut pas garder le bébé, dit-elle, puisqu'elle réussit de peine et de misère à faire vivre ses trois autres enfants. Mais, surtout, elle a peur que je la mette à la porte. Je la rassure, précisant que jamais je ne la congédierais parce qu'elle est enceinte.

— Veux-tu te faire avorter?

— Oui, c'est ce que je voudrais.

— En es-tu certaine?

— Oui.

Je me crois au Canada, où il est relativement facile de
«réparer» une erreur et où l'on a accepté l'avortement
comme un mal nécessaire. En Afrique du Sud, cependant,
l'avortement est illégal. Ne sont permis que les avortements
thérapeutiques, incluant ceux qui sont justifiés par une dépression. Elizabeth passe ses journées à penser à ce bébé.
Elle pleure. Elle rage. Elle ne veut pas le garder. Un médecin acceptera sûrement de l'avorter, lui dis-je, puisque,
de toute évidence, elle est dépressive. Je lui propose de
l'aider dans ses démarches.

Je réussis, en quelques jours seulement, à trouver un
hôpital où l'on pratique des avortements. Il faut l'autorisation de trois personnes : un médecin généraliste, un
gynécologue et un psychiatre. Au bout du compte, c'est le
psychiatre qui donnera le feu vert pour l'avortement. J'accompagne chaque fois Elizabeth à l'hôpital et, évidemment,
je ramasse la note.

Nous rencontrons d'abord le généraliste. Après avoir
fait faire une échographie pour déterminer l'âge du fœtus,
il informe Elizabeth que l'avortement pourrait avoir lieu
dans environ dix jours, puis l'envoie chez le gynécologue
qui, en quelques minutes, donne son accord. Il ne reste qu'à
obtenir la permission du psychiatre, une «simple étape
administrative», nous assure le premier médecin.

Le psychiatre, un Blanc évidemment, s'appelle White.
Je lui expose la situation et propose d'être présente durant
la consultation, car Elizabeth ne parle pas beaucoup anglais,
et je sais la comprendre. Il reste de glace, me demandant
d'attendre à l'extérieur de son bureau.

Au cas où, j'avais apporté un livre, car une évaluation
psychologique prend d'habitude au moins une heure. Je
n'ai cependant pas le temps de me rendre à la deuxième
page qu'Elizabeth sort déjà. Cinq minutes. Cinq petites
minutes. Si vite ?

Je vais voir le psychiatre. Il me dit, sans même lever le nez de sa paperasse, qu'Elizabeth ne peut pas avoir d'avortement. Je suis bleue. Je pique une crise dans son bureau, mais je me bute à l'indifférence la plus totale.

Je rappelle le médecin qui devait pratiquer l'avortement, mais il est impuissant. Il ne pourra pas procéder à l'avortement. Il risquerait de perdre son permis d'exercer la médecine.

Il n'y a qu'une solution : qu'Elizabeth aille se faire avorter à Soweto. Dans les townships, ce service est lucratif. Des centaines de milliers d'avortements s'y pratiquent chaque année. Cependant, le taux de décès est très élevé. De plus, la majorité des femmes en ressortent avec des séquelles — infections, handicaps, stérilité, perforation de l'utérus. Elizabeth risquerait sa vie si elle se faisait avorter à Soweto. Ce n'est pas envisageable. Non, elle n'a d'autre choix que d'avoir ce bébé.

La presque totalité des avortements légaux pratiqués en Afrique du Sud sont subis par des femmes blanches. Celles-ci possèdent le pouvoir social qui leur permet de contrôler leur vie. Même dans un contexte où il est illégal, l'avortement leur reste accessible.

Elizabeth a abandonné sa fille chez sa mère, au Venda, alors que la petite n'avait pas encore un an. Elle a sombré dans la dépression. Elle a cessé de chanter en faisant le ménage. Elle a cessé de bercer Kami. Elle a même cessé de se laver… Ce docteur White tenait le destin d'Elizabeth entre ses mains. C'est ça, l'apartheid.

La loi abolissant les restrictions à l'avortement sera votée en octobre 1996. Trop tard pour Elizabeth.

31

L'Institut pour l'avancement du journalisme

Allister Sparks me fait une offre d'emploi. Sparks est un journaliste de grande renommée, pas seulement en Afrique du Sud, mais sur tout le continent. Sud-Africain blanc de cinquième génération, il s'est battu contre les injustices de l'apartheid à sa façon, avec ses mots. Allister était le rédacteur en chef du quotidien le plus critique du régime, le *Rand Daily Mail*, fermé par le gouvernement en 1985.

Allister Sparks est aussi l'auteur du livre *The Mind of South Africa,* un ouvrage incontournable sur l'histoire politique et sociale du pays, et de *Tomorrow Is Another Country : The Inside Story of South Africa's Road to Change,* une enquête de grande envergure sur les négociations secrètes entamées en prison entre Nelson Mandela et le gouvernement de P. W. Botha et qui ont finalement abouti aux élections de 1994. Il a reçu plusieurs prix de journalisme, et a fait la preuve qu'on pouvait être un journaliste intègre et rigoureux tout en s'opposant à l'apartheid, et même en étant marié à une militante anti-apartheid.

Au cours de mon séjour en Afrique du Sud, on me demandera souvent comment je pouvais prétendre être objective, puisque j'étais la femme d'un militant de l'ANC. Mes positions contre l'apartheid et le racisme ne m'ont jamais empêchée d'accomplir mon travail avec intégrité. Je vois rouge quand on insinue que je puisse avoir un parti pris; que, parce que Jay est membre de l'ANC, je ne peux pas exercer ma profession correctement. Je rage quand on confond l'épouse et la journaliste. C'est une insulte à mon intelligence, à mon intégrité et à mon professionnalisme.

Oui, je suis contre le racisme, contre l'apartheid. Les journalistes de tous les pays ont des opinions. Au Québec, ils votent pour ou contre l'indépendance dans un référendum et continuent pourtant à faire leur travail. C'est cependant plus délicat en Afrique du Sud. Les reportages où l'on affirme que l'ANC est *victime* d'une certaine situation, par exemple, suscitent souvent un malaise, surtout en Occident. L'ANC a longtemps eu mauvaise presse, particulièrement dans les médias américains et britanniques, qui voyaient d'un mauvais œil ses liens avec les communistes et son visage noir. En Afrique du Sud, on avait des termes afrikaans pour désigner les communistes et les Noirs : le *Roi Gevaar* — le danger rouge — et le *Swaart Gevaar* — le danger noir. À l'étranger, on voulait bien appuyer la lutte contre le racisme; par contre, on craignait l'arrivée au pouvoir d'un gouvernement noir. Si Nelson Mandela avait eu d'autres alliés que le Parti communiste, il aurait reçu beaucoup plus d'appuis internationaux. Et beaucoup plus encore s'il avait été blanc. Ainsi, le journaliste qui note un succès de l'ANC est facilement accusé de partialité. Étant mariée à un militant de ce parti, je dois me défendre doublement. Je crois que cela a augmenté ma vigilance quant à mes reportages.

Allister Sparks, à tout le moins, semble capable de faire les nuances qui s'imposent. Il m'offre un poste à l'Institut pour l'avancement du journalisme, affilié à l'université Witwatersrand de Johannesburg et créé en juin 1992 pour la formation et le perfectionnement des journalistes, qui devront désormais travailler dans une presse libre.

Allister est constamment irrité par la piètre qualité du journalisme en Afrique du Sud. Des années de censure gouvernementale ont paralysé le développement d'un journalisme indépendant et favorisé la propagande, les médias se contentant essentiellement de reproduire des communiqués émanant du service de renseignements militaire.

Allister Sparks a besoin, dit-il, de quelqu'un pour diriger la division de la presse électronique de l'Institut. Le jargon de la télévision, même en anglais — *frames, freezes, pan, tilt, fade-in, cross-mix* —, c'est du chinois pour lui. Il cherche quelqu'un qui parle le langage radio et télé pour mettre sur pied cette section et y commencer la formation. Je ne connais rien en formation, mais il insiste. J'accepte le poste à condition de pouvoir demeurer correspondante pour Radio-Canada.

Jacques Larue-Langlois, mon professeur de technique radiophonique à l'Université du Québec à Montréal, répond à mes appels de détresse. Il envoie, par la poste, des notes de cours, des plans, des idées. Je suis contente qu'Allister ait insisté. J'apprendrai beaucoup en enseignant et je sais déjà que cette expérience deviendra pour moi la meilleure des écoles.

C'est Amina Frense, ma patronne immédiate, qui m'initie aux rouages de l'Institut. Ma première tâche consiste à organiser des séances de formation d'un et de deux mois. Comme ce projet est financé par des fonds australiens, je travaille en collaboration avec plusieurs journalistes et réalisateurs de l'Australian Broadcasting Corporation (ABC), qui viennent effectuer des stages en Afrique du Sud.

Jim Revitt est notre pilier. C'est un « vieux de la vieille » de l'ABC, qui porte un stimulateur cardiaque et écoute des cassettes de relaxation dans ses temps libres. Il est maintenant spécialisé en formation des journalistes et réalisateurs. C'est lui qui m'apprend à structurer un cours.

La collaboration australo-canado-sud-africaine s'avérera un succès. Et elle constituera le début de la «filière australienne» de ma vie, qui me permettra de me faire de bons amis. Parmi eux, Denise Eriksen, Deborah Masters, Norman Taylor, Marion Wilkinson et Sue Spencer, que j'irai visiter en Australie en 1997.

La plupart des journalistes qui assistent à mes cours travaillent pour la SABC. Quand je leur recommande de se rendre à Soweto, par exemple, pour interroger les gens, ils s'étonnent. «Pourquoi aller parler à une petite vieille de Soweto?» Je leur explique que cette femme incarne le sujet. «C'est elle qui subit les conséquences de décisions prises en haut lieu. Il faut lui parler pour comprendre les enjeux. Il vous faut un visage dans votre reportage, un visage humain, et pas que des statistiques et des communiqués de presse!»

Pour les journalistes de la SABC, les entrevues ne veulent rien dire si elles ne se font pas avec des membres de la police ou du gouvernement. Il n'est pas dans leurs habitudes de confronter le discours politique à la réalité. Dans ma salle de cours, nous tenons de grands débats, souvent des débats idéologiques plus que de méthode journalistique. Ces journalistes sont aussi étonnés de constater toute la préparation nécessaire à la production d'un documentaire. Je leur apporte des dossiers de préparation de mes différents documentaires, et les Australiens en font autant. Tout est détaillé, à la minute près, et pour le montage, à l'image près. Il m'arrive encore de rencontrer des stagiaires de l'époque et ils me disent tous qu'ils se souviennent de mes recommandations en particulier : à la caméra, un journaliste ne doit jamais poser une question à laquelle il ne connaît pas la réponse. Cela exige une recherche préalable rigoureuse et l'anticipation de toutes les réponses possibles.

Comme il fallait s'y attendre, la transition vers la «nouvelle Afrique du Sud» sert de prétexte à certains Noirs qui espèrent récolter des privilèges sans faire d'efforts pour les mériter. À l'Institut, où les professeurs sont, pour l'instant, tous des Blancs, des accusations de racisme sont lancées à la moindre occasion. Ainsi, un étudiant en colère m'a accusée d'être raciste parce que je refusais de lui remettre un certificat à la fin du stage. Il ne s'était pas présenté à quatre-vingt pour cent des cours. Il restait assis toute la journée dans sa voiture, sauf à l'heure du lunch, où il rentrait manger. Ça tombe mal, lui ai-je répondu, mon mari est noir. Son expression s'est figée un instant, puis il s'est repris : j'étais raciste «dans le travail». Il est parti en claquant la porte. Son patron à la SABC, un agent du service militaire, responsable des nouvelles, a porté plainte. Mais tous mes collègues et le directeur de l'Institut m'ont appuyée.

On verra malheureusement de plus en plus de ces tire-au-flanc qui s'imagineront que tout leur est dû *parce qu'*ils sont noirs.

32

Thérapie de couple

Le vendredi matin est sacré. Pendant des années, quelles que soient mes activités, à l'Institut ou en reportage, je consacrerai le vendredi matin, de huit heures à neuf heures, à ma survie mentale. Je peux me rendre au Family Life Centre les yeux fermés. Je sais que ça va faire mal, mais j'y vais. Durant cette heure sacrée, j'aborderai toujours les mêmes sujets, verserai les mêmes larmes, répéterai les mêmes mots : «Léandre», «papa», «Québec», «maman», «racines», «Jay», «j'ai peur», «comment vivre sur deux continents à la fois?», «cul-de-sac», «foncer». Il faut vraiment une énergie incroyable pour être bien dans sa peau!

Judy, ma thérapeute, me pose des questions. Nous parlons de ma jeunesse au Canada anglais et de mon éducation dans un cadre extrêmement rigide (mon père ayant longtemps servi dans les forces armées canadiennes), où rien n'était jamais «assez parfait». Nous tenterons de comprendre pourquoi je me sens grosse, même dans un corps qui ne pèse que cinquante-sept kilos. Il me semble que je prends trop de place. Je voudrais me faire toute petite, parce que c'est comme ça que je me perçois. J'ai également l'impression de ne jamais être à la hauteur, aussi bien dans mon travail qu'avec les amis. Je me sens obèse dans mon corps et anorexique sur le plan de l'estime de soi.

L'histoire de Léandre aura fait déborder un vase déjà bien rempli de maux. Ce drame a envahi ma vie de couple. Il est devenu un sujet de préoccupation quotidien.

Pendant ce temps, à Radio-Canada, des coups de poignard se donnent. Certaines personnes exercent des pressions pour que l'on mette fin à ma collaboration parce que je suis mariée à un leader de l'ANC. «Laisse-les faire, Lucie. Fais tes topos. Je m'occupe de tout ça», me répète Gilles. Une de mes dénigreuses du service des nouvelles ne m'aime pas et a monté des collègues contre moi. Elle a finalement changé de service et les choses se sont calmées. Les ragots n'ont peut-être pas cessé; je soupçonne que Gilles a tout simplement arrêté de m'en parler parce qu'il sait que ça me rend malade chaque fois. Il me rassure toujours : «On ne te garderait pas si tu envoyais de mauvais reportages.» D'une certaine manière, les calomnies me motivent. Je vais leur montrer ce dont je suis capable, me dis-je. «Si seulement ils savaient que tu te fous complètement de ce que je dis!» commente parfois Jay en riant. Mais il ne rit pas tout le temps...

La tempête a soufflé sur notre vie de couple.

Jay aurait besoin de laisser sortir le trop-plein des émotions qui s'accumulent en lui aussi. Il a sans doute envie de me lancer des bêtises, de me brasser pour me réveiller. Mais il ne le fait pas. Mes larmes le déconcertent. Il se sent responsable de mon bonheur et, par le fait même, coupable de mon désespoir.

Jay et moi avons réuni tous les ingrédients pour que notre union échoue. Tout ce qui nous caractérise est différent : nationalité, culture, langue, religion, couleur de peau, profession, patrie, continent, hémisphère même. Et la garde partagée entre deux continents finirait par miner n'importe quelle relation de couple. Jay me promet régulièrement qu'il viendra un jour vivre au Québec, mais quand, il ne le sait pas.

Jay a explosé deux fois en huit ans. Deux fois, il a perdu le contrôle. Complètement! Il a frappé le mur à coups de poing, à deux centimètres de moi, criant à tue-tête qu'il n'en pouvait plus, qu'il en avait assez et que, si je voulais retourner chez moi, je n'avais qu'à partir. Tout de suite! Ces crises me résonnent encore dans la tête. Je pensais qu'il allait me frapper. D'une certaine façon, j'étais soulagée qu'il explose ainsi. Rassurée de constater qu'il était humain, lui aussi.

En raison des problèmes qui affectent notre couple, Jay et moi entreprenons ensemble une thérapie. La première séance avec Judy se déroule en douceur. Progressivement, nous commençons à régler des problèmes réels — comment gérer concrètement le cas de Léandre, par exemple. Bientôt, nous ne pouvons plus nous passer de ces séances où il est permis, une fois de temps en temps, de vider son sac. Jay et moi ne refusons jamais d'assister à une rencontre commune quand l'autre la réclame. Je suis convaincue que, sans ces séances qui se sont déroulées sur huit ans, Jay et moi ne serions plus ensemble.

En 1995, je suivrai une autre sorte de thérapie. Le gouvernement canadien avait mis sur pied un programme d'aide destiné aux Canadiennes en Afrique du Sud qui souffraient du mal du pays. C'est ma chère amie et complice Marie-Hélène Bonin (qui avait été recherchiste pour les documentaires de *Nord-Sud*) qui m'a appelée un jour pour m'annoncer la nouvelle.

— Quoi, je ne suis pas la seule?

— Non! Avec toi, nous serions neuf femmes. Ça t'intéresse?

Bien sûr que cela m'intéressait. Et le hasard a voulu que les rencontres aient lieu au Family Life Centre. Je m'y rendrai donc désormais deux fois par semaine.

À part Marie-Hélène et moi, les participantes étaient toutes des Canadiennes anglaises. Toutes étaient mariées, ou du moins vivaient en couple, avec un Sud-Africain, un militant politique dans presque tous les cas, situation pas facile. Nous partagions plusieurs points communs : des enfants métissés, des maris violents ou absents (le mien n'était qu'absent), des familles reconstituées, peu de moyens financiers, la peur de retourner au Canada, la peur de rester ici. J'ai proposé que nous invitions les maris à la dernière rencontre. Les trois quarts sont venus. Jay a ainsi pu réaliser, lui aussi, que je n'étais pas la seule avec des problèmes, et que nos difficultés se situaient loin de certains désespoirs étalés devant nos yeux. Quelques années plus tard, nous ne serons plus que deux, parmi les neuf femmes, à vivre encore avec notre conjoint sud-africain...

Pendant ma thérapie de huit ans, d'abord avec Judy, ensuite avec Nicki, puis Gabriela, je ferai le ménage, le lavage, le repassage de mes expériences, de mes pensées, de mes émotions, de mes peurs, de mes craintes, de mes bobos. Mais jamais cela n'effacera mon amour pour mon pays. Il me manque terriblement, ce pays.

Un soir, entre deux larmes, je demande à Jay :

— Pourquoi n'es-tu pas né à Montréal? Pourquoi vis-tu à l'autre bout du monde?

— Parce que, si j'étais né à Montréal, nous ne nous serions jamais rencontrés.

33

La guerre de tous contre tous

La radio annonce qu'on vient de trouver une (autre) liste de chefs de l'ANC à abattre. Le nom de Jay Naidoo y figure en cinquième place.

La violence est un nouvel élément dans ma vie. La veste pare-balles de Jay, qu'il transporte dans sa voiture, et refuse de porter, me hante. «L'esprit de ma mère nous protège», dit-il, comme si cela suffisait à me rassurer.

L'Afrique du Sud monte en flammes. La violence éclate de partout. Aujourd'hui, en 1993, les morts tombent par dizaines tous les jours, au Kwazulu-Natal. Les soldats de l'Umkhonto we Sizwe, la branche armée de l'ANC, sont mécontents. Ils sont sans emploi depuis que la lutte armée a été suspendue, sans cause à combattre, sans espoir, sans pouvoir surtout, ce qui les pousse à se battre pour se battre. De Klerk et Mandela se parlent difficilement. Quant au chef de l'Inkatha, et chef-ministre du Kwazulu, Mangosuthu Buthelezi, il a coupé les ponts avec les deux autres. Ça va mal en Afrique du Sud.

Les journalistes du monde entier commencent déjà à venir tâter le terrain pour préparer leur couverture de la guerre civile qui gronde. Certains ont soif de sang pour le mettre à la une. Cela est palpable. «Peut-être dirons-nous un jour que ça n'allait pas si mal, avec les Blancs», a écrit un journaliste…

* * *

Jay et moi passons quelques jours au Kwazulu-Natal avec les deux garçons, Omar et ses trois jeunes filles. Nous viendrons souvent nous reposer à l'appartement d'Omar, à Umhlanga, sur le bord de l'océan Indien, à une demi-heure au nord de Durban.

Un soir, Jay et Omar sortent pour aller voir quelqu'un. À vingt-trois heures, ils ne sont toujours pas revenus. Ils devaient être de retour vers vingt et une heures. Je m'inquiète. En Afrique du Sud, ne pas être rentré à l'heure prévue, le soir surtout, est de très mauvais augure.

Nous avions déjà eu un appel, à quatre heures du matin, de Carole Steinberg, avec qui je prenais des cours de zoulou. Son mari, Jeremy, un syndicaliste haut placé, n'était pas encore rentré. Cela signifiait certainement qu'il s'était fait voler, battre ou tuer, et Carole était dans tous ses états. Il y a tellement d'histoires de ce genre. Tout le monde a ses histoires d'horreur à raconter. Jay avait téléphoné au chef de la police, à des amis et à des collègues pour aider à retrouver Jeremy. On avait fait le tour des hôpitaux et des cliniques. Rien. Jeremy était finalement arrivé à sept heures, soûl. Carole et lui ont divorcé. Son retard voulait tout dire.

Enfin, Jay et Omar arrivent. Il est minuit! Ils ont manqué d'essence dans un village, fief rural de l'Inkatha! Si Jay y avait été reconnu, il serait peut-être mort. En 1986, Mangosuthu Buthelezi était arrivé avec un cercueil à un rassemblement de plusieurs dizaines de milliers de personnes. Le cercueil portait deux noms : Elijah Barayi et Jay Naidoo, respectivement président et secrétaire général du COSATU.

«Comment pouvez-vous être si stupides! Aller vous perdre dans un fief de l'Inkatha avec un réservoir vide!» Je suis enragée. Et soulagée. Jay et Omar s'excusent mille fois. Ils ne connaissent que trop bien cette attente et cette inquiétude si souvent fondées. Combien d'amis ont-ils eux-mêmes attendus, et perdus?

Toutes sortes de guerres couvent dans le pays. Celle qui oppose l'Inkatha et l'ANC est la plus ouverte et la plus connue. Mais il y a aussi celles entre les Afrikaners et les Anglais, entre certains Afrikaners et d'autres Afrikaners, entre Blancs conservateurs et Blancs libéraux, entre communistes et fascistes, entre nationalistes et partisans d'un État unitaire, entre radicaux et militants pacifistes. Le pays semble arrivé au stade de la guerre de tous contre tous.

Les alliances sont parfois très colorées, et même para-doxales. Ainsi, une toute nouvelle «Alliance de la liberté» regroupe des Noirs nationalistes et des extrémistes de droite qui prônent un État blanc! Les premiers détiennent le pouvoir dans certains bantoustans, comme Mangosuthu Buthelezi au Kwazulu, et les autres sont ceux qui leur ont donné ce pouvoir. Les deux groupes sont des produits de l'apartheid et s'estiment les grands perdants de la politique d'État unitaire mise de l'avant par l'ANC.

Chaque pas, chaque entente ou étape politique impor-tante est marquée par une vague de violence. L'annonce de la date des prochaines élections (le 27 avril 1994), la création d'un conseil exécutif de transition, l'adoption d'une constitution intérimaire, pour ne citer que trois événements, déclencheront chacune une telle vague de violence. Chaque fois, des dizaines de personnes seront tuées de sang-froid, femmes, enfants, innocents, peu im-porte. La déstabilisation de la société constitue un élément stratégique de la partie d'échecs qui se joue.

Jusqu'à la libération de Mandela, en 1990, la violence était concentrée dans les régions noires. Pratiquement toutes les victimes de vols, de meurtres, de viols, de vanda-lisme étaient noires. Mais la libéralisation politique du pays et l'inefficacité de l'autorité policière ont aussi libéré le crime, qui progresse désormais à toute vitesse dans les régions blanches.

Le conflit entre l'Inkatha et l'ANC est complexe. L'Inkatha est un parti essentiellement rural. Mangosuthu Buthelezi a le soutien des chefs traditionnels ruraux qui accèdent au pouvoir par hérédité, et non par des élections. L'ANC est un parti démocratique qui veut instituer le suffrage universel. Le pouvoir des chefs, que Buthelezi voudrait bien voir inscrit dans la nouvelle constitution, représente un sujet de discorde majeur entre l'Inkatha et l'ANC. C'est une des raisons pour lesquelles Buthelezi boycotte, pour l'instant, les négociations, et refuse de participer aux futures élections.

Contrairement à ce que rapportent bien des médias, ici ou à l'étranger, ce n'est pas une lutte « tribale » qui se déroule entre les Zoulous et les Xhosas. Bien sûr, Mandela est xhosa. Et Buthelezi est un Zoulou. Mais la moitié des Zoulous sont partisans de l'ANC. Et la violence politique est aussi fomentée ou attisée par des Blancs.

À la guerre entre l'Inkatha et l'ANC s'ajoute la conspiration entre l'Inkatha et le gouvernement blanc qui voulait, initialement, créer une union avec celui-ci afin de gagner des appuis noirs et de former une opposition assez forte pour empêcher l'ANC de remporter les élections. La collusion a finalement été mise au jour par les médias et a officiellement pris fin, selon le dire du gouvernement; officieusement, cependant, des membres des forces de sécurité du gouvernement de De Klerk continuent à collaborer avec l'Inkatha, en fournissant, entre autres, des armes.

Dans un tel contexte, je suis allée en reportage dans un township du Kwazulu-Natal, à Bambayi, près de Durban. Jay m'a « prêté » son garde du corps. Il ne veut pas me voir me promener seule dans ces secteurs dangereux. L'atmosphère est tendue, ici. On vient d'envoyer des corps à la morgue, ceux des victimes d'une fusillade survenue la veille.

En interviewant un homme de l'ANC, à micro ouvert, j'aperçois, derrière les collines, des camions militaires qui avancent. Puis suivent des véhicules à chenilles, des chars surmontés de canons. C'est l'armée sud-africaine. Les gens avec qui je me trouve commencent à s'énerver. Tous sont de l'ANC.

Des coups de feu éclatent. Les soldats du gouvernement sont assistés d'hommes de l'Inkatha, me dit-on. Le garde du corps attrape mon sac de matériel, me saisit et me serre contre lui en formant un bouclier de son corps. J'ai beau protester, insister que je veux terminer mon entrevue, il me traîne à la voiture. «J'ai un mandat, et c'est celui de vous protéger. Je n'ai pas envie que le camarade Naidoo m'étrangle!»

Des scènes semblables ont tendance à se multiplier. Il n'y a pas si longtemps, je me suis aventurée à Alexandra, le township noir juxtaposé au quartier blanc très riche de Johannesburg, Sandton. J'étais en reportage. En tournant à une intersection, je suis arrivée face à face avec trois hommes armés. Ils se sont raidis et ont dirigé leurs armes vers moi. J'ai immédiatement freiné. Nous sommes restés tous les quatre figés pendant une seconde, qui a semblé interminable.

Je ne sais pas ce qui m'a prise… Pour briser la glace, pour éteindre le feu, j'ai souri et envoyé la main aux hommes, qui affichaient un air perplexe. J'ai abaissé la vitre. Le premier s'est avancé vers moi, doucement, l'œil dans le viseur, le doigt sur la gâchette, le corps un peu penché vers l'arrière, les genoux légèrement fléchis. Avant qu'il ne s'approche trop, j'ai crié : «Je suis du Canada! Je suis perdue! Mais que se passe-t-il? Qui craignez-vous?»

Je cherchais à savoir si le nom de Jay pourrait, ce jour-là, me sauver la vie. Avais-je affaire à des partisans de l'Inkatha ou de l'ANC? L'homme me répond : «Vous êtes en danger ici, madame. L'Inkatha a attaqué hier soir. Partez, madame. Partez!» Il a fait signe aux autres de baisser leur arme.

J'ai fait demi-tour et je suis repartie. Ma jambe tressautait chaque fois que je devais appuyer sur la pédale d'embrayage, tellement je tremblais.

« Ton sourire a fait toute la différence », me dira Mahlape Sello, une experte en matière de violence. Le sourire désarme, même un soldat.

Je n'ai toutefois pas besoin de courir les townships pour goûter au danger. Le fait d'habiter avec Jay est un risque en soi…

Un jour, j'étais seule à la maison avec Léandre quand, en étendant le linge dehors, sur la corde, j'ai vu quelque chose bouger derrière les arbres sur le flanc de la montagne. Léandre jouait dans la cuisine. Je suis passée sous le linge pour aller voir ce qui bougeait, et je me suis retrouvée face à deux hommes armés, un Blanc et un Noir. (Après avoir décrit leurs armes à un connaisseur, j'ai su que c'étaient des AK-47, le fusil d'assaut le plus utilisé dans le pays.) Ils tenaient leurs armes pointées sur moi, le doigt sur la gâchette. Sans même réfléchir, j'ai crié : « Il n'est pas ici ! » en sachant très bien que c'était Jay qu'ils cherchaient (celui-ci se trouvait au Nigeria pour deux semaines). Puis j'ai couru jusqu'à la maison. J'ai pris Léandre dans mes bras et nous sommes allés nous cacher sous mon bureau. Léandre n'avait aucune idée de ce qui se passait. Je lui ai chuchoté qu'on faisait semblant qu'il y avait des voleurs. « Et qu'est-ce qu'on fait quand il y a des voleurs ? On se cache et on appelle quelqu'un. » J'ai attrapé le téléphone et j'ai appelé à l'aide.

Les jours précédents, j'avais remarqué une voiture blanche souvent garée devant chez nous. J'avais noté le numéro de plaque à tout hasard.

J'ai appelé Peter Harris, notre ami avocat. « Ne bouge pas. J'arrive. Et, surtout, n'appelle pas la police ! » m'a-t-il prévenue. Lorsqu'il est arrivé, il m'a fait signer une déclaration sous serment décrivant ce qui s'était produit. Il est reparti avec le numéro de plaque de l'auto suspecte.

Cette plaque correspondait à un véhicule du service de la police, m'apprendra-t-il plus tard. Après l'incident, la voiture blanche ne s'est plus jamais pointée.

Si Jay avait été à la maison, ce jour-là, je serais peut-être veuve aujourd'hui.

34

Chris Hani

Enfin, un congé en famille! C'est Pâques 1993 et nous partons en safari, Jay, les deux garçons et moi, avec un collègue de Jay, sa femme et leurs quatre enfants. C'est la première fois que Jay fait un safari. Nous découvrons l'Afrique du Sud ensemble. Il a marché dans des parcs pour la première fois en ma compagnie; il a fréquenté des cinémas, des restaurants, des centres touristiques, pour la première fois, avec moi. Il n'avait pas le droit d'y mettre le pied, auparavant...

Après une journée en auto, nous arrivons au Kruger National Park où une jeep nous attend pour un safari de nuit, seule façon de pouvoir admirer les lions en action — les lionnes, surtout, car ce sont elles qui chassent. Notre guide conducteur nous avertit de rester assis parce qu'il s'approche très près des lions. Voilà justement une troupe de lions qui passe à un mètre de nous. Le guide cesse de respirer. Nous nous changeons en statues. Les lionnes font la chasse à une girafe. Nous pouvons tout voir grâce à un puissant projecteur. Fascinant!

Le lendemain matin, je laisse Jay dans la hutte de paille où nous logeons pour aller déjeuner avec les enfants sous le chapiteau central. Jay a un peu de travail à faire. Nous sommes en train de manger nos oeufs et nos céréales quand une serveuse sort de la cuisine en courant et en criant. La radio vient d'annoncer que Chris Hani, secrétaire général du Parti communiste, a été assassiné. Je n'en crois pas mes oreilles. Chris Hani est sans doute l'homme le plus populaire d'Afrique du Sud après Nelson Mandela. Je l'ai interviewé il y a quelques mois et il ne savait pas que j'étais l'épouse de son très bon ami.

La première chose qui me passe par la tête, c'est que s'«ils» ont réussi à tuer Chris Hani, chez lui, dans son entrée, comme on vient de le préciser, «ils» peuvent sûrement tuer Jay. Je cours à la hutte informer Jay. Dès que j'entre, il lit sur mon visage que quelque chose ne va pas.

— On vient d'assassiner Chris.

— Pas Chris Hani?

— Oui, Chris Hani.

Sa peau noire devient plus pâle. Il s'effondre sur le lit.

— J'ai peur pour toi, Jay! J'ai si peur! S'ils peuvent tuer Chris, ils peuvent te tuer aussi!

— Mais Chris vient de mourir! Comment peux-tu même penser à ça?

Je me tais. Jay fond en larmes. Je ne l'avais encore jamais vu pleurer.

— J'ai besoin d'être seul.

Je le laisse. Comment console-t-on quelqu'un qui a perdu un proche? Jay reste seul deux heures. Puis il sort de la hutte et m'annonce qu'il doit rentrer à Johannesburg.

Nous partons aussitôt. Nous roulons sans nous arrêter, et sans dire un mot. Les enfants ne comprennent pas la gravité de ce qui vient d'arriver. Jay a perdu un ami. L'Afrique du Sud perd un des plus grands chefs du peuple noir. Chris Hani venait de tomber sous les balles de Janusz Waluz, un Polonais immigré en Afrique du Sud, lié au Parti conservateur.

Chris Martin Thembisile Hani, né en 1942, était un soldat depuis l'enfance. À une époque, il avait été un des leaders de l'Umkhonto we Sizwe, la branche armée de l'ANC. On le qualifiait de soldat hors pair. Dès l'âge de quatorze ans il s'était engagé dans la lutte «pour la justice et la dignité humaine». Quand il était dans le maquis, s'entraînant pour l'Umkhonto we Sizwe, il avait, paraît-il dans son sac à dos, à côté des balles et des grenades, des ouvrages de Shakespeare, ainsi que du papier et un stylo, pour écrire des poèmes ou des nouvelles.

Hani était un militant, un poète, un orateur exceptionnel, un communiste et un soldat dur au cœur tendre. Il a souvent répété qu'il était prêt à mourir pour la cause. Mais il a cherché par tous les moyens à éviter l'explosion de la violence. C'est beaucoup grâce à lui si l'alliance tripartite (ANC, Parti communiste, COSATU) a survécu aux moments les plus difficiles pendant le processus de négociations. Ses constantes supplications pour une solution pacifique et une tolérance politique accrue ont été prises au sérieux.

Le matin du 10 avril 1993, Chris Hani a donné congé à ses gardes du corps pour la fin de semaine de Pâques. Il n'était pas censé se déplacer seul, mais il n'a pas tenu compte de cette consigne, ce samedi-là, faisant confiance, comme d'habitude, à la vie et au destin. Il est allé acheter du pain et un journal à l'épicerie près de chez lui. Lorsqu'il est sorti de sa voiture, une autre automobile s'est approchée de lui. Waluz en est sorti, a levé son pistolet et a tiré quatre fois, à bout portant. Waluz s'est enfui, mais ne s'est pas rendu loin. La voisine de Chris Hani, une Afrikaner, passait en voiture au moment du crime. Elle a eu le temps de noter le numéro de la plaque d'immatriculation du véhicule qui quittait les lieux. Elle a immédiatement appelé la police. Quinze minutes plus tard, Waluz était arrêté à dix kilomètres de chez Hani, la chemise tachée, l'arme encore chaude à côté de lui.

Les images de Chris, la tête dans une mare de sang, secouent l'Afrique du Sud. On craint le chaos. La majorité de la population, blanche comme noire, est si révoltée qu'on redoute un soulèvement spontané et un immense bain de sang.

Le pays s'est effectivement enflammé.

Le jour des funérailles, le pays est vandalisé, par la rage, la colère et la sauvagerie. Dans toutes les villes, au Cap, à Durban, à Johannesburg, à Pietermaritzburg, à East-London ou à Port Elizabeth, des manifestants fracassent les vitrines des magasins, pillent et cassent tout ce qui peut l'être. Des bombes sautent partout. Soixante-dix personnes meurent.

Le président De Klerk est totalement impuissant. Son pays, en un instant, s'est révolté, laissant s'exprimer une rage qu'il ne peut absolument pas maîtriser.

C'est à Nelson Mandela qu'il fait appel. Celui-ci s'adresse à la nation, en direct à la télévision. Il appelle au calme. Il parle à l'écran comme un père parle à son enfant pour le consoler. Il est ferme mais doux, ému mais rationnel. Il essaie de sauver les meubles. « C'est une Afrikaner qui a rapporté le crime », insiste-t-il.

Les funérailles de Hani sont les plus importantes de toute l'histoire du pays. La télévision d'État les transmet en direct, première fois qu'on réserve ce traitement à un « ennemi de l'État ».

Devine qui vient dîner

Nelson Mandela est lui aussi complètement démoli par la mort de Chris Hani. Il a encore le visage défait, deux mois après l'assassinat. Mais son accueil est toujours chaleureux lorsque nous nous rencontrons. «Nous devrions nous voir plus intimement, un de ces jours, dit-il chaque fois. Vous devriez venir manger à la maison.» J'accepte avec plaisir. Comment refuser? Mais où trouvera-t-il le temps de nous recevoir?

Un jour, je lui lance à mon tour : «Vous pouvez venir chez nous, vous savez.» Sans hésiter, il répond qu'il serait honoré de venir manger à la maison.

Nous en restons là. Mais je suis décidée et je choisis une date : le 7 décembre 1993, jour de l'anniversaire de naissance de Loulou. Ma mère revient, début décembre, pour un mois, avec Léandre qui est retourné au Québec pour y entreprendre sa deuxième année du primaire. Depuis deux ans, Léandre a vécu deux périodes de six mois sur chaque continent. Il a fait sa première année en six mois à l'école française de Johannesburg, car il savait déjà lire et chercher des mots dans un dictionnaire à l'âge de cinq ans. Nous en sommes maintenant à des périodes d'une année. La plus récente entente avec son père, qui est encore «temporaire», stipule en effet qu'il fera sa deuxième année au Québec, et sa troisième ici.

Je ne m'habituerai jamais à son absence. Cette année, cependant, je la bénis. La violence, à quelques mois des élections, semble empirer tous les jours. Jay est une cible. Je veux épargner Léandre. Son absence est le prix à payer pour avoir le cœur en paix.

Loulou aura donc cinquante-six ans le 7 décembre. Et j'ai cette idée folle de lui offrir comme cadeau un repas avec Mandela. Elle l'admire depuis si longtemps, depuis bien avant l'expérience sud-africaine de sa fille. Elle a toujours suivi l'actualité d'Afrique du Sud et, depuis les années 70, en boycotte les produits.

J'expose mon idée à Jay.

— Il est bien occupé, tu sais.

— Mais c'est lui qui propose que nous mangions ensemble. Chaque fois que je le vois, il le mentionne.

— Je lui demanderai.

Quelques jours après le premier anniversaire de naissance de Kami, Jay m'annonce que Mandela viendra le 6 décembre, parce que le 7, il doit être à Oslo pour recevoir le prix Nobel de la paix. On remettra aussi ce prix, la même année, à Frederik De Klerk. Ce doublé du Nobel de la paix de 1993 a soulevé l'ire de beaucoup de gens en Afrique du Sud. On a posé le problème à l'inverse : si Nelson Mandela, un Noir, avait été à la tête d'un gouvernement coupable d'oppression, de violation des droits de la personne, et même de meurtres de Blancs, lui aurait-on donné le prix Nobel de la paix ? Il n'en demeure pas moins que c'est Frederik De Klerk qui a libéré Mandela et qui, volontairement, lui cédera sa place…

Mandela devant s'envoler pour Oslo dans la soirée du 6, il viendra dîner avec nous, de midi à quatorze heures. Enfin, je peux planifier le repas… Je commande un gâteau aux couleurs du Québec et de l'ANC, bleu et blanc d'un côté, jaune, noir et vert de l'autre. Ma mère, évidemment, ne se doute de rien.

Le matin du grand jour, Loulou fait la grasse matinée, restant au lit à lire. Je vais lui dire qu'elle devrait se lever et se préparer.

— Me préparer pour quoi?

— Nous avons une surprise pour toi. Nous te donnons ton cadeau de fête aujourd'hui au lieu de demain.

— Quelle est la surprise?

— Un repas privé avec Nelson Mandela.

— Qu'est-ce que tu racontes?

— Je te dis que tu vas dîner avec Mandela, alors lève-toi et grouille-toi! Il sera ici dans trois heures!

Loulou me regarde complètement incrédule, comme si je la menais en bateau. Elle se sent presque insultée, car on ne blague pas avec une telle chose.

— Arrête-moi ça!

— Non, je te dis, il vient dîner!

— Ici?

— Oui, oui, ici.

— Arrête-moi ça! Tu n'es pas drôle du tout!

Pendant quinze minutes — du temps précieux quand il y a tout à organiser —, Loulou et moi nous engueulons presque. Elle ne veut absolument pas me croire. Elle pense que je veux faire la drôle. J'ai toujours été la drôle de la famille. Maintenant, ça joue contre moi. Alors je lui dis que je dois commencer à préparer la maison et que si elle veut vraiment recevoir Mandela en chemise de nuit, l'air fripé, libre à elle. Et je quitte la chambre.

Elle vient me voir.

— Mais tu es sérieuse!

— Pourquoi penses-tu que je suis allée chercher la caméra vidéo à l'Institut hier? (Il s'agit d'une caméra qu'emploient les professionnels et avec laquelle nous enseignons le journalisme.) Il arrive à midi, alors GROUILLE-TOI!

C'est la panique. Elle réalise enfin que je ne blague pas.

Les deux heures suivantes sont complètement folles. Je cours pour m'assurer que tout sera prêt à temps. Nous avons commandé de la bouffe indienne, des fruits, beaucoup de fruits, car Mandela aime les fruits frais, et le fameux gâteau. Le seul autre invité est Omar.

Voilà, tout est fin prêt. Notre vieille maison «croche» a beaucoup de charme. Nous avons prévu le moindre petit détail, jusqu'à la musique qui agrémentera notre dîner.

Pendant que nous attendons, Loulou fume des cigarettes à la chaîne.

Midi sonne et une auto arrive. Mandela est toujours à l'heure. En le voyant, avec ses gardes du corps, Louise murmure, comme si elle n'y croyait pas encore : «C'est lui, c'est bien lui! C'est bien vrai!»

Il entre dans la maison, l'air très détendu, et s'assoit dans le salon. Kami est à un âge où l'on peut difficilement le contrôler. Il monte sur Mandela, tire sur son verre de jus d'orange et avale de bonnes gorgées. Mandela est incroyable avec les enfants. Il les adore. Lorsqu'il aperçoit un enfant, il s'arrête toujours pour lui parler. C'est ce qui lui a le plus manqué pendant ses vingt-sept années en prison, le contact avec les enfants. Il leur consacrera d'ailleurs le tiers de son salaire mensuel lorsqu'il deviendra président en créant le Nelson Mandela Children's Fund, un fonds pour venir en aide aux enfants dans le besoin. Alors, que Kami tire sur son pantalon et boive dans son verre en faisant des bavures sur ses vêtements, cela semble, pour lui, un grand plaisir.

Nous avons tous nos caméras et nos appareils photo à portée de la main, mais personne n'ose les utiliser. Je suis gênée par mon petit côté «groupie». Et puis tant pis! Je ne peux pas laisser passer un tel moment sans en conserver un souvenir. Je saisis mon appareil et prends des photos.

Je regarde Mandela donner du jus à Kami, puis boire à son tour, sans se préoccuper des bavures. Il essuie son pantalon, là où Kami a régurgité un peu... Il y a une telle tendresse dans son regard et dans ses gestes, une telle simplicité dans son attitude. Comment ne pas en être touchée? Loulou est assise à côté de lui. Elle vit ce moment comme un rêve. Même Jay est nerveux, lui qui le connaît pourtant si bien et qui travaille près de lui. Je vois dans ses yeux qu'il l'admire, qu'il croit en lui, qu'il donnerait tout pour que sa mission soit un succès.

Plus les élections approchent — elles auront lieu dans cinq mois —, plus on entend la remarque : «Si Mandela meurt avant, tout est foutu.» Je suis convaincue qu'un homme porteur d'un tel destin ne peut pas mourir avant de l'avoir accompli. Il vivra, j'en suis certaine, et il prendra sa place à la tête du pays. Je le regarde, calmement assis sur notre vieux canapé, et je ne peux m'empêcher de penser au poids que représente, pour un seul homme, le destin de tout un peuple.

Il ira recevoir demain le prix Nobel de la paix avec le président De Klerk, mais c'est sur lui seul que repose désormais le caractère pacifique de la transition du pays. Lui seul a l'autorité morale pour calmer les esprits.

Le repas est prêt et nous passons à table. J'avais préparé une liste de sujets de discussion pour alimenter la conversation, au cas où. Fausse inquiétude! Nelson Mandela, à soixante-quinze ans, a toute une vie à raconter et il parle sans arrêt! Une anecdote n'attend pas l'autre. Notamment celle de son premier jour de travail au cabinet d'avocats Witkin, Sidelsky & Eidelman, un emploi trouvé grâce à Walter Sisulu.

— Le premier matin, une jeune secrétaire blanche, bien plaisante, m'a pris à part et m'a dit : «Nelson, nous n'avons pas de barrières raciales ici. Nous vous avons même acheté, à toi et à Gaur Radebe [le seul autre employé noir du cabinet], deux tasses neuves pour le thé.» Or, si elle avait pris le soin d'acheter deux tasses neuves, c'était en fait pour nous empêcher, nous les deux employés noirs, de boire dans les mêmes tasses que les autres. J'en ai glissé un mot à Gaur, qui a tout de suite compris le manège de la secrétaire. Gaur m'a dit de faire la même chose que lui à l'heure du thé.

Mandela prend son verre et avale une gorgée d'eau pour faire durer le suspense, puis le repose délicatement et continue.

— À l'heure du thé, je laisse Gaur se servir en premier. Il fait semblant de ne pas voir les deux nouvelles tasses et prend une tasse «normale», y verse du thé et brasse longuement le lait et le sucre avec une cuillère «commune». Lorsque vient mon tour, je ne sais pas quoi faire. Je ne veux pas, en cette première journée de travail, m'aliéner mes collègues de travail blancs même si leur manège pour nous forcer à boire dans des tasses différentes des leurs est évident. J'hésite, puis je dis que je n'ai pas soif. Je n'ai pas pris de thé.

Il esquisse un petit sourire avant de conclure.

— À partir de ce moment-là, j'ai pris mon thé seul.

Ainsi est fait Mandela; c'est un homme qui évite l'affrontement, s'il le peut, mais qui n'est pas dupe pour autant...

Puis vient le temps d'offrir des cadeaux à notre invité. Encore des cadeaux! Je me demande bien ce qui lui passe par la tête lorsqu'il en reçoit. Deux personnes travaillent pour lui, à temps plein, seulement pour ouvrir et classer tous ceux qu'on lui envoie du monde entier. Loulou lui offre deux présents (qu'elle a trouvés, à la dernière minute, dans la maison) qu'il développe avec soin. Le premier est un *inukshuit* (ou *inukshuk*), réplique miniature de ces statues de pierres évoquant la forme humaine et qui parsèment l'Arctique. Ce sont des balises, explique-t-elle à Mandela, pour aider les Inuits à trouver leur chemin dans le désert blanc. Il écoute attentivement, en posant des questions de temps à autre. Il se rappelle un incident qui lui est arrivé chez les Inuits. Lors d'une escale dans le Grand Nord canadien, son avion devait faire le plein. En sortant de l'appareil, il avait entendu les gens crier son nom et les avait vus passer leurs doigts à travers la clôture qui les séparait de lui pour tenter de le toucher.

— J'ai été très surpris que ces gens, vivant à l'autre bout de la planète dans un désert blanc, sachent qui j'étais.

Le deuxième cadeau est une boîte de sirop d'érable. Un vrai cadeau québécois! Il est ravi.

Louise a confié sa caméra vidéo à Léandre pour qu'il puisse, plus discrètement, filmer le repas. Quelle surprise, quand nous visionnerons la cassette : Léandre, qui n'avait pas vu Kami depuis cinq mois, avait surtout filmé les pitreries de son frère! Il avait pris peu d'images de Mandela, mais ça m'a fait encore plus chaud au cœur...

Tout le long du repas, je rage un peu. *Je suis assise à côté de l'homme avec qui j'essaie d'avoir une entrevue depuis dix-huit mois; j'ai mon micro à portée de la main, j'ai une caméra vidéo de professionnel, mais...* Mais c'est un dîner privé. Je ne dérogerai pas au principe que j'ai adopté en acceptant de partager la vie de Jay. Chose certaine, on ne pourra jamais m'accuser d'utiliser mon mari à des fins professionnelles! Pourtant, ce ne sont pas les occasions qui manquent.

Il appelle de temps en temps pour parler à Jay, souvent vers trois ou quatre heures du matin, lorsqu'il commence sa journée. Un jour, quand il a appelé, je n'ai même pas osé lui parler. C'est Léandre qui avait répondu. «Jay! Mandela veut te parler!» avait-il crié. Leur conversation avait duré environ cinq minutes et Mandela avait ensuite demandé à me parler. J'étais restée figée.

— Il veut juste te dire bonjour, m'a chuchoté Jay, le téléphone dans les mains, tendu vers moi.

— Non. Je ne suis pas capable. Dis-lui que je suis aux toilettes. Dis-lui que je change la couche de Kami. Dis-lui que je ne me sens pas bien.

— Lucie, arrête ces folies. Il veut juste te dire bonjour!

— Dis-lui que je suis dans le bain.

Et pendant que Jay essayait de me convaincre de parler à Mandela, celui-ci attendait. Je le faisais attendre.

— Lucie, prend le téléphone! a insisté Jay en me le lançant dans les mains.

— Non!

Je lui ai relancé le téléphone.

J'avais été incapable de lui parler, victime d'une crise de timidité aiguë.

Vers la fin du repas, je me décide enfin à saisir ma caméra. Mandela me lance un drôle de regard, mais il me faut bien quelques images vidéo. C'est plus fort que moi.

Nous servons le gâteau aux couleurs de l'ANC et du Québec couvert de chandelles d'anniversaire. Il est surpris. Il dit qu'il ne mange jamais de sucreries — les fruits constituent son seul dessert —, mais qu'aujourd'hui il acceptera avec plaisir une bouchée ou deux d'un si beau gâteau.

Quatorze heures sonnent. Mandela doit nous quitter. Il prendra l'avion dans quelques heures et il doit se préparer pour le voyage.

Nous le raccompagnons jusqu'à sa voiture. En chemin, il s'arrête au petit logement au-dessus du garage pour saluer Elizabeth. Il lui pose quelques questions, rit un peu et lui donne une bonne poignée de main. Elizabeth en restera émue pendant plusieurs jours!

Et nous, donc!

36

Une liberté à apprivoiser

La première fois que j'ai vu Jay à la télévision, j'ai sursauté. « Avec tes cheveux ébouriffés et ton veston défraîchi, tu as l'air de quelqu'un qui cache une grenade dans ses poches. Ce n'est pas l'image à donner si tu veux passer ton message ! »

Par la force des choses, et même presque inconsciemment, j'ai commencé à former Jay à la télévision. Chaque fois que je pouvais les enregistrer, nous revoyions ses entrevues ensemble et je lui indiquais les améliorations à apporter : habillement, cheveux, posture, langage du corps... Puis, j'ai commencé à analyser la façon dont le contenu était présenté et à lui donner des conseils à ce sujet : quelle information livrer, comment réussir à dire ce que l'on veut même si le journaliste ne pose pas les questions appropriées, comment décoder le journaliste et sa façon d'agir, comment dire plus en moins de mots, comment se préparer pour une entrevue, comment composer des courts messages de quelques mots — des *oneliners* (comme cette célèbre phrase destinée au peuple américain : « Ne demandez pas ce que votre pays peut faire pour vous, mais plutôt ce que vous pouvez faire pour votre pays »), et des *grabs*, des messages de trente secondes. Au fil des mois et des années, j'ai ainsi contribué à aider Jay à affronter les médias. Et, petit à petit, les gens commentaient sa «nouvelle allure». «Qu'est-ce que tu as fait?» lui demandait-on à propos de sa nouvelle maîtrise des médias.

Quelques mois avant les élections, Jay s'affole à son tour en observant ses collègues à la télé.

— Ils ont tous l'air de cacher une grenade dans leurs poches! Tu ne pourrais pas leur organiser un petit atelier sur les médias?

— Mais je n'ai jamais fait ça. Je ne saurais pas quoi dire.

— Ça fait trois ans que tu me dis quoi faire. Et ça marche! Nous en avons tant besoin. Surtout à l'approche des élections!

Jay a annoncé, récemment, qu'il laissait son poste de secrétaire général du COSATU pour devenir candidat de l'ANC aux élections. Ils sont vingt à quitter le COSATU. C'est un coup dur pour l'organisation. La centrale syndicale avait été décrite par les politiciens blancs, au moment de sa création en décembre 1985, comme «un chien qui jappe mais qui ne mord pas». Ils se sont royalement trompés! Jay était extrêmement populaire et a été élu sans opposition au poste de secrétaire général, pour trois mandats consécutifs. Maintenant, il se prépare à participer à un gouvernement, et il est crucial que lui et son équipe sachent comment maîtriser les médias.

La nouvelle démocratie amenait avec elle la liberté de presse, chose inconnue jusqu'alors. Par le passé, on ignorait ce «quatrième pouvoir», complètement arrimé au pouvoir en place. On fuyait les micros, car ils étaient des armes du gouvernement. Puis, du jour au lendemain, une bande d'apprentis politiciens ont été obligés de composer avec une armée de journalistes aguerris venant du monde entier. À gauche comme à droite, on a été pris au dépourvu. Les candidats devaient apprivoiser les médias et en apprendre les règles.

J'ai fait part du projet à Allister Sparks. Il était emballé! J'ai donc commencé à rédiger un document pour l'Institut pour l'avancement du journalisme, un guide expliquant «comment s'y prendre avec les médias». Sparks avait souvent reçu des requêtes pour que l'Institut offre un tel cours et maintenant, à quelques mois des élections, les demandes affluaient de partout, mais il ne s'y connaissait guère en cette matière. Il m'a donc chargée de développer un cours qui s'adresserait à quiconque voudrait apprendre à apprivoiser les médias.

J'ai passé un mois à préparer ce cours, documents vidéo à l'appui, pour illustrer ce qu'il fallait faire et ne pas faire. Les extraits d'entrevues de Frederik De Klerk figuraient souvent parmi les exemples des «bonnes» choses à faire. Il avait été formé par des spécialistes britanniques.

La séance de formation durait huit heures et commençait par la mise en situation d'une conférence de presse. Les candidats — quatre ou cinq personnes par cours — se plaçaient face à la caméra, derrière une longue table. Allister et moi «jouions» aux journalistes. Ensuite, nous analysions leur performance sur la bande vidéo pour les conseiller sur la façon de présenter leurs messages.

Ce cours a pour moi aussi constitué une sorte de cours intensif de journalisme. En observant Allister Sparks, quarante ans de métier, cuisiner ces politiciens, j'ai raffiné mes propres techniques d'entrevue. C'est pendant ces cours que j'ai vraiment brisé le mur de ma timidité, car je devais me faire comédienne pendant huit heures d'affilée!

En bout de ligne, j'aurai formé plus de deux cent cinquante politiciens, sur une période de cinq ans, dont Nelson Mandela. La veille du grand débat télévisé entre Mandela et De Klerk, on a fait appel à l'équipe de l'Institut pour seconder une équipe américaine qui préparait Mandela. J'ai tenu le rôle d'une journaliste. Quatre des cinq questions que j'avais préparées lui ont été posées le lendemain par les trois journalistes animant le débat télévisé. Allister Sparks, lui, a joué le président De Klerk pour notre simulation. Il a joué De Klerk mieux que De Klerk lui-même! Il faut un formidable bagage de connaissances pour donner la meilleure performance du président De Klerk...

Mandela a passé la journée à écouter attentivement, à prendre des notes, à accepter nos critiques et à tenter de corriger ses défauts «médiatiques» : réponses beaucoup trop longues, corps trop raide, expression trop froide, ton parfois trop sec. Il était un élève modèle. Quand il prenait des notes, il me faisait penser à Léandre, petit, la langue en coin, le front ridé et sérieux.

Le débat télévisé fut serré, mais Mandela a surpris De Klerk, et la nation, lorsqu'il lui a tendu la main en disant, devant les millions de téléspectateurs : «Travaillons ensemble pour bâtir ce magnifique pays.» Même De Klerk a admis que Mandela avait, médiatiquement parlant, gagné le débat.

À l'Institut, nous formions, sans distinction, des politiciens de tous les partis qui en faisaient la demande : ANC, Front de la liberté, Parti national, Inkatha, Congrès pan-africanist et d'autres partis plus petits. Et en formant des gens de tous ces partis, je faisais, du même coup, un apprentissage inestimable. Je n'ai jamais rapporté ce qui était dit dans ces classes, mais j'ai grandement enrichi ma compréhension du contexte politique national. Curieusement, cet exercice me permettra de développer des «amitiés» dans des camps très divers de la politique sud-africaine. Je m'entends maintenant très bien avec le général Constand Viljoen, le leader du Front de la liberté, et avec sa femme — son bras droit... très à droite. De même qu'avec Suzanne Vos, un leader de l'Inkatha. Cette Blanche d'origine australienne a joint les rangs de l'Inkatha à cause de ses politiques économiques libérales. Le soir, autour d'un verre, elle est superbe. L'ironie, c'est que Suzanne se retrouvera députée de l'opposition avec pour mission de critiquer les politiques de Jay!

Paradoxalement, j'aurai montré aux politiciens comment mieux «déjouer» les journalistes, ou du moins comment faire passer leur message plus efficacement, et enseigné aux journalistes comment naviguer entre les louvoiements des politiciens qui tentent de faire passer leur message sans tenir compte de la question. J'ai vu des interviews à la télé où j'avais formé et le journaliste et le politicien! Ces deux missions peuvent sembler contradictoires. Mais en Afrique du Sud, à cette époque, l'apprentissage de la liberté de presse était une urgence nationale.

37

Le Kwazulu

Cinquante-trois personnes sont mortes aujourd'hui, le 28 mars 1994. Un mois avant les élections, ça n'augure pas bien! René Mailhot, journaliste de Radio-Canada venu faire des reportages pour une émission radio d'affaires publiques, m'appelle de son hôtel du centre-ville de Johannesburg. «Est-ce normal, cette scène?» Du haut de sa chambre d'hôtel, il a vu les dizaines de milliers de partisans de l'Inkatha manifester dans les rues, armés de lances et de boucliers, parfois d'armes à feu. Ils réclamaient la souveraineté du peuple zoulou et vociféraient leur opposition aux élections, que l'Inkatha avait décidé de boycotter.

En effet, pour un journaliste étranger fraîchement débarqué à Johannesburg, la scène pouvait sembler «normale» dans le contexte des nouvelles constamment sanglantes que l'on présentait du pays.

Ce n'était pas normal. L'incident était grave, très grave.

La police avait fait fi des avertissements de l'ANC, où l'on craignait le pire après avoir appris que son siège social se trouvait sur le chemin de la manifestation. Nelson Mandela avait donné l'ordre de protéger l'établissement «coûte que coûte». Quand les gardiens ont vu la foule de Zoulous armés tourner à l'intersection et se ruer sur l'édifice, ils ont tiré. On rapporte que des tireurs isolés auraient aussi été de la partie. Huit personnes sont mortes devant les bureaux de l'ANC. Ailleurs, dans les rues de la ville, quarante-cinq personnes ont perdu la vie au cours des émeutes qui ont suivi.

Dans les trois semaines suivantes, trois cents personnes sont mortes.

Le pire est à craindre.

La violence constitue probablement le plus grand obstacle à surmonter avant les élections. Elle peut menacer, voire empêcher la tenue du scrutin. Les efforts de paix pullulent. Mais la violence frappe toujours.

Dans l'espoir de convaincre l'Inkatha de participer aux élections, Frederik De Klerk, Nelson Mandela et le chef de l'Inkatha, Mangosuthu Buthelezi tiennent un «sommet de la paix».

Le point de discorde principal est la date des élections : Buthelezi veut à tout prix la retarder, pour avoir le temps de négocier certains éléments cruciaux; Mandela est catégorique et défend le 27 avril 1994 comme une date intouchable. Une équipe de sept médiateurs internationaux est dépêchée, parmi lesquels se trouvaient l'Américain Henry Kissinger et le Britannique Lord Carrington. Mais ceux-ci repartent aussitôt, car personne ne s'entend sur les termes de leur mandat.

C'est dans ce climat que je pars pour le Kwazulu, le cœur du territoire où se livre la guerre entre l'ANC et l'Inkatha. J'accompagne deux journalistes québécois : René Mailhot de Radio-Canada et Richard Hétu du journal *La Presse*.

À Empangeni, où règne l'Inkatha, nous nous rendons au deuxième étage d'un petit édifice plutôt sombre et lugubre. Au bout du corridor mal éclairé, une porte affiche trois grosses lettres : IFP, pour Inkatha Freedom Party. Armés de micros, de magnétophones et de calepins de notes, René, Richard et moi entrons. La «salle d'attente» est pleine de gens, des pauvres, des démunis qui sont là pour je ne sais quelle raison. Je dis au responsable que nous sommes venus rencontrer M. Ben Ngubane, un haut dirigeant de l'Inkatha (qui deviendra ministre des Arts, de la Culture et des Sciences et Technologies dans le gouvernement Mandela). Il nous regarde, incrédule. « Impossible, nous lance-t-il. Il est à trois cents kilomètres d'ici. » Tout avait pourtant été organisé. On nous renvoie vers le chef régional de l'Inkatha. En entrant dans le bureau de celui-ci (de toute évidence, il n'a pas été averti de notre présence), nous restons stupéfaits. René Mailhot a bien décrit la scène : « Des armoires à glace avec des AK-47 accrochés autour du cou. » Ils sont surpris et mal à l'aise devant notre intrusion au moment où ils portent leurs armes bien en évidence. Le chef nous demande de sortir pour nous accueillir quinze minutes plus tard. Le « ménage » a été fait.

Il nous accorde une entrevue tout sourire. Après avoir répondu à une bonne douzaine de questions, il nous dit que nous pouvons éteindre nos magnétophones. Je ne sais pas pourquoi, mais quand j'appuie sur le bouton d'arrêt, aucune pression ne s'exerce. Ma cassette continue à tourner et je ne fais rien pour l'arrêter. Je décide donc de laisser la conversation s'enregistrer. Et quelle conversation ! Sur un ton belliqueux, le chef nous dit comment l'Inkatha s'opposera avec véhémence à la tenue des élections. Il précise qu'il laisserait sa femme n'importe quand pour son flingue, que jamais il ne se couche sans son arme (il la flatte devant nous), mais qu'il peut coucher sans sa femme. Ha ! Il trouve cela très drôle ! Et il rit de bon cœur. Mais ça suffit, maintenant, parce que s'il s'aperçoit que mon magnétophone enregistre encore ses armoires à glace vont peut-être réapparaître et ce sera la dernière chose que j'aurai vécue sur cette terre. René a remarqué ce que j'ai fait et il devient très nerveux. Nous partons.

Sur les routes rurales du Kwazulu, je me sens un peu inquiète, même si je suis avec deux hommes. La guerre au

Kwazulu, nous connaissons, il y a des années que nous la couvrons. Ce sont des gilets pare-balles qu'il nous faudrait!

En roulant dans les montagnes et les vallées, je me rends compte qu'en fait c'est un appareil photo qu'il me faudrait. Nous empruntons la route des mille et une vallées (Thousand and One Valleys). D'une beauté à couper le souffle! Sommes-nous bien au Kwazulu? Là où on tue des enfants à coups de hache et des grands-mères à coups de sagaie? Là où pleuvent les tirs des AK-47? Je rapporte moi-même à la radio, régulièrement, le bilan des combats qui déchirent le Kwazulu. Mais la magnificence des mille et une vallées n'apparaît pas sur les fils de presse. Ici, c'est l'Afrique. L'Afrique avec ses petites huttes en paille, qui laissent s'échapper une fine fumée de leurs toits. C'est l'Afrique des enfants courant pieds nus sur les rides de la vallée. L'Afrique des femmes lourdement penchées sur leur outil et qui travaillent, inlassablement, la terre. C'est beau. C'est tranquille. C'est simple. Mais la violence est invisible. La tristesse est invisible. La peur n'est pas peinte dans le décor.

Un autre journaliste québécois qui était passé dans la région quelques jours auparavant a noté la même chose :

«Le Kwazulu était une terre abandonnée du monde extérieur. [...] Chacun connaissait les statistiques sur les probabilités de s'y faire voler sa voiture, ou même violer ou tuer. Sans compter le risque de se trouver pris au cœur d'une escarmouche politique.

«Malgré tout, la campagne paraissait paisible. Les enfants saluaient la voiture au passage. Des femmes aux seins nus longeaient nonchalamment la route, portant des fagots sur la tête. Certaines avaient des anneaux, juste au-dessous des genoux. Le véhicule devait à tout moment contourner les vaches couchées au milieu du chemin. Il régnait dans la région un calme pastoral qui ne cadrait pas avec les images apocalyptiques que l'on se faisait à l'étranger de la province rebelle.»

Ce journaliste, c'est mon ami Luc Chartrand, de *L'actualité*, venu préparer un dossier avant les élections. Mais c'est aussi Paul Carpentier, héros du roman *Code Bezhenti* que Luc écrira à son retour d'Afrique. Paul, ou Luc — enfin, choisissez —, vivra une partie de ses aventures dans ce Kwazulu qui, à ce moment du moins, apparaît si calme. «Ce n'était pas la première fois que Paul pouvait mesurer le décalage entre la perception télévisuelle du monde et la réalité», écrit Luc.

* * *

Un second sommet de la paix est organisé. À une semaine des élections, l'Inkatha se joint finalement à la course électorale. Quelques jours plus tard, le 25 avril, soit moins de vingt-quatre heures avant le vote des personnes handicapées ou âgées, et quarante-huit heures avant l'élection générale, le Parlement amendera la Constitution intérimaire pour que les compromis accordés à l'Inkatha prennent effet : reconnaissance du royaume du Kwazulu et protection de sa monarchie, de son statut et de son rôle constitutionnel.

Avec cet accord de paix, les tueries cesseront sûrement. Mangosuthu Buthelezi a une semaine pour faire sa campagne électorale; une semaine pour dire à ses partisans de cesser de boycotter et d'aller voter.

Les élections sont sauves. Que pourrait-il encore arriver?

38

Les bombes

Une bombe saute.

Nous sommes à deux jours des élections. Kami trottine dans la maison. Je suis assise dans le salon. Je profite de ces quelques heures de tranquillité pour préparer mes dossiers en vue des élections. Je lis des tonnes d'articles de partout en écoutant la radio. Soudain, un bulletin spécial est diffusé : une bombe vient de sauter devant le siège social de l'ANC faisant neuf morts et près d'une centaine de blessés.

Je suis terriblement inquiète : Jay avait des rendez-vous au centre-ville, ce jour-là, dont un aux bureaux de l'ANC...

Certains ont dit qu'ils feraient tout pour empêcher la tenue des élections. Eugene Terre'Blanche, chef du Mouvement de résistance afrikaner (AWB) l'a répété plus d'une fois. L'année dernière, il a fait défoncer, avec des chars de combat, les immenses vitrines de la façade principale du Centre des congrès de Johannesburg! Ses partisans ont ensuite uriné sur les tapis, devant les délégués réunis pour négocier la nouvelle Constitution. Mais sont-ils allés jusqu'à faire sauter une bombe pour semer la panique avant le vote?

Vingt minutes plus tard, Jay m'appelle. Il est secoué, mais en vie. Il m'annonce qu'une de ses collègues y a laissé sa peau...

Je saute sur le téléphone pour obtenir plus de détails et j'expédie aussitôt un reportage à Montréal. Personne n'a revendiqué l'attentat, mais les soupçons se portent ouvertement sur l'extrême droite. J'écris mon topo et l'envoie, les nerfs en boule. En voici le texte :

« C'est la dernière journée de campagne électorale, aujourd'hui, en Afrique du Sud, pour les vingt-six partis politiques qui participeront aux élections. Le président de l'ANC, M. Mandela, était à Durban, au Natal, où plus de deux cent mille personnes se sont déplacées pour aller l'entendre une dernière fois avant les élections. Malgré le succès retentissant de ce rassemblement de masse, M. Mandela est revenu en vitesse à Johannesburg, la mine très longue. Une de ses collègues et candidate aux élections est parmi les neuf personnes tuées aujourd'hui dans une puissante explosion qui a secoué le centre-ville de Johannesburg à deux pas des bureaux de l'ANC. Des témoins disent avoir vu deux hommes blancs sortir d'un véhicule et courir. L'auto a explosé deux minutes plus tard. M. De Klerk a averti que les minorités radicales qui tentent de déstabiliser le processus de démocratisation de l'Afrique du Sud et d'empêcher la tenue des élections n'y arriveront pas. Le chef de l'Inkatha, M. Buthelezi, était à Soweto pour sa dernière journée de campagne électorale, qui n'a duré que quatre jours. Il a dit que l'incident d'aujourd'hui prouve qu'il est impossible que les élections soient libres et démocratiques. Certaines personnes ont dit qu'elles n'iraient pas voter parce qu'elles ont peur. »

Moi aussi, j'ai peur de la violence. J'ai peur parce que Jay est une cible, maintenant plus que jamais. La peur est partout, mais avec elle vient la détermination...

Le lendemain, 25 avril 1994, dernier jour avant le début des élections, les nouvelles sont encore plus sombres. Une série d'explosions secoue le pays. Dans l'une d'entre elles, en matinée, à Germiston, près de Johannesburg, dix personnes sont tuées et au moins trente-six autres sont blessées. La bombe a explosé à huit cents mètres d'un bureau de l'ANC. La police a offert un demi-million de dollars à quiconque fournirait de l'information menant à l'arrestation des coupables.

Je fais un autre topo à reculons. Je veux que les bombes cessent. Au fond de moi, je veux annoncer de bonnes nouvelles, dire que le pays est sur la bonne voie, qu'un miracle s'est produit, que tout le monde est allé voter en paix et que l'Afrique du Sud sera un exemple pour le reste de l'Afrique. Mais non, mon prochain topo, que je lirai d'une voix chevrotante, sera sombre.

« Le désespoir de l'Afrique du Sud se lisait sur le visage d'une femme, hier, une mère qui a perdu ses trois enfants dans une explosion qui a secoué le centre-ville de Johannesburg. Pendant la nuit, trois autres bombes ont explosé à travers le pays. Une de ces explosions a endommagé un bureau de vote. Et ce matin, plusieurs autres bombes ont causé d'importants dégâts. Des témoins ont vu des corps et des autos voler en éclats. Les bombes de ce matin ont été placées à des arrêts de minibus, les taxis pour les travailleurs noirs. Des centaines de personnes sont massées à ces arrêts tous les matins. Cible parfaite pour les terroristes qui veulent empêcher la tenue des élections. Dans deux des explosions d'aujourd'hui, des témoins disent avoir vu des hommes blancs courir quelques minutes avant que les bombes explosent. Les gens sont dégoûtés, écœurés et pétrifiés. À l'un des postes de radio les plus populaires du pays, qui diffusent des tribunes téléphoniques nuit et jour, les gens appellent aujourd'hui et pleurent, ragent et disent avoir peur d'aller voter. Personne n'a encore revendiqué les attaques. On soupçonne la « troisième force », une poignée de gens qui veut empêcher la démocratisation de l'Afrique du Sud. Les élections commencent demain. L'Afrique du Sud est sur le qui-vive. »

Le terme «troisième force» fait désormais partie du vocabulaire sud-africain. L'expression désigne une «force obscure» formée de conspirateurs de l'extrême droite, de la police ou de l'armée et qui tente, à tout prix, d'empêcher que les Noirs accèdent au pouvoir. Cette troisième force serait composée de gens de l'intérieur et de l'extérieur du gouvernement. Le terme a aussi été utilisé au Chili avant que les conspirateurs renversent le gouvernement Allende en 1973. La première force désigne le gouvernement en place; la deuxième, l'opposition; la troisième est composée de gens de la première force et de partisans politiques qui les appuient, et qui exécutent des actions non permises par la loi, dans le but de maintenir le régime en place.

* * *

Je suis sur le qui-vive et j'ai de la peine à manger. Tout me donne la nausée. L'attitude de plusieurs journalistes me révulse. Certains sont au septième ciel comme si leur fortune augmentait avec les bombes.

Moi, quand je sors le matin, je regarde sous l'auto pour voir si une bombe n'y serait pas cachée. Je vérifie sous l'auto de mon mari aussi — surtout. Je regarde partout, pour m'assurer qu'il n'y a pas des gens suspects, par exemple assis dans une auto à ne rien faire. On en découvre de temps en temps et la consigne est claire : il faut appeler la police. Nous avons appris, entre autres, que deux hommes qui surveillaient ainsi notre maison avaient des liens étroits avec l'extrême droite.

Depuis que Jay est candidat aux élections, on lui a assigné un garde du corps. C'est Lucky, un type maigrelet mesurant à peine un mètre cinquante, qui joue ce rôle! C'est lui que j'ai informé qu'un type venait se poster tous les soirs entre dix-sept heures trente et dix-huit heures, dans une camionnette, juste devant chez nous. Les inscriptions sur le véhicule indiquaient qu'il appartenait à un restaurant chinois. Parfois, une femme était assise avec l'homme. J'ai donné le numéro de plaque à Lucky, qui a fait venir l'escouade spéciale de la police, celle qui doit assurer la sécurité des candidats politiques. L'enquête a révélé que le véhicule avait été immatriculé dans une ville située très loin de Johannesburg, au nom d'une autre compagnie et non pas d'un restaurant chinois. Les efforts de Lucky n'étant pas allés plus loin, j'ai donc décidé d'appeler moi-même l'escouade spéciale pour leur demander de faire leur travail plus sérieusement. Quelques jours plus tard, les policiers m'ont dit avoir interrogé le conducteur. Il leur avait répondu qu'il venait voir sa maîtresse qui demeurait à quelques pas de là. Il avait supplié les policiers de ne rien dire parce qu'ils étaient mariés tous les deux. Cette histoire d'une aventure extraconjugale m'a quelque peu soulagée... Je devenais paranoïaque.

Lucky ne sera pas chanceux... Il ne pourra pas savourer la «nouvelle» Afrique du Sud. Un matin, il est arrivé à la maison fiévreux. Il avait mal à la tête et vomissait. J'ai appelé son frère qui est venu le chercher. Il est mort de la malaria sept jours plus tard.

Léandre n'est pas avec moi en ce moment. Si cela avait été le cas, son père serait peut-être venu le chercher, à entendre mes reportages. Mais j'ai un autre fils, ici. Et je me fais un sang d'encre chaque soir lorsque je reviens de travailler, priant pour que rien ne soit arrivé à Kami. Si Jay a le malheur d'arriver en retard, j'ai le cœur en compote. Je suis aux aguets. J'ai les yeux cernés parce que je dors mal. Mais lorsque je me mets sérieusement à écrire un topo, j'oublie tout... pour une heure ou deux.

Quand j'ai fini d'écrire, la réalité me rattrape. La peur m'envahit littéralement. Je bafouille, je fais des fautes de français lorsque je téléphone à Montréal pour lire mes textes. Une fois, j'ai même pleuré, et je suis certaine qu'à l'autre bout on se demandait si j'allais tenir le coup.

Le grand jour approche. À la peur se mêle l'excitation, l'espoir de voir, enfin, un nouveau pays naître. Un pays en couleurs : *the Rainbow Nation* — la Nation arc-en-ciel —, comme dit l'archevêque Desmond Tutu. C'est la couleur qui l'emportera demain, quel que soit le résultat du vote. L'air est à la liberté. Comme si les gens ne pouvaient plus attendre. Tous sont prêts. Tous ont peur.

Les bombes, elles, continuent d'exploser. À Pretoria, une bombe a sauté dans un bar et tué deux personnes. Depuis deux jours, la série de bombes a tué vingt et une personnes et en a blessé cent trente-trois autres. Le président De Klerk a lancé un appel au calme et à l'ordre, et a accru les mesures de sécurité. Les neuf mille bureaux de vote sont surveillés à partir de ce soir. Les grands leaders politiques ont tenté d'endiguer la peur et la panique en diffusant des messages d'encouragement et d'espoir. Bombes ou non, disent-ils, nous allons tous voter.

Le pays se couche, ce soir, mais je sais qu'il ne dort pas. Assise à la fenêtre de ma chambre, je regarde la ville illuminée à travers les barreaux de fer qui sont censés nous protéger. J'ai la chair de poule. J'essaie de percevoir le dernier soupir de l'apartheid. J'ai peine à croire que je suis ici en ce moment si intense.

Une nouvelle bombe explose. Je sursaute, même si je m'y attendais presque. Jay vient me rejoindre. Nous cherchons à déterminer d'où provient le son. De quelques kilomètres, tout au plus. J'attends le hurlement des ambulances. Des morts? Y a-t-il des morts?

S'il n'y a que quelques morts, ça n'intéressera pas Radio-Canada. Quand il y a trop de bombes, trop de morts, la routine s'installe. La nouvelle n'est plus nouvelle. Mais la peur que je ressens me paraît toujours aussi nouvelle.

Ce soir, c'est la veille d'un miracle ou d'une guerre civile, comme si le pays se tenait parfaitement en équilibre sur une clôture, mais qu'une plume tombée du ciel pouvait tout faire basculer.

39

Le premier vote noir

Jay est parti à six heures ce matin. On se l'arrache aujourd'hui, car c'est le premier des trois jours d'élections, réservé aux personnes âgées, handicapées ou malades. Certaines régions du pays connaîtront des problèmes logistiques graves. Pas de bulletins de vote, pas d'encre invisible pour identifier ceux qui ont voté, pas de collants de l'Inkatha qui doivent être ajoutés sur chaque bulletin de vote. Le chef de l'Inkatha, Mangosuthu Buthelezi, a même demandé que les élections soient prolongées d'une journée à cause de ces problèmes. Mais la Commission électorale indépendante, tout en avouant avoir été débordée, nie que ces problèmes entachent la validité des élections. Demain et jeudi, vingt-deux millions de personnes voteront, dont dix-huit millions pour la première fois!

Jay a toujours su qu'il vivrait ce grand jour. Il m'a souvent dit qu'il avait toujours eu la certitude qu'il allait participer au nouveau gouvernement du pays. Le travail de sa vie aboutit finalement. Je réalise maintenant l'ampleur de ce qui se passe pour lui.

Moi, je commence mon marathon de reportages. Je n'ai que soixante-dix secondes à la fois pour tout raconter.

«Des personnes âgées, certaines en béquilles, d'autres en chaise roulante, ont attendu plus de deux heures avant de voter parce que le bureau n'avait pas encore les bulletins de vote. Dans une autre région, cinq heures après l'ouverture des bureaux de vote, les électeurs attendaient toujours l'arrivée des collants de l'Inkatha qui doivent être ajoutés sur chaque bulletin de vote. Un des premiers électeurs, ce matin, un homme de soixante et onze ans qui votait pour la première fois de sa vie, est sorti du bureau en sautillant de joie. "J'ai voté, j'ai voté", répétait-il en riant. Puis il a ajouté en soupirant : "Je peux maintenant mourir en paix."»

Je suis née avec le droit de vote. Et je ne fais que commencer à comprendre ce qu'il signifie pour ceux qui en ont été privés toute leur vie. La semaine dernière, dans un magasin, des gens au comptoir devant moi négociaient le paiement par versements mensuels de la paire de souliers qu'ils s'achetaient pour aller voter!

«Il y avait des queues et des queues aujourd'hui, certaines longues de plus d'un kilomètre, dans les prisons, dans les hôpitaux et dans des bureaux de vote de la communauté. Plusieurs ont attendu toute la journée avant de voter. Une femme âgée a dit : "Oui, c'est long. Oui, j'ai faim. Mais j'ai aussi attendu quatre-vingt-douze ans pour ce jour." […] Et des milliers de personnes se sont déjà installées pour la nuit, devant les bureaux de vote, pour être sûres de ne pas rater cette occasion historique.»

La machine est rodée, dit-on. Le pays est prêt pour les élections générales de demain et après-demain.

Jay et moi passons une deuxième nuit mouvementée. Ni l'un ni l'autre ne pouvons fermer l'œil. J'ai dormi mieux que ça la veille de mon mariage ou celle de ma première présentation en direct à la télévision! Nous étions debout avant que le réveille-matin sonne, à cinq heures.

J'ai obtenu le droit de voter grâce à mon certificat de mariage (ce droit me sera retiré aux élections suivantes — il faudrait que je renonce à ma nationalité canadienne!). Le bureau de vote où je me rends se trouve dans l'école primaire du quartier. Un Blanc me dit qu'après quinze ans de «vie commune» avec sa domestique il la découvre aujourd'hui. Depuis quinze ans, il porte les chemises impeccables qu'elle repasse pour lui, mais pour la première fois aujourd'hui il converse avec elle, profitant de l'attente en file.

Les gens sont fébriles. Derrière moi, l'éducation des électeurs se fait encore, à la dernière minute. Un homme trace un carré dans le sable avec un bout de bois. Une femme noire le regarde, les sourcils froncés, le regard concentré. «Il y aura un carré comme ça, explique l'homme. Tu cherches la photo de celui en qui tu places ta confiance, le visage de celui ou celle que tu voudrais voir à la tête de ce pays, et tu fais une croix, comme ça, dans le carré, à côté de sa photo.» Et puis, accroupi, il trace la croix dans le sable avec son bout de bois, d'un geste solennel.

Dans un pays où plus de quarante pour cent des gens sont analphabètes, il a fallu tout simplifier. Les photos des leaders se trouvent sur le bulletin de vote, avec le nom de leur parti. La femme prend le bâton et trace à son tour une croix dans le carré. Les autres approuvent et chacun répète le geste.

L'homme devant moi a emprunté le costume de son frère. Il est fier. Il n'aurait jamais cru, me dit-il, voir ce jour de son vivant. Il est excité mais patient. Il est prêt à attendre toute la journée s'il le faut, mais, comme les autres, il mettra sa croix.

Soudain, la terre tremble sous nos pieds. Nous sursautons tous. Pendant une dizaine de secondes, le sol vibre. D'abord, c'est l'hébétement général. Les gens dans la file se regardent en silence. Encore une bombe! J'apprendrai plus tard qu'elle a explosé à l'aéroport international de Johannesburg, à une vingtaine de kilomètres d'ici. Et nous l'avons sentie! Les gens dans la queue sont furieux.

— Ils veulent nous empêcher de voter, nous dissuader, nous faire peur!

— Je ne bronche pas d'ici. Je vote! crie quelqu'un.

— Oui, oui, moi aussi! crient d'autres.

Puis la queue devient une communauté instantanée, liée par le même espoir, la même détermination, quel que soit l'endroit où la croix sera tracée.

Et si on avait mis une bombe dans notre bureau de vote? Je réalise que rien ne me ferait reculer non plus. L'intimidation des extrémistes ne me touche pas. Comme tous ceux qui, autour de moi, n'hésitent pas à prendre le «risque».

Je peux lire la fierté, et l'inquiétude sur le visage des gens. Chacun scrute le paysage; les autos qui passent deviennent suspectes. Chacun cherche à déceler des indices d'une éventuelle menace. Mais tous se tiennent le dos droit, même les vieillards courbés.

J'entre enfin dans le bureau de vote. Je montre mes pièces d'identité. On m'estampille la main avec de l'encre invisible. Je peux enfin aller dans l'isoloir. Je déplie le bulletin de vote et cherche sa tête parmi toutes celles qui y figurent. Je trace ma croix d'une main hésitante. J'ai voté toute ma vie, et me voilà émue comme quelqu'un qui espère ce moment depuis toujours.

Ce matin, devant les caméras, Nelson Mandela, tout sourire, a levé son bulletin de vote d'un geste précis, puis l'a déposé dans la petite fente de la boîte avec le même calme avec lequel il a négocié la révolution du pays — posément, d'une façon réfléchie et sans mouvement brusque. Puis il a dit : «J'éprouve de la joie parce que nous avons enfin atteint le jour de nos rêves, mais aussi de la tristesse parce que nos héros ont dû faire tant de sacrifices pour ce rêve.»

Je passe le reste de la journée devant la télévision qui diffuse en direct de partout au pays. J'ai allumé deux radios et la télévision, et vais d'une station à l'autre. Je n'ai pas faim. Je bois du café, beaucoup de café, et je prends des notes avec frénésie. La police a confisqué une grande

De gauche à droite : Léandre, Lucie, Jay, Kami, Shanti.

*«Jay n'a pas peur de l'échec. Il est la preuve vivante qu'on peut
à la fois être humble et avoir confiance en soi.»*

Lucie rencontre Nelson Mandela pour le tournage de sa première entrevue avec le leader, en novembre 1990. Mandela a été libéré de prison il y a à peine neuf mois.

*Jay prononçant un discours, au début des années 90.
À sa gauche est assis Govan Mbeki, vice-président
du Sénat et père de Thabo Mbeki, l'actuel
président d'Afrique du Sud.*

À Umiujaq, dans le Grand Nord québécois, en janvier 1991. «Jay et moi tombons amoureux dans la neige, à cinquante degrés au-dessous de zéro...»

La première maison du couple, à Bez Valley, remise à neuf par Lucie, et la piscine, auparavant à l'état de marécage, que Lucie vida «à la petite cuillère».

*Le premier mariage de Lucie et Jay, décembre 1991. Nelson Mandela montre
les mitaines fleurdelisées offertes et tricotées par Louise, la mère de Lucie.
De part et d'autre de Mandela sont assis Walter et Albertina Sisulu.*

*Avec Omar Motani, lors du premier mariage, en décembre 1991.
Au premier plan, la fille d'Omar, Yasmin.*

*Deuxième mariage à Joliette, au Québec, en août 1992.
«Martine lance des confettis, comme dans les films.
Ça me fait plaisir. Il se met à tomber quelques gouttes
de pluie. Jay dit que sa mère nous bénit...»*

En compagnie de Desmond Tutu, le 10 mai 1994, lors de l'investiture présidentielle de Nelson Mandela.

Lucie et Jay avec Fidel Castro lors de l'investiture présidentielle de Nelson Mandela. Au premier plan, Joe Slovo, secrétaire général du Parti communiste, et la femme de celui-ci, Helena Dolny.

Robben Island, 1997. Lucie enregistre un documentaire radio dans la prison où Mandela purgea les deux tiers de sa peine. Elle est assise sur l'ancien lit de Mandela — une commodité à laquelle le célèbre prisonnier n'eut droit que pendant les toutes dernières années de son incarcération.

Lucie et Walter Sisulu, son voisin au Cap. Elle se promène souvent avec l'ancien secrétaire général de l'ANC et mentor de Nelson Mandela, qui fut aussi le compagnon de prison de celui-ci.

Jay et Terese, en 1994. Celle-ci, plus tard, fut assassinée par un cambrioleur qui vola sa voiture.

Après la naissance de Shanti, en juin 1995, la famille est réunie tandis que Nisha, la sœur de Jay, prononce la prière de naissance hindoue.

La famille de Lucie lors du troisième mariage, célébré en Inde en 1998. «C'est un mariage où nous célébrerons notre amour, intense, puissant, brûlant, et où nous unirons nos destins, cette fois-ci en toute connaissance de cause, avec les trois enfants.»

*« Nous avons vu l'amour, à Agra. Oui, vu! C'est le Taj Mahal.
Si grandiose et majestueux que les mots me manquent… »
De gauche à droite : Nisha, Léandre, Kami, Jay, Louise, Lucie, Shanti.*

*À dos de chameau avec Shanti, dans
le désert de Thar, en Inde.*

*Maria, la nounou des enfants,
en compagnie de Shanti, ci-dessus,
et de Léandre, ci-dessous.*

Jay, Kami et Shanti rencontrent Fidel Castro en septembre 1998. Lucie resta à la maison, ce jour-là, pour rédiger un reportage radio sur... la visite de Castro en Afrique du Sud!

Au coeur du Kwazulu-Natal, à Nongoma, avec le roi des Zoulous, sa majesté Goodwill Zwelithini.

Lors d'une célébration culturelle de l'Inde, au Cap, en 1999.

*L'arrivée de Jay à Cape Agulhas en Afrique du Sud,
à la fin du African Connection Rally, en 1999.*

Nelson Mandela et Kami, après le discours que Mandela prononça en tenant le petit dans ses bras parce que celui-ci s'était aventuré sur le podium, échappant un instant à l'attention de ses parents.

Lucie et Jay en compagnie de Graça Machel, épouse de Nelson Mandela.

*Photo prise lors de son premier dîner avec Mandela et signée
lorsqu'il est venu chez Lucie.*

*Mandela et Louise, la mère de Lucie, s'apprêtent à goûter le gâteau
aux couleurs du Québec et de l'ANC. Décembre 1993.*

quantité d'armes et d'explosifs. La plupart des hommes arrêtés sont membres de l'AWB, le mouvement d'extrême droite d'Eugene Terre'Blanche. L'ironie de son nom me frappe toujours.

Malgré les problèmes, malgré les longues files, partout les gens répètent qu'ils ont attendu toute une vie pour voter et qu'ils peuvent donc attendre encore quelques heures. Une femme âgée a littéralement attendu toute sa vie. Elle est morte, dans la queue, écrasée par la chaleur. Je suis restée figée quelques minutes en apprenant cette nouvelle à la télé. Il me semble que j'aurais aimé être là pour la soutenir, pour lui tenir un parapluie au-dessus de la tête, pour lui donner à boire, pour l'encourager et lui dire : « On arrive. Encore un peu, tenez bon, on arrive. » Mais elle est morte. Je la vois encore, écrasée par terre, sous le soleil brûlant.

La confusion est telle dans plusieurs bureaux de vote qu'on se demande si les élections seront valides et reconnues. On apprendra plus tard que certains fonctionnaires ont caché des millions de bulletins de vote, qu'on a retrouvés dans un entrepôt. Et ce sont dans les régions noires que le chaos a été « organisé ».

J'ai écrit des dizaines de topos depuis le début des élections. Mais je n'ai encore reçu aucun commentaire de Montréal. « Oui, Lucie. Allô, Lucie. Merci, Lucie. Une erreur ici, Lucie. Reprends ceci, Lucie. Bye, Lucie. » Oui, bye. Merci pour l'encouragement.

Aussi invraisemblable que cela puisse paraître, je n'ai aucun accès direct aux communiqués d'agences de presse, une des principales sources d'information. Je travaille maintenant pour Radio-Canada depuis de nombreuses années, dont trois en tant que correspondante. Or la CBC, le réseau anglais de Radio-Canada, a un bureau à Johannesburg. Un jour, je m'y suis rendue pour demander si je pouvais partager un coin de ce bureau pendant les élections afin de prendre connaissance des communiqués des agences pour mieux préparer mes reportages. «Le bureau est petit», me répond le correspondant de la CBC. Je regarde les nombreuses pièces de travail, la salle de montage et les bureaux autour de moi, et je dis : «Ah bon! Alors, puis-je au moins passer lire les communiqués de presse de temps en temps?» «Notre bureau est très petit», reprend mon «collègue». J'ai peine à croire que le gouffre entre Radio-Canada et la CBC atteigne de telles proportions, alors j'insiste. Et il répond, d'une voix tranchante : «Nos bureaux sont *trop* petits.» Je n'ai jamais remis les pieds à cet endroit. J'écris donc mes reportages sans accès aux communiqués des agences de presse. Pour un journaliste qui suit le développement de l'actualité d'heure en heure, cela demande dix fois plus de travail.

Une nouvelle revient sans cesse. Celle du trucage des élections dans certains endroits du pays, au Kwazulu-Natal surtout. L'ANC affirme avoir des preuves que l'Inkatha a établi des bureaux de vote pirates. Des membres de l'Inkatha auraient volé des bulletins de vote et procédé, à leur façon, au scrutin. La Commission électorale indépendante enquête présentement sur ces allégations.

Dans un pays «normal», on aurait dit : «Arrêtons tout. Ces élections sont un échec.» Dans certaines boîtes, on a trouvé des centaines de bulletins de vote pliés les uns dans les autres. Il est évident que les élections ont été truquées dans certaines régions. Mais déclarer l'échec, ce serait déclencher une guerre civile. Il faut donc espérer un échec raisonnable! Et c'est ce que la Commission électorale a fait. Elle a évalué les risques de chaos, considéré la gravité des trucages et conclu qu'il valait mieux vivre avec les fraudes. Au Kwazulu-Natal, l'annulation des élections aurait engendré des combats à grande échelle.

La télévision a montré, aujourd'hui, la plus vieille femme du pays, âgée de cent huit ans, se rendant voter pour la première fois de sa vie. Lorsqu'on lui a demandé de parler de ses souvenirs de la vieille Afrique du Sud, elle a répondu, simplement : « Quand j'étais petite fille, j'ai vu une étoile avec une queue. »

Au crépuscule du dernier jour de vote, un vœu a été réalisé. L'Afrique du Sud tourne enfin la page sur trois cent cinquante ans de colonialisme et d'oppression.

40

La victoire

Le vote a eu lieu. La violence politique semble vouloir céder la place à l'euphorie. Pour calmer l'impatience des gens en attendant l'annonce des résultats, les leaders politiques organisent, à la hâte, des activités socioculturelles. Le dépouillement du scrutin pourrait prendre jusqu'à dix jours!

Je ne tiens plus en place. Je suis crevée. Je me permets une sortie dans un restaurant, chose que je n'ai pas faite depuis longtemps. J'aime me rendre au restaurant Ba Pita, même s'il ne paie pas de mine. Il accueille les punks, les gais, les artistes, les motards, les couples mixtes, enfin, tout ce qui est différent ou marginal. Le volume de la musique est fort. La bouffe est simple et délicieuse. Le restaurant se trouve rue Rockey, à Yeoville.

Je sens une certaine allégresse chez les gens attablés au Ba Pita aujourd'hui. On parie plusieurs centaines de rands sur les résultats. On boit à la nouvelle Afrique du Sud. Quelque chose a changé.

Des communautés entières de Blancs, d'Afrikaners surtout, ont paniqué à l'approche des élections. Les compagnies qui vendent des haricots blancs et du thon en conserve ont fait fortune avant les élections, tant les gens stockaient. Ils stockaient tout ce qu'ils pouvaient. «Les communistes arrivent! Ils vont tout prendre, tout contrôler!» disaient-ils. Mais ce soir, dans le restaurant de la rue Rockey, la scène ressemble à une soirée de coupe Stanley. Une douzaine de personnes en délire sont penchées sur une table où s'accumulent les mises des parieurs. Ils se disputent en riant.

Encore dix jours, donc, avant les résultats… Tenir le pays en haleine de la sorte est risqué. Le peuple veut voir le nouveau président. On sait que Mandela sera élu, mais le pays devient impatient, et l'impatience, en Afrique du Sud, est dangereuse.

Le dépouillement du scrutin est une opération lourde et laborieuse. Les urnes des quelque neuf mille bureaux de vote doivent être acheminées dans huit cents centres de dépouillement différents. C'est la première étape. La deuxième consiste à établir, en faisant compter les bulletins de vote trois fois, par trois personnes différentes, si le nombre de bulletins retournés correspond à celui des bulletins envoyés aux bureaux de vote. Les bulletins sont ensuite triés. Chacun doit être vérifié par des observateurs indépendants. Enfin, les votes, les quelque quinze, dix-huit, vingt ou vingt-trois millions de votes — personne ne le sait encore — seront comptés.

Les prochains jours seront un casse-tête journalistique. Que dire pendant que les bulletins de vote sont épluchés au compte-gouttes?

C'est le martyre devant l'ordinateur. Je tourne en rond. Je sors peu. Tout se passe en direct dans les différents médias. Mais en fait, il ne se passe rien. Le président de la Commission électorale indépendante, le juge Johann Kriegler, est continuellement bombardé de questions, attaqué, accusé d'incompétence. La Commission admet, en quelque sorte, une certaine impéritie. Elle a mal évalué l'ampleur des élections!

Si les résultats politiques des élections tardent à venir, les résultats sociaux se font sentir. En neuf ans, plus de cent mille Sud-Africains sont morts de manière violente. Depuis une semaine, presque rien à signaler. Même au Kwazulu-Natal, les policiers et agents de la paix se tournent les pouces.

Le tableau se dessine lentement. L'ANC l'aurait emporté dans sept des neuf provinces; le Parti national l'emporte au Cap-Occidental et l'Inkatha, au Kwazulu-Natal.

La victoire du Parti national au Cap-Occidental peut étonner, *a priori*. La population de cette province est majoritairement métisse. On y retrouve aussi beaucoup d'Afrikaners; qu'ils votent pour le Parti national est compréhensible. Que les Métis, toutefois, réélisent le parti sous lequel ils ont souffert surprend même l'ANC. Il faut comprendre leur histoire pour interpréter ce geste électoral.

La population métisse est née au Cap. Tout a commencé avec l'arrivée, en 1652, du Hollandais Jan Van Riebeeck. Il est débarqué avec quatre-vingt-dix hommes pour établir un poste de ravitaillement au service de la plus importante entreprise commerciale du monde de l'époque, la Compagnie hollandaise des Indes orientales (United East India Company). Jan Van Riebeeck avait pour mission d'y construire un fort, de cultiver un potager et un verger, et de s'assurer que les vaisseaux de la compagnie puissent s'y approvisionner en eau fraîche et en nourriture. Car Le Cap, à mi-chemin sur la route entre l'Europe et les Indes, constituait un arrêt presque obligatoire. Alors surnommée le cap des Tempêtes, la pointe de l'Afrique représentait une dure épreuve à traverser pour les navigateurs. Les épaves, encore aujourd'hui, ne sont pas étrangères au paysage côtier du Cap.

Jan Van Riebeeck établit aussi des fermes, mais comme les Khoikhois et les Sans, les indigènes du pays, n'étaient pas intéressés à y travailler, il libéra des hommes de sa compagnie et leur demanda de devenir fermiers. Ce fut l'acte de naissance des Boers ou Afrikaners, les fermiers blancs d'origine hollandaise.

Jan Van Riebeeck avait reçu l'ordre de créer une petite Europe blanche sur cette pointe du continent africain. Son supérieur lui avait donné le mandat de creuser un canal pour bien marquer le territoire que s'appropriaient les Blancs, au nom de la civilisation, et créer ainsi une petite île blanche littéralement coupée du reste du continent. Mais Van Riebeeck, n'ayant pas à sa disposition la main-d'œuvre nécessaire pour ce projet extravagant, décida plutôt de planter une haie d'amandiers sauvages, aux épines pointues. L'effet symbolique fut le même. L'apartheid était né, même s'il ne sera baptisé ainsi que trois cents ans plus tard.

De l'autre côté de la haie, il y avait les premiers habitants de l'Afrique australe, et, selon certains scientifiques, les premiers hommes de la Terre. Petits de taille, ces hommes avaient une habileté extraordinaire pour la chasse (ils appliquaient un poison extrêmement puissant sur le bout de leur flèche). Ces peuples, qui parlaient une langue à « clics », les Européens les baptisèrent *Hottentots* et *Bochimans* (hommes de la brousse). Leurs descendants seront les vedettes du film *Les dieux sont tombés sur la tête*. En fait, il s'agissait des Khoikhois et des Sans, deux races très apparentées, qu'on regroupe aujourd'hui sous le nom de Khoisans.

À l'arrivée des Blancs, la population khoisan s'élevait à plus de deux cent mille personnes, mais un sport morbide autrefois pratiqué par des Blancs, celui d'aller à la chasse aux Khoisans — pour le plaisir de tuer —, l'a presque anéantie. On parle de génocide. Aujourd'hui, quelque cinquante mille Khoisans demeurent éparpillés en Afrique australe, la plupart ayant perdu leur langue et leurs traditions. Seuls quelques petits groupes de Sans vivent encore selon leurs traditions millénaires. La plupart ont maintenant l'afrikaans comme langue maternelle.

Le besoin de main-d'œuvre en masse pour effectuer les travaux dans les vignobles et les potagers de la colonie, et pour l'édification et l'entretien des demeures et des fortifications, poussa les Blancs à importer des esclaves. Certains venaient d'autres régions africaines comme l'Angola et Madagascar, mais une grande partie d'entre eux arrivaient de la Malaisie et de l'Indonésie, ce qui explique, aujourd'hui, la très grande proportion de musulmans parmi la population du Cap. Plus tard, après des guerres et des maladies, les Khoisans aussi furent intégrés à la population déjà très diversifiée du Cap, et les descendants du mélange entre les races — africaines, asiatiques et blanches — ont été baptisés Métis par les Blancs, même s'ils forment aujourd'hui un peuple hétérogène.

Les Métis constituaient une des quatre «races» sous l'apartheid. Mon ami Hein Willemse, un brillant chercheur, penseur et écrivain métis, préfère dire qu'il est d'origine malaisienne, blanche et angolaise. Pour lui, le terme «métis» ne désigne ni une origine ni une véritable identité.

Chez les esclaves, le mélange de races et d'origines a donné naissance à une nouvelle langue, un créole sud-africain appelé l'afrikaans. Très proche du néerlandais, cette langue a aussi des racines asiatiques et africaines. Aujourd'hui, deux peuples, les Afrikaners et les Métis, partagent cette langue, d'où l'expression *Afrikaners bruns* lorsqu'on parle des Métis. Mais il y a des nuances importantes entre l'afrikaans parlé par les Afrikaners et celui des Métis, comparables à celles qui existent entre le français du Québec et celui de France.

Les Métis sont pris entre deux réalités, n'étant ni tout à fait noirs, ni tout à fait blancs. Ils vivent dans des conditions misérables selon les standards des Blancs, mais bonnes du point de vue des Noirs qui sont encore établis, pour la plupart, dans des camps de squatters. Par exemple, les Métis ont habituellement l'eau courante à la maison, contrairement aux Noirs. Leurs quartiers sont plus près du Cap, construits en dur.

Victimes sous l'apartheid, mais un peu moins que les Noirs, les Métis se sentent aujourd'hui exclus sous le gouvernement de l'ANC, qui incarne la majorité noire. Voilà pourquoi les Métis se sont ralliés au Parti national, comme les Indiens du Natal l'ont fait, car ce parti dit représenter les intérêts des minorités.

Pendant l'apartheid, la peau des Métis était trop foncée. Aujourd'hui, elle est trop claire…

* * *

La Commission électorale n'a pas fini le dépouillement du scrutin, mais l'ANC décide de fêter sa victoire. Tant pis pour la bureaucratie… L'impatience de la population est trop grande. Les résultats partiels ne laissent guère de doutes quant à une victoire nationale pour l'ANC. Le reste n'est que statistiques.

Je décide de me rendre à la fête de l'ANC. Jay y est déjà. Il est tard, mais je ferai mon dernier topo de la journée après avoir vu de mes propres yeux la victoire célébrée. Mandela doit y être. J'appelle Omar pour qu'il vienne me chercher. Nous nous rendons au centre-ville, à l'hôtel Carleton. Il y a des barrages policiers partout, mais Omar réussit à convaincre les policiers de nous laisser passer.

En entrant dans l'ascenseur, j'entends déjà la célébration. Dans la salle, les fêtards flottent comme les centaines de ballons aux couleurs de l'ANC. J'arrive en même temps que celui qui est sur le point de devenir président de la «nouvelle» Afrique du Sud. L'ANC crie victoire!

Mandela est grippé. Il commence son discours, devant des dizaines de caméras nationales et internationales, en disant que son médecin lui a interdit de sortir du lit. «Ne dites à personne que vous m'avez vu ici ce soir», lance-t-il. La masse devant lui explose de rire. Je bois un verre de rhum avec du Coke. Puis un autre. Je danse avec la foule. J'observe et je prends des notes, ivre de plaisir, ivre de vivre ce beau moment avec ceux qui se sont tant battus pour ce grand jour. C'est un des plus beaux *parties* de ma vie.

J'aperçois le comédien américain Danny Glover, un acteur que j'aime bien et qui a investi une partie de sa fortune en Afrique du Sud pour soutenir les militants anti-apartheid, surtout chez les syndicalistes. Il joue dans *Lethal Weapon II*, entre autres. Ma scène préférée du film est celle où Glover entre dans l'ambassade d'Afrique du Sud aux États-Unis avec un copain blanc, joué par Mel Gibson. Gibson dit à l'employé de l'ambassade qu'un de ses amis veut immigrer en Afrique du Sud. «Pas de problème», dit le préposé. Quand Danny Glover se pointe, c'est évidemment la consternation. Un Noir, immigrer en Afrique du Sud?!

Bref, Danny Glover est sur le point de sortir. J'attrape Jay et le traîne littéralement vers Glover. J'arrive en face de ce grand de près de deux mètres et lui dis que je suis une fan. Il me serre la main distraitement et cherche la sortie. Je le retiens, disant vouloir lui présenter mon mari. Il se tourne et aperçoit Jay. Son visage s'illumine. Il lui saute dans les bras, l'embrasse dix fois, multiplie les accolades. Jay est son idole, dit-il. Il a toujours voulu le rencontrer. Il a suivi sa carrière dans les syndicats depuis le début, depuis 1979. Il l'encourage, lui dit de continuer, que le vrai travail ne fait que commencer.

Jay et moi dansons pendant deux bonnes heures. Mais je dois rentrer pour aller faire mes devoirs… J'écris mon topo :

«Sans attendre les résultats finals, le pays a crié victoire ce soir. Le président De Klerk s'est avoué vaincu et a félicité celui qui prendra sa place dans quelques jours. M. Mandela est arrivé en dansant pour prononcer son discours de victoire. À peine avait-il fini que des centaines de milliers de personnes sont sorties dans les rues aux quatre coins de l'Afrique du Sud pour célébrer. Le spectacle était incroyable. Noirs, Blancs, Métis, Indiens, il y avait des gens de toutes les couleurs qui dansaient, chantaient ensemble, qui s'embrassaient sans se connaître, qui pleuraient littéralement de joie. Dans la ville de Johannesburg, les rues étaient bondées; des gens étaient debout sur les toits des autos. Les feux d'artifice illuminaient le ciel.»

Je n'ai jamais de ma vie vu autant de gens heureux. Fous de joie. Les klaxons résonnent dans tout le pays. Le champagne, les larmes et les rires coulent à flots.

Quelques jours plus tard, la Commission électorale indépendante annonce les résultats en spécifiant que les élections ont été libres et démocratiques. L'ANC gagne avec 65,7 % des voix; le Parti national en a 20,4 %, l'Inkatha, 10,5 %, et le Front de la liberté, 2,2 %.

Le directeur de la Commission, le juge Kriegler, avait les yeux du monde entier posés sur lui durant cette dernière conférence de presse. Il avait les traits tirés. Il venait d'accomplir une tâche impossible : organiser la tenue de deux types d'élections en même temps (nationales et provinciales) dans un pays qui n'avait jamais connu la démocratie et où certains organisateurs des élections stockaient eux-mêmes des boîtes de conserve en craignant le pire. Le juge Kriegler a dit, en terminant son discours : «Il me reste une chose à faire. Dormir!»

C'est ce que j'ai fait aussi. C'est ce que Jay a fait. C'est ce que le pays a fait. Dormir — après quarante-huit ans d'apartheid, après des années d'insomnie.

41

La course contre la foule

Au Parlement du Cap, c'est la cohue totale. Quatre cents députés sont rassemblés dans le hall pour remplir des formulaires, signer des papiers, recevoir leurs différents laissez-passer, etc. C'est la première fois que cette vénérable institution ouvre ses portes à des Noirs qui ne soient ni laveurs de planchers, ni dames de thé, ni cireurs de chaussures.

Dans environ une heure, Nelson Mandela inaugurera les travaux du nouveau Parlement. Des centaines, voire des milliers de journalistes sont massés aux portes de l'édifice.

La foule à l'intérieur du Parlement n'est pas que noire. Elle est aussi femme! La lutte contre l'apartheid a peut-être éclipsé les autres luttes, mais elle ne les a pas anéanties.

«Députés par ici. Épouses, en haut», crie le portier de l'Assemblée nationale, en ce 9 mai 1994, aux députés qui doivent bientôt prêter serment. «En haut», c'est le balcon où depuis toujours les femmes admirent leurs maris députés. Et depuis toujours, le portier au Parlement du Cap en Afrique du Sud crie, les yeux fermés : «Femmes, en haut!»

Aujourd'hui, le portier se réveille. Des femmes, beaucoup de femmes, le regardent, l'examinent bien, esquissent un sourire et passent à côté de lui comme s'il était un automate dans un musée rappelant l'histoire honteuse de l'Afrique du Sud. Aujourd'hui, en cette veille de l'investiture présidentielle de Nelson Mandela, une centaine de femmes entrent fièrement prendre leur place sur un siège de l'Assemblée nationale. Les portiers en sont bouche bée.

Au centre de l'immense salle, le grand trône du président de l'assemblée est vide. Autour sont assis les quatre cents nouveaux députés et, au balcon, leurs femmes ou maris. Parmi les députés se trouvent des ex-prisonniers qui deviendront ministres et des femmes, dont certaines ont été battues et violées par leur mari ou bafouées par la société, des femmes, la tête recouverte de grands foulards colorés, qui laissent derrière elles, pour une fois, pour la première fois, la dure réalité sud-africaine. Tous les gens présents, ceux de l'extrême droite, de l'extrême gauche, de l'Inkatha, du Congrès national africain, du Parti national, Blancs, Noirs, Indiens, Métis, femmes, hommes, se regardent, s'observent, en se disant : « Voilà un plus juste tableau de notre société. » Tous attendent l'arrivée du nouveau président de l'Assemblée nationale.

Elle arrive... en sari. Frene Ginwala, une Sud-Africaine d'origine indienne, fait taire l'assemblée plus par hébétement que par respect traditionnel. Qu'une femme « noire » prenne la place réservée, depuis toujours, à un homme blanc tient presque de l'exploit. Frene Ginwala, assise sur ce grand trône, symbole même du racisme, du sexisme et de l'injustice, représente le fruit du cheminement de deux luttes en Afrique du Sud : la lutte politique et la lutte des femmes. Cependant, de même que la démocratie est beaucoup plus que d'avoir le droit de vote, l'émancipation des femmes est beaucoup plus que d'avoir une femme en sari assise sur un trône.

Les femmes partent de loin en Afrique du Sud, de très loin. Mais elles ont déjà fait un grand pas. À titre d'exemple, elles se sont battues pour obtenir une représentation d'un tiers au sein de l'Assemblée nationale *et* au sein du cabinet.

La première lutte a été gagnée dans les rangs de l'ANC : quatre-vingts des deux cent cinquante-deux députés de l'ANC sont des femmes. Mais là où se situe le vrai pouvoir, au sein du cabinet, la lutte a été perdue ; seulement deux des vingt-sept ministres sont des femmes. Et les neuf premiers ministres des provinces sont des hommes.

Bien que tout ne dépende pas d'une femme en sari assise sur un trône, l'événement est en soi un accomplissement important. Il est par contre encore impossible de juger du succès de la lutte des femmes, ou même de celle contre le racisme en Afrique du Sud. Le rideau se lève sur le «nouveau» pays et tout un spectacle est à prévoir.

Je suis assise au balcon. Pas celui qui est réservé aux journalistes, mais celui des «femmes» — devenu aujourd'hui celui des «époux», des deux sexes.

Je suis ici en tant que journaliste. Les places sur la tribune de la presse étaient trop peu nombreuses pour accueillir tous les reporters venus du monde entier pour assister à l'événement. J'ai donc profité de mon nouveau statut de femme de député — et, très bientôt, de femme de ministre. Désormais, j'aurai en effet à composer avec cette nouvelle double identité : «*Mrs.* Naidoo», épouse de monsieur le ministre, et Lucie Pagé, journaliste.

Pour l'instant, j'observe tout et je prends des notes. Les expressions des visages, les souliers polis, les saris et foulards colorés, le velours des sièges coussinés. Autour de moi, des femmes, toutes plus endimanchées les unes que les autres, coiffées, pour la plupart, d'un chapeau reflétant leur nouveau statut de «femme de ministre» ou de «femme de député», et des hommes mal à l'aise, qui se cherchent une attitude à adopter, en tant que nouveaux membres masculins de ce balcon jadis exclusivement féminin. Je ne porte ni chapeau ni robe, ayant préféré le pantalon. Je ne comprends pas, par ailleurs, cette coutume qu'ont les épouses de porter un chapeau au Parlement. Je me sens un peu déphasée, assise à la mauvaise place, dans le mauvais rôle...

Au bout de quelques minutes d'ailleurs, un huissier vient m'aviser que je n'ai pas le droit d'écrire.

— Et pourquoi n'aurais-je pas le droit d'écrire?

— C'est le règlement, madame.

— Mais je dois écrire.

— Je m'excuse, madame, mais alors je devrai vous faire sortir.

C'est le silence dans l'assemblée. Mandela doit arriver d'un instant à l'autre. Et moi, je me bute à cet huissier zélé. J'ai besoin de prendre des notes, car j'ai un reportage à transmettre dans quelques heures. Je continue à écrire.

— Je vous demanderais, madame, de bien vouloir ranger votre stylo ou de sortir. C'est le règlement, me répète l'homme, impatient, sur un ton qui attire l'attention des gens autour de nous.

— Expliquez-moi donc, cher monsieur (mes enfants reconnaîtraient ce ton qui annonce l'explosion), d'où vient ce règlement et pourquoi il existe. Je ne le comprends pas.

— Madame, c'est le règlement.

— Pourquoi existe-t-il?

Je m'aperçois que tout le monde nous regarde. Ce stylo, c'est l'outil de ma mémoire, et un événement historique est sur le point de se dérouler sous mes yeux! Je me dis que je continuerai à écrire, qu'il devra bien me sortir de force. Mais tout à coup, je réalise que c'est Jay qui serait éclaboussé par un esclandre. À regret, je range mon stylo et mon calepin. L'huissier me fait un petit sourire qui signifie «j'ai gagné». Mon orgueil est balafré.

Je n'assisterai plus à de telles séances parlementaires spéciales. Je préfère de loin tout suivre en direct à la télévision pour pouvoir prendre des notes. Car lorsque je recevrai une invitation pour assister à un discours du trône ou un autre événement officiel, c'est que celui-ci est important et, donc, qu'un reportage s'impose!

L'assemblée se tait. La salle semble parcourue d'une vibration silencieuse aussi puissante qu'une décharge électrique. Nelson Mandela fait son entrée. L'émotion est trop forte : le Parlement explose sous les applaudissements, les cris, les chants, les larmes. Une vague de frissons me traverse le corps comme un éclair. C'est un moment incroyable, difficile à expliquer. Je cherche déjà les mots pour mon reportage. Nelson Mandela marche de son pas habituel, lent, sûr, mesuré, calme, vers le lutrin. Son sourire décrit sa fierté. Ses rides rappellent sa lutte derrière les barreaux, rappellent surtout le nombre d'années qu'il a sacrifiées pour ce pays.

Tous les yeux le suivent jusqu'au devant de l'assemblée. Derrière lui, Frene Ginwala, sur le trône, le regarde avec des yeux admiratifs. Cet homme noir, un ex-prisonnier longtemps considéré comme communiste, comme terroriste, prend la place réservée, depuis toujours, à un homme blanc. L'assemblée qui le sonde est multicolore; les portiers, les gardiens de sécurité et tout le personnel blanc la regardent comme s'il s'agissait d'un rêve, comme si, à tout instant, un réalisateur de cinéma allait crier «Cut!» pour les ramener à leur réalité.

L'ex-président F. W. De Klerk est assis avec Thabo Mbeki de l'ANC. Tous deux sont vice-présidents comme le prévoit la Constitution intérimaire. Lorsque rien n'allait plus dans les négociations entre l'ANC et le Parti national, le président du Parti communiste sud-africain, Joe Slovo (ministre du Logement dans le gouvernement Mandela, jusqu'à sa mort le 6 janvier 1995), a proposé ce qu'on appelle la *Sunset Clause* et qui prévoit un partage des pouvoirs pendant le premier mandat du gouvernement démocratique. Ce gouvernement d'unité nationale devra négocier et approuver la Constitution post-apartheid définitive. La clause stipule que tout parti qui récolte plus de vingt pour cent des voix obtient un poste de vice-président, et un poste de ministre avec cinq pour cent des votes. Le Parti national a tout juste obtenu vingt pour cent des votes et c'est ainsi que Frederik De Klerk est devenu vice-président. Il est quand même assez incroyable que l'ancien chef du gouvernement occupe, volontairement, une place de second rang. Et même de troisième, car Thabo Mbeki est le «premier» vice-président. De Klerk est, sans contredit, un homme de courage. Il a libéré Mandela, a légalisé son mouvement, et a assuré à ce même homme la prise du pouvoir. J'essaie de comprendre ce qui se passe dans sa tête en cet instant et j'ai peine à l'imaginer.

Mandela commence son discours. J'en mémorise les plus belles images. «Nous célébrons aujourd'hui non pas la victoire d'un parti, mais celle de tout le peuple sud-africain», dit-il. J'aimerais ressortir ma plume et mon calepin, mais, du coin de l'œil, je m'aperçois que le garde de sécurité qui a bien failli m'expulser me surveille de la même façon.

Nelson Mandela termine son discours ainsi : «Depuis 1880, nous nous battons pour une Constitution démocratique. Et nous plaçons notre vision d'un nouvel ordre constitutionnel pour ce pays sur la table, mais non pas en tant que conquérants, dictant aux conquis la façon de faire. Nous parlons en tant que compatriotes avec l'intention de construire un nouvel ordre basé sur la justice pour tous. Voilà le défi auquel nous faisons face, et je suis certain que nous le relèverons.»

Il est passé midi. Je n'ai pas de téléphone pour envoyer mon topo, qui n'est d'ailleurs pas encore écrit. Le téléphone cellulaire a fait son entrée il y a seulement quelques semaines en Afrique du Sud et, de toute façon, je n'ai pas les moyens de m'en payer un. Radio-Canada ne veut pas payer non plus…

Après la cérémonie à l'intérieur du Parlement, Mandela doit livrer un discours devant une foule de plusieurs centaines de milliers de personnes qui attendent dehors, sous un soleil cuisant, à un kilomètre d'ici. Je dois aussi trouver le temps de m'y rendre avant d'envoyer mon topo.

Je sors du Parlement pour y aller, en autobus. C'est encore la cohue. Les rues sont bloquées, des gens, partout, font le *toyi-toyi*; les caméras et les appareils photo déroulent des kilomètres de ruban. Assise dans l'autobus, je prends quelques notes tout en observant ce qui se passe à l'extérieur. À voir le visage des gens, on dirait que des centaines de milliers de personnes ont gagné le gros lot à la loterie aujourd'hui.

Le voilà enfin qui arrive! C'est la folie dans la foule. On pleure, on rit. C'est le bonheur. C'est la libération. C'est le plaisir total qui se lit partout. Nelson Mandela sait parler aux foules… Les frissons passent et repassent comme si mon doigt était resté coincé dans une prise de courant.

Aussitôt le dernier mot prononcé, je cours vers une chambre d'hôtel que m'a prêtée un ami pour que je puisse appeler à Montréal. J'ai trente minutes devant moi. Je bouscule les gardiens de sécurité, je fonce à travers la foule de cinq cent mille personnes pour me frayer un chemin. Je pense à Gilles Le Bigot, à ce qu'il dira si j'arrive en retard. Des journées comme celles-ci, quand les yeux du monde entier sont braqués sur un événement politique de cette ampleur, il lui faut absolument un topo. Ce sont de tels événements qui justifient la présence de correspondants à l'étranger. Depuis trois ans, je n'ai jamais raté mon heure de tombée. Je n'ai jamais dit non à Gilles. Mais me voilà prise dans une foule, cette même foule qui est l'objet de mon reportage et qui m'empêche de passer. Je pousse les gens, je me fais tirailler. J'écris dans ma tête le topo que je lirai. Et je fonce. Il y a les barrages policiers à traverser, l'hôtel à trouver…

Quatorze heures sonnent. Le bulletin d'informations de Radio-Canada débute à l'autre bout du monde. Je suis toujours prise dans cette immense foule. Les rues sont bloquées. Je me penche pour passer entre des jambes. C'est plus facile, mais plus dangereux aussi de se faire écraser. Je fais dix mètres à quatre pattes sur le ciment. Le bulletin d'informations continue, sans mon topo, sans *la* nouvelle du jour. Je panique. Tous les réseaux de la planète ont un topo en direct. Et Radio-Canada, où l'on s'est fié à moi pendant toutes ces années, n'a rien...

J'arrive enfin à l'hôtel. Il est quatorze heures quinze. Je suis à bout de souffle. J'ai mal aux genoux. Je suis en nage. J'ai envie de pleurer. Je me faufile discrètement, à l'insu des gardiens de sécurité de l'hôtel, car il m'aurait fallu encore cinq bonnes minutes pour négocier avec eux mon droit d'entrée.

Arrivée dans la chambre, je lance tout sur le lit et je saute sur le téléphone, comme si j'avais hâte de me faire crier après. Et quel savon! Gilles n'est pas content. Mais pas du tout! Il m'engueule comme du poisson pourri. J'ai envie de tout lâcher, de lui dire qu'il peut se trouver un autre poisson qui acceptera de travailler pour moins que rien, de payer de sa propre poche les mille deux cents rands qu'il en coûte pour se rendre au Cap depuis Johannesburg. Gilles m'engueule et, silencieusement, tout lâche. Je pleure. Il me dit que j'aurais pu préparer un reportage d'avance en faisant «comme si» l'événement s'était déjà produit. Un reportage de sécurité. Je n'avais jamais fait ça.

Gilles veut le reportage pour le bulletin de neuf heures à Montréal. Il est huit heures vingt-cinq. Les yeux embrouillés, le cœur rempli de honte et de rage, je raccroche. Écrire en si peu de temps représente un stress que je déteste, mais qui me stimule. Il me reste vingt-cinq minutes. L'émotion m'étouffe et embrouille mes idées. J'ai envie de tout plaquer, de partir, de me sentir libre et maître de ma vie. Au diable, Radio-Canada! Au diable, Gilles Le Bigot! Au diable, le journalisme! Mais je rappelle enfin Montréal.

«C'était un spectacle extraordinaire, ce matin, au Parlement du Cap, un spectacle jamais vu en Afrique du Sud. Ceux qui ont protesté et manifesté devant cet édifice réservé aux Blancs pendant trois cent quarante-deux ans, ceux et celles qui ont souffert, ont été torturés et emprisonnés, sont entrés pour la première fois de leur vie dans ce Parlement et ont pris leur siège dans l'Assemblée nationale. M. Mandela a fait son entrée avec ses deux vice-présidents, messieurs Thabo Mbeki et Frederik De Klerk. Les quatre cents députés de l'Assemblée nationale ont élu Nelson Rolihlahla Mandela premier président démocratiquement élu en Afrique du Sud. Une ovation s'est élevée quand il a embrassé le chef de l'Inkatha, M. Buthelezi, et le leader de l'extrême droite, le général Viljoen. Dehors, des centaines de milliers de personnes chantaient et dansaient. Du même balcon où il avait fait un discours au moment de sa libération en février 1990, le président Mandela a déclaré : «Vous voulez un nouveau pays? Vous l'aurez! L'Afrique du Sud fête la victoire non pas de l'ANC, mais celle du peuple.» La foule a crié sa joie. Jamais ce pays n'aura vu autant de visages heureux. L'investiture présidentielle se fera demain, à Pretoria, devant le plus important rassemblement de chefs d'État jamais vu au monde.»

Je sors de l'hôtel, soulagée d'avoir fini. Mais ce soulagement ne réussit pas à atténuer le sentiment de honte et de culpabilité qui m'envahit. Je vais m'asseoir à la terrasse de l'hôtel et je commande une bière. C'est le bonheur partout. Les gens fêtent, boivent et rient. Des ballons flottent dans le ciel. Les mendiants profitent de l'exaltation des gens pour leur soutirer quelques sous. Mais mes yeux s'embrouillent. Je reconnais des amis et je me cache derrière le menu. Je ne veux voir personne. Je voudrais me libérer de ma peau, de mon corps, monter dans l'atmosphère comme ces ballons et crever sans rien sentir. Pouf! Comme ça. Vite comme ça. J'ai tout fait, ce matin, pour faire un bon travail. Mais j'ai raté ma tombée. Il est inacceptable de rater sa tombée.

42

Jamais, plus jamais

À l'investiture présidentielle qui doit avoir lieu à Pretoria dès le lendemain assisteront des princes, des rois, des premiers ministres, des présidents, tout le gratin politique international, de Fidel Castro à Yasser Arafat. Sans compter Whoopi Goldberg, le geôlier de Mandela et des centaines d'invités spéciaux.

J'appelle Gilles Le Bigot.

— Prépare un reportage tout de suite. Anticipe la nouvelle.

— Mais Gilles, il faut que j'y sois allée avant.

— Non, prépare quelque chose tout de suite.

Bien sûr, je ne veux pas répéter l'échec du Cap.

— Je n'ai pas de téléphone cellulaire. Il faudra donc que je reste à la maison pour tout suivre en direct.

— Reste à la maison si tu préfères, mais il nous faut des topos.

— Mais l'émotion n'y sera pas.

— Il nous faut des topos.

— Je ne peux pas ne pas y assister. Il me faut un cellulaire.

— Alors trouve-t'en un.

Je m'en procure un. À mes frais, évidemment… Je ne peux tout de même pas me trouver en Afrique du Sud et ne pas être présente aux Union Buildings, à Pretoria, quand

Mandela lèvera la main pour prêter serment et devenir enfin président.

Je rédige donc un topo d'avance pour éviter une scène comme celle d'hier, puis je me couche, surexcitée. Je dors mal, réécrivant le texte dans ma tête toute la nuit.

Tôt le matin, Jay, Omar, Colette et moi nous rendons à mi-chemin entre Johannesburg et Pretoria. Impossible d'aller aux Union Buildings en auto. Les routes seront fermées et on ne laissera passer que les autobus autorisés.

Nous montons dans un de ces autobus. Tout le monde est endimanché. L'excitation se sent partout. Soudain, je deviens blême. Jay me demande ce que j'ai. Catastrophe! J'ai oublié le téléphone cellulaire dans l'auto!

Catastrophe de catastrophe! J'ai même donné à Gilles Le Bigot le numéro de téléphone pour qu'il puisse m'appeler, car il est encore impossible de faire des appels outremer à partir des cellulaires sud-africains, à moins d'avoir une autorisation spéciale, un mot de passe, un gros compte en banque et je ne sais quoi d'autre!

Je suis en proie à la panique la plus complète. En fait, durant le voyage, je passe par tous les états d'âme possibles : la colère fait suite aux larmes, puis la peur, le désespoir, et, enfin, l'espoir. Je dois trouver un autre téléphone! Jay tente de me calmer. Mais je le sens inquiet; il sait que la seule condition à ma présence à l'événement historique d'aujourd'hui était le téléphone! «Je t'en trouverai un. C'est promis», me dit-il. Et je trouverai bien quelqu'un pour appeler Gilles à Montréal et lui donner mon nouveau numéro de téléphone.

Lorsque nous entrons dans Pretoria, les chars d'assaut, les policiers, les barrages routiers, les fils barbelés rappellent l'histoire encore récente. Des autobus bondés, à la queue leu leu, arrivent aux Union Buildings, le siège du gouvernement.

Aujourd'hui, Pretoria brille comme jamais auparavant. La foule attend déjà. Des ballons flottent dans le ciel. Le nouveau drapeau à six couleurs — vert, noir, jaune (couleurs de l'ANC) et rouge, bleu, blanc (couleurs de l'ancien drapeau, ou presque, le rouge remplaçant l'orange) — ondoie partout dans la foule. Ce drapeau n'a pas encore d'histoire : il annonce tout simplement un changement.

J'ai le privilège d'avoir une place avec Jay parmi les *VIP*, à dix pas de l'estrade. Plus loin, sur la vaste colline gazonnée, cent mille personnes, et même plus, sont rassemblées, prêtes à faire le pas, avec Mandela, pour passer de l'autre côté de la clôture, dans le champ, espère-t-on, de la justice, de la liberté et de l'égalité.

Jay et moi partons immédiatement à la recherche d'un téléphone. Mathapelo, la secrétaire de Jay, a offert de nous aider. Elle revient trois minutes plus tard en me désignant du doigt Zwelinzima Vavi, le secrétaire général adjoint du COSATU. Il est debout, parlant au téléphone! Je vais à sa rencontre. Je le connais assez bien. Il est jeune, environ trente-trois, trente-quatre ans. Il n'est pas certain de son âge exact… Comme des centaines de milliers d'Africains, il ne connaît pas sa date de naissance. Il vient d'un petit village où il n'y avait ni médecin ni registre des naissances. Un prêtre a choisi pour lui, au hasard, le 20 décembre 1962, date qu'il ne célèbre pas. Je lui demande s'il a besoin de son téléphone, aujourd'hui, puis, sans attendre la réponse, j'ajoute que moi, j'en aurais grandement besoin. En fait, dis-je, son téléphone me sauverait du pire des cauchemars. Il hésite. Et je renchéris. Je tape le clou si fort qu'il finit par me donner son appareil comme si c'était une patate chaude. J'appelle Logie, le frère de Jay, qui se charge de téléphoner à Gilles pour lui donner le numéro de ce téléphone.

Les dignitaires commencent à arriver. Je n'ai jamais vu autant de gardes du corps. Il y en a plus que d'invités! En me voyant arriver avec Jay, Buthelezi se lève, avec son entourage, pour nous céder deux places. Jay le salue poliment et ils échangent quelques mots. Hier, Buthelezi souhaitait publiquement la mort de Jay. Aujourd'hui, il lui offre son siège. Les temps ont changé...

Jay et moi nous amusons à identifier les dignitaires au milieu des agents de sécurité. J'aperçois, de dos, quelqu'un avec une pièce d'étoffe noir et blanc sur la tête. Yasser Arafat. Et là, c'est Hillary Clinton. Et qui est cet homme entouré de douze gardes du corps? On le voit à peine au centre d'un tel bouclier humain. C'est Fidel Castro, le chef d'État qui a, paraît-il, reçu le plus de menaces de mort sur la planète. Je cherche Jean Chrétien, le premier ministre du Canada. Il n'est pas venu. Dommage. Le Canada a pourtant soutenu et encouragé la lutte anti-apartheid toutes ces années.

Je laisse Jay et vais me réfugier dans un escalier à l'intérieur des Union Buildings. J'ai besoin de quelques minutes pour écrire un nouveau topo. J'ai l'impression que je m'apprête à décrire la journée la plus importante de l'histoire de ce pays. Les mots me viennent aisément :

«Le président Nelson Mandela, premier président élu démocratiquement, reçoit aujourd'hui ses pleins pouvoirs. Partout les gens disent, "Je suis libre, je suis libre. Vive l'Afrique du Sud libre!" Des centaines de milliers de personnes fêtent dans les rues et crient victoire. C'est le bonheur et la paix, aujourd'hui, qui coulent à flots. Des ennemis s'embrassent, se disent «recommençons». L'Afrique du Sud est un nouveau pays, les gens ont un nouvel espoir, l'espoir que jamais, plus jamais ce pays ne connaîtra les horreurs des siècles passés. Oui, vive l'Afrique du Sud libre!»

Je me relis et je me demande si je n'y vais pas un peu fort. *Vive l'Afrique du Sud libre.* Non, je ne le crois pas.

Je n'apprendrai que bien plus tard que ces quelques mots ont été l'objet d'un débat à Radio-Canada. Certains y ont vu une évocation des mots de Charles de Gaulle, au balcon de l'hôtel de ville de Montréal, en 1967 : «Vive le

Québec libre.» Mais mon reportage sera finalement diffusé tel quel.

Quant à moi, ce sont les mots *jamais, plus jamais*, qui me donnent la chair de poule. Je les ai écrits dans ma tête, hier soir, sur l'oreiller, en essayant de m'endormir. Aujourd'hui, je les *vois* sur les visages noirs ou blancs, indiens ou métis. On voit la fierté et la dignité sur les visages noirs, le soulagement de la culpabilité qui écrasait les épaules blanches. C'est la liberté… C'est comme si les gens se rendaient compte, tous ensemble, aujourd'hui seulement, combien ridicule était l'apartheid.

Quand Mandela monte sur l'estrade, le barrage cède dans la foule! Tout explose. La masse crache son trop-plein de liberté à la face du monde. Elle semble soûle d'extase.

Enfin, la foule se tait. Je peux voir les frissons courir sur les échines et secouer les épaules. Un frisson semblable me transperce la peau, à moi aussi, malgré le soleil plombant.

«I, Nelson Rolihlahla Mandela, do hereby swear to be faithful to the Republic of South Africa. [...] So help me God.»

C'est l'ovation. Évidemment. Puis un impressionnant spectacle aérien prend tout le monde par surprise. Les avions de l'armée, de la SADF, de l'institution même qui a écrasé la révolution au cours des années, passent au-dessus des têtes. Les mêmes hommes, aux mêmes commandes, célèbrent celui qu'ils ont eux-mêmes poursuivi et emprisonné.

Dans son discours, Mandela me surprend en utilisant les mêmes mots que ceux de mon topo. Il dit : *«Never, never and never again shall it be that this beautiful land will again experience the oppression of one by another and suffer the indignity of being the skunk of the world. Let freedom reign.»* (Jamais, jamais, plus jamais ce magnifique pays ne connaîtra l'oppression d'un peuple par un autre et souffrira-t-il d'être le paria de ce monde. Que la liberté triomphe!)

Le dîner a lieu à la résidence officielle de l'ex-président De Klerk, auquel seuls les «grands» de ce monde assistent. Pas de journalistes. Bien que j'y accompagne Jay, je ne couvrirai pas l'événement, par principe. Dehors, on a dressé une immense tente. Sous le chapiteau, je me balade parmi les célébrités. Jay et moi prenons place à une table voisine de celle d'Arafat. Et puis j'aperçois Castro. Je veux aller le rencontrer. Son nom a si souvent été prononcé dans notre maison par mon père, qui était fasciné par lui. Je voulais pouvoir dire à mon père que j'avais serré la main du chef d'État cubain. Je tire Jay par le bras et je l'amène vers Castro, qui est entouré de gardes du corps. Je me fraie un chemin à travers les bras, entre les gens, pour arriver jusqu'à lui. Nous y voilà. Même si Castro parle l'anglais, il ne s'adresse jamais aux gens dans cette langue. On lui présente Jay. J'en perds mon espagnol. Je lui serre la main, toute souriante. Puis, il embrasse Jay et le serre dans ses bras. Il connaît Jay et le félicite pour son travail en Afrique du Sud. Je lance mon appareil photo à un garde du corps et lui ordonne de prendre une photo sur-le-champ. Je me plaque devant Castro. Clic.

Nous sommes encore étouffés par les émotions de la matinée. Jay surtout. Il ne cesse de me répéter que les deux dernières décennies de sa vie prennent enfin tout leur sens. Mandela livre un autre discours. Encore des émotions! C'est presque trop, pour une journée.

En sortant, je tombe sur l'archevêque Desmond Tutu, prix Nobel de la paix de 1984 et fervent opposant à l'apartheid. Je ne lui avais encore jamais parlé. C'est une belle personne. Il brille par sa bonne humeur et son sourire. Ses mains sont chaudes. Son accueil aussi. Clic! Une autre photo-souvenir.

C'est fini. Enfin presque. Il me faut encore faire… un dernier topo! Je le termine ainsi: «*Sekunjalo enako.*» «Le moment est venu» de rebâtir ce pays!

Ce reportage, quant à lui, termine un cycle pour moi, celui de la couverture étourdissante du dernier chapitre de ce «long chemin vers la liberté», pour reprendre l'expression de Mandela. Les derniers mois ont été un crescendo ininterrompu, où la tension, la peur, la frénésie et l'émerveillement se sont succédé.

Je resterai cependant un peu amère et, surtout, infiniment seule. À l'autre bout, à Radio-Canada, jamais un signe, pas un encouragement, rien ne m'avait été adressé. Peut-être est-ce la rançon de l'exil journalistique.

Ce n'est que quatre mois plus tard que je recevrai une note que m'avait écrite le rédacteur en chef des nouvelles de Radio-Canada, M. Richard Sanche, deux jours après l'investiture présidentielle. Il me remerciait pour mes reportages sur la fin du régime de l'apartheid : «La qualité de votre travail, votre connaissance du sujet et la visualisation de vos "topos" ont permis à nos auditeurs de "vivre" cet événement historique.»

Si vous saviez, M. Sanche, combien ça m'a fait plaisir de couvrir cet événement...

43

Rivonia

Quelques jours après les élections, Nelson Mandela a téléphoné. Jay est allé le rencontrer et Mandela lui a annoncé qu'il serait ministre. Jay s'attendait à un tel poste, qu'il a accepté, évidemment.

Moi, je n'étais pas préparée pour ce qui venait. En peu de temps, Jay faisait les manchettes à titre de «ministre sans portefeuille responsable du Programme de reconstruction et de développement de l'Afrique du Sud dans le bureau du Président». C'était son titre officiel! Il était le seul ministre sans bureau ni employés. Il a dû rédiger sa propre description de tâches. Son rôle consistait en fait à travailler avec tous les autres ministères, car avec le nouveau gouvernement venaient de nouvelles priorités, les principales étant le développement en région rurale et la distribution de services aux démunis. Jay devait s'assurer que tous les ministères intègrent l'ambitieux plan de l'ANC pour reconstruire le pays et développer son potentiel. J'ai vu l'ébauche de ce «Programme de reconstruction et de développement» naître sur ma table de cuisine, avec Jay et son grand ami et collègue, un autre Jay Naidoo. Cette histoire mérite une petite parenthèse.

Cet autre Jay Naidoo s'appelle, dans les faits, Jayendra Naidoo, tandis que le prénom de mon mari, au long, est Jayaseelan. Les deux hommes, aux racines tamoules, sont originaires de Durban (les Jay Naidoo de Durban sont comme les John Smith des Anglais) et se connaissent depuis plus de vingt ans. Ils ont toujours travaillé ensemble, de près ou de loin. Les médias les ont baptisés « Big Jay » pour Jayaseelan, parce qu'il était le grand chef du COSATU, et « Small Jay », ou « Baby Jay », ou « Jay Junior » pour Jayendra, qui avait une position hiérarchique moins élevée dans la politique. (Physiquement, cependant, il en est tout autrement; mes enfants ont d'ailleurs toujours appelé Jayendra « gros Jay » parce qu'il est grand et large d'épaules.) Évidemment, l'homonymie des noms a créé certaines confusions qui ont fait la manchette. Par exemple, Jayendra avait critiqué Buthelezi et son parti, l'Inkatha, et le *New York Times* avait attribué la remarque à mon mari. Une autre fois, Jayendra avait dit, en riant, qu'on devrait peut-être taxer les piscines des Blancs pour financer des projets pour les Noirs, et mon mari avait dû nier, devant les médias, avoir formulé pareil commentaire. Pour mettre fin à ces problèmes, Jayendra utilisera désormais son nom au long.

Jayendra s'est marié, en 1995, avec Liv Torres. Liv est blanche, comme moi, née en 1961, comme moi, dans la neige, mais en Norvège. Elle a une fille en garde partagée entre deux continents, du même âge que Léandre. Liv a tout vendu à l'autre bout du monde pour venir ici, comme moi... Voilà pour la parenthèse.

Notre maison de Bez Valley, que nous partageons avec les rats, n'est pas à la hauteur pour recevoir les visiteurs de monsieur le ministre. Pour les amis, ça va. Pour le président, ça va. Mais pour les *VIP*, ça ne va pas du tout!

Nous décidons de déménager. C'est mon ami Hugh Lewin, le vice-directeur de l'Institut pour l'avancement du journalisme, et sa conjointe, Fiona, qui achètent notre maison. Hugh est auteur, journaliste et militant politique. Blanc. Il a écopé de sept ans de prison pour avoir posé une bombe dans le cadre de la lutte armée de l'ANC et a écrit un livre par la suite, racontant ses années en prison, *Bandiet*. Hugh a dû s'exiler, d'abord à Londres et ensuite au Zimbabwe, pour éviter la persécution, la mort peut-être, la torture sûrement.

Quand Hugh et Fiona sont venus visiter la maison, ce fut le coup de foudre. Vendue! En sortant, Léandre a dit à Hugh, dans son joli petit accent anglais-indien de Durban : «Maman a tué un rat ce matin. Regardez! Il est là!» Tout fier de l'exploit de sa maman, il raconte comment, debout sur le sofa, je l'ai tué avec le manche à balai pendant que lui criait «Tape plus fort! Tu l'as! Tape!» Il précise même que ce n'est pas le premier. J'ai rougi. Hugh regarde vers le court de tennis. Il doit y avoir cinq ou six rats morts, que j'y lance de temps à autre. Même les exterminateurs n'en sont pas venus à bout. Hugh me regarde, surpris. Mais il n'a jamais rien dit. Il adore la maison. Notre relation d'amitié est trop belle de toute façon pour parler de rats. Léandre m'a en fait rendu un grand service en dévoilant le seul secret honteux de cette demeure.

Jay et moi sommes des impulsifs. Or l'impulsion n'est pas recommandée pour acheter une maison, paraît-il. Un agent immobilier nous a amenés voir une maison à Rivonia, un quartier classé «moyennement» riche, à une quinzaine de kilomètres de Johannesburg. Nous l'avons achetée sur-le-champ. Nous avons sans doute été en partie influencés par la présence de deux proches amis à quelques minutes de marche : Allister Sparks, mon patron à l'Institut, et sa femme, Sue, avec qui je peux parler ma langue maternelle.

Le terrain a une acre. Les enfants ont amplement l'espace pour jouer, chose nécessaire puisqu'ils ne peuvent pas sortir de la propriété pour s'amuser avec les enfants du quartier. Celle-ci est clôturée par un gros mur de ciment de deux mètres et demi de hauteur. Tout blanc. Sur le dessus des murs, il y a des pics en acier qu'il faudra remplacer par des plus solides, profession de ministre oblige. Plus tard, lorsque nous partirons et louerons la maison, il faudra faire installer des fils électrifiés. Les locataires recevront quand même la visite de cambrioleurs à quatre occasions...

Rivonia est le quartier où, en octobre 1961, Mandela avait établi, dans une maison relativement isolée appelée «Lilliesleaf Farm», le quartier général où étaient planifiées les opérations clandestines de l'ANC (qui avait été banni l'année précédente), et plus précisément des activités de l'Umkhonto we Sizwe, sa branche armée. La ferme avait été secrètement achetée par le Parti communiste et camouflée en centre d'équitation.

Nelson Mandela et ceux qui deviendront ses compagnons de prison, Walter Sisulu, Ahmed Kathrada et Govan Mbeki (le père du premier vice-président, Thabo Mbeki), avaient esquissé ici un projet d'attaque qui devait mobiliser des troupes d'autres pays, des sous-marins et des avions militaires. Cette opération ambitieuse, voire complètement irréaliste, avait été appelée «Opération Mayibuye».

Le 11 juillet 1963, un camion d'une entreprise de nettoyage à sec arrive à Lilliesleaf Farm. Mais c'est une meute de policiers et de chiens qui en émerge. Sisulu, Kathrada et Mbeki se faufilent par la fenêtre d'en arrière, mais sont vite attrapés. (Mandela est déjà en prison depuis un an, purgeant une peine de cinq ans pour sabotage.) La police confisque des centaines de documents, certains de la main de Nelson Mandela, qui sera ainsi jugé en tant que chef de l'Umkhonto we Sizwe. Ce fut le début du célèbre *Rivonia Trial*, le procès de Rivonia, qui a changé le cours de l'histoire sud-africaine.

Mandela et ses collègues s'attendaient à subir la peine de mort. Ils ont été soulagés par la sentence rendue. En juin 1964, des neuf accusés, huit seront condamnés à la prison à vie avec travaux forcés. C'est à cette occasion que Mandela a prononcé une des plus célèbres phrases de sa vie, une phrase qu'il a répétée lorsqu'il est sorti de prison : « Je suis prêt à vivre pour cette cause, mais, s'il le faut, je suis prêt à mourir.» Rivonia fut dès lors inscrit dans le destin du pays.

Et désormais, il fait partie du mien... Rivonia, c'est chaleureux comme quartier. Beaucoup d'arbres, une petite rivière, et la paix. Du moins pour l'instant.

C'est en plein déménagement, alors que nous dormions chez Omar, que mon troisième enfant a été conçu, en octobre 1994. Date d'accouchement prévue : le 27 juin 1995. Je suis donc arrivée à Rivonia enceinte.

La maison est à deux minutes en auto de l'école française, dont la proximité a constitué notre premier critère de sélection, et à deux minutes à pied de ma chère voisine. Je passe des grands moments avec Sue Sparks qui me sert de guide dans le quartier, me révélant les recoins où elle médite, sur le bord de la rivière, m'indiquant où se trouvent les épiceries fines, le bureau de poste, la pharmacie. Sue habite Rivonia depuis deux décennies. Ses parents sont Suisses d'origine et lui ont toujours parlé en français. Donc, même si elle a passé sa vie en Afrique du Sud, elle a conservé un excellent français, sans accent anglophone.

Je vais souvent voir Sue. Il me faut maintenant quelques minutes de plus pour me rendre chez elle, avec mon ventre qui grossit. L'été, Sue et Allister mangent toujours dehors sur une petite terrasse couverte, adjacente à la cuisine. Leur jardin est immense. Kami et Léandre s'entendent bien avec leur fils, Julian, qui, à quatorze ans, est aussi grand que Jay. Ils s'amusent à lancer une balle le plus loin possible, et les deux chiens des Sparks guerroient pour la rapporter.

Sue voit tout d'un œil positif, même son cancer qui revient obstinément, après lui avoir laissé quelques années, parfois seulement quelques mois, de répit. Elle sourit toujours, même sous les effets secondaires de la chimiothérapie. Je l'admire pour son optimisme persévérant, constant, qui la garde en vie, miraculeusement, depuis des années.

C'est Sue qui est venue me réconforter lorsqu'une bonne amie à moi m'a appelée avec une nouvelle qui m'a complètement bouleversée. Elle s'était fait enlever ses prothèses mammaires, car la silicone coulait dans ses bras, dans son dos, dans sa poitrine. Et ses prothèses avaient été fixées avec des broches métalliques, qui étaient maintenant soudées aux os !

Quand cette amie m'a téléphoné, elle venait de se faire enlever les seins. On a dû gratter pendant des heures, dans l'os, pour libérer le métal. La silicone avait fait de graves dégâts. Elle soupçonne aujourd'hui que beaucoup de ses maux venaient de là. Ses migraines chroniques, entre autres. Le médecin a réussi à conserver les mamelons.

Sue a senti ma détresse et est accourue chez nous. Elle m'a prise dans ses bras et a dit :

— Viens voir.

— Quoi ? Où ?

— Allons dans une chambre, je vais te montrer quelque chose.

Je l'ai suivie jusqu'à la première chambre, celle des garçons. Elle a fermé la porte derrière moi. Puis, elle a déboutonné sa blouse sans dire un mot.

Je suis restée sidérée. Elle n'avait même plus de mamelons. C'est dans les seins que son cancer a commencé. Elle s'est fait enlever un sein, puis l'autre. Sa poitrine plate ne porte que deux grosses cicatrices. Ça m'a fait un choc. Un autre. Mais le message est passé. La solidarité, la compassion, la compréhension transmises, Sue a reboutonné sa blouse et a dit : « Lucie, viens sourire à la vie. On peut toujours faire ça. Viens sourire avec moi. » On a pris un thé. Ça m'a calmée. Ses mots étaient du velours sur mon âme.

Sue Sparks a toujours été le mouton noir du quartier et fait régulièrement l'objet du papotage des « dames » des environs. Pour celles-ci, elle est «la femme blanche qui accueille des Noirs chez elle et qui travaille dans les townships». Elle en rit. Car les townships sont sa vie. Elle est missionnaire dans l'âme.

C'est des townships qu'elle tire toutes ses anecdotes. Sue adore raconter l'histoire d'un couple aveugle. Dans le cadre de ses activités de travail social du Black Sash, une organisation formée par des femmes blanches aisées pour militer en silence contre l'apartheid et faire leur part pour soulager les pauvres, elle a rencontré un homme, célibataire, pauvre et aveugle. Elle l'a aidé à obtenir les papiers lui donnant droit à une pension gouvernementale pour personne handicapée. Par ailleurs, Sue connaissait aussi une femme célibataire, pauvre, albinos et... aveugle. Elle était très laide, mais dégageait une chaleur hors du commun, précise Sue, qui a organisé la rencontre des deux aveugles. «Un courant nous a traversé le corps lorsque nous nous sommes donné la main», ont-ils confié à Sue par la suite. «Ils ne voient que leur beauté intérieure», dit Sue avec un soupir. Elle a assisté à leur mariage. «J'ai permis à deux personnes de vivre le bonheur.»

Sue permet à beaucoup de gens de vivre le bonheur. Comme cette fois où elle avait passé la nuit à l'hôpital auprès de son fils, atteint d'asthme. Elle avait causé pendant des heures avec une femme noire qui était en peine parce que son mari souffrait d'une maladie grave et devait subir une importante opération à Londres. Elle a confié à Sue qu'elle ne pouvait pas l'accompagner, être à côté de lui pour lui tenir la main, parce qu'elle n'avait pas l'argent pour le billet d'avion. Sue, convaincue de son intégrité (Sue avait un instinct qui ne trompait pas!), lui a fait un chèque illico. Elle ne dévoilera ce geste à Allister que quelques années plus tard!

«Tu sais, Lucie, un jour, je vais mourir du cancer», me dit-elle. Il y a des années que nous parlons de chimio, que nous célébrons les rémissions et craignons les réapparitions du cancer. Mais Sue accepte la maladie. « Je me suis faite à l'idée de mourir. Ce sont Allister et Julian qui ne sont pas prêts. Mais ce n'est pas pour tout de suite ! » me rassure-t-elle en riant.

Sue suit un nouveau traitement. Les effets secondaires sont durs. Je fais, à l'occasion, quelques courses pour elle et vais chercher son courrier. Mais elle n'aime pas perdre son indépendance et ne comptera sur les autres que lorsqu'elle ne pourra pas faire autrement.

Sue Sparks a changé la vie de beaucoup de gens. La mienne comprise. Elle m'a appris à reconnaître le bonheur, même s'il ne passe, parfois, que pour un instant.

44

Léandre

Léandre est avec moi depuis septembre 1994, après avoir fait sa deuxième année au Québec. Son père et moi avons, encore une fois, conclu une nouvelle entente. Sur papier cette fois-ci! Mais les chicanes ont repris de plus belle. Nous avions convenu que Léandre terminerait ses études primaires en Afrique du Sud, et voilà cet accord remis en question de nouveau. Pourquoi le père de Léandre attend-il mes grossesses pour attaquer?

Quelques semaines après mon retour des vacances de Noël au Québec, les premières dans la neige depuis 1991, je reçois une déclaration sous serment stipulant tout le contraire de ce que nous avions discuté. Il réclame maintenant le droit de garde, avec droit de visite au Québec pour moi.

Mon avocat ne m'encourage pas beaucoup, déclarant : «Les ententes ne veulent rien dire parce qu'on peut toujours les changer!»

À peine avions-nous emménagé à Rivonia que j'ai dû ressortir mon équipement radio pour enregistrer mes conversations téléphoniques avec le père de Léandre. Il avait menti dans sa déclaration et je voulais une preuve. Je lui fais avouer la vérité, sans trop de difficulté.

— Pourquoi as-tu menti?

— Tu sais, Lucie, on peut faire dire ce qu'on veut à des déclarations sous serment.

J'ai son aveu sur ruban. Depuis trois ans, je collectionne les preuves à son insu. Je n'aimerais pas lui faire subir la honte en les divulguant, parce que c'est le père de mon fils et que mon fils adore son père. Mais rien ne m'empêche de me préparer adéquatement et, surtout, de me battre pour la garde de mon fils.

Voilà trois ans que les échanges acrimonieux, les ententes prises puis rejetées, les lettres d'avocat font partie de mon quotidien. Je porte la chicane de la garde de Léandre en moi à longueur de journée. Ça me hante continuellement. Les mots de son père sont méchants. Les miens aussi.

Nous en sommes arrivés au stade des évaluations psychologiques. La vraie guerre s'en vient. Elle est prévue pour l'été 1995, au Québec. Comme un psychologue du Québec ne peut pas venir faire l'évaluation psychologique familiale du milieu de vie sud-africain de Léandre, mon avocat me demande de préparer un portrait vidéo de la demeure et du milieu de vie de mon fils, et de faire appel à un professionnel sud-africain pour une évaluation psychologique sur place. J'emprunte une caméra de l'Institut et passe deux semaines à tourner : l'école, les amis de Léandre, la famille, ses cours de tennis et de natation, le parc, le vélo, le soccer avec Jay, le trampoline dans la cour avec Kami. Même en comparaison avec le niveau de vie du Québec, nous vivons, en Afrique, dans le grand confort : piscine creusée, jardin d'une acre, quatre chambres à coucher, deux salons, quatre toilettes.

L'évaluation psychologique est moins facile à vivre... Il a fallu que j'explique à Léandre ce qui allait se passer.

— Ton papa veut que tu vives avec lui, et moi, je veux que tu vives avec nous. Alors des personnes vont nous poser des questions pour aider le juge à décider où tu devrais aller à l'école.

— Mais c'est ici que je veux rester !

C'est sorti tout à fait spontanément. Je l'ai pris dans mes bras et nous avons pleuré ensemble. Il venait de réaliser, à huit ans seulement, l'importance de la décision qui allait être prise.

— Je veux faire mon primaire avec toi. Et puis, quand j'aurai douze ans, j'aimerais peut-être aller faire mon secondaire au Québec.

C'est clair dans sa tête. Il sait ce qu'il veut. C'est ce qu'il répétera, d'ailleurs, aux trois psychologues qu'il verra, qui lui demanderont son avis sous cent formes différentes.

Son père est convaincu du contraire et déterminé à récupérer définitivement Léandre dès juin 1995. C'est le mois où je dois accoucher... Les choses s'enlaidissent. Les lettres deviennent plus menaçantes. Il exige une autre évaluation psychologique, en plus de celle, «neutre», faite par une psychologue nommée par la cour du Québec (et qui me coûtera cinq mille dollars). Au bout du compte, je paierai trois évaluations psychologiques pour répondre à ses exigences. Quant à lui, il ne déboursera pas un sou...

Les psychologues, en Afrique du Sud et plus tard au Québec, deux hommes et une femme, en viennent tous à la conclusion qu'il serait «beaucoup plus dommageable que Léandre soit privé de sa mère, à ce jeune âge, que de son père». Mais son père ne démord pas. Il veut reprendre Léandre.

Omar me conseille de consulter un de ses avocats, Norman Kades. Norman possède une solide réputation et ses services coûtent cher. Mais pour moi, pas grand-chose. «C'est une amie de la famille, a averti Omar. Prends-en soin comme de ma propre fille.» Omar est respecté. Norman est dévoué.

Je le rencontre à ses bureaux au centre-ville de Johannesburg. Il me fait comprendre que je cours le risque de perdre Léandre, quoi que disent les psychologues, car un rien peut faire pencher la balance en faveur de la vie dans un pays plus pacifique. «Tout dépend du juge», dit l'avocat.

Kades me conseille une stratégie osée. Il essaie de me convaincre de garder Léandre ici. L'Afrique du Sud n'a pas signé le traité de La Haye sur l'enlèvement des enfants. Je pourrais donc le garder avec moi sans que son père ou le Canada puissent rien y faire... du moins, tant que je ne remettrai pas les pieds dans mon pays natal.

La proposition de Norman me hante quelque temps. Mais ne plus pouvoir retourner au Canada, et surtout ne plus dormir la conscience tranquille parce que j'aurais commis un enlèvement, ce serait un cauchemar continuel. Je crois que j'en mourrais d'un cancer nourri de culpabilité.

Quelle que soit ma décision, je dois d'abord passer devant la cour de Johannesburg pour obtenir un statut légal des autorités sud-africaines par rapport à la garde de Léandre. Selon la loi, un père non marié n'a ici aucun droit. Le juge m'accorde donc facilement la garde légale. Ce papier ne vaut absolument rien au Canada, mais de telles procédures mettent de la pression sur le père de Léandre.

Je suis enceinte de six mois et le même scénario qu'à la dernière grossesse se répète. Pis encore, car j'ai failli perdre le bébé. En fait, j'en ai perdu un. Ce devaient être des jumeaux, mais l'un d'eux est mort. J'ai passé une échographie et le médecin m'a annoncé, sans que je le lui demande, que le fœtus qui a survécu est un garçon. Combien de bébés cela me coûtera-t-il pour avoir la paix?

J'écris une lettre désespérée à Jay. Je ne sais plus comment lui parler. Son travail l'obsède et nous perdons contact. Je lui dis que je suis certaine qu'il me trouve obsessive avec toute cette histoire, mais que je dois me battre et la résoudre. Si je me bats au Canada, je risque de perdre non seulement Léandre, mais Jay aussi, parce que si je n'obtiens pas la garde exclusive de mon fils, je devrai vivre près de lui. Kami et le nouveau bébé risquent d'être séparés de leur père pour quelques années. Si je garde Léandre en Afrique du Sud, son père n'abandonnera pas la lutte… «Une maman est une maman, dis-je à Jay dans cette lettre. Léandre est mon amour. Il est mon fils. Il est mon sang. Tu es mon amour. Si tu n'es pas mon sang, le mien ne peut couler sans toi. Tu es l'amour de ma vie. Je me sens prise. J'ai besoin de toi. Et en même temps, je veux t'éviter ce cauchemar. Je veux fermer le livre sur ce cauchemar. Mais je ne veux pas mal le fermer.»

Le stress augmente. J'en souffre. J'ai de la peine à marcher. J'ai peur de perdre Léandre et cela se traduit par des contractions. Je dois prendre des médicaments pour les arrêter.

Même ma thérapeute laisse transparaître un peu de désespoir. Elle sait que si je ne gagne pas la garde de Léandre, je devrai retourner au Québec avec Kami et l'enfant à naître. Jay ne pourra pas m'y suivre, car il est trop engagé dans la politique du pays. Une famille déchirée en perspective…

Une petite lueur d'espoir apparaît un peu plus tard. Luc Deshaies, mon avocat du Québec, me fait parvenir le jugement d'une cause très semblable à la nôtre, une question de garde partagée entre l'Australie et le Canada, et c'est la mère vivant en Australie qui a gagné. Il y aurait donc une jurisprudence, bien que cela ne garantisse pas ma victoire, l'Afrique du Sud étant un pays drôlement plus dangereux que l'Australie.

L'incertitude me tue. Je me décide enfin : j'irai me battre au Québec, au risque de perdre ma cause. C'est la chose la plus juste à faire. Je le dois à mon fils.

45

«Cherche amis»

— *Je me sens sur une liste d'attente.*
Ma thérapeute sursaute.
— *Qu'est-ce que tu recherches ici?*
— *Ma vie. Ma vraie vie.*
— *Ta vraie vie? Celle-ci n'est pas vraie?*
— *C'est comme un rêve. C'est comme si, en Afrique du Sud, j'attendais que ma vie reprenne. J'attends mon retour au Québec pour pouvoir vivre pleinement.*
— *Et si tu ne retournais au Québec que dans dix ans?*
— *J'y retournerai avant ça!*
— *«Si». Je dis «si». Et même si c'était la semaine prochaine, pourquoi gaspiller tes jours à attendre alors que tu vis présentement?*
Je ne sais pas quoi répondre.
— *Pourquoi n'as-tu pas d'amis? Pourquoi n'as-tu pas de vie sociale?*
— *Parce que je suis trop accaparée par les enfants et mon travail.*
— *Ce n'est pas une raison valable. Ne crois-tu pas que tu évites de te faire des amis parce que tu as peur de t'engager dans des relations, car cela voudrait dire faire ta vie ici?*
Je reste silencieuse.
— *Lucie? As-tu peur de te laisser aller à des actes qui feraient de l'Afrique du Sud ton nouveau pays?*

C'est habituellement dans un contexte social de travail qu'il est possible de rencontrer des gens. Or, avec le nouvel emploi de Jay, j'ai dû démissionner de l'Institut de journalisme. Mes journées étaient trop remplies. Je n'arrivais plus à tout concilier, les enfants, mon emploi à l'Institut, la correspondance pour Radio-Canada, ma grossesse, l'histoire de garde de Léandre... Quand j'ai donné ma lettre de démission à mon patron, Allister Sparks, il n'était guère enchanté mais comprenait ma situation. On m'a fait une belle fête pour mon départ. L'équipe de l'Institut m'a remis une plaque sur laquelle était écrit : « À Lucie Pagé, formatrice suprême, grande guide de la télévision, épouse avec beaucoup de portefeuilles, collègue permanente du IAJ. » Ma thérapeute a tenté de me convaincre que ma démission de l'Institut constituait une raison de plus de sortir de la maison puisque ma vie sociale serait désormais réduite à néant.

— *Quoi ?! Tu veux peut-être que j'aille me planter dans la rue ou dans un bar avec une affiche disant « Je cherche des amis » ?*

— *Tu n'as pas besoin d'être sarcastique...*

— *De toute façon, je suis bien seule. Et je n'ai pas l'énergie pour me chercher des amis.*

— *Parce que ce serait admettre que tu t'installes vraiment en Afrique du Sud et que tu y fais ta « vraie » vie ?*

— *Peut-être. Mais la raison principale, c'est que je travaille à la maison et je tiens à mon job de correspondante pour Radio-Canada.*

— *Mais tu m'as dit que ça ne payait même pas tes dépenses pour pouvoir travailler !*

— *Ça ne fait rien. C'est ça que je veux faire. Je me fous de l'argent. Et puis, Jay dit qu'il viendra bientôt vivre au Québec.*

— *Lucie...*

Des conversations semblables, j'en ai eu avec chacune de mes trois thérapeutes au cours de mes huit années passées en Afrique du Sud.

Oui, je crois que Jay viendra vivre au Québec. Bientôt. C'est lui qui me le dit. Nous semblons cependant être les deux seuls à y croire...

Ma vie sociale est limitée, mais, en même temps, si précieuse! Je vois souvent mon amie Colette et son fils Duncan, chez qui nous habitions à mon arrivée à Johannesburg. Et quelques fois par semaine nous nous rendons chez Omar, pour manger, pour parler, pour regarder un film, toujours pour rire, quelles que soient les circonstances. Omar m'appuie dans ma lutte pour la garde de Léandre. Mais je ne suis pas ses conseils. Selon lui, je devrais garder Léandre et rester ici. Une femme reste auprès de son mari. Les enfants restent auprès de leur mère. C'est tout. Il ne comprend pas quand je lui dis que je ne veux pas priver Léandre de son père.

Je croise beaucoup de gens chez Omar. Et le lieu où Omar nous reçoit dans sa grande maison détermine le genre d'entretien que nous aurons. Si nous prenons place dans le grand salon, les conversations sont officielles. Dans le petit salon familial, on peut être plus détendu. Mais lorsqu'on est assis sur le canapé moelleux de sa chambre à coucher, on n'a plus besoin de se censurer.

C'est sur ce canapé que j'ai rencontré la belle Terese. Belle comme ça, ça ne se peut pas! Elle est métisse mais elle a les traits indiens et de beaux cheveux noirs, soyeux et épais, qui lui tombent sous la nuque. Terese est douce et réservée dans les grands salons, mais combien chaleureuse dans l'intimité! On a tellement ri, elle, Omar et moi. Des heures d'affilée, en parlant de politique, de société, de féminisme ou de racisme. Son conjoint s'appelle Jack Coolen, un Sud-Africain blanc d'origine hollandaise. Nous rions de nos adaptations culturelles à l'intérieur d'un couple mixte. Terese est pleine de vitalité. Elle a — avait — deux sœurs. L'une d'elle s'est noyée. Ses parents en sont encore chavirés, même si plusieurs années se sont écoulées depuis.

Ma vie sociale se passe presque entièrement chez Omar. C'est un lieu de rencontre pour plusieurs. Omar vit maintenant seul, divorcé depuis peu. Ses trois dernières filles sont toujours chez lui, même si leur résidence officielle est à quelques rues de là. Il a acheté une maison à son ex-épouse. Pour ses filles. N'importe quoi pour ses «poulettes» qu'il bécote sans cesse.

Omar dit que je ne devrais pas travailler. Que j'ai assez des enfants pour me tenir occupée. Il n'a rien compris : même avec douze enfants, je voudrais faire ce que je fais. Omar a soixante ans et est musulman jusque dans les os. Malgré son libéralisme apparent, il aime se faire servir le thé par la femme dans sa vie. Il sait tout juste où se trouve le frigo dans la cuisine. Ces différences entre nous importent peu. Je l'adore. Et je sais que c'est réciproque.

Jay est d'accord avec ma thérapeute : je dois sortir, rencontrer des gens. Ma vie sociale doit déborder de «chez Omar». Alors, pour m'aider, il m'offre un superbe cadeau pour sortir un peu : un abonnement d'un an à un centre de conditionnement physique, le Health and Racquet Club. Ce ne sont que les Blancs, ou presque, qui peuvent se permettre le prix de l'abonnement. J'ai tenté de convaincre Jay de venir avec moi. «Je serais le seul Noir à m'entraîner», a-t-il répondu. «Et puis?» Rien à faire, il ne veut pas.

Alors je m'y rends seule. J'y vais pour la piscine. Tous les matins, en laissant mes deux garçons à l'école et à la garderie, je vais nager un kilomètre. J'ai toujours nagé. C'est un besoin. Cet exercice sert à évacuer mon stress. L'été, au Québec, je traverse des lacs. En Afrique du Sud, je fais des longueurs, car il n'y a pas de lacs. Mais, à la piscine, je n'ai rencontré aucun «ami».

J'ai nagé jusqu'à l'accouchement.

46

Shanti

Si je me dévoue au journalisme, je fuis les journalistes comme la peste. Jay me demande à l'occasion de participer à des émissions où l'on veut présenter un portrait de lui et de sa famille. Je refuse toujours. Il a finalement cessé de me le demander, après s'être heurté plusieurs fois à mon intransigeance en la matière.

Il y a cependant eu deux exceptions, deux émissions auxquelles j'ai accepté de participer. La première est celle d'Evita Bezuidenhout. Evita s'appelle en fait Pieter-Dirk Uys; c'est un Afrikaner, gai, qui se travestit et qui est devenu une vraie star. Les gens l'adorent. Curieux, tout de même, car son personnage est en contradiction complète avec la mentalité blanche, surtout afrikaner. Evita est superbe. Perspicace dans ses entrevues, drôle à pisser dans sa culotte, mais sérieuse quand il le faut.

Elle fait un portrait de Jay pour découvrir qui est l'homme caché derrière les «yeux du diable». Son hypothèse : cet activiste enragé, ce syndicaliste déterminé, cet homme sérieux doit bien avoir un côté humain et chaleureux.

En fait, Jay n'est que cela. Humain et chaleureux. Mais il ne laisse rien transparaître. Il est dur, accepte mal l'incompétence, est exigeant envers ses employés, mais il a la réputation d'accomplir ses tâches et d'être un patron extraordinaire. Tous ses proches collègues disent qu'ils travaillent comme des fous avec lui, mais qu'ils le préfèrent à tout autre patron. Jay écoute. Il a la qualité d'encourager, de féliciter les gens pour le travail bien fait et de faire confiance au travail d'équipe. Il aime s'entourer de gens forts, de femmes surtout. « Elles sont, en général, plus pacifiques, moins compétitives », dit-il.

Je n'ai fait qu'une brève entrevue avec Evita, au cours de laquelle je lui ai posé une devinette :

— Sais-tu pourquoi Jay a été nommé ministre sans portefeuille ?

— Non, pourquoi ?

— Jay a l'habitude de tout perdre. Il perd ses clés, son porte-monnaie, son téléphone cellulaire, ses stylos par dizaines. Alors, j'ai fait part à Mandela de cette mauvaise habitude de Jay. C'est pour ça qu'il ne lui a pas donné de portefeuille ; il l'aurait perdu de toute façon !

Cette blague sera reprise partout et fera le tour du pays.

L'autre émission à laquelle j'ai accepté de participer est celle de Dali Tambo, le fils d'Oliver Tambo, qui fut président de l'ANC pendant plus de deux décennies. Dali est excentrique, drôle, un animateur-né. Son émission, *People of the South*, est constituée d'entrevues plutôt intimes ; des chanteurs, des comédiens, des politiciens ou des gens d'affaires viennent y dévoiler un côté secret de leur personnalité. Les grands noms de la société y passent en faisant parfois un petit numéro. Mandela y a déjà chanté une chanson.

J'ai refusé plusieurs fois de me prêter au jeu, jusqu'à ce que Dali Tambo vienne lui-même à la maison pour me convaincre. Son charme m'a séduite. Sa sincérité aussi. J'ai accepté en l'avertissant que j'allais accoucher bientôt et qu'il devrait prévoir une solution de rechange.

Dans le studio, un groupe de chanteurs et de danseurs africains accueillent les invités et les accompagnent jusqu'au canapé. Ma mère et Léandre sont dans l'auditoire.

— Vous êtes enceinte de combien de mois? me demande Dali en commençant.

— Neuf et demi, et j'espère me rendre jusqu'à la fin de l'émission!

Tout le monde rit.

Dali et moi avons préparé une surprise pour Jay. J'ai apporté un des nombreux poèmes d'amour qu'il m'a écrits. On lui demande de le lire. Il est surpris et gêné, mais se plie à notre demande et lit le poème devant le public et les caméras. C'est beau. Jay a un talent pour les mots. J'ai malheureusement perdu ce poème depuis. Mais il m'en écrit régulièrement de nouveaux...

Trois jours plus tard, j'aurai encore une occasion de faire parler de nous à la télévision sud-africaine.

Cela se passait le 16 juin 1995, journée importante pour l'Afrique du Sud, car, dix-neuf ans plus tôt, des centaines d'écoliers dans tout le pays, de simples enfants, avaient été assassinés par la police sud-africaine. Tout avait commencé à Soweto, où des jeunes protestaient contre l'imposition de l'afrikaans à l'école. Jusqu'en 1993, le 16 juin était un congé illégal, mais un congé tout de même. On ne voyait personne dans les rues. Tous se rendaient dans des stades ou chez des camarades pour évoquer le souvenir de Hector Peterson, le premier élève tué à Soweto, devenu le martyr célébré, le symbole de cette journée.

Depuis, le 16 juin est devenu le «Je me souviens» de l'Afrique du Sud. Une journée de deuil. Une journée de souvenir. Une journée qui rappelle le régime, le passé. Une journée au cours de laquelle on se souvient des événements tragiques pour ne plus jamais les répéter. Une journée qui célèbre la jeunesse qui s'éveille, raison pour laquelle elle a été baptisée *Youth Day*, la journée de la jeunesse.

Le 16 juin 1995, donc, Jay a pris congé, parce que c'est le 16 juin, mais aussi parce qu'il veut passer du temps avec la famille. L'accouchement approche. C'est une belle journée, ensoleillée mais froide. La journée la plus froide de l'hiver jusqu'à maintenant. En me levant, ce matin, j'ai réalisé que je n'avais pas de photos de cette grossesse et de mon gros ventre. Nous sortons dans le jardin en prendre quelques-unes. J'ai des contractions de Braxton-Hicks, ces contractions normales pendant toute la grossesse. Elles sont toutefois plus puissantes que d'habitude. Rien d'inquiétant toutefois. Cela m'arrive assez souvent.

À dix-huit heures trente, les contractions de Braxton-Hicks sont encore plus fortes, mais je ne sens aucune douleur. Juste des contractions normales. On appelle la sage-femme pour lui demander son avis. Elle recommande de la rappeler si les contractions deviennent régulières, fortes, douloureuses.

Jay n'a qu'un rendez-vous aujourd'hui. Il doit participer à une émission de télévision en direct avec des jeunes, pour marquer la journée de la jeunesse.

Notre ami Foxy ainsi qu'Omar et ses filles arrivent. Cinq enfants dans la maison. Un souper à faire pour tout le monde. Loulou commence la préparation du repas. À vingt heures, on s'installe devant la télé pour regarder l'émission de soixante minutes au cours de laquelle Jay répondra aux questions posées par une vingtaine de jeunes. L'émission est à peine commencée que j'ai une grosse contraction. Vingt heures quinze, une autre, encore plus grosse, très douloureuse. Jay est en ondes. Il parle et gesticule en donnant un petit cours d'histoire en direct à la télévision publique.

Je vais dans ma chambre. Vingt heures dix-huit. Une autre grosse contraction. Sérieuse cette fois-ci. Le temps est venu. J'appelle la sage-femme. J'appelle Jay. Son chauffeur a son cellulaire. Il a reçu l'ordre d'avertir les gens du studio pour faire sortir Jay si jamais on l'appelle parce que j'accouche. Vingt heures vingt-cinq. C'est sérieux. Mais je me dis que tout pourrait peut-être arrêter. Vingt heures trente. Non, c'est parti! Jay est encore à l'écran. On ne lui a pas transmis le message! Loulou le rappelle.

Vingt heures quarante. Jay est toujours en train de parler à la télé. Il n'a aucune idée de ce qui se passe. C'est au tour d'Omar d'appeler. «Vous le sortez de là, et tout de suite!» Vingt heures quarante-cinq. L'animateur annonce, à la caméra, que j'accouche et dit à Jay qu'il doit rentrer chez lui!

Vingt heures cinquante. Mes eaux crèvent. Cette fois, ça y est. Depuis vingt minutes, c'est comme si j'avais une grosse contraction continue. Omar entre dans ma chambre et s'informe s'il peut faire quelque chose. Mon pantalon est tout trempé par les eaux. En bon musulman, il n'ose pas me l'enlever, mais se demande bien comment le bébé va faire pour sortir…

Vingt et une heures. Le bébé pousse. Loulou ne sait plus quoi faire. Elle est affolée. Elle est encore en train de servir à manger aux cinq enfants. Et Omar, toujours parce qu'il est bon musulman, ne se mêle pas des affaires de la cuisine. J'appelle ma mère pour lui dire de mettre des chandelles dans la salle de bains et de préparer le bain pour l'accouchement. C'est là que je veux donner naissance à ce bébé. Dans l'eau. Les enfants sont dans le couloir et font un tapage incroyable. Je ne tolère pas. Loulou s'occupe de les faire sortir. Elle s'occupe de moi. Et, secrètement, elle panique. Où sont les sages-femmes? Où est Jay? Elle court dans toute la maison en parlant en français à tout le monde. Elle sort dire au policier à la porte d'ouvrir la barrière tout de suite et de laisser entrer les sages-femmes dès qu'elles arriveront.

Vingt et une heures cinq. Le bébé pousse. Loulou appelle chez une des sages-femmes pour savoir s'il y a longtemps qu'elles sont parties. Elle ne veut pas, ne sait pas comment accoucher un bébé! Surtout pas son petit-fils!

Vingt et une heures dix. Jay arrive. Finalement. Je sens le bébé descendre. Il me semble qu'il sort, ce petit garçon. Mon troisième garçon… J'ai eu cinq mois, depuis l'échographie, pour me faire à l'idée que je n'aurai pas de fille.

En tout cas, pas cette fois-ci. Il faut que ce bébé sorte. Je dis à Jay de rouler ses manches et d'aller se laver les mains. Il devra attraper le bébé. Tant pis pour les sages-femmes. Il me regarde, ahuri. Mon regard lui dit que je suis très sérieuse.

Vingt et une heures dix-sept. Les sages-femmes arrivent en trombe (pour un accouchement à la maison, elles doivent être deux). Elles déposent leur équipement. Sue Lee et Liz Harding, celle qui a accouché Kami, m'examinent. Je suis à dix centimètres, déclarent-elles. Cela, je le savais depuis longtemps! Elles me disent de pousser. «Tu peux pousser. Pousse, Lucie. Pousse.» J'ai peur de la douleur. Je ne veux pas pousser. «Pousse, Lucie, pousse.» Je pousse; à quatre pattes sur un rideau de douche, par terre dans ma chambre, je pousse. Vingt et une heures vingt-huit : *elle* sort. Elle! Oui, elle! Une fille. Un rêve! Réalisé enfin. Je n'en reviens pas. Je crie. Jay et moi crions. Un cri de vie, un cri de joie intense. La paix. La sainte paix m'envahit d'un coup sec. *Shanti*. Paix, en hindi. Je veux la paix. J'ai la paix. Une année de paix. Un 16 juin de paix.

Un 16 juin? Jay est devenu papa un 16 juin! Pour Jay Naidoo, avoir un bébé le 16 juin, c'est comme si René Lévesque était devenu père le 24 juin! Bien des gens ont pensé que c'était «arrangé avec le gars des vues» et que j'ai fait provoquer l'accouchement. Franchement! C'est le 24 juin que j'aurais choisi!

Le lendemain matin, le téléphone sonne sans arrêt. Les gens ont vu l'émission de la veille. Quelques millions de personnes savent que j'ai accouché. Une fille ou un garçon? veut-on maintenant savoir. Shanti a fait son entrée en grand. En bonne femme de ministre, je dois sourire pour les caméras. Les photographes arrivent de partout. J'ai des cernes sous les yeux. Je suis complètement endolorie, mais je dois sourire. Je suis femme de ministre! Je dis non aux photos, mais Jay insiste. Je veux la paix, mais sa fierté me convainc. «*Jay Naidoo delivers. And it's a girl!*» pourra-t-on lire, le dimanche, dans les journaux. (Jay Naidoo accouche[1]. Et c'est une fille!)

Je reçois des fleurs à n'en savoir que faire. Dali Tambo, entre autres, en a envoyé. L'émission qu'il a enregistrée avec nous sera diffusée le 25 juin. Elle sera accompagnée de la dédicace suivante : «*Dedicated to Shanti, a new person of the South*» (Dédiée à Shanti, une nouvelle personne du Sud).

Nelson Mandela a eu vent de l'accouchement. Je l'avais rencontré à peine six semaines auparavant. Il avait pointé le doigt vers mon ventre en demandant comment se portait le bébé. Je lui avais dit : «Ce bébé, c'est le RDP de Jay (RDP pour Programme de reconstruction et de développement). Son programme de *reproduction* et de développement!» Il avait ri de bon cœur. Et c'est une blague qu'il emploiera par la suite, à la télévision et à la radio, lorsqu'il parlera d'enfants à naître…

Le lendemain de cette rencontre, une histoire assez cocasse est arrivée. Nous étions au Cap, et plus précisément dans un camp de squatters en banlieue, dans le cadre du lancement de la campagne *Masakhane*, ce qui veut dire «Bâtissons ensemble». Cette campagne avait pour but de renverser l'habitude, bien ancrée chez les gens, de boycotter le paiement de l'eau, de l'électricité et du loyer de leur maison, qui appartient au gouvernement. Le nouveau gouvernement tenait à tout prix à mettre fin à cette habitude!

C'était Mandela qui prononçait le discours principal. À peine avait-il commencé à parler que Kami, à l'âge turbulent de deux ans et demi, s'est rendu au podium et a tiré sur le pantalon du président! Je voulais l'éloigner de là, mais, avec la cinquantaine de caméras et de micros tout autour, je me suis résignée. Jay, qui était assis avec les

---

1. Jeu de mots; en anglais, *to deliver* peut aussi vouloir dire «tenir ses promesses», électorales par exemple.

dignitaires, m'a regardée, l'air de dire : «Qu'est-ce qu'on fait?» Le garde du corps de Mandela s'est approché, mais, avant qu'il puisse mettre la main sur Kami, Mandela l'a pris dans ses bras. Il a déposé les pages de son discours, et l'a installé debout sur le lutrin en disant : «Alors, tu veux lire mon discours avec moi?» Il a lu le reste de son discours ainsi. Les journalistes se sont affolés, car on ne voyait plus Mandela! Le soir, au téléjournal, on entendait des extraits du discours de Mandela, mais lui, on ne le voyait pas. Kami prenait toute la place.

Après la naissance de Shanti, Mandela a appelé une de ses collègues pour savoir si elle connaissait le nom de notre nouveau bébé. Elle ne le savait pas. Alors il m'a fait parvenir son autobiographie, dans laquelle il a écrit, de sa magnifique écriture : «*To Lucie. Compliments and best wishes to a dynamic and wonderful lady. Congratulations for increasing our population!*» (À Lucie. Félicitations et meilleurs souhaits à une femme dynamique et merveilleuse. Bravo pour avoir accru notre population!) Puis il a signé «Madiba», qu'il a fait suivre, entre parenthèses, de «N. Mandela» et de la date, le 20 juin 1995.

Madiba étant le nom qu'emploient ses proches avec lui, il venait de me donner la permission de l'appeler ainsi. Mais je n'en serai jamais capable. Je dirai toujours «Monsieur le Président Mandela».

* * *

Je pars enfin pour le Québec avec les trois enfants et ma mère. Shanti n'a qu'un mois, mais je dois y aller pour me présenter en cour au sujet de la garde de Léandre. Je suis dans un état de dépression post-partum et cela m'affecte beaucoup.

En arrivant à Montréal, j'ai rendez-vous avec mon avocat, puis avec une psychologue. Mon amie Louise Sarrasin m'a prêté sa maison pour que la psychologue puisse venir nous « analyser ». Mais à la dernière minute, celle-ci change d'avis. Elle me fera plutôt jouer dans un parc, avec Kami et Léandre, Shanti au sein, et analysera nos relations pendant trois heures. J'ai éprouvé un sentiment d'injustice devant l'obligation de devoir faire mes preuves de mère de cette façon. J'ai l'impression de ne pas être à la hauteur. La psychologue m'a ensuite interrogée seule. Puis, quand Jay est arrivé d'Afrique du Sud, ce fut son tour.

Elle a aussi rencontré Léandre, son père, la conjointe de son père, enceinte elle aussi, et la fille de cette dernière qui a le même âge que Léandre…

Son rapport arrive à la même conclusion que les deux précédents : il serait dans le meilleur intérêt de Léandre qu'il ait le foyer maternel comme foyer principal.

La veille du procès, coup de théâtre : le père de Léandre annule toutes ses actions en justice ! Il accepte enfin de signer l'entente que je propose, qui correspond à ce que les psychologues préconisent et à ce que Léandre désire. La psychologue lui a mentionné que j'avais enregistré à son insu toutes nos conversations téléphoniques des quatre dernières années. Ce qui expliquerait sa volte-face…

Om Shanti ! Que la paix soit avec toi. Avec la naissance de Shanti, j'ai aussi eu la paix dans le dossier de la garde de Léandre, après quatre ans d'enfer et de cauchemars, et après m'être endettée de vingt-cinq mille dollars. La paix, je venais d'avoir la paix !

J'ai appris beaucoup de cette expérience. J'ai appris surtout que ce qui prime avant tout, c'est le respect de l'enfant, le respect de ses relations et de ses amours, même séparés. C'est Léandre, le grand gagnant.

Je reviens en Afrique du Sud avec mes trois enfants, soulagée, heureuse. Enfin, la paix. *Om Shanti.*

47

Maria

Plus que jamais, j'ai besoin d'aide. Les premiers mois avec trois enfants furent un intense apprentissage d'organisation. Je croyais pouvoir me fier à Elizabeth. Mais son état dépérit. Je ne peux plus compter sur elle.

Je lui avais demandé, un mois avant l'accouchement, de rester dans les parages. Elle est disparue la fin de semaine de l'accouchement. Elle n'est revenue que le lundi matin : elle est entrée dans ma chambre pour voir le bébé, ne m'a pas demandé comment j'allais et est ressortie pour aller vider les poubelles. Elle ne m'a fait ni tasse de thé ni sandwich, ni même un sourire.

Je me suis sentie trahie. Quand Elizabeth a accouché, j'étais accourue de l'Institut, où je travaillais encore, et l'avais accompagnée tout le long de l'accouchement à l'hôpital. L'attitude du médecin — une Blanche — m'avait d'ailleurs révoltée. Pas une fois n'avait-elle regardé Elizabeth. Pas une fois ne lui avait-elle adressé la parole, sauf pour lui dire : «Descends tes fesses plus bas.» Elle avait été jusqu'à dire, devant elle, en s'adressant à l'infirmière : «C'est mon numéro trente-deux; encore huit et je passe mon stage.»

J'étais restée auprès d'Elizabeth, l'encourageant à chaque contraction, lui épongeant le front entre chacune. Pousse! Pousse! C'est une petite fille qui est née. Après trois garçons, c'est un cadeau béni du ciel. Si l'enfant est souhaité...

Pendant deux mois, ensuite, je lui ai servi ses repas. De bons soupers complets, avec légumes verts et tout. Je lui ai acheté des vitamines et du fer. Je lui ai donné des vêtements, des couvertures, un sac à couches. Je lui ai acheté des soutiens-gorge d'allaitement.

J'ai reçu son indifférence comme un coup de poignard dans le dos...

Ma patience s'est soudainement éteinte. J'avais plus que jamais besoin d'aide avec les trois enfants et elle ne faisait rien, sauf laver les planchers et faire le lavage. Elle avait même arrêté de faire la vaisselle. Après trois avertissements, Jay a aussi perdu patience et l'a foutue à la porte. Elle est partie avec de la vaisselle et de la literie qui m'appartenaient. Je ne l'ai plus jamais revue.

Je me suis mise en quête d'une autre domestique. Colette m'a fourni le nom d'une agence de placement qui pouvait recommander des femmes avec expérience. Jay étant maintenant ministre, je cherchais quelqu'un de fiable, et qui surtout, cette fois, puisse cuisiner! J'aurais besoin de relève, de temps à autre, pour les vingt et un déjeuners, dîners et soupers à préparer chaque semaine!

Un représentant de l'agence arrive à la maison dès le lendemain de mon appel, accompagné d'une femme splendide, parlant cinq langues : le dotho du nord (sa langue maternelle), le zoulou, le xhosa, l'anglais et l'afrikaans. Elle a une voix toute douce, presque chantante. Elle a le corps typique d'une Africaine ayant grandi nourrie de *pap* (farine de maïs) : grosses fesses, gros seins, tronc bien rempli. Avec son ensemble africain, sa robe colorée et son foulard autour de la tête, elle a une belle prestance.

Elle s'appelle Maria.

Elle paraît timide. Nous lui mettons Shanti dans les bras. Et faisons l'entrevue ainsi.

Maria a beaucoup d'expérience, comme en témoigne son curriculum vitæ, références à l'appui. Sait-elle cuisiner? Ah! Quelle question! Elle a tous les certificats des cours appropriés, de la pâte feuilletée au ragoût d'agneau. Trois enfants? Pas de problème. Elle a trois enfants elle-même! Et non, elle n'en aura pas d'autres. De toute façon, dit-elle, elle est en instance de divorce avec son mari, qui est policier.

Nous lui présentons une liste des tâches quotidiennes et hebdomadaires à accomplir, qu'elle accepte sans broncher. «Si ce n'est que ça», semble-t-elle dire, en haussant les sourcils et en balayant, de sa main, la feuille de papier.

Nous ne lui promettons pas l'emploi, précisant, sans rien laisser paraître de nos sentiments, que nous la rappellerons le lendemain. Mais à peine a-t-elle franchi le seuil de la porte que Jay et moi nous regardons avec une même expression dans le visage. Oui! Bien sûr que nous la prenons!

C'est ainsi que notre belle Maria a fait son entrée dans notre vie. Je crois qu'elle y est pour rester.

48

De révolutionnaire à ministre

Jay est plein de secrets.

Il n'a jamais appris à communiquer ses émotions. Nous y travaillons dans nos séances de thérapie ensemble.

Lorsqu'il était militant politique, ne pas exprimer ses émotions constituait un moyen de survie. Il avait appris que le secret sauve la vie. S'engager dans le militantisme politique comporte des risques énormes, pour soi et pour sa famille. Dévoiler ses plans ou ses secrets à ses proches, c'est mettre leur vie en danger. Jay n'a jamais dit à sa mère ce qu'il faisait exactement. Il voulait l'épargner. Ce qui n'a pas empêché la police d'arrêter la pauvre vieille dame de plus de soixante-dix ans et de l'interroger en employant des méthodes qui essoufflent et épuisent des jeunes cœurs de vingt ans. Elle ne savait rien. Tout ce qu'elle savait, c'est qu'il travaillait « pour la cause ». Jay, en gardant ses secrets pour lui, lui avait sauvé la vie.

Or ce sont d'autres qualités et aptitudes qu'il faut développer pour passer de militant politique à mari et père de famille. Le rôle de père de famille, Jay l'a dans le sang. On peut dire qu'il avait un rôle semblable, au COSATU : père d'une grosse famille. Puis il s'est exercé avec Léandre. Il était un peu gauche au début, se contentant de lui lire des histoires et de jouer à des jeux de construction ou au soccer. Puis, tranquillement, il a pris de l'assurance. Il a commencé, par exemple, à donner le bain à Léandre. Il faut une certaine assurance pour donner un bain à un enfant qui n'est pas le sien...

Lorsque Kami est né, Jay a pris le petit paquet et a passé des jours à le bercer, à lui parler. Puis un jour, j'ai dit à Jay que j'avais besoin d'un congé de tout, de mari et d'enfants. Quelques heures seulement. Kami avait quatre mois. J'ai tiré du lait et l'ai mis dans un biberon, j'ai préparé le sac à couches, puis j'ai envoyé Jay au zoo avec les deux garçons et deux des filles d'Omar, Haneefa et Yasmin, huit et onze ans. Jay m'a avoué qu'il était très nerveux, car il n'avait jamais donné de biberon à Kami.

Mais tout a bien été. J'ai eu quelques heures de repos, et Jay a eu l'occasion d'apprivoiser encore plus son rôle de papa, seul avec les enfants. À partir de ce jour, Jay n'a plus craint les besognes qui concernent les enfants. Il s'occupe même avec «plaisir» des tâches «ingrates» : les couches pleines de caca à changer, les vomissures à ramasser, les crottes de nez à extirper, la morve à essuyer. C'est toujours lui qui s'occupe de nettoyer le vomi. Moi, la simple odeur me donne la nausée. Jay nettoie le tout comme s'il ne s'agissait que de lait renversé. Jay fait à manger, lave les planchers, lave les couches, et tout ça en chantonnant. Il berce les enfants, et prend un immense plaisir à leur inventer des histoires, en jouant chacun des personnages. C'est un orateur, il ne faut pas l'oublier. Il peut tenir en haleine un, dix, cent enfants, comme cinquante mille personnes, avec ses histoires d'aventures incroyables, grandioses, qui contiennent toutes une morale ou font ressortir une valeur.

Là où Jay est nul, mais complètement nul, c'est dans l'organisation. Si nous partons pour quelques jours, par exemple, j'ai appris à ne plus le laisser faire les bagages. Il n'a aucune idée de ce qu'il faut mettre dans un sac pour une fin de semaine, ou même dans le sac à couches pour une journée. Je crois que c'est une faiblesse «mâle», quoique je n'aie encore vu aucune étude à ce sujet.

Jay ne coupe pas les ongles des enfants non plus. Cela demande trop de précision. En revanche, jamais je n'égalerai Jay dans l'invention d'histoires fantastiques. Je troquerais bien ce talent contre celui de manucure.

Jay n'a pas peur de l'échec. Il a des peurs, mais pas celle-là. Jay a confiance en lui-même. Il est la preuve vivante qu'on peut à la fois être humble et avoir confiance en soi. Cela vient de sa mère, dit-il. Croire en soi représente une force inestimable, dans la vie. C'est ce que j'aimerais pouvoir léguer à mes enfants : la certitude qu'ils sont capables de grandes choses. Avons-nous tous un pouvoir, un don, une force? Chose certaine, nous avons tous une passion. Il s'agit de la trouver.

Il n'y a pas deux Jay. Il y en a un seul. Il n'y a pas un Jay ministre et un autre en pantoufles dans son salon. Jay est un homme entier. Il ne trahirait jamais, au grand jamais, le souvenir de sa chère mère qui s'est dévouée toute sa vie à ses enfants, à la justice, à l'égalité des races. Mais, plus encore, il ne se trahirait jamais lui-même, ses principes, son âme.

C'est aussi toute une adaptation, pour Jay, de passer de militant politique à politicien légitime d'un gouvernement. Un soir qu'il était mélancolique, il s'est mis à me raconter, une anecdote après l'autre, des souvenirs qui ne lui rappelaient plus la peur dans laquelle les événements avaient été vécus, mais qui suscitaient plutôt la nostalgie en lui. «Un soir, raconte-t-il entre autres, nous imprimions à la main des pamphlets marxistes-léninistes. J'avais emprunté la voiture de Logie [son frère] pour les distribuer avant que le jour ne se lève. Lorsque l'impression a été terminée et que nous sommes sortis, la voiture avait disparu. J'avais oublié d'actionner le frein à main. La voiture avait roulé jusqu'en bas de la pente et foncé droit dans le mur de sécurité en béton entourant une maison!» Logie et lui se remémorent cet incident régulièrement. Ils en rient toujours. Leur nuit de travail n'avait servi à rien puisque les autorités brûlèrent tous les pamphlets le jour suivant. «Un autre soir, poursuit Jay, j'étais dans une voiture avec Jayendra [Naidoo] et une militante blanche. Nous discutions de plans d'action contre le gouvernement. Trois policiers nous ont aperçus. [Qu'une Blanche se trouve avec deux «Noirs» n'était ni normal ni vraiment légal.] Ils nous ont demandé de sortir de la voiture. Croyant sans doute que nous aimions faire "cela" à trois, l'un d'eux a lancé : "Hé les *Chili Bites*, que faites-vous avec une Blanche?"» *Chili Bites* est un terme péjoratif pour désigner les Sud-Africains d'origine indienne, comme *Kaffir* l'est pour un Noir. Ils ont été arrêtés et amenés au poste de police. Ils ont convaincu les policiers qu'ils discutaient de leurs «travaux d'école». On les a libérés.

Jay adore raconter l'anecdote de son premier voyage hors du pays. Il avait vingt-sept ans. Il s'était rendu à Amsterdam, avec des collègues, pour une réunion avec les syndicats hollandais. À l'aéroport, il a vu un cireur de chaussures blanc. «Nous étions si excités à l'idée qu'un Blanc puisse cirer les chaussures d'un Noir que nous avons fait cirer les nôtres.» Ils ont pris des photos et les ont exhibées avec grande fierté à leurs amis et collègues en Afrique du Sud!

Ce soir-là, en se remémorant «le bon temps», Jay a avoué sa nostalgie : «Je m'ennuie du temps où on scandait des slogans dans la rue.» Puis, il a ajouté : «Ce n'est pas si évident que de bâtir un pays.»

Les pressions du nouvel emploi de Jay se faisaient lourdement sentir dans la vie de famille. Et moi qui croyais que je ne le voyais pas souvent lorsqu'il était secrétaire général du COSATU! Quand Jay est devenu ministre, il a pour ainsi dire disparu de notre vie. Il travaillait tout le temps. Le Parlement se trouvant au Cap, il y passait souvent des semaines entières à siéger, ne revenant à la maison que les fins de semaine, qu'il passait aussi à travailler de toute façon.

Jay était très tendu durant ses premiers mois, voire ses premières années au sein du gouvernement. Tout était nouveau, même s'il connaissait le pays de fond en comble.

49

De Sud-Africain à Indien

Lorsque Jay voyage, partout on lui demande s'il vient de l'Inde.

— Non, je suis Africain, Sud-Africain.

— Ah, mais vous êtes né en Inde.

— Non, je suis Sud-Africain.

— Ah, mais vos parents viennent de l'Inde.

— Non, ils sont Sud-Africains.

— Mais vous allez en Inde régulièrement.

— Non, je n'y ai jamais mis les pieds.

Les Indiens sont en Afrique du Sud depuis cent quarante ans. La région du Kwazulu-Natal exploite, entre autres richesses, la canne à sucre. À partir de 1860, le gouvernement britannique, qui contrôle la région et qui possède l'empire des Indes, encourage l'immigration de plus de cent cinquante-deux mille Indiens pour pallier le manque de main-d'œuvre dans les plantations. Aujourd'hui, plus de quatre-vingt pour cent du million et quelques de Sud-Africains d'origine indienne habitent le Kwazulu-Natal.

Les Indiens ont été traités différemment des Noirs. Ils n'étaient pas esclaves à proprement parler. Ils étaient ce qu'on a appelé des *Indentured labourers*, des ouvriers à contrat. On leur promettait une terre après cinq ans de travail. La promesse n'a pas toujours été tenue…

Le 7 juin 1893, deux semaines seulement après son arrivée en Afrique du Sud, Mohandas Gandhi, alors un jeune avocat indien de vingt-trois ans en mission juridique, se fait jeter hors du train à la gare de Pietermaritzburg à cause de la couleur de sa peau. Cette injustice révolte le jeune avocat qui va finalement demeurer vingt et un ans au pays à se battre pour l'égalité de son peuple et la justice. Mohandas Gandhi deviendra «mahatma», qui signifie «grande âme».

Le mahatma Gandhi a grandement influencé la population indienne en Afrique du Sud, mais aussi les Africains eux-mêmes. L'ANC, par exemple, a adopté la politique de non-violence pendant cinquante ans avant de recourir à la lutte armée.

L'arrière-grand-mère de Jay a émigré en Afrique du Sud en 1864. Elle n'était pas une Naidoo, mais l'origine de ce nom est assez cocasse. Lorsque les Indiens sont arrivés, ils devaient donner leur nom à l'agent des douanes au port. Or les Indiens, à l'époque, n'avaient pas des noms de famille comme nous les connaissons. Ils portaient un prénom auquel on ajoutait «fils d'un tel» ou «fille d'un tel». Les Britanniques exigeant toutefois un «vrai» nom de famille, ils attribuèrent aux Indiens des noms en fonction de leur origine géographique. Ainsi, un immigrant de la province du Tamil Nadu recevait le nom de famille «Naidoo».

Jay veut maintenant faire la paix avec ses origines, les accepter. Il lui a fallu un long cheminement, depuis notre première rencontre, pour commencer à reconnaître cet héritage. Avec la «nouvelle Afrique du Sud», Jay entame une profonde transition personnelle.

Des dames vêtues de blanc, de l'Université mondiale spirituelle des Brahmas Kumaris, dont le siège social — et l'origine — est en Inde, ont facilité cette transition. C'est le grand Brahma Baba qui a fondé les Brahmas Kumaris en 1936. Même s'il est mort aujourd'hui, son esprit continue de les diriger. Des femmes sont à la tête de cette université spirituelle qui affirme rassembler plus de trois cent cinquante mille adeptes partout dans le monde. Même si les Brahmas Kumaris ont un caractère religieux, leur mission première est la transmission de valeurs humaines, morales et spirituelles. Ainsi, des membres de toutes sortes de religions se retrouvent parmi leurs adeptes. «La spiritualité est la clé du respect et de la confiance», dit la dirigeante des Brahmas Kumaris, Dadi Prakashmani.

Jay a rencontré quelques-unes des femmes missionnaires dans le cadre de son travail. Elles déploient une énergie particulière à recruter des dirigeants politiques. «Le pouvoir doit être empreint de valeurs spirituelles», disent-elles. Elles ont aussi rencontré le président Mandela à quelques reprises.

Les Brahmas Kumaris offrent des cours de méditation, des séances de relaxation, de yoga, des ateliers sur des sujets de réflexion de tout genre, et organisent régulièrement des conférences à caractère social et politique à leur siège social sur le mont Abu, au Rajasthan, en Inde, ou dans un de leurs trois mille deux cents centres répartis dans soixante-dix pays du monde.

Om Shanti, Om Shanti, Om Shanti (que la paix soit avec toi), disent les Brahmas Kumaris quand elles accueillent les gens. Elles nous rendent visite maintenant régulièrement depuis la naissance de Shanti, qui coïncide avec la première rencontre de Jay avec ces femmes.

À peu près à cette époque, je me permets de parler plus ouvertement de l'Inde à Jay. Je lui répète ce que je lui ai dit quand je l'ai rencontré, il y a presque cinq ans. «Tu manges comme les Indiens, tu penses comme eux, tu bouges comme eux, tu pratiques le yoga et la méditation comme ils le font.» Jay est intrigué. Oui, il pratique les traditions et rites transmis par la famille. Mais il commence seulement à reconnaître qu'il est un Sud-Africain d'*origine* indienne.

Si je devais utiliser un adjectif pour décrire mon mariage avec un «Indien», ce serait «paisible». J'accepte sans problème les différents rituels de sa religion, comme lancer quelques gouttes d'alcool dans le jardin, lorsqu'on ouvre une bouteille, pour les ancêtres. Je participe également aux prières que Jay récite, après avoir préparé l'encens, le feu, l'eau, le lait, les fleurs fraîchement cueillies et quelques fruits. Il dépose le tout sur un plateau en argent, où se trouve une photo de sa mère. Il joint ses mains, comme les Indiens le font, ferme les yeux et prie. Pour moi, c'est un moment de réflexion. Ça fait toujours du bien.

Jay ne s'attend pas à ce que j'épouse sa religion, ni même que je me conforme aux rituels qui l'accompagnent. Il doit se couper les ongles sur une terre organique, à la lumière du soleil. C'est exactement comme cela que ça se fait en Inde. Mais il ne dit pas un mot lorsque je coupe mes ongles et ceux des enfants, le soir, dans la maison (même s'il n'aime pas du tout cela!). Par contre, il hausse la voix si nous tuons une araignée. Il ne faut tuer aucun être vivant! Il faut ramasser les insectes et les mettre dehors, doucement, dans leur milieu naturel, et non les écraser sous le pied. Jay croit à la réincarnation. Il fait du yoga et de la méditation tous les matins. Jay est un être profond qui accorde une importance particulière à la spiritualité dans tous les aspects de la vie, et j'adore ça.

Chez les Indiens, du moins dans la famille de Jay, les enfants portent un respect remarquable aux personnes âgées. On estime l'expérience — et la sagesse — qu'elles ont à transmettre. Un dieu ou une déesse est toujours bien en vue dans les demeures. Jay a été élevé avec l'image, ici et là dans la maison, de Sarasvati, la déesse de l'éducation. Il est rare, d'ailleurs, de trouver des Indiens non instruits en Afrique du Sud. Sous l'apartheid, ceux-ci bénéficiaient de bien meilleures écoles que les Noirs, même si elles étaient moins bien équipées que celles des Blancs. Les parents sont fortement engagés dans l'éducation des enfants, en général, et vont compenser, à la maison, les lacunes du système.

Jay n'impose pas ses valeurs, sa religion, ou sa culture. De mon côté, j'accepte tout nouveau rituel qu'il souhaite partager. Il ne s'attend pas à ce que ses enfants deviennent hindous. Il ne s'offusquerait pas du tout s'ils devenaient catholiques. Tout ce qu'il demande, c'est le respect des valeurs fondamentales de la vie.

La cérémonie marquant la naissance de Shanti, par exemple, s'est déroulée selon les traditions hindoues, une cérémonie qui a duré environ deux heures et qui était accompagnée de chants. Nisha, la sœur de Jay, en a dirigé toutes les étapes, en utilisant l'encens, le feu, l'eau, les fruits et le lait bénis. J'ai préféré le moment où nous avons enveloppé Shanti dans une couverture et l'avons bercée en chantant un doux chant spirituel. Les Brahmas Kumaris ont aussi prononcé quelques prières spéciales.

Jay, qui n'a jamais visité l'Inde, doit justement s'y rendre dans le cadre de son travail et les Brahmas Kumaris l'invitent à visiter leur siège social, sur le sommet du mont Abu. Il accepte, car un retour au pays ancestral implique pour lui un processus spirituel. Jay se livre, depuis quelque temps, à beaucoup de séances de méditation avec les Brahmas Kumaris. Il est prêt. Il veut découvrir ses origines.

Invitée à accompagner Jay, je n'hésite pas une seconde : je veux retourner en Inde. Ce pays m'avait tant fascinée quand j'y avais séjourné en 1986. Si je suis tombée amoureuse de Jay, sa culture y est pour quelque chose.

Alors nous partons. Je me sens un peu coupable de voyager aux frais de l'État et je crains les commentaires des gens, des journalistes. Pourtant, que l'État paie les dépenses de voyage de la femme d'un ministre est conforme aux règles ministérielles. Nous emmenons Shanti parce que j'allaite encore, mais nous payons sa part.

Le commandant de bord de l'avion d'Air India vient nous souhaiter la bienvenue. C'est un honneur, dit-il, d'accueillir Jay Naidoo dans l'avion qui l'emmène dans le pays de ses ancêtres. Jay est connu et aimé là-bas. Beaucoup d'Indiens sont fiers qu'un des leurs se soit engagé si activement dans la lutte contre un des pires régimes politiques du siècle. On nous offre de nous installer en première classe. Jay hésite, dit «non, merci», qu'il est bien en classe affaires. Moi qui voyage entre le Québec et l'Afrique du Sud si souvent, avec des enfants, en classe économique, je veux sauter sur cette occasion de me faire gâter, gratuitement! Je donne quelques coups de coude à Jay comme pour lui dire : «Réveille, bonhomme. Si toi, tu ne veux pas y aller, moi, j'y vais!» Le commandant de bord insiste, et moi aussi. «Quel principe sera bafoué si tu vas t'asseoir en première classe?» Jay cède enfin. C'est une première pour nous deux!

Le voyage est très confortable et les membres de l'équipage, chaleureux. L'un après l'autre, ils viennent voir Jay pour lui serrer la main, lui demander un autographe, et faire des câlins à Shanti.

En arrivant à New Delhi, Jay est emporté par le tourbillon des réunions. Moi, je vais me promener avec Shanti dans cette immense métropole. Traverser Delhi, c'est vivre plusieurs époques à la fois et voir les différentes Indes en un endroit. Parmi les ânes, les chevaux, et parfois même les chameaux qui tirent les chariots, la foule dense, les vaches et autres animaux qui déambulent dans les rues, les rickshaws motorisés, les voitures, il y a de quoi être fasciné. Dix millions d'habitants vivent à Delhi. La pollution y atteint un tel degré qu'il est souvent difficile de respirer. Je suis heureuse qu'on ne m'ait pas organisé un programme d'activités comme ce fut le cas dans les pays scandinaves. Tout ce qu'on a prévu pour moi, c'est une voiture avec chauffeur, mais je refuse catégoriquement d'utiliser ce service. Je préfère prendre les taxis de la ville et les rickshaws.

Jay est captivé. Le premier soir, après ses réunions, nous quittons l'hôtel en catimini (il ne veut ni garde du corps ni chauffeur). Nous nous promenons en rickshaw jusque tard dans la nuit. C'est la première fois que Jay met les pieds dans un pays où la majorité des gens lui ressemblent physiquement! Il est bouche bée devant ce spectacle indien…

Quelques jours plus tard, nous nous rendons sur le mont Abu, au Rajasthan, chez les Brahmas Kumaris. Le voyage fut infernal. Cinq heures dans une vieille voiture sans suspension, à quarante degrés, sur des routes sinueuses obstruées par les vaches et la foule…

Au fur et à mesure que nous pénétrons dans le Rajasthan, les couleurs s'intensifient. Les femmes portent des saris aux couleurs éclatantes. C'est beau. Les villes et les villages se fondent les uns dans les autres. Il n'y a pas, comme au Canada, de grands espaces inhabités entre les agglomérations. C'est toujours bondé de gens. Partout, la cohue.

Au sommet du mont Abu, toutefois, c'est la paix qui règne. Tout est simple. Les salles de méditation vibrent. La nourriture est saine et végétarienne. Les Brahmas Kumaris sont calmes et toujours souriants. Personne ne parle fort. Tout est doux. Je crois aux valeurs qu'ils prônent. Les valeurs d'honnêteté, de spiritualité, de vérité — tout ce qui est beau et qui changerait le monde si tous adoptaient ces valeurs dans la vie de tous les jours. Les Brahmas Kumaris croient en Dieu, ou en une force suprême qu'ils appellent Baba.

Le dimanche soir, une des dirigeantes des Brahmas Kumaris s'assoit sur un podium devant trois mille personnes pour méditer. Elle réussit à faire parler leur Dieu devant nous. Sa voix change et c'est le «grand Baba», l'être suprême, qui nous parle! Personnellement, ce petit côté religieux, un peu trop poussé, m'agace. Mais je respecte leurs rituels. Sauf que je suis la seule, parmi les trois mille adeptes, à être habillée de vert. Tout le monde, Jay inclus, est en blanc. Je n'ai pas cherché à me démarquer, je n'ai tout simplement pas pensé à porter des vêtements blancs. Et personne ne l'a souligné.

Nous passons quelques jours à Mumbay (Bombay) et à Kovalam, au Kerala, où nous rencontrons un médecin de grande renommée. Il a le corps enveloppé d'un simple morceau de tissu (*dhoti*) et porte des tongs. Il a mis en place un programme de développement en soins de santé. Jay, qui a l'habitude de rencontrer des gens « importants » portant la cravate et le costume, est fasciné par l'allure simple de ce médecin.

Il ressemble d'ailleurs à Jay. Celui-ci porte des souliers, mais, dans sa tête, il marche pieds nus, comme ce vieil indien. L'humilité n'a pas d'habit.

Je crois que cette qualité de Jay est très appréciée en Afrique du Sud. Il pourrait se promener vêtu d'un simple *dhoti* et pieds nus. Cela ferait parler, mais ne contrasterait pas avec sa manière d'être. Et c'est exactement de cette façon que je me le suis imaginé, comme un sage indien, pieds nus, peu de temps après notre retour de l'Inde.

* * *

Cela se passait pendant la Journée internationale de l'eau. Je me suis rendue avec Jay dans le township d'Alexandra, à Johannesburg. Je voulais y être. J'aime entendre ses discours. Après tout, c'est dans ce contexte que je l'ai d'abord rencontré…

Alexandra est un township extrêmement pauvre. Environ un quart de million de personnes vivent entassées sur un kilomètre carré, la plupart dans des taudis en tôle, en carton, sans eau ni électricité. Alexandra est à deux pas de

Sandton, un des quartiers les plus riches de Johannesburg, orné d'arbres, de fleurs, de lampadaires. Ces deux faubourgs ont été réunis aux dernières élections locales. Le même budget municipal doit maintenant suffire aux deux entités. Fusionner ces deux mondes représente tout un défi. Cela prendra quelques générations avant de faire disparaître les contrastes.

Jay se rend souvent à Alexandra. Aujourd'hui, en cette Journée internationale de l'eau, il va «adopter» une école qu'il visitera désormais régulièrement. L'eau est une denrée rare en Afrique, et l'Afrique du Sud ne fait pas exception à ce chapitre. Il faut sensibiliser tous les jeunes, surtout ceux des quartiers riches, à la valeur de cette précieuse ressource.

Huit cents et quelques élèves nous attendent. Ils préparent cette journée depuis longtemps. Qu'un ministre vienne à l'école est un événement, mais que ce ministre soit Jay Naidoo est un bonheur extraordinaire. Jay est un héros populaire et il est reçu comme tel. On veut le toucher, on veut lui parler. Les enfants ont créé des chants en son honneur, et, entre les différents discours, Jay les accompagne en dansant.

Ces huit cents élèves se partagent six robinets. Tous les jours, on se bat, littéralement, pour quelques gouttes.

Pendant toute la cérémonie, mon cœur est gonflé d'émotions. Les chants sont splendides, mais, surtout, l'espoir fou que révèle cet accueil donne le vertige quand on songe à tous les rêves qu'a fait naître la révolution. La plupart de ces enfants sont mal logés. Ils dorment sous des toits de carton ou de tôle, dans des salles communautaires, ou encore dans des églises. Ils sont sales. Ils ont soif. Mais tout est oublié aujourd'hui parce que Jay leur rend visite. À l'extérieur de l'école, des centaines de gens se sont massés pour l'apercevoir. Dans les chants et les poèmes des élèves, en sotho du Nord — leur langue —, le nom de Jay

Naidoo revient souvent, comme une prière, exprimant une sorte de vénération. Et puisque je suis venue, alors que ce n'était pas prévu, ils ont ajouté, à la dernière minute, «Mme Naidoo» dans leurs textes.

On m'offre un cadeau : un balai fait à la main. Jay me l'enlève aussitôt, en précisant que c'est lui qui balaie à la maison! Car il sait que, par son exemple, il peut contribuer à briser les stéréotypes encore si forts ici.

Je pars émue. Les enfants chantent et dansent dans la rue, devant, derrière notre auto, s'y accrochent. Ils voudraient garder Jay avec eux toute la journée. Jay aussi est ému. «Ce sont des moments comme ceux-ci qui font battre mon cœur et qui me font vibrer», me dit-il.

50

C'est Le Cap ou Montréal

Ma belle amie Terese, aux cheveux noirs et soyeux, que je rencontre de temps à autre sur le canapé de la chambre à coucher d'Omar, et avec qui je finis toujours par rire, même des choses tristes, n'est pas allée à l'aéroport chercher son conjoint, Jack Coolen, qui revenait d'un voyage d'affaires à l'étranger. Il avait pourtant communiqué à Terese son heure d'arrivée…

Jack appelle chez lui. Pas de réponse. Peut-être Terese est-elle prise dans un embouteillage. Elle n'est pourtant jamais en retard. Jack attend. Et attend encore. Il commence à s'inquiéter et appelle le père de Terese. Celui-ci dit qu'il se rend tout de suite chez sa fille. Terese n'y est pas. Le père va voir au petit immeuble d'habitation qui lui appartient.

Terese est là, dans un des logements. Elle n'a pas répondu à son téléphone cellulaire parce qu'elle a une hache plantée dans la tête. Le plancher de la cuisine est rouge de sang. C'est le père de Terese qui avait trouvé sa première fille, il y a quelques années seulement, morte noyée. Et voilà qu'il trouve la deuxième assassinée.

Un nouveau locataire devait emménager bientôt dans un des logements que possédait Terese et elle avait décidé de repeindre. Elle sortait les pots de peinture de sa petite Toyota Corolla blanche, quand un type est passé.

— Pauvre madame! Laissez-moi vous aider avec vos pinceaux et votre peinture!

— Que vous êtes gentil! Merci!

Ils sont montés. Une fois à l'appartement, il a pris une hache et lui a fendu le crâne. Pour son auto. Pour sa Toyota! C'est tout ce qu'il voulait. Ses clés de voiture!

Omar est encore sous le choc quand il m'annonce la nouvelle. Je viens tout juste, moi-même, de me faire voler ma voiture, une Jetta neuve. Shanti a passé quatre jours à l'hôpital à cause d'un mauvais virus. J'avais laissé la voiture dans un stationnement pour la nuit, parce que, allaitant encore, je devais dormir avec elle. Le lendemain matin, l'auto avait disparu. J'en ai informé les autorités, qui ont immédiatement posté un garde armé devant la chambre de Shanti. Il ne faudrait surtout pas que la fille du ministre soit kidnappée!

J'ai perdu mon auto. Terese a perdu sa vie pour son auto. Le sofa moelleux de la chambre à coucher d'Omar est en deuil. Nous sommes tous en deuil. Je dis à Jay :

— C'est Le Cap ou Montréal!

— Quoi? Qu'est-ce que tu racontes?

— Je ne veux plus vivre à Johannesburg. J'en ai assez de la violence. J'en ai assez des meurtres. J'en ai assez de toujours avoir peur, aux feux de circulation, qu'on vienne m'enlever mon auto, mes enfants ou ma vie. J'ai toujours peur. Et puisque tu passes la moitié de ton temps au Cap, ça changerait quoi, pour nous, sinon améliorer notre qualité de vie?

— Tu es certaine? Tu aimerais vivre au Cap?

— En fait, j'aimerais mieux Montréal. Mais je te laisse le choix.

— C'est vrai que les enfants aimeraient beaucoup Le Cap, avec la mer, les plages et les montagnes. Et l'école?

— Il y a une école française. J'ai vérifié.

Pour moi, il est essentiel que mes enfants aillent à l'école française. D'abord pour la langue, car je ne suffis pas à transmettre ma langue à mes enfants dans un milieu non francophone. L'école et la langue qu'ils parlent avec leur mère font un juste contrepoids au milieu, à la télévision, aux amis et à la langue qu'ils parlent avec Jay. Ensuite, l'école française suit le calendrier de l'hémisphère Nord, c'est-à-dire de septembre à juin. En Afrique du Sud, l'année scolaire s'étend de la fin janvier à novembre, le mois de décembre étant au cœur de l'été. Puisque Léandre voit son père à Noël et pendant les deux mois de l'été nord-américain, il est crucial que je respecte l'année scolaire du Nord. S'il n'y avait pas d'école française au Cap, je ne songerais même pas à y installer la famille.

— Et ton travail? demande Jay.

— Ici ou au Cap, c'est pareil, puisque je passe quatre-vingt-dix pour cent de mon temps dans mon bureau à la maison. Et puis maintenant, avec Internet, je n'ai plus besoin de me rendre aux archives de la presse.

— Tu es certaine de vouloir déménager?

— Je ne supporte plus Johannesburg. Je veux partir. J'en ai marre de vivre voûtée par la peur; j'ai peur même dans ma chambre à coucher!

Depuis cinq ans que j'habite Johannesburg, les cas de violence se sont multipliés autour de moi. Colette m'a parlé des gens qu'on a tués dans la rue, en face de chez elle, un soir; de Spongi, sa fille adoptive, qui a été violée; de sa voisine, violée par les trois hommes qui ont tout volé dans sa maison. Notre voisin et ami français Gilles Dirickx, le conseiller économique de l'ambassade française, a été kidnappé à sa porte d'entrée, emmené, ligoté, et s'en est miraculeusement tiré. Mon ami Musa a été poignardé à l'œil — pour un journaliste télé, ce n'est pas recommandé. Une femme a été attachée à un arbre, violée et laissée pour morte. Mon amie Karen Lubbe a été arrêtée par deux hommes qui voulaient lui voler sa voiture. Elle a crié et supplié qu'on lui laisse ses garçons, assis, attachés, sur la banquette arrière. Les voleurs les ont finalement libérés. Toutes ces victimes de violence sont aujourd'hui en thérapie.

Les histoires n'en finissent plus. Tout le monde a une horreur à raconter.

Johannesburg me stresse. Les barreaux de sécurité, les alarmes, les fils électrifiés, les voitures qu'on enlève aux feux rouges, même avec des enfants à l'intérieur, me hantent. Je dois fermer à clé une grille métallique *dans* la maison, qui sépare la section des chambres à coucher du reste des pièces!

La violence consume mon énergie. Je veux partir.

Le Cap est une ville plus provinciale. Même si le taux de meurtre et de crime y est aussi élevé, la violence reste, pour l'instant, majoritairement confinée dans les townships métis et noirs.

Les ministres ont droit à une résidence au Cap, car ils doivent venir y siéger régulièrement. Lorsque nous en avions choisi une, il y a deux ans, c'était seulement pour Jay. Nous avions eu le choix entre des dizaines de maisons, toutes plus grandes les unes que les autres, certaines avec six chambres à coucher et deux cuisines. Nous avions pris la plus petite — la moins grande, plutôt. Celle-ci a tout de même quatre chambres à coucher, un petit salon familial, un autre, grand, pour les réceptions officielles, une toute petite salle à manger familiale, un cubicule en fait, tout juste assez grand pour y mettre une table ronde d'un mètre et demi de diamètre et six chaises bien collées. Ça fait intime. J'aime ça. La grande salle à manger, avec une table rectangulaire longue de quelques mètres, sera transformée en... salle de jeu! Avec trois enfants, il faut un endroit où l'on puisse les enfermer à l'occasion! Nous mettrons la grande table dans le salon officiel.

Notre maison n'a rien d'exceptionnel. Les meubles sont beiges et bruns; les rideaux sont beiges et bruns; les tapis sont beiges et bruns. J'abhorre le beige et le brun! Mais ce sont les couleurs préférées du gouvernement.

Dans chaque pièce, il y a un bouton sur le mur. C'est pour appeler la domestique. Ça sonne dans la cuisine. Un tableau de boutons rouges s'y trouve. Un bouton s'allume indiquant, en afrikaans, la pièce d'où provient l'appel. J'ai promis à Maria que nous ne l'appellerions jamais de cette façon. Maria nous a suivis au Cap. J'ai eu peur de la perdre puisque ses enfants vivent près de Johannesburg. Je lui paierai deux billets de train ou d'autobus par année pour aller les voir.

Maria admire Jay et elle est bien chez nous. «Personne d'autre ne m'a traitée comme vous le faites», répète-t-elle constamment. Contre l'avis d'Omar, j'ai développé une relation affective avec elle. «Il ne faut pas faire ça, Lucie. Tu t'attireras des problèmes.» C'est parce qu'il ne connaît pas Maria qu'il dit ça. Maria, c'est de l'or pur. Tout le monde me dit combien je suis chanceuse. J'entends toutes sortes d'histoires horribles au sujet des domestiques. Je remercie Dieu de m'avoir envoyé Maria.

Maria chantonne toujours. Elle a une voix superbe. Avec Shanti accrochée dans son dos par une serviette, elle fredonne des chansons africaines en faisant son travail. Même lorsqu'elle est à quatre pattes à laver le plancher, Shanti la suit partout et fait ses siestes au rythme du ménage. Maria n'avait jamais mis les pieds au Cap. Elle n'avait jamais vu la mer, non plus…

Ce qui est beau, ici, ce n'est pas tant la maison que les jardins. Nous vivons dans le Groote Schuur Estate, un domaine d'une quinzaine de maisons où ont toujours habité les présidents et les vice-présidents, ainsi que certains ministres. C'est un lieu extraordinaire, vert, fleuri, et vivant. Partout, nous y croisons des *guinea fowls*, les pintades sud-africaines. Deux fois par année, les mères pintades dirigent des dizaines de bébés à la file indienne, à travers nos jardins, les petits bois, les champs et les palmiers.

300

Le domaine se trouve sur le flanc de Table Mountain, du côté opposé à celui qui domine la ville. En dix minutes, nous sommes au centre-ville, au Parlement, à l'école française ou au marché.

Dix minutes dans le sens opposé, et nous sommes au bord de l'Atlantique. Et quinze minutes dans une autre direction, nous voilà en face de l'océan Indien. Ça sent l'océan jusque dans ma chambre à coucher. Je dors avec les portes-fenêtres grandes ouvertes; le vent marin soulève les rideaux jusqu'au plafond. J'adore dormir les fenêtres ouvertes, le vent dans les voiles.

Dormir la porte ouverte en Afrique du Sud! Je n'ai plus peur. Je vis dans l'enceinte la mieux gardée du pays, avec Mandela comme voisin! À Johannesburg, les portes étaient verrouillées à triple tour... derrière les doubles tours de la porte à barreaux métallique. Les fenêtres étaient protégées par des barreaux. Ici, j'ai enfin la vue libre. Je ne me sens plus en prison.

Je reste toutefois entourée de policiers, de jardiniers qui sont des humains. Or, les humains volent et violent. Le chauffeur du vice-président Mbeki, par exemple, aurait violé la jeune fille d'une domestique. L'Afrique du Sud sera-t-elle un jour sécuritaire? Sans crime, ce pays deviendrait l'un des plus attrayants de la planète.

Depuis notre arrivée au Cap, nous avons subi quelques vols. Un peu d'argent, un séchoir à cheveux, une lampe de poche. Plus tard, ce sera le vélo de Kami dans le garage, des vêtements, et encore de l'argent. Maria me répète de garder les portes fermées. Les jardiniers sont sous-payés, m'avertit-elle. «Si tu laisses la porte ouverte, et ton sac à main en vue, ils viendront.» Mais j'oublie toujours de *tout* fermer. Il doit bien y avoir quelques dizaines de portes et de fenêtres dans la maison! Et l'été, il fait chaud!

Kami et Léandre vont à l'école française. Kami, à quatre ans, est en «moyenne maternelle». (Dans le système français, les petits commencent l'école à trois ans, en petite maternelle. Après la grande maternelle, c'est la première année.) Léandre, à dix ans, est en cinquième année, ou, dans le système français, en CM2. L'école est petite, mais son gymnase est impressionnant, tout lambrissé de bois, même l'estrade. On dirait une école de campagne, en pleine ville.

L'école compte environ cent vingt élèves de toutes sortes de nationalités, française surtout, mais aussi des pays africains de l'ouest, de l'île Maurice, et quatre du Québec, dont les deux miens. Les Français nous font payer plus cher les frais de scolarité, parce que nous ne sommes pas des Français. Un jour, au cours d'une assemblée d'école, j'ai souligné que c'était de la discrimination. La directrice a répondu que non, que ce n'était que le règlement. Alors Jay, irrité, s'est levé et a parlé de discrimination. Il faut dire qu'il parle de ce sujet avec une certaine autorité. Et faire payer à des Québécois ou à des Mauriciens dix pour cent de plus pour les frais de scolarité, parce qu'ils ne sont pas de nationalité française, c'est, dit-il, de la discrimination. J'ai renchéri en demandant pourquoi, si la politique de l'école était d'attirer les francophones, nous classifier ensuite. Malgré notre intervention, la pratique n'a jamais changé…

Shanti ira à la petite garderie Montessori qui se trouve — quelle belle coïncidence! — à l'entrée du domaine Groote Schuur. De chez nous, c'est à douze minutes à pied. Pour revenir, c'est un peu plus long puisqu'il faut remonter le flanc de la montagne vers la maison.

Je commence à connaître les policiers qui gardent les différentes entrées du domaine, auquel on peut accéder par quatre chemins différents. Mais, au fil des ans, il y aura toujours de nouveaux policiers qui me demanderont de donner mon identité. On exigera de voir mes papiers. Un jour, j'ai répondu que j'étais la femme du ministre Jay

Naidoo. « Vous n'avez pas l'air d'une Mme Naidoo », a rétorqué le gardien. Mon carnet d'identité sud-africain n'aide pas, car il y est inscrit « Non-South African ». Mais, habituellement, un petit salut de la main et un sourire suffisent pour faire ouvrir les barrières.

Étonnamment, des visiteurs se présentent parfois directement à notre porte. Ils pourraient venir nous tuer sans se faire importuner. En d'autres occasions, les policiers donnent du fil à retordre à nos amis, m'appellent pour vérifier leur identité et les accompagnent jusque dans mon salon. Il n'y a aucune constance dans leur travail de gardiens, et aucune rigueur. Mais il ne faut surtout pas en parler parce que cela pourrait donner des idées à ceux qui voudraient éliminer certains politiciens...

Je me sens toutefois bien à l'abri, surtout avec Maria qui fait la surveillance. Elle guette tout, me dit tout. Elle connaît les allées et venues de tout le monde, les visiteurs, les maîtresses même. Elle m'apprend qu'une de ses amies domestiques est tombée enceinte d'un ministre.

Je ne m'ennuie pas du tout de Johannesburg et de son stress urbain. Je m'ennuie toutefois de mon antre favori, chez Omar. Il est impossible de vivre notre relation d'amitié au téléphone. Nous nous verrons désormais rarement, mais nos rencontres seront toujours aussi intenses.

Contrairement à ce que je croyais, les enfants et moi verrons Jay encore moins souvent après notre déménagement au Cap, en septembre 1996. Jay doit passer une semaine sur deux, en alternance, à Pretoria et au Cap. Lorsqu'il doit siéger au Parlement, c'est toujours pour la plus courte période de temps possible puisqu'il a « trop de travail à faire » et doit se rendre à son bureau principal, à Pretoria.

Nous nous perdons de vue. La beauté du Cap, je la découvre seule avec mes enfants. Jay ne vient que très rarement à la plage ou à la montagne avec nous. Et puis, il est en pleine réforme de son ministère. En fait, on parle même de l'abolir.

Jay a toujours dit que le but de son travail était de faire disparaître son emploi, parce que le programme de reconstruction et de développement dont il avait la responsabilité aura été intégré dans tous les ministères. «Moins longtemps je ferai ce job, mieux ce sera pour le pays, car mon travail consiste à changer les priorités des ministères, pas à accomplir leur travail.» Mais tous ne voyaient pas le scénario ainsi.

Si un programme quelconque échouait, ou si une promesse électorale tardait à se réaliser, on jetait le blâme sur Jay. Si un programme s'avérait un succès ou si une promesse était tenue, on louangeait le ministre responsable du projet en question.

Jay s'est finalement retrouvé dans un état dépressif. Il est allé chez ma thérapeute et a pris des antidépresseurs pendant quelques mois. Personne ne l'a su. Sauf Omar, notre ami médecin Foxy, et moi. Mais il ne nous l'a avoué qu'après la dépression résorbée! La pression avait été trop forte, trop soudaine, nous a-t-il confié, quand il avait réalisé l'ampleur du défi «de faire un virage de cent quatre-vingts degrés avec un pays qui voguait dans la même direction depuis trois cent cinquante ans».

Un jour, le président Mandela l'a fait venir à son bureau pour lui annoncer que son poste de ministre sans portefeuille n'avait plus sa raison d'être et qu'il le nommait ministre des Télécommunications, des Postes et de la Diffusion.

Après deux ans, son poste venait d'être aboli. La presse a tout de même parlé d'échec.

Mais Jay a recouvré la santé.

51

Le cap de Bonne-Espérance

Notre exploration de la région du Cap nous conduit à des endroits extraordinaires. Les paysages comptent parmi les plus beaux que j'aie vus, et ce, même après avoir visité plus de trente pays. La magie du Cap tient dans ses montagnes et dans les deux océans qui caressent ses plages innombrables. J'en ai trouvé une, par hasard, qui doit faire trois cents mètres de large et des kilomètres de long, à perte de vue. Pas un chat. Les enfants adorent. Moi, je lis ou je dors tandis qu'ils construisent leurs châteaux, inlassablement. C'est à Noordhoek, à environ vingt minutes de la ville du Cap, en longeant l'océan Atlantique. Il faut passer par Chapman's Peak, où des réseaux de télévision du monde entier viennent tourner des images à couper le souffle. Pour arriver à Chapman's Peak, on doit emprunter une route étroite et sinueuse, taillée dans la montagne. À droite, c'est le précipice vers la mer. Au loin, c'est la baie du petit village de Hout Bay qui débouche sur un îlot rocailleux peuplé de milliers de phoques. L'horizon mène à Rio…

À une heure de route du Cap, en passant par des petits villages de pêcheurs où les *fish and chips* sont toujours frais du jour, nous traversons un parc national, où les singes ont priorité sur la route. La terre est aride et les arbustes, petits. À quelques kilomètres du bout de la route, un panneau indique que nous atteignons l'extrémité sud-ouest du continent. C'est le cap de Bonne-Espérance. Au bout complètement de la route, où il faut grimper à pied une centaine de marches, se trouve le belvédère de Cape Point, endroit où, dit-on, se rencontrent les océans Atlantique et Indien. Droit devant nous, il y a effectivement une ligne, une démarcation entre les deux océans, qui dépasse l'imagination. On ne se lasse pas d'observer cette frontière marine. C'est comme si deux courants de vagues se rencontraient, jusqu'à l'infini vers l'horizon.

Nous nous arrêtons souvent, sur une plage ou une autre, lorsque nous venons au bout du continent. Les dunes abondent en certains lieux. Les enfants pourraient passer des heures à glisser sur elles. Nous avons essayé de faire des pique-niques à quelques reprises, mais il vente beaucoup trop.

Notre autre rendez-vous régulier avec la mer est à Camp's Bay. C'est presque en ville. Nous n'avons qu'à emprunter la route qui passe par-dessus la montagne pour aller de l'autre côté de la ville du Cap. Les domaines de millionnaires surplombent cette plage au sable fin, doux et blanc. Elle n'est pas très grande — environ un kilomètre de long. Il y a souvent beaucoup de monde, mais c'est si facile de s'y rendre, après le souper, avant le dodo, pour prendre l'air avec les enfants. Le soleil se couche juste en face. Le crépuscule me calme. Je ferme les yeux et je respire profondément.

La région du Cap cache aussi un autre trésor, celui des vignobles. À quarante-cinq minutes de la ville, les vignes s'étendent entre les montagnes comme un duvet. Prendre la route des vins, c'est faire un voyage dans les collines et les montagnes de Bilbo le Hobbit, dont l'auteur, Tolkien, est d'origine sud-africaine.

C'est en 1688 que les premières vignes furent plantées au Cap, introduites dans le pays par les huguenots, des protestants français fuyant la persécution religieuse sous Louis XIV et qui s'étaient réfugiés en Afrique du Sud. Ces Français trouvèrent le climat et la terre de la région du Cap propice au développement vinicole. Aujourd'hui, en Afrique du Sud, on retrouve encore des Rousseau, des Duplessis, des Marchand, etc., qui me font penser au Québec et qui me rappellent l'influence française dans ce pays. Ces nombreux Sud-Africains aux patronymes français ne parlent toutefois plus la langue de Molière. Les huguenots se sont assimilés aux Afrikaners.

Mon ami québécois Laval Gobeil, soixante ans, père de deux filles fréquentant l'école française, m'a fait découvrir la route des vignobles. Laval vient de prendre sa retraite après avoir travaillé partout en Afrique pour le gouvernement canadien. Sa femme, Suzanne, une Sud-Africaine, travaille elle aussi pour le gouvernement canadien, au consulat du Cap! Laval connaît les mille recoins des vignobles par cœur. Il y amène tous ses visiteurs, certain de la séduction que ces terres exerceront sur eux. À Franschoek, le «coin des Français», un petit village près de Stellenbosch, les noms des rues et des cafés évoquent la présence des huguenots. De la terrasse du Petit Café à celle du Grand Bistro, Laval m'initie au charme du bon vin, me faisant goûter aux spécialités des diverses maisons. Je n'avais pas, jusqu'alors, développé un goût pour le vin; c'est un nouveau monde pour moi. Laval, lui, connaît les bons vins et, surtout, sait pourquoi ils sont bons. Explorer la route des vins est toujours agréable. Cependant, il est fortement conseillé, pour l'apprécier pleinement, de pouvoir compter sur son chauffeur! Laval se retient de trop boire.

Le dimanche, à l'heure du brunch, il est possible de venir pique-niquer sur les terres des différents domaines vinicoles, au son de la musique classique jouée, sur l'herbe, par un petit ensemble dans un décor de roman Harlequin.

Je viendrai parfois au domaine Spier, à Stellenbosch, pour m'amuser avec les enfants, me promener, manger et écouter des concerts.

«Que veux-tu pour ton anniversaire?» m'a un jour demandé Jay. «Je veux flatter un guépard.» Il avait été surpris sans l'être complètement. Il connaît mon attirance pour les félins. Plus ils sont gros, plus je les aime. Or à Spier se trouve un centre de préservation et d'élevage de guépards. J'y ai flatté un gros mâle pendant quinze minutes. Pour environ cinq dollars, ce fut une montagne de plaisir. Ce gros chat ronronnait sous mes caresses. Mon bras vibrait sous les pulsations de ses ronflements de plaisir. Je ne savais pas que les guépards ronronnaient ainsi.

Dans la région du vin, un chemin de fer marque la frontière entre l'univers Harlequin et celui de la dure réalité, celui de la pauvreté, de la misère, de la faim, de la vio-lence, de l'abus d'alcool, du chômage. Ce sont les Métis, en majorité, qui vivent de l'autre côté de cette «frontière». Ce sont eux qui entretiennent les riches vignobles...

Ce sont les Métis, aussi, qui rendent la culture du Cap extrêmement diversifiée. Le Coon Carnival, par exemple, est une fête exclusivement métisse. Le 2 janvier de chaque année, les rues de la ville grouillent de monde. La première mention d'une telle fête remonte à 1823. Au temps des esclaves, le premier jour de l'an était le seul jour de l'année où la rue leur appartenait, puisque c'était leur seul jour de congé annuel. Lorsque les Britanniques abolirent l'escla-vage, en 1833, les Métis ne souhaitaient surtout pas célébrer cette date qui rappelait l'époque de leur soumission. Le 2 janvier devint donc *leur* jour de l'an à fêter. Une fête qu'on appelle *Tweede Nuwejaar*, ce qui veut dire, en afri-kaans, le deuxième nouvel an.

Vers les années 1850, une nouvelle influence s'intègre dans les fêtes des esclaves du Cap, celle des Black-Face Minstrels, des chanteurs et musiciens blancs déguisés en

Noirs. Les Métis du Cap adoptent les maquillages de ces « ménestrels » à l'occasion de leur parade annuelle du Coon Carnival. D'ailleurs, le mot *coon* vient de l'anglais *racoon*, référence au masque blanc et noir du raton laveur. Une autre tradition culturelle typique du Cap est celle des chœurs malais musulmans qui conservent une influence malaisienne et indonésienne marquée. Les chanteurs portent un genre de képi, sans la visière, et jouent du banjo en chantant sur des airs mi-asiatiques, mi-africains. Mais ils ne sont ni tout à fait l'un ni tout à fait l'autre, et leur situation politique et sociale reflète cette ambiguïté.

J'ai fait de la formation radio au Cap, chez Bush Radio, une radio communautaire alternative qui a longtemps diffusé malgré les lois l'interdisant. Lors d'une des séances de formation, j'ai rencontré une réalisatrice d'une radio communautaire d'un quartier métis où la drogue et la violence sont monnaie courante. Elle m'a invitée à animer une émission spéciale sur le rôle de la radio dans une communauté, où je répondrais aux questions des auditeurs. En introduction, j'ai mentionné qu'une telle radio devait être au service de la communauté et offrir des ressources de toutes sortes. J'ai finalement passé l'heure à parler à des femmes qui appelaient pour savoir si leur mari avait le droit de les battre; pour savoir quoi faire avec un garçon qui faisait encore pipi au lit à l'âge de douze ans; pour savoir si leur fille, violée par un oncle et un cousin, s'en sortirait un jour; pour s'informer si leur enfant, qui faisait des cauchemars depuis que des hommes armés avaient fait irruption dans la maison et avaient tué son père et ses deux frères, devrait voir un psychologue…

J'ai parlé avec passion, avec véhémence, contre la violence domestique, et insisté sur le devoir des parents, les droits des enfants et le rôle de la radio communautaire dans cette vie dure et cauchemardesque, surtout pour les femmes. J'ai touché des sujets tabous, et la réalisatrice de l'émission me regardait avec de gros yeux, mais ne m'a pas interrompue.

Cela se passait à dix heures le matin. À vingt-deux heures, j'ai reçu un appel chez moi. C'était la réalisatrice. «Le téléphone commence à peine à dérougir.» L'ironie, c'est que cette radio était la voix du groupe PAGAD, pour *People Against Gangsterism and Drugs,* un groupe luttant, officiellement, contre le gangstérisme et la drogue, mais qui, en fait, employait des méthodes aussi violentes que la mafia et aurait été responsable de bombes explosant au Cap ainsi que d'assassinats divers. Le gouvernement, et donc Jay, en tant que ministre des Télécommunications, voulaient fermer cette radio. Mais je venais de lui trouver une nouvelle vocation. Nos chemins professionnels, à Jay et à moi, n'auraient pas pu être plus opposés.

52

Le racisme

J'ai toujours été allergique au racisme, d'autant plus que ma sœur Tanya est métisse, et que ses traits négroïdes lui ont parfois attiré des ennuis. Je n'ai ni la patience ni la diplomatie de Jay. Surtout si on insulte mes enfants! Un Afrikaner m'a déjà dit : « Tu as gaspillé la vie de deux enfants en leur mettant du sang noir dans les veines alors que tu avais la possibilité d'en faire des cent pour cent blancs. »

Un jour, à l'aéroport de Johannesburg, alors que nous nous rendions dans la famille de Jay à Durban, nous nous sommes présentés au comptoir pour obtenir nos cartes d'embarquement. Léandre était dans les bras de Jay, Kami dans les miens. Le préposé nous a foudroyés du regard en marmonnant quelque chose en afrikaans. Il a volontairement tardé à nous remettre nos cartes d'embarquement. Une fois à bord de l'avion, nous nous sommes aperçus qu'il nous avait attribué quatre sièges séparés les uns des autres, dispersés d'un bout à l'autre de l'appareil. Même la place du petit Kami se trouvait loin de nous et de son frère! L'avion était pourtant à moitié vide. Sans prononcer un mot, le préposé avait exercé son pouvoir discriminatoire.

À une autre occasion, on nous a refusé une table, à Jay et à moi, sous prétexte qu'elles étaient toutes réservées. J'avais vu le registre. Ce n'était pas vrai. Dans un autre restaurant, on nous a offert une table, mais on ne nous a jamais servis! Et cela se passait après 1994, alors que Jay était ministre!

Fini, l'apartheid?

Un jour, en pleine session parlementaire, un député du Parti national a dit à Jay : «*Go back where you belong*» (Retournez chez vous), lui enjoignant de rentrer en Inde, le pays de ses ancêtres! Ce serait comme dire à un Québécois de retourner en France. Ce député a été obligé de lui présenter des excuses publiques.

Une autre fois, un incident raciste aurait pu avoir des conséquences plus dramatiques. Nous séjournions, durant nos vacances, au condo d'Omar au bord de la mer, à Umhlanga, près de Durban. Profitant de nos rares moments de détente en famille, je fabriquais des châteaux de sable avec Kami tandis que les sœurs de Jay, Nisha et Dimes, et ma mère, Louise, parlaient tranquillement. Quant à Jay, Léandre et Omar, ils s'amusaient follement dans les grosses vagues. Tout à coup, j'ai vu Jay se faire secouer par une immense vague. Puis il a disparu brusquement. D'un bond, je me suis levée, inquiète. Mais il a ressurgi de l'eau et s'est traîné sur le sable à genoux. Il s'est redressé péniblement et a titubé jusqu'à nous. Je croyais qu'il blaguait. Mais non, c'était sérieux, du moins avons-nous pu le constater, six heures plus tard, lorsque Jay s'est effondré.

Il bavardait avec Louise lorsqu'il a soudainement perdu connaissance au beau milieu d'une phrase. Omar s'est affolé. Figés, Kami et Léandre ne disaient pas un mot. J'ai sauté sur le téléphone et j'ai appelé l'ambulance.

La première question de la préposée fut la suivante :

— De quelle race est le patient?

— Pardon? Mais qu'est-ce que vous dites! Quel est le rapport? Mon mari a besoin d'une ambulance!

J'ai regardé Jay, évanoui à mes pieds. J'étais très consciente des conséquences de ma réponse. Si je disais qu'il était blanc, elle m'envoyait une ambulance tout de suite. Mais en faisant cela, je dérogeais à mes principes!

— Vous n'avez aucun droit de me demander sa race!

J'ai renchéri en disant que la Constitution intérimaire, qui venait de prendre effet quelques semaines auparavant (en novembre 1993), stipulait que la discrimination, basée sur la race, le sexe, etc., était interdite.

— Il est même illégal de me poser une telle question! ai-je ajouté.

Elle n'a pas bronché. La dispute a éclaté. Je refusais de divulguer la race du patient, malgré les supplications d'Omar et de Louise, qui ne comprenaient pas pourquoi j'avais choisi cet instant pour avoir un débat politique! Nous n'avons pas eu d'ambulance... Omar a plutôt téléphoné à un ami pédiatre, Jerry Coovadia. Celui-ci est arrivé quinze minutes plus tard, avec sa trousse en miniature. Jay avait repris connaissance. Jerry l'a bien examiné, puis nous a rassurés : «C'était sûrement le choc de la vague. Tout ira bien...»

Kami est né sous les lois de l'apartheid. Lorsque je suis allée l'inscrire au registre de naissances, il a été «classifié» selon la loi sur la classification raciale de la population. Sur le formulaire, je devais le déclarer métis ou indien. Mais je me suis obstinée. J'ai carrément refusé de préciser la race de son père. La préposée a regardé Kami, m'a regardée, puis a dit, après un soupir forcé : «Je le classifie "blanc".» Elle devait à tout prix, en tant que fonctionnaire, cocher une case... L'Afrique du Sud n'a cependant pas l'apanage du racisme.

À l'aéroport international de Mirabel, au Québec, Jay se faisait immanquablement arrêter et fouiller. Chaque fois! On l'examinait de la tête aux pieds, parfois sans aucun égard. Son passeport était scruté à la loupe, comme si l'on cherchait des preuves qu'il s'agissait d'un faux document.

Un jour, un douanier a dépassé les bornes. Doutant de l'authenticité du passeport diplomatique qui spécifiait que

313

le détenteur était ministre du gouvernement sud-africain, et soupçonnant probablement Jay d'importer de la drogue, il l'a conduit dans une salle attenante. Jay a subi un interrogatoire intensif d'une heure. Puis on l'a fouillé de fond en comble, lui et ses valises! Pendant ce temps, j'attendais de l'autre côté de la barrière avec nos enfants. Et s'il avait été un ministre sud-africain blanc?...

Jay a beau être patient, il y a des limites qu'il ne faut pas dépasser. Ce jour-là, furieux de cette suspicion injustifiée, il a éclaté! Rien ne l'irrite autant que le manque de respect, que ce soit de la part d'un directeur de la Banque mondiale lui livrant un monologue paternaliste sur ce que les Africains devraient faire, ou d'un douanier à Montréal, Londres ou ailleurs, faisant preuve d'un zèle douteux et humiliant. L'histoire, cette fois, s'est rendue dans des journaux canadiens.

Les autorités de l'aéroport ont commenté l'incident en alléguant qu'une telle vérification était de «routine» et visait environ dix pour cent des passagers, choisis aléatoirement. «Complètement au hasard», ont-elles insisté. Jamais, au grand jamais, me suis-je fait fouiller à Mirabel. Et je suis passée par cet aéroport des dizaines et des dizaines de fois. J'ai observé, par la suite, la composition des dix pour cent en question. Très colorés...

Mais il faut savoir distinguer. Parfois, certaines remarques ne relèvent pas du racisme. Elles sont tout simplement inspirées par l'ignorance, ou une saine curiosité. J'ai vécu à quelques reprises cette curiosité suscitée par la «différence».

À Lac-Mégantic, le village natal de ma mère, j'étais dans la salle d'attente de l'hôpital avec Kami. Une femme nous a dévisagés, Kami et moi, pendant un long moment. Enfin, elle m'a demandé :

— C'est votre enfant?

— Oui, c'est mon fils.

— Mais, sa peau, elle semble un peu foncée.
— Oui, son père est Africain.
— Ah! me semblait, aussi!
— Sud-Africain d'origine indienne.
— Ah bon!

Un silence a suivi. La femme fixait le vide. Puis, elle a voulu savoir : «Ça a l'air de quoi, un Sud-Africain d'origine indienne?»

Le même jour, l'infirmière qui prenait la température et le poids de Kami m'a dit la même chose :

— Il a la peau bien foncée. Il est né où?
— En Afrique.
— Ah! Il me semblait, aussi. L'avez-vous adopté jeune?
— C'est mon enfant. Il est sorti de mon ventre.

Elle n'a plus rien dit.

Dans le cas de l'anecdote suivante, amusante celle-là, la scène se passait à La Patrie, près du mont Mégantic. Nous venions de faire l'épicerie pour le réveillon de Noël avec Kami et Shanti. Jay était parti chercher l'auto et j'attendais à l'intérieur, avec les paniers et les enfants. Deux dames nous regardaient depuis un bon moment. Puis, elles se sont approchées, ont pincé la joue de l'un et flatté les cheveux de l'autre. Sans façon, elles m'ont fait cette remarque :

— Ils ont la peau bien foncée!
— C'est parce que leur père...

Au moment où je disais cela, Jay est entré.

— Le voilà, le père!

Et les dames, en voyant Jay, de dire :

— Ah! Mais ils ont la peau bien pâle!

Ça, ce n'était pas du racisme. C'était tout simplement de la curiosité. C'est sain. Le racisme s'apprend, s'enseigne, se transmet. On ne naît pas raciste. On le devient. Et c'est la raison pour laquelle il peut être éradiqué, peu importe où il plante ses racines.

53

Toute la vérité, rien que la vérité

Me voici à la recherche de la vérité... J'ai décidé de réaliser un grand documentaire pour la radio et pour la presse écrite sur la Commission de la vérité et de la réconciliation, connue ici sous le sigle TRC pour *Truth and Reconciliation Commission*. Après avoir passé plus de deux ans de ma vie enceinte, trois ans à allaiter, j'avais besoin de reprendre à fond ma vie professionnelle.

Si la majorité des journalistes venus couvrir les dernières élections sont maintenant repartis, ce n'est pas parce qu'il n'y a plus rien à raconter. Au contraire, un nouveau pays se bâtit. Et avant de construire ce pays, il faut enterrer le vieux. Pour enterrer le vieux, il faut savoir ce qu'on enterre! Or, il y a des chapitres manquants dans l'histoire de l'apartheid.

La Commission de la vérité et de la réconciliation a été créée par le gouvernement d'unité nationale pour faire la lumière sur la période comprise entre le 1er mars 1960, date à laquelle furent bannis tous les mouvements anti-apartheid, et le 10 mai 1994, date de l'investiture présidentielle de Nelson Mandela. La Commission dispose de deux ans pour interviewer des milliers de gens, accorder l'amnistie à ceux qui satisferont aux nombreux critères établis et écrire un rapport — le chapitre manquant de l'histoire du pays.

La TRC est née d'un compromis entre ce que préconisait le Parti national — tout oublier, fermer le livre, comme au Chili — et ce que souhaitait l'ANC — punir les coupables. On a choisi un Prix Nobel de la paix pour diriger cette commission, l'archevêque Desmond Tutu.

Seuls l'Inkatha et certains partis d'extrême droite boycotteront les travaux de la Commission.

Je fais une recherche approfondie sur le sujet, assez du moins pour rédiger un synopsis solide. Grâce à un ancien collègue de travail, le journaliste Sylvain Desjardins, j'établis le contact avec le réalisateur de l'émission *Dimanche magazine* de Radio-Canada, Pierre Trottier. Pierre veut le reportage. Et avec l'aide de mon ami Luc Chartrand je réussirai aussi à vendre un reportage à ce magazine.

J'ai visé gros dans le synopsis que je leur ai envoyé : entrevues avec le président de la TRC, l'archevêque Desmond Tutu; le vice-président sortant d'Afrique du Sud et chef du Parti national, Frederik De Klerk; le chef de l'Inkatha, Mangosuthu Buthelezi; le vice-président de la TRC, Alex Boraine, un Blanc; et avec les principaux acteurs d'un psychodrame dont on n'a pas encore d'exemple sur terre.

Ayant réussi à obtenir des rendez-vous pour toutes les entrevues voulues, je prends l'avion pour aller rencontrer Frederik De Klerk et Buthelezi à Pretoria.

De Klerk est un petit homme, qui me rappelle René Lévesque, physiquement. Et il a une cigarette au bec tant que ses yeux sont ouverts. Je n'avais jamais rencontré Frederik De Klerk en privé, mais l'avais croisé à des banquets, à des repas officiels, à des congrès. Et nous ne serons pas seuls cette fois-ci non plus. En me serrant la main, il s'empresse de me présenter son attachée de presse.

«Il y a des questions auxquelles je ne répondrai pas», dit-il d'emblée, sur la défensive. De Klerk, faut-il préciser, a accepté la mise sur pied de la Commission de la vérité, ce qui ne veut pas dire qu'il ne court pas de grands risques, personnels comme pour son parti, en se livrant à cet exercice périlleux. Certains chefs des forces de sécurité ont commencé à parler, à dévoiler ce que le gouvernement du Parti national a réellement fait, la guerre secrète menée par les forces de l'ordre.

J'ai passé des jours à préparer cette interview. J'ai tout lu ce que j'avais sous la main au sujet de De Klerk. J'avais l'impression d'avoir pris le thé avec lui, tellement je le connaissais.

Je veux savoir s'il est inquiet pour sa réputation. Il dit que non, qu'il n'a rien à se reprocher. Puis je lui demande si l'apartheid était un crime. Il évite de répondre, soutenant que la déclaration des Nations unies au sujet de l'apartheid est «vague». Elle affirme pourtant que «l'apartheid est un crime contre l'humanité». De Klerk défend par ailleurs le concept original de l'apartheid voulant que les «races» vivent séparément, «comme les Français en France et les Hollandais aux Pays-Bas». Mais le rêve n'a pas marché en Afrique du Sud, convient-il.

«J'aurais pu continuer à être président, dit-il. Mais ç'aurait été la guerre civile totale.» Ce que dit De Klerk, au fond, c'est qu'il n'a pas libéré Mandela par conviction morale. Pour des raisons économiques, l'apartheid n'était tout simplement plus viable.

En libérant Mandela, De Klerk voulait négocier un partage des pouvoirs pour dix ans, et même pour toujours, si cela avait été possible. Il voulait un droit de veto pour les Blancs, des lois spéciales et des privilèges entérinés par la Constitution.

Pendant notre entrevue, il précise que la lutte contre les Noirs n'était pas vraiment une lutte contre les Noirs. Le gouvernement de l'apartheid, affirme-t-il, combattait le communisme. Des pays communistes finançaient les activités des groupes anti-apartheid. Et quand le mur de

Berlin est tombé, il n'y avait plus de raison de garder Mandela, le «camarade», en prison.

Des crimes ont été commis. Par des membres de tous les partis. Mais De Klerk se défend d'avoir sanctionné les tortures et les assassinats. À ce moment de l'entrevue, je lui lis une phrase du procès-verbal d'une réunion du Conseil de sécurité à laquelle il assistait et où l'on avait recommandé d'*éliminer* l'activiste Matthew Goniwe.

De Klerk bafouille. Son attachée de presse s'apprête à intervenir, mais il lui fait signe de la main que tout va bien. Il se gratte alors le haut du sourcil droit avec l'index, un tic chez lui. L'attachée de presse griffonne quelques mots sur un bout de papier qu'elle lui glisse sous le nez. Je n'ai pas la chance de le déchiffrer. De Klerk le cache aussitôt sous son paquet de cigarettes.

«Nous parlions d'éliminer les *conditions* qui étaient propices à la propagation des pensées révolutionnaires», précise-t-il alors. L'activiste Matthew Goniwe a pourtant bel et bien été assassiné peu après. Les policiers qui l'ont exécuté ont finalement avoué ce crime devant la TRC.

Un an plus tard, je rencontrerai Frederik De Klerk à l'occasion d'un dîner avec Kofi Annan, secrétaire général des Nations unies, au Parlement du Cap. Je montais dans l'ascenseur avec Jay. De Klerk s'y trouvait déjà. Il m'a reconnue. Et puis Jay, faisant semblant de rien, m'a présentée. Je suis devenue rouge comme une tomate. Je m'étais présentée, un an plus tôt, comme journaliste canadienne. Rien de plus. S'il avait su que j'étais l'épouse de Jay, cela aurait-il changé quelque chose? Je ne sais pas. Dans l'ascenseur, De Klerk, un homme poli, n'a rien dit.

Je ne l'ai plus revu. De Klerk a démissionné du gouvernement d'unité nationale et a amené avec lui tous ses ministres lorsque la nouvelle Constitution a été acceptée, en 1996, la principale raison de sa démission étant que l'ANC refusait un partage des pouvoirs permanent. Il a fait les manchettes de nouveau l'année suivante quand il a divorcé, le jour de la Saint-Valentin. Il s'est aussitôt remarié avec la femme d'un de ses bons amis. De la part d'un Afrikaner calviniste, c'est plutôt paradoxal, car chez les membres de cette communauté, les traditions, celle du mariage surtout, sont sacrées. On pourra dire que, toute sa vie, Frederik De Klerk aura osé…

Je rencontre Mangosuthu Buthelezi le même après-midi. J'ai mis mon armure. Il a une terrible réputation parmi les journalistes, qu'il n'aime pas du tout. Il s'enflamme facilement. Il s'est enflammé et j'ai été prise de panique. J'ai écourté l'entrevue. J'ai eu peur de lui. Seulement trente secondes de l'entrevue seront utilisables.

Plus tard, je le reverrai avec Jay, à plus d'une occasion. Je crois qu'il ne se souvient pas de notre entretien. Il aime me répéter, à propos de Jay et lui : «Nous sommes des enfants du Kwazulu-Natal.»

Une entrevue avec l'archevêque Desmond Tutu vaut un spectacle et je paierais le prix du billet pour y assister. Il vit, il vibre, il gesticule. Il est expressif tant avec sa voix qu'avec son corps. Je crois que ce serait une torture pour lui de lui attacher les mains lorsqu'il parle. Elles lui sont aussi essentielles que sa voix pour s'exprimer.

Malgré ses relations de proximité avec l'ANC, personne ne doute de son impartialité et de son intégrité. Par exemple, certains membres de l'ANC, dont Thabo Mbeki, ont déclaré que les crimes commis au nom de la lutte contre l'apartheid ne devraient pas être jugés de la même façon que les crimes commis pour maintenir le régime en place. Tutu n'est pas d'accord. «Un crime est un crime.» Tutu prend son mandat au sérieux. Il est, je crois, incapable d'injustices. Il sait que son passé pourrait laisser douter de son impartialité et peut-être est-ce (aussi) pour cette raison qu'il est si dur avec l'ANC.

Je croiserai Desmond Tutu à plusieurs reprises lorsque je passerai quelques centaines d'heures au siège social de la Commission, à deux pas du Parlement. J'éplucherai plus de mille heures de témoignages. Je devais parcourir et les transcriptions et les rubans pour pouvoir transférer des extraits sonores sur mes propres bandes. Cela me permettra d'entendre des témoignages saisissants, qui me feront frissonner, même après les avoir entendus dix fois. Et je pourrai aussi tout suivre à la télévision puisque les témoignages sont diffusés en direct. Les témoins sont assis sur une plateforme et les commissaires se trouvent à une table en forme de fer à cheval. Au milieu du fer à cheval, Desmond Tutu préside les séances.

Dire toute la vérité? Rien que la vérité? Quelle question! Cela fait des années qu'elle attend de dire la vérité. La main droite levée, le poing gauche serré sur la cuisse, Zanele cherche son souffle comme tous les autres qui témoignent devant la Commission. « Je le jure », articule-t-elle enfin. Les mots de Zanele tombent lourdement dans la salle d'audience. Cette femme a été arrêtée, torturée, agressée sexuellement et détenue pendant un an... Pour rien. Le 17 juin 1986, la police est entrée en trombe chez elle et l'a traînée au poste. On l'accusait, précise-t-elle, d'avoir tué un homme. La gorge serrée, elle continue : « Ils m'ont menottée à la chaise. Ils ont fourré un morceau d'étoffe dans ma bouche et couvert ma tête avec un linge. » Elle hésite, maintenant, et l'assemblée se crispe. Son silence trahit la douleur encore vive de la mémoire. « Ils ont attaché des pinces à chacune de mes oreilles. C'est à ce moment-là que j'ai réalisé que j'allais subir des chocs électriques. Ils ont fait ça plusieurs fois, jusqu'à ce que ma vessie lâche. » Zanele n'a plus la gorge serrée, mais complètement nouée. Le souffle lui manque. « Ils ont déboutonné ma blouse, sorti mes seins de mon soutien-gorge. » Zanele serre son mouchoir entre ses doigts. Il dégoutte. « Ils ont vidé un tiroir et écrasé mes seins dans le tiroir plusieurs fois... jusqu'à ce qu'une substance blanche collante sorte des mamelons. »

La narratrice qui a lu la traduction du témoignage de Zanele pour mon documentaire radio a aussi eu la gorge nouée.

«La vérité fait mal, mais le silence tue», peut-on lire sur une affiche derrière Desmond Tutu. Celui-ci a passé les premières audiences de la Commission à se tenir la tête entre les mains. Et à pleurer. Il dit que, même s'il «savait» que des atrocités avaient été commises, il ne connaissait pas les détails, l'ampleur, l'étendue des horreurs. «Nous savions, mais d'une façon générale. Maintenant, tout devient particulier. Des statistiques parlent, des statistiques pleurent, les statistiques deviennent vraies et cela est dévastateur.» Aujourd'hui, des millions de Sud-Africains apprennent, pour la première fois, la vérité. S'il y a un engouement pour les audiences de la Commission — Radio Zulu, une des seize radios de la radio d'État, diffuse chaque semaine un programme spécial qui attire plus d'un million d'auditeurs! —, l'intérêt se manifeste surtout chez les Noirs. Les Noirs veulent savoir. Mais les Blancs, en revanche, préfèrent éviter de regarder leur culpabilité en face. «Beaucoup de Blancs se sentent coupables, ou d'avoir voté pour le parti responsable de ces crimes, ou de n'avoir rien fait pour les prévenir. Ils disent qu'ils ne savaient pas, et maintenant qu'ils savent, ils sont nerveux et peureux», dit Alex Boraine. «Les Blancs sont restés dans l'ignorance à cause des médias qui collaboraient avec le régime de l'apartheid», explique Desmond Tutu. Un sondage révèle que soixante-quatre pour cent des Blancs de l'Afrique du Sud (comparativement à trente pour cent des Noirs) n'ont *pas* confiance en la Commission de la vérité et de la réconciliation. «La Commission va tout simplement créer plus de divisions», pense le professeur Hermann Giliomee, mais il avoue que la Commission a réussi à «exposer les Blancs aux réalités de l'apartheid. Je crois que les Blancs ont une vision un peu trop rose de ce que l'apartheid a signifié pour les Noirs».

Un nouveau témoin est à la barre. Un Blanc. Un Afrikaner. Un vrai Boer. «Selon vous, la politique et la religion étaient-elles liées de quelque façon?» demande un commissaire. «À cent pour cent. Et pour être plus précis, le Parti national et l'Église hollandaise réformée.» C'est Dirk Coetzee, un ancien commandant des forces de sécurité, qui parle. Un homme qui n'a eu aucun contact, quel qu'il soit, avec les Noirs pendant toute son enfance (sauf avec sa domestique). Coetzee a décidé de se confesser devant la Commission (un peu plus de sept mille personnes, en tout, l'ont imité).

Les deux principaux critères pour obtenir l'amnistie sont l'aveu de son crime et l'établissement du motif politique du crime. Ceux qui n'auront pas présenté de demande d'amnistie avant la fin de la Commission, en juin 1998, s'exposent à des poursuites judiciaires. Coetzee a un procès qui l'attend l'année prochaine. Il espère obtenir l'amnistie avant... Il ne veut pas se retrouver avec son collègue, Eugene De Kock, aussi un ancien membre des forces de sécurité, derrière les barreaux. De Kock a été reconnu coupable de six meurtres et de quatre-vingt-trois autres crimes, de fraude et de corruption, entre autres. Sa sentence : deux fois la vie plus deux cent douze ans de prison supplémentaires!

De Kock est un bouc émissaire, jusqu'à un certain point, croit Desmond Tutu. «C'est un adulte. Il est responsable de ses actes. Mais il faisait partie d'un système.» Il hésite, puis sur un ton grave ajoute : «Si on avait eu un système de valeurs humaines différent, il n'aurait pas été possible de vivre dans cette atmosphère où l'on mangeait sa nourriture préparée sur le barbecue alors que des corps brûlaient à côté et qu'on croyait, dans tout ça, qu'on protégeait son pays.»

Tutu parle des barbecues de Vlakplaas, un nom dont la seule mention donne des frissons. De Kock et Coetzee ont tous les deux été commandants de Vlakplaas, une belle maison de campagne sise dans un décor bucolique près de Pretoria. Coetzee, avec un calme surprenant, énumère ses tâches lorsqu'il y était, en 1980 et 1981, en tant que policier travaillant pour une section « spéciale » des forces de sécurité de l'Afrique du Sud : « voler des autos, faire sauter des maisons, assassiner des gens, faire sauter des chemins de fer, harceler des gens, tout sauf le travail légal de la police ». En bref, il était le chef d'un commando de tueurs.

Dirk Coetzee plaide coupable. Il avoue avoir servi, en bon soldat, un système. « J'étais prêt à mourir et à tuer pour mon pays. » Et des cadavres, il en a vu! Et même senti. « Un corps qui brûle sent comme de la viande sur un barbecue. » Avec le même calme, mais avec un soupçon de regret dans la voix, il décrit : « Nous étions assis, buvant de la bière, autour du barbecue. » Son équipe venait d'éliminer Sizwe Khondile parce qu'il était soupçonné par les forces de sécurité d'être un activiste. Ils l'ont drogué, tué par balle et ont lancé son corps dans un feu de bois. « Un corps met environ sept heures à se réduire en cendres. Et il brûlait alors que nous buvions et avions un barbecue à côté. Il fallait tourner les fesses et les cuisses de temps en temps pour qu'il ne reste pas de gros morceaux de viande. Je ne dis pas cela pour montrer notre courage, je le dis pour démontrer à la Commission notre insensibilité et jusqu'à quels extrêmes nous sommes allés. »

Coetzee s'est excusé plusieurs fois durant son témoignage qui a duré des jours. « Nous nous voyions comme les enfants de Dieu. Le pays était le dernier territoire chrétien en Afrique et nous étions menacés par une révolution communiste venue du Nord, qui, si elle réussissait, plongerait la pointe australe de l'Afrique dans le chaos. » Dirk Coetzee a commencé à remplir son curriculum vitæ en ancienne Rhodésie — « Je brûlais et j'enterrais les corps des guérilleros » — avant d'arriver à Vlakplaas. Pour les

Blancs sud-africains, les révolutionnaires noirs avaient alors pris les couleurs du «danger rouge», ce qu'on appelle, en afrikaans, le *roi gevaar.* Les soldats sud-africains avaient le doigt sur la gachette en Angola, au Mozambique, en Rhodésie, en Namibie. Ils combatttaient le *roi gevaar.*

«Le conflit n'avait pas pour seule cause l'apartheid, affirme aussi Frederik De Klerk. Les mouvements révolutionnaires étaient tombés dans les mains d'une puissance mondiale qui avait des plans expansionnistes pour l'Afrique australe. On se battait contre le contrôle communiste de toute l'Afrique australe.»

Kader Asmal, ministre de l'Eau et de la Forêt et co-auteur du livre *Reconciliation Through Truth*, accuse les anciens dirigeants d'avoir utilisé le mot «communisme» comme «un passe-partout dirigé contre toutes les formes d'opposition à l'apartheid. Ils ont fait la guerre contre les Noirs sous le prétexte d'une guerre contre le communisme».

Le général Constand Viljoen, député au Parlement et leader du Front de la liberté (extrême droite), qui était chef des forces armées sud-africaines de 1980 à 1985, sort de ses gonds lorsqu'on suggère que le communisme n'était qu'une excuse pour faire la guerre. «Certainement pas! Les mouvements de libération avaient le soutien de l'URSS, de la Chine. Nous combattions le communisme qui voulait s'emparer de l'Afrique australe. Je suis particulièrement fier que nous ayons libéré l'Afrique australe du communisme et aussi très fier d'avoir contribué à la chute internationale du communisme.»

Kader Asmal connaît bien ce discours. En tapotant sa cigarette dans le cendrier, la tête légèrement penchée, les sourcils levés jusqu'au haut du front, il précise : «Je veux dire, même en laissant de la place à l'exagération, que je trouve cette déclaration remarquable! Toute la lutte contre l'apartheid aurait été une conspiration communiste, dirigée par Moscou?... Eh bien, s'il y a des gens qui croient encore à cela, j'ai peur qu'ils n'aient pas compris les malignités de l'apartheid.»

«L'apartheid était une erreur», corrige De Klerk. Brouiller la frontière entre l'erreur et le crime, c'est brouiller la distinction morale entre les crimes commis contre l'apartheid et ceux qui ont été commis au nom de l'apartheid. La TRC ne fait aucune distinction morale entre les crimes commis des deux côtés. «Moral» ne veut pas dire «légal». «La lutte contre l'apartheid était juste et noble, dit Tutu, mais, s'empresse-t-il d'ajouter, les yeux écarquillés, la guerre, c'est mal. Et ceux qui ont combattu pour une cause noble n'étaient pas nécessairement nobles eux-mêmes.» Il parle des partisans de l'ANC...

Nombulelo Delato est morte brûlée vive par les «camarades» de l'ANC. (Quatre cent soixante-dix-sept personnes ont été brûlées vives par les «camarades» en 1986 seulement, l'année où l'état d'urgence a été imposé.) Ce sont Thomzana et Busiswe, ses filles, qui témoignent devant le fer à cheval. Nombulelo a été assassinée parce qu'elle avait acheté de la viande alors que l'ANC avait organisé (imposé) un boycott. Thomzana essaie de raconter son histoire, en cherchant son souffle, son courage, la voix noyée dans les sanglots : «Elle ne pouvait pas courir. Elle marchait lentement. Ses vêtements brûlaient... les camarades nous ont empêchées de l'aider.»

Les anciens soldats de l'Umkhonto we Sizwe, la branche armée de l'ANC, paniquent. Le procureur général prépare des mises en accusation pour trente-cinq meurtres commis par des membres de l'ANC. Un soldat de l'Umkhonto we Sizwe a déclaré à la presse sud-africaine (le 8 décembre 1996) : «Nous combattions un système reconnu par le monde entier comme étant un crime contre l'humanité. J'ai sacrifié ma vie, et mon éducation, pour la liberté de ce pays. On s'attend ensuite à ce que j'aille confesser des violations des droits de la personne? C'est une farce!»

«L'ANC se croit le Saint des Saints», lance le chef de l'Inkatha et ministre de l'Intérieur, Mangosuthu Buthelezi. En entrevue, Buthelezi parle les yeux fermés. «L'ANC se croit comme Moïse qui a libéré les enfants d'Israël de l'Égypte», grommelle-t-il. Selon lui, la Commission de la vérité n'est pas la réponse aux problèmes de l'Afrique du Sud. Au contraire, il prédit que la Commission «va tout simplement mettre le feu aux poudres. Quatorze mille des membres de mon parti, dont quatre cents leaders, sont morts! Et ni M. De Klerk lorsqu'il était président, ni M. Mandela n'ont levé le petit doigt pour poursuivre les coupables en justice! La Commission de la vérité n'est qu'une chasse aux sorcières des ennemis de l'ANC», conclut-il.

De Klerk y va plus doucement. «La Commission doit bien sûr enquêter sur les crimes commis par les forces de sécurité. Mais, et je ne l'attaque pas, précise-t-il, elle devrait regarder un peu plus de l'autre côté.»

«De Klerk a raison, admet Alex Boraine, vice-président de la TRC, mais nous entendons tellement d'histoires atroces au sujet des crimes commis par les membres des forces de sécurité que cela devient notre ordre du jour.» L'impartialité de la Commission est constamment remise en question. Même si Desmond Tutu insiste sur le fait que «tous les partis politiques ont participé au processus de sélection des commissaires», il avoue qu'il a dû réprimander des commissaires à quelques reprises pour des remarques exprimant un parti pris pour l'ANC. Et si les auteurs de crimes de l'ANC ne viennent pas témoigner? «Nous leur enverrons une citation à comparaître», tranche Boraine sans hésiter.

«Nous savions que nous étions au-dessus de la loi», dit Dirk Coetzee.

«Il y a différentes règles du jeu qui s'appliquent lors d'une guerre, admet De Klerk. Et oui, j'étais au courant d'opérations secrètes. Mais nous avions établi des règles et nous n'avons certainement pas demandé à nos gens de commettre des violations sérieuses des droits de la personne comme l'assassinat, le meurtre ou le viol.»

«Nous avions un onzième commandement, dit Coetzee, ne jamais se faire prendre. Ne *jamais* se faire prendre.» Coetzee et son équipe éliminaient toute trace des corps, plus souvent qu'autrement en les dynamitant. «Les ordres d'éliminer un activiste étaient habituellement transmis par un clin d'œil ou un signe de la tête, ou en disant "Fais un plan avec telle ou telle personne"», raconte Coetzee. Puis, il prend le soin d'ajouter que, même s'ils se faisaient prendre, «ce n'était pas vraiment un gros problème. C'était un embarras pour la police. Mais à la fin, tout s'arrangeait. Et j'ai des exemples, M. le Commissaire».

Themba Khoza en est un. Ce dirigeant de l'Inkatha a reçu cent cinquante armes à feu avec munitions de Eugene De Kock, commandant de Vlakplaas de 1985 à 1989. Khoza a été arrêté (le 4 septembre 1990) en possession de tout l'arsenal. C'est la police qui a versé son cautionnement de dix mille rands.

Le général Johan Van der Merwe, ancien commissaire de police ayant rempli plusieurs fonctions en matière de sécurité d'État sous De Klerk et Botha, est assis droit comme un soldat devant les commissaires. «Ils [les policiers] en sont venus à un point où il leur était devenu difficile de distinguer entre les actes légaux et les actes illégaux.»

Adrian Vlok, ministre de l'Ordre public sous De Klerk et Botha, aurait visité Vlakplaas. Durant son procès, De Kock a accusé l'ancien président Botha et Vlok d'avoir été directement impliqués dans des crimes. Van der Merwe a confirmé les révélations devant la Commission : «Vlok m'a transmis un ordre qui venait directement de la bouche de Botha : faites sauter Khotso House.» Khotso House a sauté. C'était le siège social du Conseil sud-africain des Églises, soupçonné de servir de lieu de rencontres secrètes à l'ANC. Il fallait trouver un coupable. La loterie gouvernementale a choisi Shirley Gunn, une Blanche, militante de l'Umkhonto we Sizwe. Elle a été arrêtée, torturée, détenue pendant deux mois avec son fils de seize mois. Puis, on lui a enlevé son fils, Haroon, qu'elle allaitait. «Ils me l'ont arraché des bras et il criait. J'étais complètement désespérée», raconte-t-elle sur un ton qui ferait croire que cela était arrivé deux heures auparavant, et non il y a sept ans. On lui faisait ensuite écouter des enregistrements de Haroon qui criait «mama, mama, mama». Shirley souffre aujourd'hui du syndrome de stress post-traumatique. Elle n'est pas prête à pardonner, contrairement à la majorité des victimes qui témoignent. Elle a intenté une poursuite contre Vlok, mais celui-ci a fait une demande d'amnistie.

De Klerk insiste : «Je ne suis pas prêt à endosser des actes criminels non autorisés. S'ils [les policiers qui se confessent] croient que le Parti national va les soutenir, j'ai bien peur qu'ils nous aient terriblement mal compris.»

«On ne cherche pas les coupables. On cherche la reconnaissance, l'aveu» rappelle le ministre de l'Eau et de la Forêt, Kader Asmal. Mais il ajoute : «Si De Klerk dit qu'il ne savait rien au sujet de Vlakplaas et des escadrons de la mort, même en 1993 — pas dans les années 1980! —, il pratique une forme très sélective de reconnaissance.» Et Tutu précise : «Cela semble étrange que le président n'ait absolument pas été au courant des atrocités commises. S'il ne savait pas, alors il devait être incompétent. S'il savait et n'a rien fait pour y mettre un terme, alors c'est un être malfaisant… Et il sait qu'il est pris entre ces deux explications.»

De Klerk se dit étonné de certaines révélations faites devant la Commission de la vérité et de la réconciliation.

Tutu, Boraine, Asmal, Viljoen, les médias, la population sont surpris en apprenant certaines informations. La femme d'un policier venu avouer quarante meurtres commis sur dix-sept ans est aussi surprise : elle croyait que son mari travaillait pour une compagnie d'assurances! Entre autres surprises nationales, il y a l'existence du Sanhedrin et du TREWITS, l'acronyme afrikaans pour *Counter-Revolutionary Target Information Centre,* deux organes de l'État qui délibéraient sur la vie et la mort d'une révolution et de ses révolutionnaires. Ils dressaient des listes de «cibles» à abattre, dans le pays et ailleurs dans le monde. Le Sanhedrin présentait un rapport mensuel de ses activités au Conseil de sécurité de l'État.

Le passé n'a pas fini de surprendre en Afrique du Sud. Le succès, à court terme, de la Commission de la vérité repose sur l'approbation, par les différents partis politiques, de son rapport final. Mais son vrai succès, professe De Klerk avec un grand sourire, elle l'atteindra si elle parvient «à remplacer les doigts accusateurs par des mains qui se joignent et qui avancent, ensemble, dans le futur». «Cette Commission est risquée et délicate, avertit Tutu. Mais elle représente le seul moyen de guérir et réconcilier notre beau pays gravement blessé.» Pour en finir, une fois pour toutes, avec l'apartheid.

54

Dans combien de dodos reviens-tu au Québec, maman?

À la fin de 1996, Jay tombe gravement malade. Nous devons revenir d'urgence de l'île Maurice où nous passions Noël. En arrivant à Durban, Jay s'effondre. Il est brûlant. Son visage se met à enfler. On le transporte immédiatement à l'hôpital.

Le diagnostic est clair : Jay a un abcès aux amygdales. Mais les médecins ne peuvent pas expliquer pourquoi son visage est enflé. Il a les deux joues comme des balles de tennis. Les médecins nous avertissent qu'un abcès peut être dangereux. Il pourrait crever et infecter le système sanguin. Jay risquerait alors la mort. On l'opère donc d'urgence.

Kami est éperdu. Il a laissé son papa à l'hôpital sur une civière. Nous sommes chez le frère de Jay, Logie, et sa femme Corona. Presque toute la famille y est; Dimes, son mari Vasen et leur fille Roshanthi; Iyaloo et sa femme Kamala; Nisha et Sagaren. Il ne manque que Pat et Popeye. J'explique du mieux que je peux à Kami l'état de son papa. Je lui fais un dessin de la gorge, représentant les amygdales par des petites boules, et lui montre ce que le médecin va couper avec son scalpel. «Mais ça ne fera pas mal à papa parce qu'il sera endormi. Et quand il se réveillera, tout sera bien et ses petites boules seront parties.»

Après l'opération, à l'hôpital, toute la famille est attroupée autour de Kami, qui veut être le premier à parler à Jay. La voix de son père n'est plus qu'un mince filet. Il a même de la peine à avaler et bave comme un bébé.

Kami lui pose sa question : «*Papa, did it hurt when they cut your balls off?*» (Cela a-t-il fait mal lorsqu'ils t'ont coupé les boules[1]?)

Jay s'est étouffé. Et l'assemblée familiale autour de Kami s'est esclaffée. Kami n'y comprenait rien.

Le mystère des joues enflées demeurait. Je disais à Jay que ça ressemblait aux oreillons. Les médecins estimaient peu probable que ce soit ça, vu l'âge de Jay, et que de toute façon Kami aurait attrapé le virus puisqu'ils venaient de passer un mois ensemble. Ils ont fait toutes sortes de tests. Le résultat des analyses de sang est arrivé cinq jours plus tard de Johannesburg.

Le médecin est entré dans la chambre d'hôpital l'air sérieux. Il a dit à Jay qu'il avait de bonnes nouvelles et de mauvaises nouvelles.

— Les bonnes nouvelles sont que toutes les autres possibilités ont maintenant été éliminées puisque nous venons de recevoir le résultat positif des oreillons.

— Et les mauvaises nouvelles?

— Je dois vous dire, M. Naidoo, qu'à quarante-deux ans les oreillons ont un effet secondaire dans quatre pour cent des cas — vous risquez la stérilité.

— Seulement quatre pour cent? C'est que nous parlons de vasectomie ces jours-ci…

Jay a été très malade. Mais l'amygdalectomie a réglé un problème pour moi : Jay ne ronfle plus. Quel soulagement!

Jay a commencé l'année 1997 à l'hôpital. Un peu plus tard, ce sera mon tour…

Léandre revient de son séjour d'un mois au Québec, où il a passé les vacances de Noël. Les retours sont toujours

---

1. En anglais, *balls* peut aussi vouloir dire «testicules».

difficiles. Je le sais. Léandre pleure le soir, en se couchant. Discrètement, le plus silencieusement possible, il pleure. Moi, ça me déchire. Je vais le voir. Il tente de cacher son état. Et moi, je tente de le rassurer en lui disant qu'il a le droit de pleurer parce qu'il s'ennuie de son papa; que je ne lui en voudrai pas s'il s'ennuie de son père, parce qu'il l'aime; que je ne serai pas fâchée s'il exprime son amour pour lui; que je comprends ce que c'est d'aimer et que l'absence de l'autre fait toujours mal à notre cœur amoureux; qu'il peut pleurer dans mes bras; qu'il peut compter sur moi; qu'on va parler à son papa, lui écrire, lui envoyer des choses; qu'il va le voir dans cent quatre-vingts dodos...

Je lui pose des questions. Je veux savoir ce qui le fait rire, ce qui le rend triste, ce qui le met en colère ou au désespoir.

— Je suis content ici, maman. Je suis bien ici avec toi, avec ma famille. Mais je m'ennuie de papa quand même. Je veux aller vivre au Québec quand j'aurai douze ans. Je veux commencer mon secondaire là-bas.

On verra, mon chou. On verra. Mais je sais que c'est ce qui arrivera en bout de ligne. Son désir est trop grand. Il a dix ans. Un jour, je devrai le laisser aller. En fait, je crois que je le laisse aller depuis qu'il est né. Entre Léandre et moi, c'est une histoire d'amour. Je n'ai pas besoin d'entendre ni de voir pour savoir. Je devrai le laisser partir un jour. Mais pour l'instant, c'est ici, dans mes bras, qu'il est.

«Je t'aime maman», dit Léandre. «Je t'aime, papa», dit-il aussi. Je le comprends. Je sais que ça fait mal. Je sais ce qu'est ce déchirement, ce cul-de-sac, ce choix qui n'en est pas un. Je sais qu'il est impossible de choisir. Je sais, mon chéri, parce que c'est avec toi que j'ai vécu cette émotion qui dévaste le ventre; qui propulse les larmes hors du corps tellement les spasmes du désespoir sont puissants.

— Qu'est-ce que tu voudrais le plus au monde, mon chéri?

— Ce que je voudrais? Je voudrais que papa et toi vous reveniez ensemble et qu'on vive à la même place, en Afrique ou au Québec, ça ne me dérange pas. Mais à la même place.

— Si ton papa et moi vivons ensemble, qu'est-ce qui va arriver à Jay?

Léandre me regarde avec ses grands yeux ronds, comme on fait quand la vérité nous saute aux yeux.

— Non, je ne veux pas que Jay parte.

— Alors?

— Alors, c'est comme ça.

— Oui, mon chou, c'est comme ça.

— Dans combien de dodos est-ce que tu vas déménager au Québec, maman?

La question! Celle que tout le monde me pose. Tous les étés, lorsque je vais au Québec, *tout* le monde me demande : «À quand ton retour, Lucie?» Je réponds toujours «bientôt». Ce sera bientôt. Un jour. Je ne sais pas...

Léandre a appris à vivre avec ces «non-choix». Il pleure pendant une semaine et puis ça va. Il a ses amis, l'école, le tennis, la natation et le ballon-panier. Il a la montagne et la mer, la plage, son vélo, ses patins à roues alignées qu'il peut utiliser sans danger dans le domaine. Il a un ordinateur, des cédéroms, il a un «taxi» à la porte, avec maman qui conduit, ou Peter, le chauffeur de Jay qui l'amène chez un ami à l'autre bout du Cap. Il a sa grand-mère Loulou, ici pour un autre séjour de six mois. Léandre a tout ce qu'il lui faut. Sauf son père.

Si Jay pouvait nous suivre au Québec, ce serait si simple...

En thérapie, c'est une question que nous explorons presque à chaque rencontre. Et puis, celle-ci : «Regrettes-tu la décision d'être venue en Afrique du Sud?»

Toutes mes thérapeutes m'ont posé cette question. La première fois, elle m'avait ébranlée. J'ai dit que j'y penserais.

Jay, Kami, Shanti sont le produit de mes rêves. Je suis choyée par les cieux. Mais je n'ai pas de solution miracle pour me libérer du sentiment de mener une vie déchirée.

Aujourd'hui, 18 janvier 1997, il fait beau et chaud. C'est une superbe journée d'été au Cap, avec le petit vent marin qui souffle toujours un peu. Louise et moi avons organisé une chasse au trésor dans la jungle du domaine pour fêter les dix ans de Léandre avec dix de ses copains. Nous avons tracé cinq trajets différents dans le bois tropical qui se trouve derrière l'ancienne résidence présidentielle, la maison Groote Schuur, une demeure que s'était fait construire Cecil John Rhodes, premier ministre de la colonie du Cap dans les années 1890. Cette maison a servi de résidence officielle aux premiers ministres et présidents du pays. De Klerk a été le dernier président à y loger, Nelson Mandela la trouvant trop ostentatoire. Le bain de la chambre principale vaut cent mille dollars! Mandela habite à côté, dans la maison qu'on réservait au vice-président. Derrière ces demeures, deux petits sentiers longent de part et d'autre un ruisseau qui coule de la montagne. Au bout d'environ trois cents mètres dans le bois, le sentier débouche sur un petit coin aménagé sous les palmiers. S'y trouvent un barbecue, une table en bois pour manger, et deux mini-amphithéâtres aux bancs de bois. Dans la cour du président...

Aujourd'hui, onze enfants courent sous les palmiers et les bananiers. Dix trésors identiques sont cachés dans cette forêt. Et avec la journée chaude et ensoleillée dont nous jouissons, je n'aurais pas pu mieux tomber avec mes fusils à eau en forme de main, avec l'index pointé.

Léandre rit. Il est bien, ici, maintenant. Nous ne vivrons jamais la situation idéale, mais je peux au moins lui offrir la première chose dont tout enfant a besoin : l'amour inconditionnel. Les deux mots sont inséparables, m'a dit ma thérapeute. Leur «inséparabilité» dit tout. Elle dit, tout simplement : « Je t'aime, mon chéri, parce que tu es qui tu es, avec tes défauts et tes qualités, tes passions et tes désirs, pas les miens. » Je t'aime, Léandre. Que je t'aime! Dans combien de dodos, mon retour au Québec? Je ne sais pas. Entre-temps, je t'aime. Et pour toujours, je t'aime. Bon anniversaire, cher Léandre.

Je sais, ses douze ans approchent. Il partira. Mais aujourd'hui, on s'amuse. On jouit des plaisirs que nous offre la vie.

55

Voyage sonore à Robben Island

J'ai « entendu » un reportage dans ma tête tout au long de ma visite de la prison de Robben Island. J'écoutais chaque son : celui des grilles métalliques que l'on referme, le claquement des serrures, le bruit de l'eau qui coule... J'avais même déjà en tête les bouts d'entrevues qui allaient composer ce reportage.

Je venais d'avoir l'idée de réaliser un voyage sonore à Robben Island, la prison devenue célèbre à cause des nombreux chefs de la lutte anti-apartheid qui y avaient été emprisonnés, dont évidemment Nelson Mandela.

Cette île de cinq kilomètres et demi de long sur un kilomètre et demi de large a hébergé, pendant quatre siècles, ceux et celles que les autorités sud-africaines jugeaient indésirables. C'est une île redoutée. En 1617, on a donné le choix entre la pendaison ou l'exil perpétuel à Robben Island à deux prisonniers britanniques. Ils ont choisi Robben Island, mais, peu de temps après, ils ont supplié les autorités de les pendre. Pendant les siècles suivants, y ont été emprisonnés des Khoikhois accusés de menus larcins, les chefs xhosas qui s'opposaient à l'impérialisme britannique, les criminels, les malades mentaux, les lépreux, les prostituées... et ceux qu'on voulait réduire au silence et oublier : les prisonniers politiques. En 1964, les accusés du procès politique de Rivonia, parmi lesquels se trouvait Nelson Mandela, furent envoyés sur Robben Island. Ils furent séparés des quelque mille cinq cents autres prisonniers parce qu'on craignait qu'ils exercent une trop grande influence sur eux. On avait raison. Plusieurs des prisonniers de Robben Island sont devenus par la suite députés, ministres, conseillers, premiers ministres, professionnels et même président.

Nous sommes en février 1997. Nous sommes venus en famille à Robben Island, en compagnie de politiciens d'Afrique du Sud. Il y a deux mois, l'île a renvoyé ses derniers prisonniers; la prison sera transformée en musée. Nous faisons le voyage de quarante-cinq minutes en bateau, celui-là même qui transportait les prisonniers. Je me retrouve à côté de Mangosuthu Buthelezi. Nous parlons longuement, du Kwazulu-Natal, d'enfants, de famille, du Canada.

Nous faisons le tour de l'île dans l'autobus qui emmenait les prisonniers — criminels ou politiques — à leur labeur de forçat. Nous visitons la prison et la cellule où Nelson Mandela a passé dix-huit de ses vingt-sept années d'emprisonnement. Son cubicule mesure un mètre quatre-vingts sur deux mètres et demi. La section des cellules isolées en compte une vingtaine, de part et d'autre d'un étroit corridor éclairé par des néons, qui font un bruit d'enfer et qui, depuis le début des années soixante, sont restés allumés vingt-quatre heures sur vingt-quatre. Le ronron de ces néons fait partie des souvenirs sonores de tous les prisonniers.

Lionel Davis nous sert de guide. Cet ex-prisonnier de Robben Island est devenu guide sur l'île où il a souffert tant d'années! «C'est ma thérapie», dit-il. Il nous décrit chaque recoin de la prison comme on fait faire le tour de la maison qu'on habite depuis toujours à de nouveaux visiteurs. «Ici, cette marque sur le mur a été faite quand un prisonnier a répliqué au gardien et que celui-ci l'a frappé avec sa matraque.» Plus loin, il précise : «C'est ici que Nelson Mandela a enterré son manuscrit…» Il nous livre ainsi quantité de détails. Il me faut mettre ça sur ruban!

Lionel décrit les cellules de Nelson Mandela, Walter Sisulu, Ahmed Kathrada et Govan Mbeki. Quand il ouvre la porte de la cellule de Mandela, j'entends le couinement sur mon ruban imaginaire. Je m'assois sur le lit. J'entends le grincement des ressorts; j'entends le ronron des néons; j'entends les coups de matraque, les cris des geôliers, les chants de libération des prisonniers dans les carrières de chaux et de pierres qui résonnaient sous les pics. Lionel m'avait donné, sans le savoir, l'idée d'un documentaire radio unique. Après ce voyage sonore à Robben Island, j'ai su, tout de suite, instinctivement, que cette visite diplomatique de l'île venait d'ouvrir un nouveau chapitre de ma vie professionnelle en Afrique du Sud. Plusieurs documentaires découleront de ce premier voyage sonore.

Mais encore me faut-il trouver à qui vendre cette idée…

J'ai besoin de quelqu'un qui me dise : «Bonne idée! Fais-le, ce reportage!» Comme s'il me fallait cette excuse pour travailler et légitimer ce que, moi, j'ai envie de faire. C'est une façon de me racheter, aussi, pour les erreurs du dernier. C'est toujours comme ça.

— As-tu déjà été satisfaite de ton travail? m'a une fois demandé Gabriela, ma thérapeute.

— C'est ce qui me motive, c'est ce qui me pousse à réaliser mes projets, le fait que je ne sois jamais satisfaite du précédent.

— Mais tu n'es jamais satisfaite…

— Non. Jamais.

— Il y a une distinction entre accepter ses faiblesses, et les imperfections d'un travail, et ne pas être satisfait. Es-tu satisfaite de l'effort que tu y as mis?

— Ah! Ça, oui! J'en mets toujours trop de toute façon parce que j'ai toujours peur de ne pas en mettre assez.

339

Pierre Trottier, le réalisateur de *Dimanche magazine*, aime l'idée. Je lui ai proposé trente minutes. Il en fera finalement quarante-cinq.

J'ai passé deux jours entiers sur l'île au mois de mai 1997. Et le hasard a voulu que ce soit avec mon très cher ami Philippe Le Blanc. Philippe est mon coiffeur depuis vingt ans. Il est venu me voir pour trois semaines. Philippe est gai. Quand on lui demande combien de sœurs et frères il a, il répond : «Nous sommes cinq filles. J'ai quatre sœurs.» C'est ce que j'aime de lui, il n'a pas peur de lui-même. Il est mon confident, mon «amie», en fait. Oui, c'est ça. Philippe est la grande copine avec qui je peux parler, discuter, analyser, dormir dans le même lit.

En deux jours au Cap, Philippe avait repéré les bars gais, les agences touristiques gaies, les cafés gais. Pour lui, ça tombe bien. Le Cap est un San Francisco africain. Publiquement, l'homosexualité est dénoncée; socialement, elle est tolérée.

Philippe est fiable et minutieux, et il fera un assistant de premier ordre sur Robben Island. J'ai deux magnétophones et deux sortes de micros : un unidirectionnel, pour les entrevues surtout, ou pour un son qu'on veut capter parmi d'autres, et un omnidirectionnel, que j'utilise pour enregistrer les sons ambiants.

— Philippe, tu vas me suivre partout, avec un casque d'écoute sur les oreilles. Je vais te dire quel son enregistrer et tu fais tout pour n'enregistrer que ce son. Je te nomme officiellement mon assistant pour la réalisation de mon documentaire sur Robben Island!

— Pas de problème.

— Ce sera une collaboration bénévole…

— Pas de problème!

Mon plan de travail est simple : l'essentiel du reportage sera dépourvu de commentaire journalistique. Ce sont les témoins qui vont raconter le voyage. J'y intercalerai les bruits des chaînes, les cris, les pleurs, le grattement du stylo qui écrit, le bruit de la balle de tennis qui rebondit, celui des milliers de cuillères qu'on lave, les cordes de guitare qu'on pince, la voix et les cris des enfants qu'on n'entend que dans sa tête, mais auxquels tous les prisonniers rêvent, la terre qu'on creuse, les pas des prisonniers silencieux dans la cour, les portes qui claquent, les chants qui résonnent sous le son des pics et des pelles, les coups de matraque, les pas dans le corridor, la pluie glaciale qui tombe, les clés qui tintent.

À peine avons-nous largué les amarres que je fonce sur un groupe d'une dizaine d'hommes, tous jeunes, tous Noirs. Ce sont des syndicalistes qui vont en pèlerinage. Six d'entre eux se sont regroupés autour d'un tonneau et jouent aux cartes, malgré le froid, le vent et l'écume, glaciale, des vagues qui nous éclaboussent. Ils parlent, rient et chantonnent. Justement, j'aurais besoin d'un chant de libération bien senti pour donner le ton. Je leur explique mon projet. Pas de problème! Ils entonnent deux chants, l'un après l'autre, en jouant aux cartes et en ignorant mon micro.

Le plus long chemin de l'île mesure deux kilomètres et demi et il sépare la zone de la prison de celle du village où habitaient les gardiens et leur famille.

Ahmed Kathrada, camarade de prison de Mandela pendant vingt-six ans et aujourd'hui un de ses conseillers politiques, raconte comment se vivait l'apartheid derrière les murs.

Nous sommes arrivés ici par un matin de juin très froid. Il y avait un vent froid et il pleuvait, comme c'est souvent le cas au Cap en juin. La première chose qu'il nous a fallu faire a été d'endosser l'uniforme. J'étais le seul d'origine indienne parmi les prisonniers de Rivonia, j'ai donc eu droit à des vêtements «normaux» : un pantalon long, une chemise, un chandail, des chaussettes, des souliers. Tous mes compagnons ont reçu des pantalons courts. Ils passaient l'hiver en pantalon court. Et les prisonniers africains ne recevaient pas de chaussettes. De plus, les prisonniers africains recevaient des sandales au lieu de souliers, habituellement des sandales du genre qu'on fabrique avec des morceaux de pneus. Mais, au bout de trois ou quatre ans, à force de manifestations et de grèves de la faim, nous avons réussi à normaliser la situation.

Il y avait de la discrimination même pour ce qui était de la nourriture. Le matin, nous avions droit à la même nourriture : un plat de gruau, un bol de soupe, une tasse de café. Mais les prisonniers africains recevaient moins de sucre que les autres. Le soir, les prisonniers africains recevaient de nouveau du gruau et de la soupe. Par contre, nous avions droit à du pain, un quart de pain. Les Africains ne recevaient pas de pain. C'est une situation inconfortable et, d'instinct, nous étions portés à la rejeter. Mais Nelson Mandela et Walter Sisulu, surtout, nous ont convaincus que nous aurions tort, qu'il serait inapproprié, politiquement, de rejeter ce que nous avions déjà. Le combat devrait se faire pour atteindre l'égalité à la hausse et non en nivelant par le bas. Mandela et les autres avaient raison de nous convaincre de ne pas rejeter des acquis. Finalement, nous avons réussi à atteindre l'égalité. Évidemment, c'étaient les Blancs qui avaient droit au meilleur traitement, mais ils n'étaient pas avec nous. On ne gardait pas de Blancs ici. Il n'y avait pas de femmes non plus. On ne gardait ici que les prisonniers africains, indiens et métis. Les gardiens étaient tous blancs. Après que la tension eut baissé un peu, on nous permit de pratiquer quelques sports. Cela se passa vers le milieu des années soixante-dix. Alors nous jouâmes au ballon volant et au tennis. Le président Mandela jouait au tennis et il devint plutôt bon à ce sport.

Vous voyez ce long mur : nous avions un jardin le long de ce mur. Et lorsque le président écrivit sa biographie, il cacha les manuscrits dans le jardin. Puis un jour, on vint pour construire le mur et on trouva tous ces contenants de plastique dans lesquels les manuscrits étaient cachés. Cela valut une punition à trois d'entre nous.

Mais le manuscrit avait été retranscrit et une partie de l'autobiographie de Nelson Mandela qu'on trouve dans les libraires aujourd'hui, *Longue marche vers la liberté*, a été écrite ici même, dans sa cellule, où il n'a pas eu de lit pendant quatorze ans. Les prisonniers politiques couchaient par terre sur un tapis de sisal tressé. «*C'était très froid*», dit Kathrada.

Govan Mbeki, le père de Thabo Mbeki, qui a quatre-vingt-six ans et qui est vice-président du Sénat, la Chambre haute du Parlement, se rappelle les cris de mort des nouveaux prisonniers.

Les jeunes enduraient les coups des gardiens, alors nous devions les avertir : le Boer te tuera. Crie lorsqu'on commence à te battre. Hurle, fais beaucoup de bruit. Alors les autres prisonniers se mettaient à faire beaucoup de bruit d'un bout à l'autre de la prison et les coups arrêtaient.

Les cellules étaient notre chez-soi, dit Ahmed Kathrada. *On y passait notre vie. On y étudiait. On y mangeait. On y faisait de l'exercice. On y dormait. C'est difficile de croire qu'on ait pu passer dix-huit ans* [après dix-huit ans, ils furent transférés à une autre prison] *dans un espace aussi restreint. Je me mettais debout sur une chaise pour regarder dehors. Et l'après-midi, alors que tout était tranquille, on pouvait y voir des animaux : des chevreuils, des autruches et d'autres animaux.*

Le chant a joué un rôle capital dans la vie des prisonniers, comme en témoigne Walter Sisulu, quatre-vingt-cinq ans, vingt-six ans en prison dont dix-huit sur Robben Island.

Il était interdit de siffler ou de chanter. Chanter! Moi, par exemple, s'il y a quelque chose qui m'a gardé en vie, c'est bien de pouvoir chanter. Chanter dans ma cellule, parler dans ma cellule, marcher dans ma cellule, ça me donnait confiance. Voyons. [Il chante]. *C'était une manière de dire aux gens : un jour nous serons au Parlement. Ces hommes sont ceux qui vous représenteront. Nous creusions dans la carrière de chaux. Au début, nous chantions. Chanter crée de l'harmonie. Ça vous donne de la force. Alors quand ils ont vu que nous chantions, que nous aimions cela, que c'était une source d'inspiration mutuelle, ils nous l'ont interdit.*

Govan Mbeki raconte comment Nelson Mandela aimait danser.

Au début, nous n'avions pas le droit d'avoir des instruments de musique. Mais plus tard, ils nous en ont donné la permission. J'ai choisi une guitare. Je jouais de la guitare et nous y prenions plaisir. C'était merveilleux. Et certains des prisonniers, surtout Nelson, aimaient venir danser autour de nous pendant que nous jouions de la guitare. On jouait du saxophone, de la batterie et d'autres instruments. Et c'était très beau.

Les grèves de la faim ont été nombreuses à Robben Island. C'était un des seuls moyens de pression qui n'attiraient pas les coups de matraque !

Durant nos grèves de la faim, dit Ahmed Kathrada, *nous avions décidé, entre nous, que les plus âgés et ceux qui avaient des problèmes de santé seraient exemptés des grèves de la faim. Mais là encore, le président Mandela et Sisulu ont refusé ces exemptions. Ils ont pris part à toutes les grèves de la faim et ont accepté les punitions qui s'ensuivaient.*

Les pires atrocités se commettaient dans les carrières de pierres. Des centaines de prisonniers politiques y travaillaient. Parfois, en guise de punition, les geôliers les attachaient par les mains à un poteau et les laissaient là pour la journée. C'est également à cet endroit qu'on les enterrait jusqu'au cou dans le sable pour ensuite leur uriner sur la tête. «*Cette carrière, c'était l'enfer*», dit Lionel Davis.

Puis, Ahmed Kathrada a conclu :

La dureté du système d'apartheid, la souffrance, les difficultés, ça fait maintenant partie de l'histoire. Mais à mon avis, la leçon principale qu'on devrait retirer de Robben Island est un message de triomphe, un message de victoire. Parce que Robben Island avait été établi par l'ennemi comme l'endroit où il allait écraser les activistes du mouvement de libération et les leaders qui s'y trouvaient. Et les prisonniers politiques ont accepté le défi et l'ont relevé : ils ne se sont pas laissé écraser par les autorités. En bout de ligne, je dis que c'était un triomphe parce que, de Robben Island et d'autres prisons, les gens sont entrés au Parlement et au gouvernement. Le président Mandela, par exemple. Tout le processus de négociation — en fait la genèse des négociations — a démarré en prison. Ils ne pouvaient plus arrêter le mouvement qui a commencé ici. En fin de compte, c'est une victoire pour le mouvement.

Mon ordinateur n'est pas assez puissant pour que j'utilise un logiciel de montage numérique, qui d'ailleurs coûte plutôt cher. Je travaille donc «à l'ancienne». J'ai passé des nuits entières à faire du montage, à la lame et au rasoir, à couper et coller mes rubans dans un studio gentiment prêté par Zane Abrahams, le directeur de la radio communautaire Bush Radio. Pour ce service, je lui ai offert une diffusion gratuite du documentaire. En fait, il peut bien le diffuser aussi souvent qu'il le veut!

Le musée de Robben Island a acheté les droits du documentaire. La cassette est maintenant vendue au bureau touristique de l'île. J'ai cédé mes droits d'auteur pour presque rien. Je n'ai jamais su négocier, mais je me console en me disant que c'est pour une bonne cause. Il faut à tout prix préserver cette île et ses monuments.

Le musée voulait non seulement un documentaire audio, mais aussi vidéo. La directrice du marketing a décidé de faire de mon documentaire un spectacle «planétaire»! Au planétarium du Cap, assis dans des fauteuils inclinés vers le plafond, on peut voir défiler les images de la prison sur l'écran à trois cent soixante degrés qui reproduit normalement la voûte céleste. Environ soixante-quinze projecteurs à diapositives et quelques dizaines de machines vidéo projettent des images sur la voûte pendant qu'on entend la bande sonore de mon documentaire. Mais j'ai été désagréablement surprise du résultat, réalisé pendant un de mes voyages au Québec à l'été 1997. Et dire que la compagnie qui a réalisé la partie vidéo du projet a reçu neuf fois plus d'argent que mon cachet!

Après le visionnement, je me suis levée enragée. Tout avait été fait à la hâte. L'image ne concordait pas avec le son. J'ai dit à la directrice du marketing du musée et à l'équipe qui avait produit cette partie visuelle que je refusais d'associer et mon nom et mon documentaire à ce projet à moins de changements majeurs. Le lancement officiel était prévu pour la semaine suivante. Mes changements demanderaient trop de temps, a-t-on protesté. Mais je n'ai pas cédé.

Les changements seront faits. Et j'en ferai faire de nouveaux, même après le lancement officiel. J'avais honte du résultat. Mais nous avons finalement réussi à monter un spectacle qui restera à l'affiche pendant cinq mois au Cap.

Un dimanche après-midi, je me suis rendue chez Walter Sisulu. Il m'avait demandé de lui tenir compagnie et de prendre une tasse de thé avec lui. Je l'ai invité à venir au planétarium et il a accepté. Nous avons appelé le planétarium pour prévenir le personnel de notre venue. Évidemment, la direction a tout de suite appelé la presse. Il y avait foule lorsque nous sommes arrivés. Walter a besoin d'appui pour marcher. Nous avons conversé jusqu'à la salle de cinéma, ignorant les caméras et les micros. Le lendemain, on a rapporté la sortie de Walter dans les journaux, car il est de plus en plus rare de le voir en public.

Le musée a organisé deux lancements. Les deux fois, on m'a invitée à prendre la parole et à faire un petit discours. Je tremblais comme une feuille, même après toutes ces années à enseigner aux autres comment faire des discours! La première fois, c'était le 24 septembre 1997, *Heritage Day* (jour de l'Héritage) un congé national en Afrique du Sud. La première partie de l'inauguration du musée a eu lieu sur l'île. Mandela y était. Mais pour la seconde partie, au planétarium, il n'a pas pu venir, pris par une visite officielle.

Peu de temps après, j'ai eu l'occasion d'assister à un souper regroupant quelques centaines de personnes, parmi lesquelles se trouvaient Nelson Mandela ainsi que Bill et Hillary Clinton. En discutant avec un diplomate américain, je lui ai mentionné que j'aimerais particulièrement rencontrer Hillary Clinton pour lui parler de la question des femmes en Afrique du Sud. Ce sujet l'intéresse et elle a tenu à aller voir des projets réalisés par des femmes sud-africaines.

Aussitôt dit, aussitôt fait. J'ai félicité Mme Clinton de son intérêt pour la cause des femmes. Je lui ai parlé de mes vidéos. Puis de mon travail sur Robben Island. Je lui ai remis une cassette que je gardais dans ma poche. Elle semblait réellement ravie de recevoir ce petit cadeau.

Elle m'a présentée à son mari. Il m'a pris la main et, sans la laisser, m'a demandé par quel concours de circonstances une journaliste canadienne-française était «en poste» en Afrique du Sud depuis si longtemps. J'ai répondu que c'est parce que j'avais fait une entrevue et que j'avais décidé d'épouser mon invité. Il a ri de bon cœur, toujours en me serrant la main. Bill Clinton est grand et possède beaucoup de charisme. Il regarde ses interlocuteurs droit dans les yeux, d'un regard profond. Ce qui n'est pas commun chez les politiciens…

Quelques mois plus tard, une grosse enveloppe jaune, rigide, est arrivée à la maison. C'est Léandre qui l'a vue en premier.

— Maman! T'as reçu une lettre de la *White House*! Mais c'est le président des États-Unis, ça, la *White House*!

— C'est la Maison-Blanche, oui. Qu'est-ce que cette enveloppe peut bien contenir?

— Pourquoi as-tu reçu une lettre de la *White House*?

Léandre était impressionné. Moi aussi. J'ouvris l'enveloppe devant lui. C'était Hillary Clinton qui me remerciait pour la cassette sur Robben Island. Elle l'avait écoutée. «*It is a wonderful reminder of a very special part of my visit to South Africa.*» (C'est un merveilleux rappel d'un moment très spécial de ma visite en Afrique du Sud.)

56

Noyée

J'ai chaviré. Mon bateau a coulé et je me suis presque noyée. Une partie de moi est morte. Une autre devait naître. Je viens de passer deux mois au Québec. Ce furent deux mois passés en froid avec Jay, qui n'est pas venu. Pas même une semaine, pas même deux jours…

— J'ai trop de travail. Je suis ministre, Lucie.

Trop de travail. Marié à une autre femme — l'Afrique du Sud! Depuis que nous vivons au Cap, nous ne voyons plus Jay que très rarement. Il est toujours absent. En réunion, au Cap, à Pretoria ou ailleurs dans le monde. Jay est absent. Je suis une «monoparentale mariée». En anglais, je dis «*a happily married single mother*». Mais le *happily* sonne de plus en plus faux…

L'amour n'est pas le problème. Il est là. Fort. Puissant. Comme s'il y avait vingt vies que nous nous cherchions.

«Lorsque tu m'as rencontré, me répète Jay, tu savais que j'étais fortement impliqué dans la politique de ce pays.»

Non, je ne savais pas ce que cela voulait dire, dans la vie de tous les jours, avec des enfants, des listes d'épicerie, des rendez-vous chez le dentiste et des réunions de parents. Je ne savais pas ce que cela voulait dire de vivre avec un homme que tout le monde connaît, sans l'avoir à la maison plus de quelques heures à la fois, la nuit, fatigué… mais, bien sûr, totalement dévoué à son pays! À sa femme aussi, oui. À ses enfants évidemment. L'amour qu'il nous porte n'a rien à voir avec sa disponibilité.

— Que veux-tu, Lucie? me demande ma thérapeute.

— Un mari à la maison, qui vient souper une fois de temps en temps, disons quatre fois par semaine.

En six mois, Jay n'a soupé que deux fois avec nous. Mais lorsqu'il est à la maison, parfois, la fin de semaine, il est très attentionné. Il a cette capacité de fermer la porte du politique dans son cerveau pour ouvrir celle de la famille.

— Vous êtes ce que j'ai de plus cher. Vous êtes ma vie. Vous êtes ma priorité, dit-il.

Il ne cesse de me le répéter… au téléphone!

Je vis avec Jay par le biais de la télévision, de la presse, de la radio ou du téléphone. Je dis, à moitié à la blague, que, lorsque je veux le voir, j'ouvre la télévision!

J'ai l'impression que Jay a de la peine à accepter pleinement la partie «canadienne» du mariage. Parfois, j'aurai l'impression qu'il me reproche le fait que mes enfants soient plus québécois que sud-africains. Ce sera l'objet de nombreuses discussions, à la maison comme en thérapie. Je ne peux cependant pas remplacer Jay. Je ne peux pas transmettre à sa place la culture, les traditions, les croyances indiennes, ni même africaines à mes enfants. Je ne peux pas transmettre son histoire, politique ou familiale. Mes souvenirs de petite fille ont pour cadre un lac, un canot, et les siens, un township en feu, où, le soir, au lieu des huards, résonnaient les AK-47. Il n'est jamais facile de marier deux cultures.

Symbole vivant qui dit tout : Shanti ne parle pas anglais. Elle est née alors que Jay était déjà ministre, c'est-à-dire alors qu'il avait déjà commencé son numéro de disparition…

— Nous pourrions engager une deuxième domestique pour t'aider, propose Jay.

— Il ne s'agit pas d'aide. Maria suffit à la tâche. C'est mon mari que je veux.

Ma thérapeute, elle, insistait : «Il te faut absolument une amie, Lucie.»

J'ai trouvé Peta Wolpe. C'est Sue Sparks qui nous a présentées, comme elle l'a fait avec ses deux aveugles. Elle m'a téléphoné un jour pour me suggérer d'appeler cette «fille très chouette», une Sud-Africaine, qui a deux enfants fréquentant l'école française. C'est finalement Peta qui m'a appelée, poussée elle aussi par Sue.

Peta est la fille du militant politique communiste anti-apartheid Harold Wolpe, un Sud-Africain blanc, juif, qui a risqué sa vie et celle de ses trois enfants en fuyant à travers champs et par-delà la frontière, pour enfin gagner Londres, où la famille Wolpe a vécu, en exil, pendant près de trente ans. Ils sont tous revenus au pays lorsque Nelson Mandela a été libéré. Harold est mort peu de temps après son arrivée au pouvoir.

Peta Wolpe est devenue une amie intime. Mais cette amitié n'a pas atténué ma détresse…

Mon bateau a commencé à couler durant l'été, au Québec, à la suite d'un drame entre mon père et moi. Nous sommes si semblables : deux têtes de cochon. Mais il a toujours mesuré deux cents mètres de hauteur à mes yeux. Nous ne nous sommes jamais assez parlé. Il était temps, mais c'est mal sorti. Ce jour-là, à sa résidence du lac Labelle, dans les Laurentides, il m'a dit des choses qui m'ont fait très mal. Mon père a de la difficulté à endurer les enfants, surtout s'ils sont agités. Or, mon petit Kami est très actif et n'arrête jamais de bouger. Mon père a criti-qué son comportement, mais a, du même coup, remis en question mes capacités de mère. J'ai piqué une crise comme jamais auparavant je ne l'avais fait. La dispute a dégénéré et, comme il arrive parfois dans des engueulades, d'autres sujets sont venus se mêler au problème initial.

Nous étions dehors, sur la pelouse au bord du lac. Nous nous sommes engueulés comme du poisson pourri.

Agenouillée dans l'herbe, en pleurant, en criant, j'ai déversé trente-cinq ans d'histoire en cinq minutes. Lui aussi. J'ai lancé mon verre de bière dans les buissons. Nous nous sommes dit des choses qui nous ont blessés tous les deux. Certaines phrases sont mal sorties. Mais ce que je n'ai pas pu digérer, c'est la remise en question de mon aptitude à être une bonne mère. Mon rôle de mère est le point central de ma vie. Le pilier de ma vie s'est effondré d'un coup sec. J'ai passé ma vie à essayer de prouver à mon père que j'étais bonne à quelque chose. N'importe quelle autre critique m'aurait fait mal, mais celle-là m'a tuée.

J'ai pris l'auto et j'ai roulé comme une folle, à deux cents kilomètres à l'heure sur la route en lacets qui longe le lac Labelle. J'allais me suicider. Devant un rocher, mon pied a hésité entre l'accélérateur et le frein. J'ai pensé à Kami, à Shanti, à Léandre, qui se trouvaient chez mon père. J'ai freiné et me suis arrêtée à deux millimètres du rocher. Les traces de freinage y sont probablement encore. J'ai vomi. J'ai pleuré. Je voyais l'eau du lac. Je voulais m'y noyer.

Je suis revenue chez mon père deux heures plus tard. J'ai fait mes valises et j'ai dit à mes enfants de monter dans la voiture. Mon père a essayé de m'empêcher de partir. J'ai vu la tristesse dans ses yeux. Les miens étaient noyés. Au fond de moi, je sais que c'est pour lui que je fais des reportages et des documentaires. Pour lui prouver que je suis bonne à quelque chose. Mais ça ne marche pas. Je ne suis toujours bonne à rien. À mes yeux.

Je suis partie en pleurant.

Au plus profond de moi, je sentais que j'étais morte.

* * *

De retour au Cap, je craque. Je pleure constamment. Entre deux topos, je pleure. Je n'arrive plus à prendre un bain ou à me faire un café. Jay n'est pas là. Je n'ai personne.

Un jour, j'ai même arrêté de manger. Je me suis cachée dans le bois derrière la maison, le soir, à la pluie battante. J'étais à peine consciente, écrasée en chien de fusil dans ce bois au tapis humide.

Maria s'occupait des enfants. Je n'en étais plus capable. Elle ne comprenait rien. Les enfants non plus. Moi non plus.

J'ai appelé Jay à Johannesburg, désespérée, à moitié consciente dans ce rêve-réalité cauchemardesque. Je ne savais plus ce que je faisais. J'avais peur de moi. Peur pour les enfants. Je voulais les amener avec moi, de «l'autre côté», où rien ne ferait plus mal. Jay a sauté dans un avion. Il avait peur, lui aussi.

Nous nous sommes retrouvés dans le bureau de notre médecin de famille. De formation traditionnelle, il est aussi homéopathe, naturopathe. Il croit à la guérison «holistique» du corps. Le corps et l'esprit ne font qu'un, dit-il. Il a raison. Parce que mon esprit ne vit plus, et mon corps s'écroule.

Il me prescrit des calmants sur-le-champ et m'obtient, pour le jour même, un rendez-vous avec une des meilleures psychologues du pays... qui est aussi son épouse.

Un cadeau du ciel, que cette Gabriela.

Je crois que, même si j'étais restée toute ma vie au Québec, un jour, j'aurais éclaté de la sorte. Peut-être l'Afrique du Sud n'aura-t-elle été qu'un catalyseur pour me conduire à cette thérapie. Chose certaine, je ne pouvais plus être à la fois femme de ministre, journaliste indépendante, mère écartelée entre deux continents, femme tout court, travailleuse solitaire, francophone, Blanche catholique mariée à un Indien de religion hindoue. Je ne pouvais plus vivre mariée mais seule. Je devais bâtir une nouvelle relation avec mon père, que j'aime énormément. Et surtout, surtout, je ne pouvais plus continuer à me détester à ce point.

Gabriela est belle. La tête toute blanche. Ses cheveux épais, d'aspect soyeux, se replient doucement sous la nuque. Ils sont d'un blanc pur. Leurs reflets rappellent ceux des diamants. Son visage jeune, sans rides, mais plein d'expérience, laisse perplexe quant à son âge. Elle pourrait avoir quarante, cinquante ou cinquante-cinq ans. Son regard est profond et, quand elle vous regarde dans les yeux, l'intérieur se réveille. Elle a un don.

Il faut m'hospitaliser, dit-elle. Je refuse. Les enfants, mon travail, Radio-Canada, je ne peux pas chambarder ma vie comme ça. Et puis, j'ai commencé un gros projet : je veux faire la biographie radio de Walter Sisulu. Ma recherche est entamée. Walter a été le premier militant de l'ANC à diffuser à la radio un message anti-apartheid, à partir d'un studio secret, au début des années soixante. Je veux mettre la main sur l'extrait où il appelle les gens à la révolution. Je devais aussi passer une semaine complète avec lui, à micro ouvert, en marchant, en prenant le thé. Un séjour à l'hôpital n'est pas prévu dans mon agenda.

Aller à l'hôpital, ce serait pour moi le symbole de l'échec.

Je refuse donc, acceptant cependant de prendre des médicaments; je veux bien entreprendre une psychothérapie, mais je tiens à poursuivre mes activités quotidiennes, peu importe mon état.

— La dépression, c'est une maladie, Lucie, explique Gabriela. Ce n'est pas un défaut. La dépression se traite.

— Mais pas les défauts?

On me prescrit du Zoloft. Mais je souffre de terribles effets secondaires avec cet antidépresseur. J'ai l'impression de devenir encore plus folle. Je fais des crises d'anxiété. Je ne peux pas arrêter de bouger. J'ai envie de me tirer les cheveux. Je perds le contrôle. Après deux semaines, les effets secondaires — migraines, soif, insomnie — sont trop importants et je cesse de prendre le médicament. L'effet est dévastateur. Je ne sais plus qui je suis. Je perds la boule, j'en suis consciente, mais je ne peux rien faire. Je me sens totalement impuissante, hors de contrôle. Mon cœur bat à cent soixante-dix pulsations à la minute.

J'entre d'urgence à l'hôpital.

Je prends une chambre à un lit; je ne peux supporter l'idée de voir quiconque. J'obtiens la permission spéciale de fermer ma porte — après une fouille pour s'assurer que je ne cachais pas des broches à tricoter ou des ciseaux pour m'ouvrir les veines.

En fait, cet hôpital n'en est pas vraiment un. C'est un centre d'accueil, un refuge pour les gens paumés, brisés par la drogue ou par la maladie mentale. Assise dans la cafétéria, mangeant des rôties froides et du gruau trop salé, je m'aperçois combien je suis vulnérable. Je me réfugie dans un coin, dos aux gens, gênée, pleine de honte, les yeux enflés par le flot continu de larmes des dernières heures, des derniers jours et semaines. Il y a, ici, beaucoup de cocaïnomanes en désintoxication. Il y a aussi des schizophrènes, des maniacodépressifs. Et moi dans mon coin. Nous vivons tous des échecs. Au moins, je ne suis pas seule.

Le soir, je fais la queue au comptoir des médicaments, tête baissée, chiffonnant un vieux mouchoir de papier usé dans les mains. Je suis dans *Vol au-dessus d'un nid de coucou*. Je n'aurais jamais cru, un jour, faire la file pour recevoir mon petit contenant de médicaments, et devoir l'avaler devant une infirmière. Comme un enfant.

J'obtiens une autre permission spéciale, celle de ne pas assister aux séances de thérapie collective de la journée. Le mot d'ordre est de laisser la femme du ministre tranquille. Cette fois, je ne me rebiffe pas devant mes privilèges. Je passe mes journées dans ma chambre. J'ai des livres et une télé. Mais je ne peux ni lire ni me concentrer sur quoi que ce soit. C'est comme si je souffrais d'une panne de courant généralisée. Je suis Saint-Hyacinthe après le verglas. Mes pylônes se sont effondrés. C'est le système au complet qu'il faut repenser et rebâtir. Je ne peux plus fonctionner comme je le fais depuis des années. J'ai atteint ma limite.

Gabriela vient me voir presque tous les jours. Elle a accepté mon cas en partie à cause de Jay, en qui elle croit même si elle ne l'avait encore jamais rencontré. Elle est payée par le gouvernement et sa spécialité consiste à traiter les familles des militaires. C'est — faut-il s'en étonner? — un milieu fortement perturbé sur le plan émotif. Après m'avoir rencontrée, elle savait qu'elle pouvait m'aider. Je suis fille de militaire. Gabriela connaît la vie des militaires.

«Tu es forte, dit-elle. J'ai confiance. Cela exigera beaucoup de travail et ce ne sera pas facile, mais je sais que tu t'en sortiras.»

Ses mots frappent un mur. Je ne les entends pas. Je ne vois même pas comment je serais capable de refaire un jour ma valise pour sortir d'ici. Je me retiens jusqu'à la dernière minute pour aller faire pipi parce que l'effort pour me rendre aux toilettes me paraît trop grand. J'ai réglé le problème : je ne bois plus. Comme ça, je peux passer une journée complète dans mon lit à regarder le plafond.

Il faut dire que les médicaments m'assomment. On m'a finalement prescrit un autre antidépresseur, du Serzone, qui agit sur la sérotonine, une substance chimique produite par le cerveau qui joue un rôle physiologique important et qui agit comme médiateur de l'activité du système nerveux central. Chez les personnes souffrant de dépression, la sérotonine fait défaut. Le Serzone met six semaines à faire effet. Je ne ressens pas les effets secondaires du Zoloft. Je me sens étourdie, mais je n'ai pas la nausée.

J'ai dû demander à Jay d'appeler Gilles Le Bigot à Radio-Canada pour lui dire que j'étais «temporairement hors d'usage». J'avais peur de l'appeler moi-même. En fait, je n'aurais pas su comment lui dire ce qui m'arrivait. Ce serait sorti en larmes. Gilles m'a appelée. Il comprend, dit-il. Je suis étonnée qu'il comprenne. Je suis étonnée que quiconque comprenne parce que, moi, je ne comprends pas.

J'ai besoin de massages. Ça fait dix-huit ans que je me paie au moins un massage par mois. C'est un besoin. Comme nager. Jay a trouvé une masseuse, Lynn Millard, qui viendra au centre. Tout en me massant, Lynn me demande quelle couleur représente mon état actuel. Je réponds «rouge». Je déteste le rouge, mais, présentement, je ne vois que rouge. Et quelle couleur me ferait du bien? Le vert. Le bleu. Le turquoise… Alors, Lynn me demande d'imaginer un trou sur le dessus de ma tête par lequel la lumière verte et bleue s'infiltre, comme issue d'une puissance suprême, et prend la place du rouge, qui sort, lui, par les extrémités, les doigts, les pieds. Pendant un an, je me ferai masser avec les couleurs de Lynn.

Jay et les enfants viennent me visiter. Je veux repartir avec eux, rentrer à la maison, à seulement cinq kilomètres d'ici. J'ai dit aux enfants que j'avais un problème de foie. J'aimerais tant leur dire la vérité, mais j'ai peur que le père de Léandre se serve de ce nouvel argument pour tenter de me reprendre mon enfant. Je leur dirai la vérité un jour. Je leur ferai comprendre qu'ils n'ont pas une *superwoman* comme mère, qu'elle est faible et fragile, comme tout le monde, même si dans la tête des petits les mamans sont invincibles.

Ce matin, j'ai dit bonjour à quelqu'un. C'était le premier mot que je prononçais depuis trois jours. Il a fallu que je me reprenne parce que j'avais la voix trop enrouée. Une infirmière m'a invitée à assister à la séance de thérapie qui commençait dans quelques minutes. J'ai fait signe que non de la tête et me suis mise à pleurer. Je suis montée à ma chambre au pas de course. J'y suis restée encore trois jours, enfermée. Sauf pour voir Gabriela.

Deux semaines et demie après mon arrivée au centre, je n'en peux plus d'être ici. Jay survit de peine et de misère avec la charge des trois enfants et son horaire de fou. L'épicerie, les tresses de Shanti, les devoirs, la maison; il goûte à son tour à la vie d'une famille monoparentale. «Je n'avais pas idée», laisse-t-il tomber un soir, encore essoufflé par la course du souper-devoirs-histoires-bain-dents-dodo.

Je me sens prête à sortir. Je promets de me tenir tranquille. Les médicaments feront effet sous peu, de toute façon. Gabriela hésite. J'insiste.

J'aurais dû écouter Gabriela.

57

Erreur de communication

À peine sortie du centre d'accueil, j'appelle Walter Sisulu, le collègue de prison de Nelson Mandela. Il est mon voisin, habitant à cent mètres de chez nous. De l'autre côté, à cent mètres dans la direction opposée, habite Nelson Mandela. Et là-haut, à deux cents mètres, c'est Govan Mbeki, vice-président du Sénat (à quatre-vingt-six ans!) et voisin de son fils, le vice-président Thabo Mbeki. J'habite au centre du pouvoir sud-africain.

J'ai passé deux jours complets avec Walter (né la même année que l'ANC, en 1912), pendant lesquels il m'a raconté sa vie dans les moindres détails. Il adore sa femme, Albertina, mais ne dort plus avec elle. « En prison, où j'ai passé vingt-six ans, on gardait les lumières allumées jour et nuit. Je ne peux plus me défaire de cette habitude et la lumière dérange Albertina. » Il rit. Il se racle la gorge souvent, ayant de légers problèmes avec sa respiration à cause du mucus qui s'accumule sur ses poumons.

Je lui demande ce que cela lui fait d'avoir passé sa vie dans l'ombre de Nelson Mandela. Il me regarde d'un air surpris, même s'il connaît bien la question, qu'on a dû lui poser mille fois. En effet, il a passé sa vie dans l'ombre de Madiba. C'est lui qui l'a recruté, formé et encouragé toute sa vie. Walter est de six ans son aîné. « Je ne considère pas que j'ai passé ma vie dans son ombre. Il est lui et je suis moi. Nous avons fait un travail d'équipe. »

Walter Sisulu n'est pas du tout assoiffé de pouvoir. Que de justice. Il n'a pas le charisme de Mandela, mais il a les mêmes principes et a vécu les mêmes espoirs. Il est incorruptible. Walter a l'âme généreuse. En prison, il n'hésitait pas à donner son pain de savon, ou son matériel pour écrire à un collègue qui en avait besoin. «Et lorsqu'il n'avait plus rien à donner, il donnait les choses des autres!» m'a raconté un jour Ahmed Kathrada, un camarade de prison pendant vingt-six ans, devenu conseiller du président.

Les cassettes sur lesquelles j'ai enregistré mes conversations avec Walter Sisulu restent dans mes tiroirs. Mon projet de faire une *audio*biographie de Sisulu a de nouveau frappé le mur de ma dépression.

Cinq jours seulement après mon congé du centre d'accueil, je retombe encore plus profondément dans le gouffre. Je m'écrase totalement. Cette fois-ci, c'est l'hôpital, le vrai.

Jay appelle Loulou d'urgence à Notre-Dame-des-Bois, au Québec. «Viens vite. Nous avons besoin de toi. Lucie est à l'hôpital, et moi, je n'y arrive plus avec les enfants et le travail.» Loulou débarque au Cap, quarante-huit heures plus tard, pour y demeurer un mois. Elle prend la maison en main. Il faut une mère pour faire ça.

Je suis à l'hôpital Constantiaberg, en banlieue du Cap. Ça sent l'hôpital. J'ai l'impression que même la nourriture dégage cette odeur d'antiseptique. J'ai encore une chambre individuelle. Mais je n'ai pas le droit de fermer la porte.

On a décidé de ne plus m'écouter. Je suis ici pour le temps qu'il faudra. Ma dose de Serzone est doublée. Gabriela me voit plus souvent, aussi souvent que son horaire le lui permet.

Les infirmières mesurent ma tension, ma température et mon pouls toutes les quatre heures, jour et nuit. J'ai piqué une crise. Je leur ai dit qu'elles se servaient des mauvais instruments pour mesurer mon désespoir. Elles m'ont finalement laissée tranquille.

Gabriela me donne des devoirs. Si quelqu'un me donne quelque chose à faire, je le fais. Ils sont très difficiles, ces devoirs; le cours de statistiques avancé, au cégep, était beaucoup plus facile. Il me faut d'abord résumer ma vie sur trois pages et dresser la liste des événements les plus importants. Ensuite, elle précise le tir.

— Écris maintenant une liste de tes réussites.

— Je n'en ai pas.

— Tout le monde en a. Et tes enfants? N'es-tu pas une bonne mère?

— Ça, oui, mais...

— C'est une réussite. Le succès ne se mesure pas nécessairement en pourcentage ou en nombre de reportages. Et ton documentaire sur Robben Island?

— Ah, ça, mais il manquait tellement d'éléments dans le produit final...

— N'es-tu pas contente de l'avoir fait?

— Oui, mais...

Elle est l'avocate de la défense. Elle me fait voir mes faiblesses, mais aussi ce qu'il y a de bon en moi, pour que je puisse le regarder avec elle, là, sur la page.

— Ne m'as-tu pas déjà mentionné avoir fait un trekking dans l'Himalaya?

— Oui. Et après?

— N'étais-tu pas montée en haut d'une montagne importante?

— Oui, au sommet du mont Gokyo.

— Comment haut?

— Cinq mille huit cents mètres.

— Sans bonbonne d'oxygène?

— Sans oxygène.

— C'est un succès.

Il n'est pas difficile d'énumérer des succès, si minimes soient-ils. Le défi, c'est de percevoir ces accomplissements comme des succès.

— Ce n'est pas parce qu'il y a place à l'amélioration dans un reportage qu'il n'est pas bon.

— Peut-on vraiment parler de succès?

— Oui.

Gabriela me laisse d'autres devoirs à faire. Tous les jours. J'ai l'impression de faire le ménage sur le disque dur de mon ordinateur interne. Il faut supprimer des fichiers. Il faut éliminer le virus qui traîne — dans quel fichier? — et qui infecte tous les autres fichiers, de la mémoire, de la conscience et des rêves. Gabriela aura été mon logiciel antivirus.

Je veux sortir. Je suis hospitalisée depuis bientôt trois semaines et je n'en peux plus. Gabriela craint mon retour à la maison. Elle me suggère de passer quelques jours, une semaine peut-être, dans une «maison de transition». En fait, il s'agit d'un petit chalet situé dans la forêt entourant le Cap. L'endroit est paisible, mais il y a un gros chien. J'ai peur des chiens. «C'est psychologique», dit Gabriela. Allez hop! aussi bien régler cette peur aussi! (Mais aucun succès de ce côté, j'ai toujours peur des chiens.)

Loulou et les enfants viennent me visiter. Gabriela aussi vient, continuant les séances de thérapie. Je me sens mieux. Mais je sais que je suis encore très, très fragile.

Je prends une grande décision : je veux me découvrir, me connaître, savoir qui habite mon corps. Ma plus grande difficulté est de m'apprécier pour ce que je suis. Et j'ai des peurs que je refoule depuis toujours.

— Combien mesure ton père?

— Cinq pieds sept pouces et demi.

— Et dans ta tête?

— Deux cents mètres.

— Et si on le réduisait à cinq pieds sept pouces et demi dans ta tête?

— Comment?

— Écris-lui une lettre. Tu n'as pas besoin de la lui envoyer. Mais écris-lui ce que tu aimerais lui dire.

J'écris pendant deux mois. La formulation me paraît cruciale. Je ne veux pas m'aliéner mon père. Parce que je l'aime beaucoup. Je ne veux ni l'accuser ni le blâmer, car il a eu ses problèmes lui aussi, à commencer par sa relation avec sa mère. Mais nous avons un problème de communication. Il voit mon désespoir comme une accusation et se met sur la défensive dès qu'il en est question. J'admets volontiers les beaux souvenirs de mon enfance. Le problème, c'est que ce ne sont pas, de toute évidence, ces beaux souvenirs — et ils sont très nombreux — qui m'ont plongée dans l'état où je me trouve. J'ai peur de moi. J'ai honte de moi. J'ai peur de dire à papa que j'ai toujours eu *peur* de lui. Je crois que j'avais peur du «soldat» en lui.

Les soldats... Tiens, ça me rappelle une histoire.

J'avais vingt et un ans. Je travaillais à la base de plein air du lac Mégantic comme monitrice à l'école de voile, dirigée par mon oncle, Claude Grondin, le frère de ma mère. Un grand ami pour moi.

Cet été-là, à sept heures chaque matin, je traversais le lac à la nage. Près de deux kilomètres.

Un beau jour, des soldats, des militaires canadiens, sont arrivés avec leurs tentes et leurs biceps et se sont immédiatement intéressés à moi, la petite monitrice, la seule «femelle» de la base. Assise tranquillement au bord du lac, mine de rien, je leur lance : «Tiens, je crois que je vais traverser le lac.» Les gars éclatent de rire. Je les mets au défi. Trois soldats mordent à l'hameçon, et, le lendemain matin à sept heures, nous nous retrouvons au bord du lac. Les faibles rayons du soleil n'avaient pas encore dissipé la brume sur l'eau. Les gars avaient fêté autour du feu, la veille, et s'étaient couchés tard. Ils mouillent un orteil et déclarent : «Pas de problème.» Mais leurs mamelons qui se sont durcis au contact de l'eau disaient autre chose.

Trois, deux, un, c'est parti. Au bout de vingt minutes, je suis arrivée de l'autre côté du lac et j'ai fait demi-tour.

Je les ai croisés, l'un après l'autre, sur le chemin du retour. Deux ont abandonné, et le troisième a failli se noyer. Il a fallu aller le chercher en bateau. Des soldats... Mais des êtres humains.

Mon père est un être humain. Mais j'ai eu peur de l'enveloppe de soldat qui semblait, à mes yeux, l'entourer.

J'ai toujours eu honte de moi, sans jamais savoir comment l'exprimer. Comment exprime-t-on ce sentiment quand on a cinq ou dix ans? Et à quinze ou vingt ans? J'en ai trente-cinq et je ne sais toujours pas. Ce que je sais pour la première fois de ma vie, en revanche, c'est que je suis décidée à trouver «les mots pour le dire».

Pendant deux ans, rien ne me fera rater mes rendez-vous bihebdomadaires, qui deviendront hebdomadaires, avec Gabriela.

Après quelques mois, j'ai commencé à constater les progrès que je faisais. Je me voyais réagir autrement devant certaines situations sans avoir à me dire «je dois réagir de cette façon». Je me voyais changer. Je ne comprends toujours pas comment les mots prononcés dans le cadre d'une thérapie peuvent changer une personne, la guérir, mais je sais que ça fonctionne.

Tout d'un coup, mon père est devenu humain. Grandeur nature. Même ma mère a rapetissé, et je ne savais même pas qu'elle était trop grande! J'ai compris que mon père m'aimait. Il me le disait depuis toujours, mais nous ne parlions pas le même langage. C'était une erreur de communication.

J'ai finalement pu quitter la maison de transition. Je suis arrivée à la maison la veille de l'anniversaire de Kami, le 22 novembre 1997, la journée de ses cinq ans.

Ce jour-là, la maison était pleine de gamins de quatre ou cinq ans et de mères restées pour prendre du gâteau et du thé. J'avais l'air d'une loque. Je me sentais lasse et fragile. Mais je me sentais sur la voie de la guérison.

Maria avait tout préparé. Les hot-dogs, les hors-d'œuvre, les petites gourmandises sucrées, et trois gâteaux. Que ferais-je sans Maria?...

Après les événements des derniers mois, j'ai besoin d'un repos de tout. Avec mes enfants toutefois. Vivement Noël! Je veux aller au Québec, dans la neige, dans le froid. J'ai besoin de me rafraîchir les idées. Nous partons tous, Jay compris, pour Notre-Dame-des-Bois. Je passerai ces vacances sur mes skis dans la forêt du mont Mégantic. Je skierai comme une forcenée, n'arrêtant que pour me relaxer avec la famille.

Puis, le ciel nous est tombé sur la tête, littéralement... Nous avons vécu le terrible verglas de janvier 1998. Dans la maison «pièce sur pièce» de Notre-Dame-des-Bois, construite il y a cent cinquante ans, nous pouvions faire face aux pannes d'électricité puisque nous chauffions au bois. De la fenêtre du salon, nous comptions les arbres qui tombaient un à un. «Ah non! Pas celui-là!» Et crac! par terre. Tous nos arbres ont été touchés, les trois quarts sérieusement endommagés.

Un soir, à minuit, nous avons mis des lampes frontales et nous sommes allés glisser dans l'immense champ derrière la maison, sur la croûte de neige gelée, jusque chez le voisin, six cents mètres plus loin. La pente est douce mais suffisante pour glisser sur le revêtement glacé à l'aspect surnaturel. Les jours suivants, la marche en forêt était rendue facile grâce à la croûte de glace. Les arbres, les arbustes, le sol, les branches, les brindilles, tout scintillait de mille couleurs et reflets sous les rayons de soleil. Jamais je n'avais vu un si beau désastre naturel!

J'étais redevenue positive face à la vie.

58

Des violons pour le dire

Le soleil se couche. Il commence à faire froid. Les musiciens accordent leurs instruments. Je n'avais pas prévu de pull assez chaud pour ce spectacle en plein air. Jacques Sellschop me prête sa veste. C'est lui qui m'a invitée ici ce soir, à un spectacle de musique classique au domaine Spier, à Stellenbosch. Le concert a lieu dans un amphithéâtre extérieur, sis au milieu des vignes. Jacques Sellschop, directeur du marketing de MTN, une des deux compagnies de téléphone cellulaire du pays, est blanc, riche, huppé. En attendant le début du concert, il me montre des photos de son « aventure » musicale. Il a rencontré Yehudi Menuhin, quatre-vingt-deux ans, venu en Afrique du Sud pour donner un spectacle, mais qui a dû repartir aussitôt, avant même que la présentation n'ait lieu, pour se rendre au chevet de sa mère mourante, aux États-Unis. Menuhin a eu le temps de travailler un peu, tout de même. Et de laisser trois cents violons pour les démunis. Avec MTN, le célèbre violoniste a mis sur pied le projet *Violins for Africa*, un peu comme il l'avait fait auparavant en Chine.

— Regarde, Lucie, comme c'est beau.

Sur les photos que me montre Jacques, des enfants noirs, violons en main, sourire fendu jusqu'aux oreilles, jouent fièrement aux côtés de Yehudi Menuhin.

— C'est une première, ça, des enfants pauvres, démunis, qui jouent du violon. Tu sais que ça a changé leur vie ?

Je regarde Jacques dans les yeux. Les lumières s'éteignent. Le concert commence. Je lui dis, dans le creux de l'oreille :

— En me montrant ces photos, tu viens de me donner beaucoup d'ouvrage. Il y a là un sacré beau reportage !

Je savais, dès cet instant, que j'allais me lancer dans un reportage sur le projet *Violins for Africa*. J'avais « entendu » la musique, simplement en regardant les photos. C'était beau. Il me fallait maintenant l'enregistrer.

Pendant tout le concert, j'ai pensé aux violons de ces petits. Pendant la sonate, j'ai rêvé à la leur. À la fin, j'ai répété à Jacques que je tenais à réaliser un reportage. « Appelle-moi lundi, a-t-il répondu. Je te donnerai le nom des personnes à contacter. »

Mais qu'y a-t-il d'exceptionnel à ce que des enfants jouent du violon ? Ces enfants viennent de régions pauvres, de camps de squatters, où il n'y a rien d'autre à faire que de traîner dans les rues et faire les quatre cents coups. Et plus ces enfants grandissent, plus les mauvais coups deviennent graves et dangereux. Une de ces régions est en banlieue du Cap, et a un des taux de criminalité les plus élevés du monde ; en fait, de temps à autre, on y détient le record du plus haut taux de meurtres sur la planète ! Une bonne part des cinquante-deux meurtres quotidiens en Afrique du Sud sont commis ici…

L'histoire des violons en est une d'enfants pauvres, mais d'enfants normaux, qui ont soif d'apprendre, d'essayer quelque chose de nouveau, d'avoir un but dans la vie.

Il me fallait une entrevue avec Yehudi Menuhin. Jacques organise ça. Je ferai l'entrevue au téléphone, Menuhin à Londres, moi au Cap, en français et en anglais, car je prévois faire ce reportage dans les deux langues, pour pouvoir le diffuser ici comme au Canada.

Pierre Trottier de *Dimanche magazine*, à Radio-Canada, accepte l'idée.

Je joins Ronnie Samaai, un Métis du Cap, violoniste depuis toujours. Il est le directeur du projet; étant maintenant à la retraite, il fait ce travail pour presque rien. «Je n'ai jamais autant travaillé de ma vie! dit-il. Et c'est le plus beau travail qui m'ait été donné!» Un cadeau du ciel, pour Ronnie, que de faire ce qu'il aime, à longueur de journée : jouer du violon et enseigner cet art noble. Ronnie sourit toujours. Il croit à l'âme, à la musique, à la dignité, à l'égalité, et à l'accès aux rêves, même pour les pauvres. «Je n'ai pas pu jouer pour l'Orchestre symphonique du Cap pour la seule et unique raison que je n'avais pas la bonne couleur de peau. Je veux que ces enfants aient l'occasion, la compétence et le pouvoir de mériter, dignement, une place à l'Orchestre symphonique, si c'est ce qu'ils désirent.»

J'ai rencontré plusieurs enfants de diverses régions pauvres du Cap : Kayelitsha, Guguletu, Sarepta et Kuilsriver, des townships en banlieue du Cap, là où l'héritage de l'apartheid résonne le plus fort, sous la poussière, la maladie et la pauvreté noires et métis. Pourtant, noir et pauvre ne riment pas avec élite et prestige, que représente le violon.

Un parent m'a raconté :

Le violon n'est pas n'importe quel instrument. Ce n'est pas un instrument que vous pouvez aller acheter au coin de la rue pour quelques rands comme la flûte à bec. Alors il y a une signification attachée au violon. C'est que mon fils n'apprend pas seulement à jouer un instrument qui coûte cher, mais appelons-le un instrument d'élite. Alors, c'est un grand pas en avant. Notre pays a changé. Nos enfants ont été tirés des routes poussiéreuses et se voient donner une chance dans la vie. Je n'aurais jamais rêvé que mon fils joue du violon, ou n'importe quel autre instrument de musique. La seule musique que nous pouvions faire jouer, c'était celle de la radio!

Pour Yehudi Menuhin et Ronnie Samaai, la musique est un besoin essentiel. Mais, en Afrique du Sud, il y a beaucoup de besoins essentiels à combler. Plus de la moitié de la population vit sous le seuil de la pauvreté. Près de quinze millions de Sud-Africains n'ont même pas accès à l'eau potable.

L'argent disponible ne devrait-il pas aller aux besoins essentiels plus pressants comme le logement, l'électricité, la santé, l'éducation?

Oh! Que j'aime cette question! s'exclame Ronnie Samaai. *Il y a des besoins essentiels et je crois que la musique en est un. Pensez à la somme d'argent qui est investie dans le sport; c'est incroyable! L'enfant qui maîtrise un instrument développe un amour-propre, une confiance en soi. N'est-ce pas ce que nous voulons chez les enfants?*

La musique est une clé de la vie! s'écrie Yehudi Menuhin, quand on lui pose la même question. *Elle vous permet non seulement de communiquer, de vous exprimer, mais elle vous permet aussi d'acquérir un équilibre plus complet parce qu'elle absorbe les frustrations, les souffrances, et qu'elle procure une joie profonde et une satisfaction qui vous enlève le désir de vous venger.*

Tembisa, douze ans, traînait de la patte à l'école. Chez elle, ses six frères et sœurs arrivaient, de peine et de misère, à manger convenablement, dans leur taudis en tôle, petit, sale, mais tout de même plein de vie. Tembisa ne faisait pas ses devoirs, n'avait pas d'amis, ne participait à aucun sport à l'école. Je l'ai attendue deux heures, le matin de l'entrevue. Elle est arrivée en pleurant. Sa mère avait disparu. Elle n'était pas rentrée, la veille. Les sept enfants étaient en désarroi. Ils retrouveront leur mère, plus tard, en prison. Elle vendait de la viande sans permis...

Je regarde Tembisa droit dans les yeux, essuie une de ses larmes, d'autres ayant déjà trempé son uniforme d'écolière, sale, déchiré, usé par la pauvreté. Je vois un orteil qui dépasse de ses souliers troués. Même les bas sont un luxe qu'elle ne peut se payer. En silence, je prends son violon, à l'abri dans l'étui, et le lui donne comme s'il s'agissait d'un bébé. Je lui dis : «Et ceci, cet objet, peux-tu m'en parler? Qu'est-ce qui vibre quand tu laisses ton archet glisser sur les cordes?»

Tembisa me regarde, regarde le directeur de l'école et Ronnie. Elle prend l'étui. Elle le prend comme on cajole un nouveau-né.

Le violon m'a aidée à changer. Si j'ai des soucis à la maison, j'oublie tout lorsque je joue du violon.

Puis elle sort son «bébé», brillant, si petit mais si puissant.

Depuis que j'ai commencé à jouer, explique Tembisa, d'une voix timide, *je suis devenue une personne respectueuse et je suis très intéressée par le sport et mes travaux d'école. Je me sens heureuse et il se passe quelque chose à l'intérieur de moi, même quand je m'exerce à la maison.*

En fait, Tembisa est maintenant parmi les trois premiers de classe. Elle s'est fait des amis. Elle joue au soccer. Et quand ça va mal à la maison, elle sort son violon, et ainsi s'installe le calme.

Il est important de donner une voix aux jeunes, dit Yehudi Menuhin. *Le violon peut servir de voix. Il satisfait le désir de l'enfant d'avoir quelque chose près de lui, un être, des vibrations, ou un instrument qui répond aux besoins d'expression. Un vrai compagnon de vie, quelque chose qu'il peut embrasser et aimer de tout son cœur. Le violon, pour les enfants pauvres, est un ami et une voix.*

J'ai demandé aux enfants comment ils réagiraient si quelqu'un leur enlevait leur violon. Voici la réponse que m'a donnée une petite fille de dix ans, Yunus :

Je pleurerais! Je pleurerais parce que j'aime ça. Je souhaiterais ne jamais arrêter. Parce que, quand je suis seule, je prends mon violon et je joue. Et la solitude disparaît et je me sens, tout simplement, très heureuse. C'est mon ami. Il est devenu mon meilleur ami.

J'ai eu l'occasion de souper avec Yehudi Menuhin, lorsqu'il est revenu au Cap y donner le concert annulé un an plus tôt. Il souriait. Il était heureux. Et, grâce à lui, les yeux de beaucoup d'enfants brillent davantage.

Yehudi Menuhin est mort un an après ce reportage. Ça m'a donné tout un choc.

J'ai envoyé cassettes et bobines à Pierre Trottier par l'intermédiaire d'un Canadien, que je ne connaissais pas, qui retournait au Canada. Il devait poster le colis de Québec. Ne recevant aucune nouvelle, rien, ni critique ni remerciements, inquiète, j'ai écrit à Pierre Trottier. S'il fallait que ces cassettes soient perdues! Je lui ai envoyé deux, trois, quatre courriels. J'ai appelé, laissé des messages. J'ai d'abord cru que mes bobines et mes rubans ne s'étaient jamais rendus. Puis j'ai cru qu'il n'avait pas aimé. Pire! qu'il avait détesté. J'ai réécouté le reportage. En effet, je le trouvais bourré de défauts! J'ai tout de suite regretté de le lui avoir envoyé. Je me suis précipitée chez Gabriela.

J'ai finalement reçu un courriel de deux lignes, deux petites lignes, avec mon nom entre virgules, ce qui, pour moi, voulait tout dire. «Oui, Lucie, j'ai reçu les bobines.»

Je le dérange, je le devine au ton de ce courriel laconique. Mais je ne saurai jamais si le reportage était correct. Je n'ai plus jamais dérangé Pierre Trottier. Et je n'ai plus jamais fait de reportages pour *Dimanche magazine*. Je n'ai su que bien plus tard qu'il était parti en vacances. J'avais mal interprété son silence…

La SABC, la radio publique d'Afrique du Sud, a toutefois bien aimé. On y a diffusé le reportage deux fois. La compagnie de disques EMI avait accepté de commanditer la diffusion. J'ai été interviewée à l'émission *Women Today*. Après l'entrevue et la diffusion du reportage, la station a reçu des tas d'appels de gens qui voulaient donner de l'argent et des violons pour les enfants. Une dame a appelé des Pays-Bas. Elle avait entendu le reportage lors de son passage en Afrique du Sud. Elle a envoyé son violon, oublié dans son grenier, qui valait une fortune mais qui ne servait à rien. Une autre a donné un violon de quinze mille rands (trois mille dollars) à Tembisa !

Pendant un an, j'ai reçu d'autres appels, sporadiquement, de diverses personnes qui voulaient me parler de violons, de musique, et me dire comment celle-ci peut changer la vie. Oui, la musique peut changer une vie.

Et j'ai, depuis un an, accumulé assez de preuves pour affirmer que la musique peut même sauver un pays…

59

Les chants de libération

L'archevêque Desmond Tutu a déjà dit :
Sans la musique, ma vie aurait été grise. Sans les chants, il manque une portion importante du cœur de la vie.

Desmond Tutu est un homme d'Église, un missionnaire «envoyé du ciel», qui a toujours déployé toute son énergie pour la justice. Même dans les moments les plus difficiles de la lutte contre l'apartheid, surtout durant les années quatre-vingt, il a exprimé son espoir, en chantant.

Sans les chants de libération, la lutte en Afrique du Sud aurait été beaucoup plus longue, beaucoup plus sanglante, et n'aurait peut-être même pas réussi à vaincre l'apartheid.

Cette déclaration en dit long sur le rôle des chants d'Afrique du Sud dans la libération du pays.

Je souhaite réaliser un long documentaire radiophonique sur ces chants. Rien n'a encore été produit sur le sujet. Et pourtant, dans presque tous les reportages et documentaires sur l'Afrique du Sud, diffusés partout dans le monde, on peut entendre ou voir les foules qui chantent.

Les chants ont exercé un pouvoir de mobilisation exceptionnel sur les masses populaires. Leur force est telle qu'on reste ébahi lorsque dix mille ou cent mille personnes les entonnent en chœur.

Il n'existe aucun ouvrage de référence sur le sujet. Les chants n'ont jamais été transcrits en musique non plus. C'est une tradition orale. Je veux en mettre un petit bout sur ruban. Je veux faire chanter Desmond Tutu à mon micro. En fait, je veux faire chanter tous ceux que j'interviewerai pour ce documentaire. Je les choisis donc soigneusement; ils doivent être expressifs.

Tutu semble totalement absorbé par le sujet :

Nous, les Sud-Africains noirs, nous chantions quand nous pleurions, nous chantions lorsque nous étions heureux, nous chantions à des mariages, nous chantions à des funérailles. Nous chantions et nous chantions. Nous chantions pour nous rappeler que, même si l'ennemi semblait si fort, Dieu était plus fort. Et que Satan représentait toutes les forces du mal, de l'injustice et de l'oppression.

Puis, sans que je le lui demande, il entonne une chanson. Il a compris ce que je voulais. Je reconnais la chanson pour l'avoir déjà entendue dans certains rassemblements politiques et je suis surprise d'apprendre son origine. C'est un hymne religieux. On y parle de Dieu qui nous choisit et nous donne espoir.

Les premiers chants de libération sont en effet nés à l'église. Les «alléluias» s'entendent dans plusieurs d'entre eux. Dieu était la seule source d'espoir.

Un des chants de libération les plus populaires, *Nkosi Sikelel' iAfrika*, demande à Dieu de bénir l'Afrique. Composé par Enoch Sontanga en 1897, il a été l'hymne officiel de l'ANC pendant des décennies, pour ensuite constituer une partie de l'hymne national de l'Afrique du Sud, en 1994.

Évidemment, pour Desmond Tutu, ce chant est le symbole même de la libération.

Nkosi Sikelel' est la crème de nos chants. Parce que, finalement, nous recommençons tout au début, avec Dieu, parce que nous y disons que nous voulons notre liberté.

Baleka Mbete, vice-présidente de l'Assemblée nationale, me parle du même espoir. *Je suis politicienne. Dans la lutte, la musique a joué un tel rôle que je ne vois pas comment nous aurions pu passer au travers durant toutes ces années, ici ou en exil, sans avoir été soutenus par la musique, par le chant.*

Baleka a accepté de m'accorder une entrevue «chantante». Avec tous mes invités, je passerai au moins quinze minutes à préciser mon projet, à expliquer l'importance d'accrocher l'oreille des auditeurs. Je leur demande de faire référence à des chants en les chantant plutôt qu'en les nommant. Je leur dis de ne pas se gêner, que j'arrêterai le magnétophone si ça ne va pas. Il n'est pas facile de chanter devant un micro, seul, en présence d'un étranger, sans musique, sans encouragements, sans foule pour se laisser aller.

J'ai réussi à trouver, après quelques mois d'efforts, une chorale qui acceptait de chanter plusieurs chants gratuitement, justement parce que rien n'avait encore été fait pour les perpétuer. D'autres chorales me demandaient entre mille et cinq mille dollars pour s'exécuter, et je n'avais tout simplement pas les moyens de verser cette somme. Je serai donc toujours profondément reconnaissante envers la chorale du Syndicat démocratique des professeurs du Cap-Occidental. Je me suis rendue à Guguletu, un township pauvre et délabré, à une vingtaine de kilomètres du Cap, pour les enregistrer. Ils ont chanté quinze chants. C'était de toute beauté. Élizabeth Gagnon, de l'émission *Des musiques en mémoire* de la chaîne culturelle de Radio-Canada, qui diffusera le documentaire, m'a fait imprimer quelques CD; j'en donnerai un à Desmond Tutu, un autre à la chorale, et j'en garderai un pour moi.

Les chants de libération, tels qu'on les a connus durant l'apartheid, de 1948 à 1994, disparaîtront. C'est la rançon de la victoire. Ces chants, qui permettent de retracer les grandes lignes de l'histoire de l'apartheid, ont émergé dans l'exil, dans les rassemblements populaires. Mais une fois le but atteint, on a progressivement cessé de les entendre.

D'autres raisons expliquent leur disparition. Par exemple, dans l'hymne de l'Umkhonto we Sizwe se trouvent les paroles «tuons les Boers». Or, depuis dix-huit mois, beaucoup de Boers, des fermiers blancs, ont été tués. Ils sont les cibles d'une vague de meurtres. Pour cette raison, les chefs politiques ont décidé de ne pas chanter cet hymne aux funérailles récentes d'un commandant de l'Umkhonto we Sizwe, comme le veut pourtant la tradition de l'ANC. Pour Baleka Mbete, c'était une décision doulou-reuse, parce qu'elle marquait le début de la fin, la mort des chants de libération...

Le vice-ministre de la Défense, Ronnie Kasrils, m'a livré un témoignage captivant. Il m'a d'abord précisé qu'il ne pourrait pas chanter pendant l'entrevue, que ça le gênait trop. Mais au fur et à mesure que l'entrevue progressait, et que je lui demandais «Par exemple?» lorsqu'il faisait référence à un chant, il hésitait. Puis, il m'a demandé de fermer mon magnétophone. «Je vais prendre un scotch; ensuite, je pourrai peut-être chanter.»

Ronnie n'aime pas les micros. Mais il adore chanter. Il a chanté. D'une voix terrible qui fausse, mais qui veut tout dire. Il m'a raconté une histoire qui allait me marquer pour toujours.

Il m'a parlé de Vuyisili Mini, un militant anti-apartheid et syndicaliste noir de la province du Cap-Oriental. Vuyisili Mini avait un don d'auteur-compositeur et on lui doit de nombreux chants de libération d'Afrique du Sud, dont le plus célèbre s'intitule *Nanzi Indoda Enmyama Verwoerd*. On y dit : «Attention, Verwoerd, l'homme noir s'en vient. Attention, Verwoerd, l'homme noir vous aura!»

Vuyisili Mini et deux de ses collègues ont été pendus le 6 novembre 1964, sous le gouvernement de l'architecte de l'apartheid, Hendrik Frensch Verwoerd, premier ministre de 1958 à 1966. Verwoerd, qui aura inventé, pensé, raffiné, imposé les lois les plus dures de l'apartheid, était natif de Hollande. Il a été assassiné en 1966, à l'Assemblée nationale, par un Blanc qui trouvait ses politiques trop... laxistes!

La veille de sa pendaison, Vuyisili Mini écrivit une lettre en riposte à l'offre de pardon du gouvernement. S'il dénonçait deux autres camarades actifs dans la lutte armée de l'ANC, on annulait sa condamnation à mort. Il avait le choix entre la mort ou la délation. Deux noms pour sa liberté, et sa vie! «Jamais!» a dit Mini avant d'être exécuté. Mac Maharaj, ministre des Transports dans le gouvernement Mandela, est l'un des deux militants qui doit sa vie à Vuyisili Mini. Mac Maharaj finira par faire beaucoup de prison, lui aussi, mais, en 1964, le courage de Mini lui a épargné une mort certaine.

En fait, Vuyisili Mini a été pendu parce qu'il était devenu trop puissant avec ses chants de libération qui avaient le pouvoir de rassembler les foules, tout un peuple même, de communiquer aux gens l'objectif à atteindre. *Nanzi Indoda Enmyama Verwoerd...*

On peut tuer un homme, mais on ne peut pas tuer sa voix. La voix de Mini a résonné et résonne toujours en Afrique du Sud. Le 6 novembre 1964, lorsque le geôlier lui a demandé, sarcastiquement, s'il allait maintenant chanter jusqu'à la potence, Mini a entonné son chant le plus populaire, avec les mille cinq cents autres prisonniers de la prison de Pretoria et tous les militants dans tous les camps de l'ANC éparpillés sur le continent africain. *Attention, Verwoerd, l'homme noir vous aura. Attention, Verwoerd, l'homme noir s'en vient.* Vuyisili Mini a chanté jusqu'à la potence.

Ronnie Kasrils m'a raconté cette histoire avec beaucoup d'émotion, répétant plusieurs fois «*Nanzi Indoda Enmyama Verwoerd*», attention, Verwoerd, l'homme noir vous aura.

Bien que ses chants soient connus, Vuyisili Mini, lui, l'est peu. C'est un des martyrs oubliés du pays. C'est pourtant lui qui a raffiné la formule des slogans politisés, répétés à l'infini par la foule : «Dehors, Verwoed», «N'ayez pas peur», «Nous ne sommes pas loin de la liberté», «Nous y arriverons avec des grenades, des bazookas et des AK-47», ou encore, «Gare aux délateurs» et «Nous ne perdrons jamais espoir».

Comment la musique, le chant peuvent-ils devenir non seulement un outil, mais une arme politique? Des notes de musique qui sont «dangereuses», c'est possible?

Absolument, dit Ronnie Kasrils. En Afrique du Sud, nous n'avons pas vaincu l'apartheid en tirant sur tous nos ennemis. Ils avaient une armée extrêmement puissante et bien équipée.

Ronnie Kasrils en sait quelque chose. Il a fait partie du groupe, avec Nelson Mandela, qui a fondé l'Umkhonto we Sizwe, en décembre 1961. Ils ont tout de suite su qu'ils ne pouvaient pas expulser le gouvernement de l'apartheid par la force des armes. Ce devait être une «révolution négociée». La branche armée pouvait déstabiliser le pays, créer de l'agitation, mais jamais, au grand jamais, aurait-elle pu renverser le gouvernement par un coup d'État.

Nous étions peu nombreux et nous étions très mal équipés, explique Ronnie. *Ce que nous devions faire, c'était créer une vague parmi la population pour la stimuler, lui insuffler du courage. C'était cela, notre meilleure arme. La mobilisation des gens, des masses, le chant, le* toyi-toyi *étaient nos armes véritables. C'est ce qui a inspiré, enflammé la population. Le chant et le* toyi-toyi *ont été une partie intégrante de l'avalanche qui, à la fin, a enterré l'apartheid.*

Le chant, une arme? Desmond Tutu, avec ses grands yeux et ses doigts qui se tortillent, s'avance un peu sur sa chaise; en bon homme d'Église, il hésite à employer ce mot.

*La foule qui chantait flanquait la frousse à nos enne-
mis. Cela leur donnait froid dans le dos. Ils ne comprenaient
pas les mots, mais le son était suffisant pour apeurer qui
que ce soit. Un son foudroyant. Foudroyant! Et si vous étiez
du mauvais côté, vous ressentiez le pouvoir de ces hordes
qui s'avançaient vers vous!*

Dans les rassemblements populaires, la foule entrait
en transe et ne devenait plus qu'un. La foule se *croyait* toute
puissante, remplie de l'espoir de vaincre l'ennemi.

Les chants de libération étaient une source d'énergie
et de courage. Baleka Mbete est une femme, mais elle a
aussi été soldat, participant aux camps d'entraînement de
l'ANC. Elle explique :

*Tôt le matin, dans les camps, dans l'épaisse brousse
d'Angola, nos gens chantaient. Dans le fin fond de la
brousse, la dépression peut vous tuer. C'est le chant qui
nous gardait en vie. Nous chantions pour rester vivants.
Le chant est devenu une arme précisément parce qu'il nous
tenait ensemble, nous unissait, nous énergisait. Je ne vois
vraiment pas comment nous aurions pu passer au travers
sans les chants de libération.*

À mesure que la lutte se précisait, les chants ont commencé à se modifier pour intégrer les symboles et les héros
de cette lutte — Mandela, Sisulu, et Albert Luthuli, Prix
Nobel de la paix de 1960 et président de l'ANC pendant
quinze ans. Les paroles devenaient de plus en plus directes.
Celles du chant *Somlandela uJesu* («Nous suivrons Jésus
partout»), par exemple, sont devenues «Nous suivrons
Luthuli partout».

Chez les prisonniers de Robben Island, le chant a été
crucial. Tous ceux à qui j'en ai parlé ont évoqué son importance. Walter Sisulu affirmait même que le chant lui avait
sauvé la vie!

Le 16 juin 1976 marque un changement de ton. Soweto
est en flammes. C'est la révolte des écoliers qui ragent

contre l'imposition de l'afrikaans comme langue d'enseignement obligatoire. Et la rage qui naît cette journée-là va se répercuter jusque dans les années quatre-vingt, les années les plus noires de l'apartheid. Les chants deviendront imprégnés de cette rage.

Par opposition à la génération précédente, largement soumise, la jeunesse des années quatre-vingt se croit invincible. *Thina sesulucha asi nogubalawa*, chante-t-elle, «Nous sommes la jeunesse». *Asoze sa wula thina guvele vutas sisewacha.* «Nous ne pouvons être anéantis.» Après 1976, les jeunes sortent en masse du pays, par centaines, par milliers, par dizaines de milliers. La rage au cœur, ils s'engagent dans la lutte armée et rejoignent les camps d'entraînement éparpillés en Afrique, en Europe et en Russie. Ils y arrivent avec des chants de libération des années soixante et en reviendront avec ceux des années quatre-vingt, beaucoup plus agressifs, encore plus puissants, capables de souder n'importe quelle foule.

Avec cette nouvelle génération surgit une nouvelle danse populaire, le *toyi-toyi*, née dans les camps du Zimbabwe.

Ronnie Kasrils se rappelle avoir chanté et dansé ainsi dans un camp d'entraînement militaire en URSS.

Les Soviétiques nous regardaient émerveillés lorsque nous marchions dans la neige en chantant. Ils avaient certes leurs propres chants, mais ceux-ci ne leur donnaient que le dixième de la force et du moral que les nôtres nous donnaient! Et les officiers, des officiers de l'Armée rouge qui avaient vaincu les troupes d'Hitler, à Stalingrad, nous disaient : « Vous avez le moral le plus étonnant, cela paraît lorsque vous chantez.» Et le toyi-toyi *ajoutait une dimension éclatante.*

Desmond Tutu s'est souvent retrouvé devant des foules criant « Viva l'AK-47!» sous le toit de son église, ce qui lui posait un problème moral.

Je me souviens qu'ils avaient un chant, Sizuatubula, *ou quelque chose comme ça. Il y était question de tirer sur les Blancs avec les* baibai. *C'était difficile de savoir comment les arrêter. Je ne chantais habituellement pas ce chant parce qu'il était très sanglant et belliqueux. Mais c'était une manière de soulager la tension. Vous voyez, c'était comme une valve qui leur permettait de soulager l'angoisse et la colère accumulées. C'était préférable de chanter un chant guerrier que de vraiment se servir d'une AK-47.*

Je lis le malaise dans l'expression corporelle de Desmond Tutu. J'insiste. Il va plus loin.

Parfois l'alliance [avec les partisans de la violence] *n'était pas facile, surtout lorsque les chants réclamaient du sang. Mais il était impossible de continuer ainsi pour toujours, notre peuple ne pouvait pas continuer d'être un paillasson sur lequel les gens essuyaient leurs bottes. Ça ne pouvait pas être ce que Dieu voulait. Alors il y avait cette alliance. Il est clair qu'il fallait canaliser la colère et les énergies du peuple.*

Desmond Tutu se tait. Il me regarde, regarde là-haut, puis, comme s'il venait tout juste de faire l'aveu d'une vérité, laisse tomber :

On pourrait dire que, même si les chants de libération ont rendu l'Église un peu trop radicale, l'Église, à son tour, a rendu l'effet de ces chants moins sanguinaires.

Puis, il rit. De son beau rire profond, Tutu se laisse aller.

Je crois qu'il n'y a aucun doute qu'ils donnaient du courage au peuple. Ils disaient : «Nous allons aller à Pretoria», ou «Nous ouvrirons les portes de la prison», ou « Mandela sortira et nous serons libres». Ou, pour ceux qui allaient voir Tambo en exil : «Ramenez nos gars et assurez-nous que cette chose sera défaite.» Je crois qu'il serait naïf de ne pas admettre que ça a changé l'attitude des gens.

Les chants de libération ont effectivement changé l'attitude d'un peuple, ont sauvé ce peuple. On peut empêcher un peuple de travailler, on peut l'empêcher d'étudier, de voyager, de se déplacer, de se soigner, de manger et de boire même. Mais on ne peut pas l'empêcher de chanter. Les lois et les canons de l'apartheid n'ont pas réussi à détruire la seule arme véritable, indestructible. C'était l'arme du pouvoir contre l'âme du peuple. Et l'âme a gagné.

60

À ta liberté, mon enfant

Léandre veut partir. Dois-je le laisser aller? J'en ai la garde légale jusqu'à sa majorité. J'ai le gros bout du bâton. Non, il n'y a pas de gros bout du bâton lorsque vient le temps de décider du sort de son enfant.

Léandre commencera le secondaire en septembre 1998, et c'est au Québec qu'il veut être. Il désire savoir ce que c'est que d'habiter avec son père. Il a l'habitude des vacances d'été et de Noël avec lui. Mais il ne connaît pas la «vraie vie», la petite vie, celle des poubelles, du dodo, de la vaisselle, des devoirs.

Je sais, je sens, au fin fond de moi, que je dois le laisser partir. Mais je décide de consulter quand même. J'en parle à Gabriela. J'en parle à une psychiatre et à un psychologue pour enfants. Tous connaissent mon cas. Tous connaissent Léandre. Tous disent à peu près la même chose. D'abord, qu'une mère sait et sent ce qu'il y a de mieux pour son enfant. Deuxièmement, que si l'environnement est sain dans l'autre milieu familial, si le père est bon et attentif à ses besoins, s'il n'y a pas de mauvais traitements (sexuels, entre autres), un garçon, au seuil de la puberté, a naturellement tendance à se rapprocher de son père. Tous affirment donc que laisser partir Léandre ne nuirait pas à son développement, mais aussi que sa vie serait tout aussi remplie auprès de sa mère!

La décision à prendre me torture pendant des mois. Bien évidemment, je voudrais mon fils avec moi.

Mon entourage, mes amis, Omar, me disent de le garder. Mais si je les écoute, Léandre m'en voudra à jamais. Je veux avant tout son bien-être. Lui, qui aura douze ans dans six mois, veut vivre chez son père. Il veut connaître le Québec. Il veut fêter l'Halloween et glisser sur la neige. A-t-il besoin de me convaincre de son besoin du Québec?

Jay aussi est déchiré. Déchiré de voir mon cœur de mère souffrir et de voir son «fils» tout aussi déchiré.

Ce matin, plusieurs arcs-en-ciel passent au-dessus de la montagne. J'amène les enfants à l'école. Léandre est silencieux. Triste même. Je le veux heureux.

— Veux-tu aller souper au restaurant avec moi en fin de semaine? Juste toi et moi?

— Pourquoi?

— Parce que je crois qu'on a besoin de se parler, tout seuls, tous les deux.

— OK.

Il sait de quoi nous allons parler. J'ai pris ma décision. Je suis dans un cheminement de libération. Les chants de libération me résonnent dans la tête depuis des mois maintenant. Je dois à Léandre, à mon fils, sa liberté. Liberté de connaître et d'aimer ses deux parents. Liberté de choisir où il habite sans que cela soit interprété comme signifiant «je ne t'aime pas» ou «je ne veux plus rester avec toi, maman». Je lui dois la liberté d'exprimer ses désirs sans se sentir coupable.

J'ai choisi mon restaurant thaï préféré. Sis dans la forêt de Constantiaberg, le restaurant a réussi à créer une atmosphère asiatique en Afrique. L'ambiance est chaleureuse. L'éclairage, tamisé. L'endroit idéal pour les tête-à-tête. C'est d'ailleurs un de nos antres, à Jay et à moi. La nourriture est exquise. Léandre a lui aussi développé le goût des mets asiatiques.

— Tu sais que je t'aime beaucoup, n'est-ce pas?

— Je sais.

— Tu sais que je ne veux que ton bonheur?

— Je sais.

— Tu sais que je ne veux que ton bien-être?

— Je sais.

Léandre est laconique. Il est comme ça.

— Je sais que toute cette aventure africaine, qui dure depuis sept ans, n'a pas été facile, par moments, pour toi, pour moi, pour nous tous. J'ai tenté de faire du mieux que j'ai pu; je crois avoir pris les bonnes décisions quant à toi. Celle de venir en Afrique n'a pas été facile à prendre. Pas du tout.

Je marque une pause, mais Léandre demeure silencieux.

— Mais je ne regrette pas ma décision. J'aime Jay. Nous formons un couple et nous sommes ensemble «pour la vie». En tout cas, c'est ce qu'on espère.

— Je sais.

— S'il y a eu des bouts difficiles, il y a aussi eu beaucoup, beaucoup de beaux moments. Nous avons fait tellement de belles choses ensemble. Juste le fait d'avoir appris l'anglais est un atout pour la vie, pour toi. Le fait d'avoir voyagé en Europe, en Afrique et en Australie. On a fait des belles choses ensemble, non?

— Ben oui!

— Es-tu bien chez nous? Aimes-tu vivre avec nous?

— Oui!

— As-tu aimé ton expérience africaine, jusqu'à maintenant?

— Ben oui!

— Qu'est-ce que tu aimes?

— J'aime vivre ici.

— Mais quoi encore? Qu'est-ce que tu aimes ici?

— Tout. La plage, le pays, les choses à faire.

— Aimes-tu ton école? As-tu aimé ton école primaire en Afrique du Sud?

— Oui.

— Pourquoi veux-tu aller vivre chez ton père ?

— Parce que ça me tente. Ça me tente de faire mon secondaire au Québec.

— Tu sais que ce ne sera pas comme pendant les vacances. Ce sera l'école, et tout ça.

— Je sais.

— Tu t'entends bien avec la blonde de ton père, et sa fille ? (Elle a une fille de six mois plus jeune que Léandre.)

— Oui. Je veux aussi voir Guillaume, mon frère. (Son père a eu un autre enfant avec sa conjointe.)

— Oui, je sais. Et je sais que tu aimes beaucoup ton papa. Et je respecte ça. Je pense que c'est une bonne idée que tu ailles essayer la vie là-bas. Mais moi, je vais retourner au Québec bientôt !

— Quand ? C'est ça que je voudrais, que tu habites au Québec. Je voudrais tant que tu reviennes !

— Je sais. Mais je ne peux pas partir tout de suite. Je veux attendre au moins jusqu'aux prochaines élections, dans un an. Après, je verrai. Tu comprends pourquoi il est important pour moi de rester jusqu'aux prochaines élections ? C'est que j'aurai ainsi couvert toute l'ère Mandela pour mon travail, de l'année de sa libération de prison à son départ de la vie publique. Tu comprends ça ?

— Oui.

— Qu'est-ce que tu voudrais le plus au monde ?

— Que tu viennes au Québec.

— Je sais. Je veux que tu comprennes quelque chose : ta chambre sera toujours là pour toi, chez nous. Où que nous soyons, tu auras ta chambre, ta famille, ta maison. Si au bout d'un moment tu te rends compte que tu n'es pas heureux, tu reviens à la maison. Ce sera toujours ta maison. Tu auras toujours ta place parmi nous.

— Et si, au mois de décembre, je veux revenir ?

— Je crois qu'il serait préférable de ne pas séparer l'année scolaire en deux. Je crois que nous devrions évaluer la situation dans un an, après ta première année au secondaire.

— Mais si je suis vraiment, vraiment malheureux et que je n'en peux plus?

— Évidemment, mon coco! Tu peux venir quand tu veux. Mais disons que l'idéal serait d'attendre un an.

— OK.

— Essayons un an à la fois.

— Oui.

— Te sens-tu à l'aise avec tout ça? Y a-t-il quelque chose qui te dérange ou qui t'inquiète?

— Non, je crois que ça va.

Il mange en silence, digérant notre conversation. Il ne semble ni soulagé ni excité.

Je change de sujet. Nous parlons des expériences loufoques qui nous sont arrivées. Je lui raconte la fois où Jay et moi étions seuls à Durban, dans la maison de son frère Logie. C'était le premier mois de mon arrivée en Afrique du Sud; Kami n'était pas né et Léandre était encore au Québec. Logie et Corona avaient insisté pour que nous dormions dans leur lit en leur absence. Jay et moi avions dit qu'il n'était pas question de prendre la chambre principale, que celle des enfants ferait très bien l'affaire. Après avoir insisté encore, ils sont partis. Le soir venu, je me suis couchée dans le lit des enfants. J'attendais Jay, mais il n'arrivait pas. Je me suis dit qu'il mettait beaucoup de temps à se brosser les dents. Je n'entendais rien dans la maison. Alors je l'ai appelé, et il m'a répondu… de l'autre lit, celui de Logie et Corona, où il m'attendait!

Léandre rit de bon cœur. J'aime rire. J'aime le voir rire. Je veux qu'il rie. Mais je voudrais le voir rire tous les jours, de mes propres yeux. Ce soir, j'ai décidé de le faire rire. Et ça me fait mal. Parce que je ne le verrai plus tous les jours, comme ce devrait être le cas.

— Tu sais que je vais beaucoup, beaucoup m'ennuyer de toi. Tu sais que je t'aime.

— Moi aussi, maman.

— Est-ce que je peux te poser une question délicate?
Mais tu n'es pas obligé d'y répondre.

— Quoi?

La question me brûle les lèvres. Je sais que je ne
devrais pas la lui poser, mais je le fais quand même.

— Si je t'avais dit, ce soir, que je ne te laissais pas
partir habiter chez ton père, que je voulais que tu restes
avec nous, qu'aurais-tu dit?

Il répond sans aucune hésitation. Et sa réponse m'a
complètement désarçonnée.

— J'aurais accepté ta décision.

Tout simplement.

— Tu as le choix entre vivre avec nous et vivre avec
ton père. Ton choix, c'est de vivre avec ton père?

— Oui.

— Tu sais que tu auras toujours ta chambre chez nous.
Ta maison…

— Je sais, maman!

— Je veux être certaine que tu comprennes que tu n'as
pas à demander à venir habiter avec nous. Tu n'as qu'à le
faire.

— Merci, maman. Je t'aime beaucoup, moi aussi.

Je me sens soulagée. Si soulagée. Triste aussi. Heureuse. Je ne sais pas. Est-ce que c'est ça, couper le cordon?
Ça fait si mal? Mais c'est pour son bien…

Les premiers-nés sont spéciaux. Bien sûr, les enfants
sont tous spéciaux, mais, avec les premiers-nés, on apprend
et on découvre. Je laisse aller mon fils.

Léandre et Maria ont une relation très spéciale. Ils
forment le couple parfait dans une cuisine. Léandre adore
cuisiner. À neuf ans déjà, il savait préparer un repas pour
six personnes, poulet à la chinoise ou pâté à la viande. Nous
faisons la cuisine ensemble depuis qu'il est tout petit. Et
puis, j'ai commencé à lui acheter des livres de recettes pour
enfants, merveilleusement bien faits, magnifiquement

illustrés. Il voulait tout essayer. Il nous paie souvent la traite le dimanche matin en nous préparant des bonnes crêpes avec du sirop d'érable. Il sort tous ses ingrédients, minutieux dans son organisation (pas du tout comme dans ses devoirs!), ajuste son livre de recettes dans le petit lutrin en plastique transparent, et se lance dans la préparation avec une concentration telle qu'il n'est pas vraiment possible de lui parler lorsqu'il cuisine. Un vrai chef.

Les yeux de Léandre arrivent juste au niveau des gros seins de Maria. Quand celle-ci le prend et le serre dans ses bras, sa tête se perd dans les bourrelets. Léandre passe alors de grands moments, dans les seins de Maria, la cuillère de bois dans les airs. Ils vivent une belle histoire d'amour. Maria va s'ennuyer de Léandre, et lui, d'elle. Il veut une photo avec Maria et Peter, le chauffeur de Jay. Celui-ci et Léandre s'entendent comme larrons en foire. Depuis notre souper, Léandre exprime tout haut ce qui lui manquera. Il a quelques mois pour se faire à l'idée du départ, aussi désiré soit-il.

Kami et Shanti sont chavirés. Pour Kami, voir partir son grand frère, c'est voir un pilier de la famille s'en aller. Léandre est un pote inestimable pour son petit frère. C'est le héros de Kami qui nous quitte («moi, mon frère est capable de faire ceci ou cela, na-na-nana-na»). Pour Shanti, c'est un serviteur-protecteur qui s'en va. Léandre est une espèce de doudou pour sa sœur.

— Moi veux pas que «Éandre» parte.

— Shanti, Léandre n'a pas le même papa. Il faut qu'il aille voir son papa un peu. Il reviendra avec nous plus tard.

Kami commence à saisir ce que signifie le fait que son frère ait un autre père. Il est aussi fasciné par l'idée que Léandre puisse avoir un autre frère!

Juin 1998 : Léandre est prêt à partir. Il prendra l'avion, seul. Il préfère, de toute façon, voyager seul. Depuis l'âge de huit ans qu'il fait ça. Près de douze heures de vol jusqu'à Amsterdam où, avant de s'envoler vers Montréal, il doit attendre encore douze heures, dans une salle aménagée pour les enfants, avec des jeux électroniques, des ordinateurs, des livres, un endroit pour s'étendre, et où l'on sert des hamburgers et des frites. Pas étonnant qu'il aime voyager seul! Combien de fois a-t-il fait le voyage entre Montréal et l'Afrique du Sud?

— Bye, Léandre. Une nouvelle étape de ta vie commence. En passant, tu sais que je t'aime beaucoup et que tu auras toujours ta chambre chez nous...

— Maman! Arrête! Je le sais. Moi aussi, je t'aime, maman.

Il ne me le dira jamais assez...

61

Mme Jay Naidoo

«Ah! vous travaillez? Mais pourquoi? N'êtes-vous pas femme de ministre?»

Cette sempiternelle question me rend «bleue» chaque fois qu'on me la pose, surtout lorsqu'elle m'est adressée par une femme! Fait à noter, le contraire ne se produit pas! À l'époux d'une politicienne, on demande plutôt : «Que faites-vous dans la vie?»

Cependant, nul besoin d'être mariée à un ministre pour subir ce genre de discrimination. Le seul fait d'être femme mariée suffit. Seulement, être femme de ministre ajoute une dimension toute particulière à la bataille de l'égalité des sexes. La lutte pour préserver mon indépendance est quotidienne. Et parfois, j'ai l'impression que je me bats pour rien, que tout est toujours à recommencer. On a tendance à penser que je n'existe qu'à travers Jay, que je n'ai aucune identité propre.

À la question : «Est-ce que tu trouves ça dur, la politique?», je réponds que je ne fais pas de politique, mais que si on veut savoir si je trouve dur d'être mariée à un homme qui, *lui*, fait de la politique, je peux répondre. Quand je donne mon avis sur la politique gouvernementale en matière de télécommunications, il arrive souvent qu'on me dise : «Ah! Mais votre mari disait autre chose! Vous devez vous tromper...» On croit que ce que Jay pense, je le pense aussi; que je ne suis qu'un prolongement de son cerveau, que je n'ai aucune opinion à moi.

Ce qui me dérange profondément, aussi, c'est lorsqu'on espère obtenir des privilèges parce que je suis la femme de Jay. Des gens, même du Québec, tentent souvent de passer par mon intermédiaire pour obtenir une entrevue, une faveur, une réunion, que ce soit avec Jay lui-même ou avec un autre membre du gouvernement, et même avec Mandela! Devant ce type de demande, je sors de mes gonds. C'est pourquoi, de manière presque provocatrice, je réponds toujours, sans hésiter : «Je ne travaille pas avec Jay. Je couche avec lui. Vous pouvez appeler sa secrétaire si vous voulez un rendez-vous.»

Parce que je suis femme de ministre, on s'attend à certaines choses de ma part. On présume que mes habitudes de vie, de consommation sont liées à mon statut. Par exemple, on suppose qu'il coule de source que je boive du vin, d'où la conversation suivante lorsqu'une représentante de la Wine Foundation m'a téléphoné.

— Madame Lucy Naidoo?
— Non, c'est Lucie Pagé.
— Puis-je parler avec Mme Naidoo?
— C'est moi, c'est madame Pagé.
— Je voudrais parler à la femme de Jay Naidoo.
— C'est moi, mais je m'appelle Lucie Pagé.
— Ah! Madame Naidoo?

Grrrrr.

— Je suis de la fondation des vins et je prépare un article. J'aimerais savoir ce que vous pensez des vins.
— Je n'en pense rien. Je bois de la bière.
— Mais vous devez boire du vin de temps en temps?
— À peu près jamais, je raffole plutôt de la bière.
— Mais, quelle est votre perception des vins?
— Que voulez-vous dire, ma perception?
— Comment percevez-vous le vin?

— Je ne comprends pas votre question.

— Mais, quelle est votre PERCEPTION DES VINS!

— Je n'ai pas de perception. Je suis une buveuse de bière, une vraie de vraie.

— Mais qu'offrez-vous à vos invités quand ils viennent manger chez vous?

— Je leur dis d'apporter leur vin parce que ni moi ni mon mari ne buvons du vin; nous n'y connaissons rien. En fait, mon mari boit de l'eau.

Silence perplexe au bout du fil...

— Mais vous êtes femme de ministre! Vous devez certainement boire du vin. Toutes les femmes de ministre ont répondu à notre questionnaire!

— Je bois de la bière, madame. J'aime la bière. Je raffole de la bière. La rousse surtout. Puis-je vous parler de la bière?

Elle avait raccroché, offusquée.

Une dame du réseau de télévision M-Net (qui diffuse dans tout le continent africain) me téléphone en mai 1996. Elle cherchait une porte-parole pour une émission hebdomadaire de quinze minutes ayant pour but de conscientiser la population par rapport à divers problèmes sociaux. On voulait que mon image y soit associée, que je fasse des discours à l'occasion, que je tente de convaincre les riches d'aider financièrement des centres pour enfants abandonnés, des centres pour femmes battues, etc.

Mais pourquoi moi?

«Parce que vous êtes la femme de Jay Naidoo», m'a-t-elle répondu. Pas à cause de mes documentaires sur le viol ou les femmes battues. Pas à cause de mon travail. Pas à cause de mon esprit, de ce que je pense ou de ce que je fais. À cause de Jay! Même si c'est pour une bonne cause, je ne veux pas, je ne peux pas jouer le rôle de «femme de». S'il me faut le nom de mon mari pour accomplir une tâche, que le mien ne suffit pas, c'est, à mes yeux, homologuer une forme de soumission. J'accepterais volontiers d'associer mon nom à un projet si on me le proposait en raison de mes qualités ou de mes efforts personnels. Mais dans le cas de l'émission, on m'aurait présentée comme Mme Jay Naidoo et non comme Lucie Pagé.

J'ai répondu par écrit, suggérant que, si on cherchait une «personnalité», c'était mon mari qu'il fallait approcher. «L'Afrique du Sud, ai-je précisé, a tendance à étiqueter les femmes selon ce que fait leur mari. Je ne suis pas "Mme Jay Naidoo". Je suis Lucie Pagé. Et je suis très loin d'être une "personnalité".»

Sans le nom de Jay, le mien ne voulait rien dire pour les responsables de l'émission. Fin de l'histoire…

Une autre concerne Krisjan Lemmer, auteur de chroniques satiriques dans le *Mail & Guardian*. Cela s'est passé en 1999, à l'époque de la publication du rapport de la Commission de la vérité et de la réconciliation (TRC). Le responsable de la page Web de la Commission, Steve Crawford, s'est retrouvé mêlé à une bagarre entre la compagnie d'édition, Juta, qui a publié les plus de trois mille pages du rapport de la Commission, et la Commission elle-même. Juta voulait empêcher la TRC de vendre un cédérom contenant le rapport et des milliers de pages de témoignages, pour deux cents rands. Juta, qui soutenait détenir les droits, voulait plutôt vendre le rapport seulement, sans témoignages, sur disquette, pour sept cent cinquante rands. Steve Crawford cria à l'injustice, accusa Juta de vouloir «faire de l'argent avec l'histoire du peuple» et lança une pétition dans Internet pour protester.

J'ai signé la pétition. Dans la case «commentaires», j'ai écrit : «Le rapport de la TRC est la mémoire collective de la nation. Il fait partie de l'Histoire et l'Histoire ne veut rien dire si elle n'est pas accessible à tous. On ne peut pas mettre un prix à l'Histoire, faire payer pour la découvrir.

Et la mémoire sélective — ce contre quoi la TRC s'est battue — doit être combattue à tout prix. Demander sept cent cinquante rands pour ce rapport, c'est encourager la mémoire sélective.»

Quelques semaines plus tard, je lis la chronique de Krisjan Lemmer dans le *Mail & Guardian*. Il exposait la dispute entre Juta et Steve Crawford, puis reproduisait intégralement mon texte envoyé sur le Web en disant qu'un pétitionnaire avait bien résumé la situation.

Jusqu'ici, ça va. Pas de problème. C'est sa dernière phrase qui me fera sortir de mes gonds.

« Nicely put. Not surprising since the petitioner, Lucie Pagé, is the wife of communications chief Jay Naidoo. » (C'est bien dit, mais ce n'est pas surprenant puisque la signataire est la femme de Jay Naidoo.) Et ce serait surprenant si je n'étais pas mariée à Jay? En d'autres mots, je n'ai pas d'indépendance d'esprit parce que je suis la femme de Jay Naidoo…

Un jour, Nelson Mandela a fait venir Jay à son bureau. Il avait vu un article présentant les cent célibataires les plus populaires du pays, et Jay y figurait! «Appelle Lucie avant qu'elle ne le lise elle-même!» a recommandé Mandela à Jay. Mandela est très «pro-femmes». Il soutien ouvertement le projet de loi sur l'avortement. «Je suis convaincu que c'est la seule voie à suivre», a-t-il déjà dit à ce sujet. Il aime les «femmes fortes». Ainsi, le 18 juillet 1998, il épousait Graça Machel, le jour même où il célébrait son quatre-vingtième anniversaire de naissance! Graça, qui était ministre de l'Éducation dans le gouvernement mozambicain, est la veuve de l'ancien président du Mozambique, Samora Machel, tué par des membres du régime de l'apartheid; elle est la seule femme au monde à avoir été Première Dame de deux pays. Mandela compte plus de femmes que d'hommes parmi ses employés. Cent quinze contre quatre-vingt-douze. Cinquante-deux hommes noirs, quarante-cinq femmes noires. Dix-huit Métis, vingt-neuf Métisses. Cinq hommes et sept femmes d'origine indienne. Dix-sept hommes blancs, trente-quatre femmes blanches. Il est entouré de femmes…

Je ne refuse pas, bien sûr, de «jouer» la femme de ministre dans certains contextes. Je suis la conjointe de Jay et fière de l'être! Et quand vient le temps de l'accompagner dans des réceptions officielles, jamais, par contre, je ne «joue» à la journaliste. Lorsque je fais des demandes d'entrevue, je ne mentionne pas le nom de Jay. C'est le père de mes enfants, c'est mon mari, c'est l'homme avec qui je partage ma vie, mais ce n'est pas mon collègue de travail, et surtout pas un passe-partout pour obtenir des faveurs.

C'est grâce à mon statut toutefois que j'ai le privilège de rencontrer toutes sortes de personnalités à l'occasion de réceptions, repas, rencontres, officiels ou non. C'est ainsi que j'ai soupé, côte à côte, avec l'ancien premier ministre du Canada, Pierre Elliott Trudeau, venu en visite person-nelle, voir de ses propres yeux ce qu'il avait boycotté toute sa vie : l'apartheid. Le haut-commissaire canadien, Chris Westdall (celui qui est parti quand ma mère a fait son dis-cours «fleurdelisé» à mon mariage), qui nous avait invités à souper, Jay et moi, m'a placée à côté de Pierre Trudeau. Quand je me suis assise, je me suis présentée : «Lucie Pagé, Québécoise», même si je suis née en Nouvelle-Écosse, au Canada anglais. Il a souri. Nous avons parlé de mes enfants, de ma vie de couple avec Jay, de l'Afrique du Sud. Après quelques verres, je lui ai expliqué mon intro-duction un peu effrontée, précisant que, petite, j'avais reçu des coups, parfois, dans des cours d'école, dans des parcs, en classe, en Nouvelle-Écosse, au Manitoba, en Ontario, à cause de ma «québécitude». On me rappelait toujours que je n'étais «pas pareille». *French Frog, French Frog, you're just a French Frog…* J'ai ensuite demandé à Trudeau pourquoi, bordel! avoir envoyé l'armée dans les rues en 1970? Il a failli s'étouffer avec sa gorgée de vin, puis a répondu que sa version n'avait jamais été connue du grand public, que les médias l'avaient massacrée. Et que le repas qui nous réunissait n'était pas propice à un cours d'histoire.

— Mais il me fera grand plaisir de vous offrir un cours d'histoire sur la Révolution tranquille quand vous viendrez à Montréal, a-t-il ajouté.

— Vous êtes sérieux?

— Absolument.

— Si je vous appelle à Montréal et que je dis «j'arrive pour le cours», allez-vous vraiment me recevoir?

— Absolument! a-t-il répété.

Je ne l'ai jamais appelé...

C'est encore en raison de mon statut de femme de ministre que j'ai mangé à la même table que le président de Cuba, Fidel Castro, et parlé toute la soirée, en espagnol, avec un de ses conseillers. Castro a fait un discours enflammé sur l'apartheid, sur Mandela, sur ce que voulait dire la «liberté». Même ceux qui ne comprenaient pas l'espagnol avaient des frissons dans le dos tant cet orateur était vibrant.

C'est toujours en raison de mon statut que j'ai pris un verre avec le célèbre pianiste de jazz sud-africain, Abdullah Ibrahim, aussi connu sous le nom de Dollar Brand. Nous avons assisté à un concert de Yehudi Menuhin ensemble et nous avons parlé du «rôle crucial» de la musique dans la vie. Je lui ai demandé ce qu'il pensait du Festival de jazz de Montréal, auquel il avait participé. Il m'a répondu, sans hésiter: «C'est le meilleur festival de jazz de la planète.» Il rêve de reproduire le modèle au Cap, sa ville natale.

C'est aussi parce que je suis la femme de Jay que j'ai pris le thé avec le dalaï-lama, que j'ai soupé avec le président de l'Argentine Carlos Menem, avec le président français Jacques Chirac, le président de la Libye Muammar al-Kadhafi et avec Bill et Hillary Clinton; que j'ai mangé avec le violoniste Yehudi Menuhin et le réalisateur de cinéma Costa-Gavras, avec le secrétaire général de l'ONU Kofi Annan, et avec le couple royal des Pays-Bas. Mon monde a changé quand Jay est devenu ministre. J'ai commencé à côtoyer une autre «société». Et je ne pouvais absolument pas mêler mes cartes professionnelles et ma vie personnelle.

De toutes ces rencontres, il y en a une qui m'est chère. Il s'agit de l'après-midi de novembre 1998 que j'ai passé en compagnie d'un grand maître de la musique, David Helfgott. On a fait un film sur lui — *Shine*. Sans la musique, David Helfgott serait mort, tout simplement. Sa vie, c'est la musique. Ce génie a eu une enfance extrêmement difficile, avec un père autoritaire, et est demeuré toute une décennie dans un hôpital psychiatrique. Il s'en est sorti. Ou presque. Il fait ce qu'il aime et ce qui le fait vibrer : jouer du piano. Malgré sa maladie. «Les médecins ne comprennent pas vraiment sa maladie, m'a raconté sa femme Gillian. Ils ne peuvent que contrôler les symptômes.» David peut à la fois jouer une pièce de musique, même nouvelle pour lui, entretenir une conversation avec quelqu'un et écouter deux autres conversations. Il est ensuite capable de nous répéter ce qu'ont dit les autres gens. Son cerveau fonctionne à une vitesse phénoménale. C'est comme s'il conduisait cinq voitures à la fois.

Je lui ai mis devant les yeux la pièce *Berceuse* composée par le pianiste québécois André Gagnon, parce que c'était celle que j'apprenais ces jours-là. Il l'a jouée sur mon vieux piano loué, d'un bout à l'autre, sans hésitations, comme s'il l'avait jouée toute sa vie, avec toute l'émotion qu'il faut. Et ce, tout en jasant et en commentant la pièce! Il l'a jouée plusieurs fois, mentionnant qu'elle avait quelque chose de spécial, de beau, de doux. Puis il s'est arrêté à un passage où, disait-il, il y avait une petite erreur dans les notes. Il les a changées, affirmant qu'il valait mieux jouer ces notes-là. Il a ensuite rejoué la pièce… parfaitement.

Lorsque nous recevons de la visite ainsi à la maison, c'est Jay qui prépare le thé et les biscuits. Je refuse toujours obstinément de jouer à la femme de ministre « domestiquée ». Jay n'y tient d'ailleurs pas. Il ne s'attend à rien de ma part à ce chapitre, sauf, peut-être, à un peu de diplomatie…

De temps à autre, quand j'aborde des sujets trop délicats devant les invités, Jay me fait de gros yeux ou me donne des coups de pied sous la table! Comme le jour où nous sommes allés manger avec le ministre canadien du Développement des ressources humaines, Pierre Pettigrew. Quand la conversation a glissé sur le sujet de la violence contre les femmes en Afrique du Sud, j'ai mentionné que ce pays avait le taux de viol le plus élevé du monde parmi les pays qui n'étaient pas en guerre. Jay a été outré que j'aie parlé de violence et non pas d'un aspect positif de son pays. Désolée, mais pour la cause des femmes, je dirais ma façon de penser même au pape! On ne peut pas taire le fait que les femmes, qui comptent pour un peu plus de la moitié de la population mondiale et accomplissent les deux tiers du travail, bien qu'elles ne reçoivent qu'un dixième des revenus et ne possèdent qu'un centième (un pour cent!) des biens, soient les principales victimes de la violence. La diplomatie qui veut passer ça sous silence est malade!

Finalement, c'est en Finlande que j'ai vécu un véritable cauchemar lié à mon rôle de femme de ministre. Quand on est venu nous accueillir à l'aéroport d'Helsinki, on a remis à chacun, comme à l'habitude, le programme respectif. Le mien prévoyait la visite de musées, de cathédrales, thé avec des dignitaires, dîner où je serais l'invitée d'honneur, etc. Comme à l'habitude aussi, je donne des coups de coude à Jay, discrètement. Il comprend, bien sûr, que je veux qu'il fasse annuler mon programme, car je préfère me promener seule dans les rues, entrer dans les cafés, dans les magasins. C'est comme ça que j'aime découvrir un pays.

Jay réussit à tout annuler sauf le dîner en mon honneur. Bon, je me dis que c'est le prix à payer pour être femme de ministre et avoir droit au billet d'avion, même si aucune description de tâches n'est stipulée pour moi dans les règles ministérielles.

Le jour du dîner, un chauffeur vient me chercher à l'hôtel. Je n'ai rien d'exceptionnel à me mettre sur le dos. Pantalon noir et chemisier blanc. Quelques bijoux de marché aux puces. Des souliers usés. Tant pis. Trouvant le chauffeur sympathique, je lui dis que je n'aime pas trop ces cérémonies pour femmes de ministre et que j'aimerais beaucoup mieux aller me promener dans la ville. Il m'écoute attentivement et, en entendant cette dernière phrase, me fait un sourire dans son rétroviseur.

Nous arrivons chez l'ambassadrice sud-africaine à Helsinki. Il y a une cinquantaine de femmes — que des femmes! — qui m'attendent. En sortant de la voiture, le chauffeur me tire discrètement par le bras et me dit qu'il reviendra dans une heure pour voir si je suis prête à partir. Il a tout compris!

L'hôtesse me présentant comme «Mme Jay Naidoo», je répète, chaque fois, que je me nomme Lucie Pagé. L'ambassadrice me fait un petit sourire comme pour dire «oui, oui, c'est ça». Et elle continue à m'appeler Mme Jay Naidoo! Nous arrivons dans la cuisine, qui est presque aussi grande que toute ma maison en Afrique. L'ambassadrice a une cuisinière spécialement venue d'Afrique du Sud pour lui préparer les mets de tous les jours. Aujourd'hui, en mon honneur, on découpe et prépare un gigot d'agneau. Les payeurs de taxes sud-africains seraient outrés s'ils voyaient où va leur argent.

La présentation dure une heure, pendant laquelle je suis extrêmement mal à l'aise. Je ne comprends vraiment pas la relation entre ma présence et une séance de préparation de gigot d'agneau en compagnie d'une cinquantaine de femmes de diplomates de tous les pays.

Quand vient le temps de se servir, je déclare que je suis végétarienne. Juste par un besoin irrépressible de ne pas être assimilée à ces femmes mondaines. Je boycotte donc le gigot! Je m'engage dans quelques conversations polies, mais vides de sens. Je n'ai pas envie d'être à cet endroit et cela fait plus d'une heure que je souris, la rage sur le point de glisser d'entre mes dents. On ne m'a demandé ni mon opinion ni ma permission pour assister à ce spectacle inutile.

Si j'avais été invitée à un rassemblement de cinquante femmes pour discuter de choses utiles, de projets de femmes, de projets communautaires, par exemple, j'y serais allée avec plaisir. Et parmi les femmes présentes, il y en a sûrement qui auraient aussi préféré cet autre scénario.

J'aperçois le chauffeur. Je m'éclipse! Merci! Au revoir! On m'a peut-être trouvée abrupte, mais j'ai horreur de perdre mon temps.

Le chauffeur m'amène visiter la ville. Il m'explique comment Helsinki a dupé les Allemands durant la guerre. On avait allumé des lumières dans un champ, pour faire croire que la ville se trouvait à cet endroit, et les Allemands avaient mordu. Ils ont détruit la ville inexistante. C'est la raison pour laquelle Helsinki regorge de trésors de l'histoire, préservés par la ruse.

Un peu plus tard, le chauffeur me dépose au point de rendez-vous avec Jay, à qui je fais le récit de mon après-midi. Il en rit aux larmes.

— Tu n'es pas fâché?

— Bien non, voyons, Lucie. Tu as bien fait. Je suis entièrement d'accord. C'est un gaspillage de temps et d'argent.

— Je suis partie un peu vite. Je n'ai pas eu le temps de ramasser ma réputation. Je crois qu'elle est tombée en mille miettes sur le tapis.

— Je ne suis pas inquiet. Tu as bien fait. Viens! Allons casser la croûte puisque tu n'as rien mangé et moi non plus!

Et nous sommes allés déguster... des côtelettes d'agneau.

62

Troisième mariage : en Inde

Jay doit aller en Inde pour un voyage d'affaires, trois semaines pendant lesquelles il prononcera quelques conférences et devra développer des relations dans le domaine des télécommunications. Il est aussi animé par un projet personnel qui lui tient à cœur. Depuis ses séances de thérapie avec Gabriela, il veut retracer ses racines généalogiques et retourner au village natal de son arrière-grand-mère.

Au terme de ses trois semaines de travail, nous irons le rejoindre en Inde, toute la famille, Léandre et Louise aussi, qui arriveront du Québec.

Jay mijote également un autre plan.

— Veux-tu m'épouser?

Difficile de dire non à une proposition de son mari!

— Encore?

— Nous nous marierons selon la tradition indienne, selon la tradition de mes ancêtres, du sud de l'Inde.

Je suis emballée.

Ce troisième mariage aura une dimension spirituelle : souder l'union qui marie les continents que nous représentons, Jay, moi, et les enfants. Notre famille incarne en effet une descendance dont les origines se retrouvent sur quatre continents. Jay a des ancêtres en Asie et en Afrique; moi, qui suis de sang français, irlandais, amérindien et québécois, j'appartiens à l'Europe comme à l'Amérique. C'est un mariage où nous célébrerons notre amour, intense, puissant, brûlant, et où nous unirons nos destins, cette fois-ci en toute connaissance de cause, avec les trois enfants ; ce sera aussi une façon de signifier que nous acceptons notre sort, qui consiste à vivre écartelés entre deux continents.

Les préparatifs sont extrêmement compliqués. Nous devons coordonner l'horaire de Jay qui sera déjà en Inde, l'arrivée de Léandre et de Louise du Québec, celle de Kami, de Shanti et de moi-même du Cap, tandis que Nisha, la sœur de Jay, et son mari Sagaren, qui n'ont jamais vu l'Inde, viendront de Johannesburg, quelques jours plus tard. Nous devons aussi planifier nos déplacements à huit (ça fait du bagage !) dans cet immense pays, pendant trois semaines. Je dois faire immuniser la famille contre une pléiade de maladies. C'est l'enfer logistique. Mais nous nous envolerons enfin.

* * *

L'Inde est une autre planète.

Du nord au sud, de l'est à l'ouest, des grandes villes aux plus petits villages ruraux, nous parcourrons le pays en auto, en chameau, à dos d'éléphant, en rickshaw, en taxi, en autobus, en train, en avion, à pied, la plupart du temps bouche bée devant le spectacle de la vie indienne.

Notre voyage a commencé à Mumbay (Bombay) où Louise, assise sur la banquette arrière de la voiture qui nous suivait, a connu trois accidents d'auto en deux jours, des accrochages. Les voitures n'ont pas de ceintures de sécurité. Elles n'ont pas de rétroviseurs extérieurs non plus et roulent collées les unes aux autres. D'ailleurs, il n'est pas rare de voir des autos éraflées sur toute leur longueur. Vaches, sangliers, ânes, chevaux, chameaux, éléphants, chiens, poules, buffles sont les seuls qui semblent se tirer indemnes d'une traversée de la rue.

Jay étant ministre, les autorités indiennes veulent assurer sa sécurité et celle de sa famille. L'histoire indienne est parsemée d'attentats politiques. Il nous est arrivé souvent de dormir avec des soldats à nos portes, munis d'une arme capable de tuer un chameau. Nous avons aussi des voitures de service et des chauffeurs à notre disposition. Il nous faut deux voitures pour trimballer notre escouade.

Tout ce qu'on peut vraiment boire en Inde, c'est du thé ou du Coca-Cola. Chaque fois qu'on m'offre une bouteille de boisson gazeuse, les Indiens me regardent d'un drôle d'air lorsque je sors une petite serviette humide pour en essuyer le goulot. Je ne veux pas les insulter. Mais je ne veux pas non plus que mes enfants ingurgitent ce qui se trouve maintenant sur ma serviette humide... devenue brune et noire.

Un soir, à Mumbay, nous avons assisté à un spectacle de Sivamani, un percussionniste hors pair. Il a les traits un peu africains, mais est bel et bien un Indien. Ironie du sort, il vient de se marier avec une Indienne du Cap.

Sivamani fait des bruits avec tout. Il a plus d'une centaine d'appareils, d'instruments, de boîtes de résonance, et même des bocaux de différentes tailles remplis d'eau à différents niveaux. Les sons qu'il en tire sonnent nouveaux à nos oreilles. Le spectacle a lieu sous le Gateway of India, l'arc de triomphe britannique en Inde, au bord de la mer. Des centaines de personnes y sont massées. Quelle ironie historique que de célébrer la culture indienne, la richesse du peuple indien, le triomphe de l'Inde sous ce monument colonial !

À Bangalore, au plein centre de l'Inde, nous sommes accueillis par un spectacle magnifique de chant, de danse et de musique indienne. Les femmes, le corps orné de bijoux, portent des costumes aux couleurs vives, qui brillent de mille éclats.

Encore une fois, je constate que Jay est connu partout. Certains le vénèrent même. Car il représente le compatriote qui a triomphé de l'injustice en Afrique. On le reconnaît dans la rue régulièrement, on lui demande son autographe, on veut le toucher, lui parler. Les Indiens sont fiers de lui parce qu'il est Indien. Jay a toujours rejeté ce genre de reconnaissance auparavant. Mais, au cours de ce voyage, il découvre sa fierté indienne.

Durant notre séjour en Inde, le 20 décembre 1998, nous fêtons les quarante-quatre ans de Jay. Il est d'abord allé voir Saï Baba, à cinq heures de route de Bangalore. Saï Baba a une réputation de grand sage; c'est un être d'une intense spiritualité. Des centaines de milliers de personnes du monde entier viennent en Inde pour le voir, pour le toucher peut-être. La ville-temple où il se trouve accueille dix mille personnes en tout temps. Saï Baba est aussi un excellent magicien. Il a demandé à voir Jay, et a fait apparaître une bague dans sa main. Puis, il lui a transmis les paroles du «tout-puissant», avec qui il semblait avoir une conversation, en présence de Jay.

Au retour de Jay, un gâteau d'anniversaire l'attendait. Et c'est Léandre qui a pensé au cadeau parfait à lui donner : une brique. C'est que Jay radote toujours la même histoire aux enfants : «Comptez-vous chanceux, les jeunes. Dans mon temps, je n'avais qu'une brique pour jouer et je faisais semblant que c'était une voiture dans le sable.» Nous avons trouvé une brique avec les initiales «NB» dessus, qu'on a aussitôt baptisée *Naidoo Brick*. Jay insistera pour la ramener en Afrique du Sud. Ce cadeau l'a profondément touché.

C'est à Bangalore que Jay et moi nous marions. Nous avons choisi cette ville du Karnataka à cause de nos amis Devaki et Lakshmi Jain qui y habitent. Lakshmi était le haut-commissaire de l'Inde en Afrique du Sud et sa femme, Devaki Jain, est une auteure, économiste et militante féministe. Un couple extraordinaire, humble, motivé par la compassion. Tous les deux sont passionnés par la justice et la dignité humaine.

Le lundi matin, 21 décembre, Louise et moi habillons les enfants. Kami et Léandre portent tous les deux un ensemble indien : chemise longue jusqu'aux genoux, pantalon en coton serré autour de la cheville et sandales. Ce n'est pas compliqué. Évidemment, la belle Shanti, aussi vêtue à l'indienne, ressemble à une petite princesse. Elle porte un point noir au front, ce qui est le propre des femmes non mariées, et moi, qui suis déjà mariée, un point rouge.

On sonne à la porte. Deux jeunes filles arrivent avec des gros sacs contenant mon sari, des fleurs bénites pour mes cheveux et de gros bijoux en or, un peu trop clinquants à mon goût. Les filles sont timides, d'une politesse extrême. Elles ont des corps magnifiques et sont d'une beauté exquise. Je les reconnais. Ce sont les danseuses qui nous ont accueillis lors de notre arrivée à Bangalore.

J'enfile les bracelets l'un après l'autre, une bonne douzaine peut-être. Tandis que l'une des jeunes filles me maquille, l'autre m'enveloppe dans la longue étoffe en soie mauve aux bordures dorées. C'est Devaki qui m'a offert ce sari…

Le cortège nous attend. Nous devons nous rendre au temple.

Jay a l'air d'un prince, d'un maharajah, d'un mahatma même! Il est drapé d'un *dhoti*, une pièce de tissu qu'on enroule autour du corps de la même façon depuis des millénaires. Au temple, on lui demande d'enlever sa chemise en coton. Il doit être torse nu. Il tient, posées sur chaque épaule, deux énormes plumes grises. Le rituel veut que nous fassions d'abord le tour du temple, pieds nus, trois fois. Ensuite, un groupe de musiciens, jouant des instruments dont je ne connaissais même pas l'existence, nous suit jusqu'à l'autel où un immense Ganesha, un dieu protecteur à tête d'éléphant, décoré de guirlandes de fleurs, d'encens, de fruits et de lait bénits, veille sur le temple, vieux de plusieurs siècles. L'intérieur, très simple, plutôt vide, est immaculé. Une odeur d'encens y flotte. À l'avant de la salle principale se trouve un autel décoré de mille couleurs. Les statues des dieux et des déesses croulent sous les guirlandes, les bijoux et les fruits.

Le *swami* ou prêtre qui officie ne parle pas un mot d'anglais, mais il communique sans effort avec nous par son regard profond où il semble possible de plonger tout entier. Il sourit.

Je lui demande, par l'intermédiaire d'un interprète, comment on voit une Blanche qui marie un Indien. Il répond que les Indiens sont très fiers quand un étranger épouse leur culture, ou du moins l'accepte. À nos côtés, une journaliste du journal local envoyée pour couvrir le mariage de Jay Naidoo note tout ce qui se passe.

La cérémonie devient plus solennelle. Le prêtre nous fait exécuter plusieurs gestes rituels, souffler ici, goûter à cette eau, saupoudrer des pétales de fleur là. Les prières, certaines chantées, s'enchaînent. L'atmosphère qui règne dans le temple est difficilement descriptible. On y sent la paix et la sérénité.

Le prêtre demande à Jay de répéter des paroles en sanscrit, des mots sacrés que le marié seulement (hmmm!) doit répéter, ce qu'il fait pendant dix bonnes minutes, provoquant quelques petits rires chez le prêtre et parmi l'assemblée, car le sanscrit n'est pas facile, surtout pour un Indien de Durban! Nous faisons ensuite l'échange de bagues, qu'il faut mettre aux orteils, selon un rituel précis et symbolique, chacun son tour à genoux devant l'autre. Ensuite, c'est au tour des guirlandes que l'on se passe autour du cou trois fois. Voilà plus de deux heures que la cérémonie a commencé et tous, enfants compris, semblent enivrés par les chants et la musique. La foule a grossi à mesure que la rumeur du mariage se répandait dans la rue. À la fin, nous serons quelques centaines dans le temple.

J'enfile ensuite le *mangalsuthra* sacré, en or, autour du cou. C'est un pendentif formé de trois pièces qu'on accroche au bout d'une longue chaîne. Le *mangalsuthra* doit tomber entre les seins, sur le cœur. C'est Devaki qui l'a acheté. Le *mangalsuthra* est l'équivalent de la bague de mariage chez les chrétiens. «Il ne faut jamais l'enlever, même pour se laver ou pour dormir, me dit le prêtre sérieusement. Il faut toujours le garder autour du cou.» Que je le porte autour du cou ou non, mon *mangalsuthra* vaut son pesant d'or pour moi.

Pour terminer, le prêtre nous demande de nous asseoir l'un en face de l'autre, pour procéder au rituel des jeux de la noix de coco et des gerbes de fleurs, lancées entre les mariés. Ces jeux matrimoniaux ont été créés il y a très longtemps, lorsqu'on mariait des enfants, dès l'âge de dix ans environ. Aujourd'hui, la tradition a été conservée pour le mariage des adultes. Nous nous sommes lancé les gerbes de fleurs et la noix de coco trois fois. En fait, nous devions faire rouler la noix de coco sur le sol, de l'un à l'autre, mais bel et bien lancer les gerbes de fleurs. Pour m'amuser, lorsque est venu le temps de reprendre la noix de coco, j'ai fait semblant de la lancer, comme s'il s'agissait des fleurs. Ce geste a soulevé des cris ahuris dans l'assemblée. Jay et le prêtre ont ri de bon cœur. La journaliste écrira que le prêtre était offusqué, ce qui est faux.

Les quelques centaines de personnes présentes ont ensuite mangé, toutes assises en tailleur, en longues rangées dans le temple. Beaucoup d'entre elles, des vieilles femmes surtout, nous dévisageaient comme si nous venions d'une autre planète. Chacun s'est fait servir une grande feuille de bananier sur laquelle reposaient un tas de *dahl* (une purée de lentilles, l'aliment de base, avec le riz, en Inde), un peu de riz, et une autre petite portion de riz sucré en guise de dessert. La nourriture, que l'on prenait avec les doigts, de la main droite, était tout à fait délicieuse, digne du meilleur restaurant indien. Ainsi prenait fin la cérémonie, qui avait duré trois heures.

Ce troisième mariage fut grandiose, inoubliable, symbolique. Nous scellions notre destinée de façon plus lucide et éclairée encore qu'à l'occasion de nos mariages précédents. Léandre, Kami et Shanti comprendront plus tard l'importance de cet événement. Louise, la seule personne à avoir assisté à nos trois mariages, en est encore émue. Nisha était aussi près des larmes. Nisha et Sagaren sont conservateurs dans leurs traditions mais ouverts à la vie, à tout ce qui est différent. « Ce qui est, est. » Nous avons tous pensé, ce jour-là, à *Aya*, qui veut dire grand-maman, ou Grande Maman, la mère de Jay et de Nisha. Jay aurait tant souhaité sa présence...

Après le mariage, nous nous sommes rendus jusqu'à Chennai (Madras), dans l'État du Tamil Nadu. En arrivant à l'endroit où nous allions passer la nuit, nous avons balayé des insectes bizarres et des fourmis blanches des draps gris du lit. Celui-ci semblait avoir été creusé par les milliers de corps qui y étaient passés. Nous avons mis les trois enfants sous une toile, sur des coussins crasseux posés par terre. La toile visait à les protéger des centaines de moustiques assoiffés, peut-être aussi infectés de la malaria. Ça puait la merde et l'urine. Pas de papier hygiénique. Pas d'eau chaude. Pas d'eau à boire. C'était un *guesthouse* gouvernemental. L'Inde, la vraie, nous accueillait!

Le lendemain, nous sommes partis pour Pondichéry (ou Pondicherry), une ancienne colonie française. Il a fallu quatre heures pour parcourir les cent soixante kilomètres qui nous en séparaient. Des champs et des champs de riz, où pousse le basmati. Sur l'« autoroute », on avait étendu, ici et là, des grains de riz pour les faire sécher. Les grands rectangles ainsi formés étaient protégés par des pierres, forçant les voitures à les contourner, tout en tentant d'éviter les face-à-face. La route était néanmoins parsemée d'épaves des collisions frontales.

Le taux de criminalité est très bas en Inde, pourtant un pays d'un milliard de personnes, parmi lesquelles des centaines de millions de pauvres. On dit que c'est en raison de la culture, qui enseigne des valeurs essentielles à la vie, comme le respect. Cela va jusqu'au respect du riz qui sèche sur l'autoroute.

Jay se rend à Gollapalli, près de Vellore, avec Sagaren (encore dix heures de route), pendant que nous, les femmes et les enfants, les attendons en visitant tranquillement les rues colorées de Pondichéry. Gollapalli est le village d'où son arrière-grand-mère est partie en 1864. Jay veut renouer avec ses racines. Il a soif de comprendre d'où il vient. Et il découvre qu'il appartient à autre chose que la politique. Il s'appartient. Mais qui est-il? Il cherche. Il trouve. Il trouve le lot de sa maison ancestrale. Les fondations de la maison y sont encore. Quelques hectares lui appartiennent toujours, selon la tradition familiale indienne.

Les villageois le craignent au début. Ils croient qu'il vient réclamer ses quelques hectares de terre! Non, leur assure-t-il. Comprenant que ce retour est spirituel, on finit par l'accueillir à bras ouverts. Il rencontre une très vieille dame qui se souvient d'avoir entendu parler de l'arrière-grand-mère de Jay, par sa grand-mère à elle. Quelle trouvaille! On lui fait visiter le vieux temple, que ses grands-parents fréquentaient sûrement. Il y a prié. Il renouait ainsi avec ses ancêtres; avec lui-même. Jay a ramené une poignée de terre et une pierre de ce qui restait de sa maison ancestrale.

Que sommes-nous sans histoire? Qui sommes-nous sans nos origines? De retour à Pondichéry, le chauffeur a dit à Jay que ce voyage avait changé sa façon de voir la vie. Il s'était aperçu qu'il n'appréciait pas ses parents à leur juste valeur. Il avait pensé à sa mère tout au long du trajet et voulait aller la voir à l'instant même, pour lui dire qu'il l'aimait, qu'il voyait maintenant tout ce qu'elle avait fait pour lui.

63

Vijay

À Pondichéry, le français se lit, s'entend, se parle, se goûte, se sent. Le tout teinté de la culture indienne. Un doux mélange. Savoureux, surtout pour les Québécois! Nous avons marché des heures dans la ville, sur le bord de la mer, le jour, le soir, le matin.

Nous avons également visité l'ashram (monastère, en Inde) Aurobindo, fondé par Sri Aurobindo, un gourou indien. Deux mille personnes y vivent en permanence. Parfois, on y en accueille dix mille! L'école de cet ashram, qui reçoit des enfants de la prématernelle à la fin du secondaire, est unique. Les professeurs, qui viennent de partout au monde, sont bénévoles. L'éducation est gratuite. Toutes les sciences, des mathématiques à l'informatique, sont enseignées en français. L'histoire, la géographie et les autres sujets, en anglais. L'enfant choisit son horaire et ses matières, mais l'éducation physique, musicale et artistique est obligatoire. Même si aucun diplôme n'est offert aux finissants, les demandes pour y étudier dépassent de beaucoup les places disponibles. Nous avons rencontré des «produits» de cette école, des jeunes qui réussissent dans la vie, qui ont une confiance en soi bien développée, des gens ouverts et débrouillards, et, à vingt-cinq ans, déjà bien placés dans une profession ou une autre. La richesse de l'école Aurobindo, c'est qu'on y enseigne le verbe *être* avant le verbe avoir.

Nous avons célébré Noël paisiblement dans la maison d'invités où nous avons loué des chambres. Il faut enlever ses chaussures en entrant. C'est calme. C'est silencieux. Ça sent bon. Les gens sourient toujours. On vous accueille en faisant un petit salut, les deux mains réunies, et en disant *Om Shanti*. Surgi Murti, qui gère ce *B&B* spirituel, est habillé tout de blanc, en coton, et toujours pieds nus. Les enfants sont calmes, comme si le contexte et la simplicité pure de l'ashram les apaisaient naturellement.

Nous rencontrons Vijay, le directeur de l'ashram Aurobindo. Vijay est aussi un grand maître dans l'éducation des enfants. J'ignore encore que cette rencontre va changer ma vie et, indirectement, celle de Shanti, de Léandre et, surtout, celle de Kami...

Nous avons été invités à prendre le thé avec Vijay. Celui-ci est assis, pieds nus, jambes croisées, sur un vieux canapé, propre, tout blanc, recouvert de coton.

Kami est de mauvaise humeur et refuse d'entrer dans la pièce. Vijay me demande si j'ai quelque chose à lui dire au sujet de Kami. Je reste surprise par sa question. Et puis, il me parle un peu de spiritualité, un peu d'enfants... Je sens tout à coup le besoin de lui parler seule à seul, au sujet de Kami. Kami est difficile. Il a une colère accumulée en lui. Je crois que c'est la mienne, celle que je lui ai transmise, enceinte. À sa naissance, j'étais pleine de colère. Ça coulait de partout. Et puis, je n'étais pas prête à l'accueillir. Il est arrivé trop tôt. Et puis, c'était un garçon. Un autre. Ils partent, les hommes. Ils vous laissent...

Parce que j'ai mis des mois à accepter Kami, je me sens coupable aujourd'hui. La culpabilité me tord les tripes si fort que je ferais n'importe quoi pour défaire le tort que j'ai pu lui faire. Vijay a tout vu, en analysant le comportement de Kami et le mien. Il avait tout compris. Et je n'avais encore rien dit...

Le soir venu, Jay et moi retournons voir Vijay.

Cela ne fait pas deux minutes que je lui raconte l'histoire de Kami, de sa naissance, de ses premiers mois, des premières années qu'il a passées à pleurer, que je pleure moi-même comme un veau. Je pleure et je pleure. Vijay reste calme. Jay est surpris. Il ne savait pas que je portais en moi une telle culpabilité, cette honte, ces regrets, ce mal. Un mal que je cache depuis toujours, que j'essaie de me cacher à moi-même aussi.

Kami est né dans ma colère.

Vijay me parle calmement. Il nous propose des façons d'agir avec Kami. Il me fait réaliser que je suis trop impatiente avec lui. Trop exigeante même. J'adopterai ses conseils dès ce soir-là. C'est à Pondichéry que j'ai appris à apprivoiser Kami, mon propre fils. Vijay m'a simplement éclairé la route. Sa plus grande leçon a été de me faire prendre conscience que la colère ne mène nulle part. Il m'a expliqué que je dois canaliser l'énergie de Kami, sa curiosité, son intelligence, sa frustration et sa colère. Kami est persévérant, comme moi. Tête de cochon comme moi. J'ai souvent l'impression que je fais face à moi-même, avec Kami. Depuis, je communique régulièrement avec Vijay, par courriel. Je lui écris en français et il me répond en anglais. Il m'a fait découvrir Kami. Son message principal était le suivant : « La colère ne mène absolument nulle part. Sois ferme, mais sois calme… »

C'est cette impression de calme que l'on retient de l'Inde, de sa culture. C'est ce que j'aime de Jay. Son calme.

Après Pondichéry, nous nous dirigeons vers la jungle indienne. De Khujurao, nous partons en Ambassador, ces vieilles voitures britanniques qu'on fabrique encore, avec des ressorts dans les banquettes qui nous font rebondir au plafond sans aucun effort. L'enfer! Huit heures de route pour faire cent soixante-sept kilomètres! Si on peut appeler ça une route…

À Satna, à mi-chemin du trajet, notre chauffeur écrase un vieillard. Ça fait un gros boum! et puis comme si on était passés sur un dos d'âne. Après deux essais, ne pouvant pas faire avancer la voiture, notre chauffeur réussit à la faire reculer. Boum et encore boum! Je suis avec Léandre et Shanti — les autres, dans la voiture devant, n'ont rien vu. La foule attaque notre auto. Quand on frappe ou tue quelqu'un sur la route, en Inde, le chauffeur est souvent tué, parfois brûlé dans son auto. Des gens ouvrent la porte et essaient de tirer notre chauffeur hors de la voiture, qui roule toujours — sans chauffeur au volant! Son corps traîne dehors, mais il a toujours le pied sur l'accélérateur. Il se débat avec les passants. Je crie à tue-tête. Mon cri, je crois, permet au chauffeur de se ressaisir. Il réussit à reprendre le dessus et écrase l'accélérateur. Nous réussissons à fuir. Je n'ai jamais su si le pauvre vieillard était mort. Mais tout le monde a dit que notre chauffeur avait pris la bonne décision en se sauvant. Sinon, lui serait mort. Voilà un aspect de la culture indienne qui m'échappe toujours...

Lorsque nous arrivons enfin dans la jungle indienne, où l'on retrouve tous les personnages du *Livre de la jungle* (nous avions nous-mêmes deux petits Mogli et notre princesse hindoue), il nous faut, après une journée en auto, et encore ébranlés par l'incident, sauter dans un autre véhicule, une jeep.

Il fait froid. Je prépare les enfants. Je sors tout ce que nous avons de chaud. Ce ne sera pas assez. Nous faisons quinze kilomètres dans la brousse pour rejoindre «nos» éléphants. Nous montons à sept sur le même éléphant, assis sur une petite plate-forme. Autour de nous, le silence. Les montagnes, la nature. Dans cette jungle se trouvent des paons (l'oiseau national de l'Inde), des chevreuils (quatre sortes), des singes, des aigles et des vautours, des ours, des serpents, et des milliers d'autres sortes de bêtes et d'insectes, mais ils ne constituent pas notre objectif principal. Nous cherchons les tigres. Il ne reste que deux mille tigres en Inde, cinquante-sept dans ce parc naturel de

Bandhavagarh. La noirceur tombe et nous n'en avons pas encore vu un. Il faut partir. Nous gelons. Il fait près de zéro. Puis soudain, vlan! nous apercevons les rayures d'un gros mâle — quelques secondes seulement.

Le lendemain, nous nous levons à cinq heures trente. Encore. Presque tous les matins, nous devons nous lever à ces heures « indoues ». Après un petit déjeuner (lire banane et toast froid), nous repartons. Shanti a la diarrhée, alors sa mamie Loulou reste derrière avec elle. Je pars avec Jay, Kami et Léandre. Nous visitons des cavernes sculptées il y a des centaines et des centaines d'années, puis notre guide reçoit un appel sur le *CB* de la jeep. Vite! On vient d'apercevoir, non loin de là, une mère tigre avec ses trois jeunes de douze mois! Nous filons à toute vitesse sur les routes de terre, dans le froid et les rayons du soleil levant, vers la partie de la jungle en question. Là, un éléphant nous attend, tout prêt à nous recevoir sur son dos. Nous montons et nous avançons dans la jungle, notre cornac assis sur le cou de l'éléphant, lui chatouillant les oreilles avec ses pieds et lui criant des ordres (un éléphant peut comprendre jusqu'à quatre cents commandements!). Nous débouchons soudain sur le spectacle unique des quatre félins. Un des jeunes tigres, déjà très gros à douze mois, majestueux, magnifique, se lave la patte avec sa grande langue, s'apprêtant à dormir pour la journée. Notre guide décrète aussitôt que *mother-in-law must see this* (votre belle-mère doit voir cela). On envoie un autre guide chercher Loulou et Shanti. Nous avons enfin tous vu des tigres. Nous sommes restés pendant plus d'une heure, à dos d'éléphant, à nous promener autour des quatre félins. La tigresse était grosse et magnifique, et elle semblait presque docile. L'éléphant et le tigre se respectent mutuellement, et notre présence sur le dos des éléphants ne semblait pas incommoder la petite famille.

Le lendemain matin, nous refaisons la même route, sauf que nous séparons le voyage de cent soixante-sept kilomètres en deux. Quatre heures une journée et quatre l'autre. L'enfer quand même.

Nous avons ensuite vu le désert, à dos de chameau. Shanti a dit : «Je voudrais un chameau à la maison. Mais juste un.»

Nous avons également vu l'amour, à Agra. Oui, vu! C'est le Taj Mahal. Si grandiose et majestueux que les mots me manquent pour expliquer, exprimer ce qu'on ressent devant ce tombeau que vingt mille personnes ont mis vingt-deux ans à construire. Après la visite, nous sommes restés assis pendant une bonne heure, jusqu'au coucher du soleil, à admirer cette pièce d'art, ce chef-d'œuvre, cette merveille du monde. Le Taj Mahal a les rondeurs parfaites d'une femme. Les yeux ne se lassent pas de l'observer. Les lueurs du coucher de soleil et de la lune enveloppent le monument. Kami connaît maintenant bien l'histoire de Mumtaz Mahal, la femme de l'empereur Chah Djahan morte en donnant naissance à son quatorzième enfant. Fou d'amour pour elle, son mari lui a fait construire ce mausolée. Il voulait ensuite bâtir un mausolée identique pour lui-même, mais noir, de l'autre côté de la rivière, juste en face. Fou d'amour, il était. Son propre fils l'a fait mettre en prison, avant qu'il ne gaspille de l'argent pour réaliser cette autre folie. Pendant sept ans, à travers les barreaux de sa cellule, il a admiré le Taj Mahal, jusqu'à ce qu'il meure.

Le 5 janvier, Léandre nous quitte. Il s'en retourne à Montréal, via Londres. À douze ans, il traverse la planète seul. Chaque fois, ça me fait pleurer de le laisser à l'aéroport. Mais cette fois-ci, c'est la panique qui me fait pleurer.

À Delhi, seuls ceux qui sont munis d'un billet d'avion peuvent entrer dans l'aéroport. On refuse donc de me laisser entrer avec Léandre. J'explique que c'est mon fils et que je ne peux pas le laisser seul, il ne saurait pas où se diriger dans cet immense édifice. On répond qu'il faut une permission spéciale d'un directeur. Or, il est une heure du matin. Mais Jay part quand même à sa recherche. Léandre pleure. Il a peur. Moi aussi. Le gardien nous regarde sans aucune compassion.

Léandre obtient finalement la permission d'être accompagné de sa mère, «seulement», est-ce bien précisé. Je me rends au comptoir... qui est fermé! On vient, à l'instant même où nous arrivions, d'éteindre les néons au-dessus des comptoirs.

— Trop tard. Revenez un autre jour.

Je regarde, incrédule, l'employé qui m'a reçue avec ces mots.

— Mais le billet de mon fils est confirmé, il ne peut pas manquer l'avion. Ce n'est pas de notre faute si on ne voulait pas me laisser entrer dans l'aéroport!

— Ce n'est pas mon problème. Revenez un autre jour.

Léandre est en larmes. Moi, en furie. Je n'en peux plus de ces Indiens! Puis ça fait clic dans ma tête. J'ai payé le billet de Léandre avec les points accumulés par Jay. Et comme il ne restait qu'une place en classe affaires, il a bien fallu que je la prenne.

Alors je crie : «Mais il est en classe affaires!»

La hiérarchie est extrêmement importante en Inde. Le système des castes y est encore respecté. L'argument de la *business class* a ébranlé l'employé. Il vérifie dans son ordinateur, puis prend le passeport de Léandre et nous donne sa carte d'embarquement. Une dame arrive sur-le-champ et m'enlève Léandre, sans même que je puisse l'embrasser. En larmes, je m'écrie : «Un instant! Vous me laissez quand même embrasser mon fils!» Je le serre dans mes bras et lui dis dans l'oreille : «Tout ira bien. Je suis avec toi. Je t'aime.» J'ai attendu jusqu'à ce qu'il disparaisse derrière les portes. Il m'a jeté un dernier regard. Une larme coulait sur sa joue. J'ai tout vu dans ses yeux. Ils disaient : «Je t'aime maman, mais j'ai peur.»

Il s'est bien rendu.

64

La plus belle route du monde

Je réalise enfin un projet qui me tient à cœur depuis longtemps. Mon ami et collègue de longue date, avec qui j'ai fait plusieurs longs documentaires, le réalisateur Jean Leclerc, entame une nouvelle série télévisée : *Les Plus Belles Routes du monde.*

Cette série fait découvrir l'histoire d'un pays en empruntant une route particulière, géographique et historique, culturelle et touristique. C'est le groupe hôtelier Relais & Châteaux qui la finance, à fort prix. Leur commandite est assortie d'une contrainte : il faut inclure une publicité déguisée de deux minutes pour eux *dans* le documentaire. Je me suis opposée, en vain, à cette façon de faire. Nous devrons faire une entrevue avec la propriétaire d'un vignoble de Constantia, membre de Relais & Châteaux, pour promouvoir la qualité de son vin...

L'été précédent, j'avais rencontré Jean pendant deux heures à Montréal. Il m'avait demandé de trouver une route que l'on pourrait suivre, géographiquement et historiquement, pour découvrir l'Afrique du Sud, sans toutefois qu'il y ait de connotation politique !

Difficile...

Nous avons finalement décidé de tracer l'histoire du pays, depuis ses débuts, en utilisant les chants de libération des différents peuples, noirs, blancs, indiens, métis. Mais ces chants ne se limiteront pas à ceux créés contre l'apartheid.

Après sept mois de recherche et de préparatifs, mon dossier dépasse mille pages! Le trajet est tracé. Nous parcourrons plus de huit mille kilomètres en trois semaines, visitant toutes les grandes villes du pays et bien des régions rurales, de cavernes aux peintures rupestres au village où Mandela a passé la majeure partie de son enfance; du désert du Kalahari au palais du roi des Zoulous. Le tournage sera difficile à organiser. Il me faut coordonner près de cinq cents personnes dans tout le pays, en vingt jours. Un cauchemar logistique! Si un domino tombe, que faire des trois cents ou quatre cents qui suivent?

Si seulement je pouvais avoir Nelson Mandela pour ce documentaire…

Je l'ai rencontré récemment, ainsi que son épouse. Ils étaient chez ma voisine, la présidente de l'Assemblée nationale, Frene Ginwala, qui fêtait le quatre-vingt-dixième anniversaire de sa mère. Le couple Mandela-Machel est venu. J'ai échangé quelques mots avec Mandela. Il m'a demandé comment allait «mon petit au Canada». Je suis restée plus longtemps avec Graça, à qui j'ai parlé de mon documentaire. Elle a trouvé originale l'idée de faire découvrir le pays par les chants de libération et m'a dit que je devrais faire la même chose avec son pays, le Mozambique. Puis, elle m'a demandé si j'allais interviewer son mari. «Je suis sur la liste d'attente depuis huit ans, mais je l'espère bien.» Elle m'a simplement répondu : «Je vais tenter de le convaincre.»

Je sais que Mandela est déjà au courant du documentaire. Il y a deux semaines, je suis allée à Johannesburg. En sortant de l'avion, j'ai aussitôt allumé mon téléphone cellulaire, qui a sonné presque immédiatement. Une voix de femme m'a dit : «Un instant, le président veut vous parler.» Pour mon documentaire, je suis en communication avec le président d'une chorale, le président de l'association des Khoisans, le président d'une troupe de théâtre. Je ne savais pas lequel m'appelait. Tout à coup, j'entends : «*Hallo, Lucy. Howa you?*» C'était Mandela! «*Oh! Hi, President Mandela!*» ai-je dit, surprise. Les gens autour de moi sur le tapis roulant de l'aéroport m'ont regardée, ont haussé les épaules et ont laissé entendre de gros soupirs, l'air de dire : «Pour qui elle se prend, elle?» Alors je suis descendue du tapis roulant pour aller dans un coin. Mandela et moi avons parlé d'enfants, de la vie, du travail, de Graça, et il m'a dit qu'il voulait me voir pour prendre une tasse de thé. Comme il était sur le point de raccrocher, et que j'essayais d'obtenir une entrevue avec lui, je lui ai demandé s'il était au courant de mon projet. «Lucie, mon ouïe est terrible au téléphone. Viens me voir au Cap pour que nous puissions parler.» Oui, il était au courant. C'est pour cela qu'il m'appelait.

Une semaine plus tard, on m'invite à me rendre chez Mandela à dix-sept heures trente, avec Loulou, Maria et les enfants. À dix-sept heures, nous étions tous prêts, mon discours répété quinze mille fois dans ma tête pour le convaincre de m'accorder une entrevue, lorsque... le téléphone sonne. C'est Ella, la domestique en chef, qui dit : «Il rentre d'Allemagne et a d'autres choses à faire.» Rendez-vous annulé. Alors, en bout de ligne, je ne sais pas si je l'aurai, cette fameuse tasse de thé avec lui, et encore moins une entrevue.

Mardi 2 mars 1999. L'équipe arrive : le réalisateur, Jean Leclerc, le caméraman, Richard Hamel, avec qui j'ai travaillé à l'émission *Visa santé* de Radio-Québec il y a dix ans, et le directeur de production, Guy Bonnier.

Ce documentaire est un bébé planifié depuis des années. Jean et moi en parlons depuis près de cinq ans. Ce reportage a été pensé et raffiné dans ses moindres détails.

Je n'aurais pas pu faire un tel documentaire il y a huit ans. Il me fallait toutes ces années d'expérience en Afrique du Sud. Mais après huit ans de vie ici, de solitude, de bains de foule, de centaines de reportages, j'étais prête. Après un documentaire radio de quatre-vingt-dix minutes sur les chants de libération, dont la recherche m'avait pris un an, et qui servira de squelette pour ce documentaire télé, j'étais prête. La plus belle route du monde coulait dans mes veines.

Jean, Richard et Guy débarquent en Afrique du Sud pour la première fois. Il est très rare que je reçoive des Québécois à la maison, mais cela me fait toujours grandement plaisir.

Premier rendez-vous de tournage : le tour de Robben Island en bateau. Nous avons procédé à une reconstitution historique et nous plongeons dans la fin du XVIIIᵉ siècle. En 1795, alors que différents pays d'Europe tombent sous les troupes françaises de Napoléon Bonaparte, une escadrille anglaise composée de navires de guerre vogue dix mille kilomètres sur l'Atlantique pour accomplir une mission qui changera le cours de l'histoire sud-africaine. Sa destination : la colonie hollandaise du cap de Bonne-Espérance. Ses ordres : s'emparer du territoire. Le motif : le commerce lucratif avec les Indes orientales était menacé à la suite de la défaite de la monarchie hollandaise aux mains des troupes de Napoléon.

En deux temps, trois mouvements, Jean et Richard transforment un lieu insipide en plateau de tournage extraordinaire. Avec les costumes loués, on se croirait réellement sur la mer en 1795 !

Au retour, un bon souper nous attend, curry de poulet, riz aux légumes, préparé par ma précieuse nounou, Maria. Elle est toute fière de pouvoir s'occuper et gâter « mes gars ». Ça fait des jours qu'on les attend.

Richard est malade. Je l'amène à l'hôpital. Il vient à contrecœur, ayant comme seule référence les salles des urgences — qui ne semblent pas en être — des hôpitaux du Québec. « Je n'ai pas six heures à perdre dans une salle d'attente!» Mais c'est un hôpital privé. Nous attendons deux minutes et il est vu. On lui prescrit des antibiotiques.

La maison nous appartient. Les enfants sont partis en vacances scolaires avec leur grand-mère. La maison se transforme avec mes visiteurs; une nouvelle énergie se dégage à mesure que les gars ouvrent une valise, puis une autre, racontent des anecdotes, posent des questions. Je redécouvre l'Afrique du Sud par leurs questions. Fascinantes. Je me vois il y a huit ans. Si j'avais eu quelqu'un pour répondre à mes questions comme je réponds aux leurs, dans un langage commun, j'aurais peut-être été moins perdue. Toutes leurs questions sont intéressantes, pertinentes. «L'apartheid est-il vraiment mort? Les Blancs ont-ils peur? Les Noirs veulent-ils se venger? Pourquoi tant de violence? Aimes-tu l'Afrique du Sud?» Ils arrivent avec leur lot de mythes et de légendes sud-africaines que propagent les topos, reportages, articles et documentaires de milliers de journalistes du monde entier. L'Afrique du Sud, c'est le crime, le sang, la violence. Message clair et net diffusé partout sur la terre. Il ne nous arrivera pourtant aucun incident (bien que nous l'ayons échappé belle quelques fois!), même avec de l'équipement valant des centaines de milliers de rands, et la naïveté toute québécoise de l'équipe en ce qui concerne la sécurité. Pas si mal pour un pays censé être violent!

Les gars m'ont posé la question suivante dans les premiers jours du tournage : «Qu'est-ce que tu fais en Afrique du Sud, pour l'amour du bon Dieu?» C'était plus une affirmation qu'une question, et je l'avais déjà entendue plus d'une fois au fil des années. Ils ont trouvé la réponse eux-mêmes, à la fin du tournage : «L'Afrique du Sud, c'est magique.» Comme j'ai dit à Richard, je n'ai pas passé huit ans en Afrique du Sud par masochisme. Il y a ici quelque chose qui fait du bien à l'âme. On peut facilement y trouver *la lumière* si on a le cœur ouvert.

Un après-midi, nous nous dirigions vers un quartier pas trop sécuritaire, dans le parc industriel en banlieue du Cap. De l'autre côté d'un grand boulevard, où il n'est pas du tout conseillé de s'arrêter, un homme passe, assis dans un fauteuil posé sur le toit d'une vieille auto en ruine, tirée par un cheval. «Virage en U», disent Richard et Jean quand ils aperçoivent une scène qui en vaut le coup. Ce ne fut que le premier de multiples arrêts. Il en faut, des images, pour résumer un pays.

Le lendemain, après une longue journée au soleil et dans les cavernes, à tourner des images sur la préhistoire, à trois heures de route au nord du Cap, on débarque dans une auberge pour un repos bien mérité. Le téléphone sonne. Urgent! Nelson Mandela nous attend à dix-huit heures! En route, les gars! Il faut partir, il est seize heures. Impossible, on n'y arrivera pas. Il nous faudrait, au minimum, trois heures. Les routes sont dangereuses. On roule à deux cents à l'heure quand même. Le voyage se passe à compter les minutes et les kilomètres.

On arrive enfin, à dix-huit heures cinquante. Mais nous avons raté Mandela. Je rencontre quand même Graça, sa femme. Elle croit au documentaire et dit qu'elle va m'organiser dix minutes avec le grand chef. Mais pas une minute de plus! Quand? Mystère...

65

Cours de sécurité 101

Le lendemain, nous nous rendons à Bredasdorp, un bastion afrikaner à trois cents kilomètres au sud du Cap. Très très blanc. Les Noirs sont obligés de s'asseoir dehors pour manger des restes de sandwichs, tous dans la même assiette. Ces Noirs «joueront» les esclaves d'une scène de reconstitution du *Grand Trek,* la grande migration qui a entraîné, vers le Nord, quinze mille familles afrikaners. Elles sont parties en 1835, avec leurs esclaves. Nos comédiens noirs ont tellement bien joué qu'on aurait dit des vrais! Après, j'ai invité les «esclaves» à venir manger avec nous dans la maison, sous le regard ahuri de leurs «propriétaires».

La période du Grand Trek a marqué l'histoire de l'Afrique du Sud. La migration de ces Blancs esclavagistes, fuyant pour conserver leur liberté et leurs convictions, a symbolisé l'esprit d'indépendance des Boers et a donné naissance à un nationalisme blanc. Ces *voortrekkers,* qui veut dire «pionniers», ont eux aussi chanté des chants de liberté tout au long de leur migration en territoire inconnu. C'est pour les reproduire que nous sommes ici.

Le tournage a demandé énormément de coordination, surtout avec six bœufs imposants qu'on a transportés sur le plateau de tournage dans une immense roulotte. Et puis, il nous fallait trouver un champ libre de fils électriques, sans maison, juste un champ et des montagnes. Nos efforts ont été récompensés. Le ciel gris était parfait. Les comédiens aussi. Un des Afrikaners, qui a dit qu'il ferait n'importe quoi pour retourner à l'ère de l'apartheid, a tiré avec son mousquet dans une scène reproduisant l'affrontement du 16 décembre 1938 entre Boers et Zoulous, comme s'il le vivait réellement. À l'origine de l'affrontement se trouvait Dingane, le roi des Zoulous, le demi-frère du célèbre roi Shaka, le guerrier zoulou qu'on surnommait, au XIXe siècle, le «Napoléon africain», à cause des immenses territoires qu'il avait conquis. Dingane, qui s'était emparé du trône en 1828 en assassinant son demi-frère, fit assassiner cinq cents Boers du Grand Trek, dont leur chef Piet Retief, venu négocier pour tenter d'obtenir des terres. L'événement déclenchera, le 16 décembre 1838, à Blood River, une des batailles les plus sanglantes de l'époque du Grand Trek. La veille, un commando boer de quatre cent soixante-quatre hommes, armés de fusils et de canons, s'était dirigé vers la rivière Ncome, aujourd'hui Blood River, à la rencontre des Zoulous. Après avoir campé pour la nuit, ils se réveillèrent, à l'aube, encerclés par une puissante armée zouloue de dix mille hommes. Les quatre cent soixante-quatre Boers se ruèrent sur l'adversaire. Trois mille Zoulous seront tués. Contre seulement trois blessés chez les Boers. Cette victoire miraculeuse sera interprétée par les vainqueurs comme un signe divin; Dieu les avait choisis pour diriger l'Afrique du Sud. Les chants Boers reflètent cette croyance.

Nous profitons de ce bassin de comédiens blancs pour tourner d'autres scènes, dont celle de la découverte du premier diamant. C'est en 1866, à Hope Town, près de Kimberley, un petit village au plein centre du pays, que Louisa et Erasmus Jacob jouaient avec des jolis cailloux brillants qu'ils avaient trouvés sur la ferme voisine, près des berges de la rivière Orange. Un commerçant de passage, John O'Reilly, reconnut immédiatement la vraie valeur des cailloux et les emporta. Une petite pierre de vingt et un carats aboutit finalement dans les mains du secrétaire colonial du Cap, qui déclara : «Ce diamant est la roche sur laquelle le succès de l'Afrique du Sud sera construit.»

Du jour au lendemain, cette découverte allait transformer le paysage, la population et l'histoire de toute l'Afrique du Sud. Le pays, dont la population était clairsemée, dont les exportations étaient limitées à de modestes cargaisons de laine, d'ivoire et de plumes d'autruche, ce pays sans route, sans chemin de fer, sans banque, devint subitement le point d'attraction de tous les aventuriers de la planète. De ce caillou, qui sera baptisé Eurêka, va naître, en l'espace d'une saison, Kimberley, «la ville qui étincelle». Cinquante mille prospecteurs de diamants venus de partout au monde se rueront dans les bars, les bordels et les hôtels érigés à la hâte.

Après cette partie du tournage, nous allons à Johannesburg. Me voici de retour dans cette métropole, qui bouge à deux cents kilomètres à l'heure, colorée et fascinante malgré la criminalité. Je ne dis pas aux gars combien j'ai peur de m'y retrouver à bord d'un *kombi* — une minifourgonnette, le véhicule le plus souvent volé ici —, avec notre équipement qui vaut des centaines de milliers de rands, à la vue de tous les yeux. Je leur rappelle toutefois les précautions à prendre, d'un air le plus nonchalant possible. Je ne leur parle pas de Terese, à qui je pense chaque fois que j'atterris ici. La belle Terese, tuée à coups de hache…

Personne ne semble s'entendre sur l'origine du nom de la ville de Johannesburg. Mais la plus logique semble la suivante : dans la foulée des aventuriers qui se disputent les diamants, des chercheurs d'or envahissent l'Afrique du Sud. En 1886, Georges Harrison, un prospecteur australien, découvre enfin de l'or. Deux hommes, des fonctionnaires,

Johann Joubert et Johannes Rissik, sont envoyés sur les lieux avec le mandat de choisir le site du futur village minier. Ainsi serait née la ville de Johannesburg.

Si la découverte de l'or réjouissait tout le monde, son exploitation, elle, devint rapidement l'objet de conflits entre Boers et Anglais. La guerre des Boers qui s'ensuivit, de 1899 à 1902, fut impitoyable. Les Boers livraient une guérilla rurale contre la puissante armée anglaise, bien équipée et très entraînée. Pour chaque action des Boers, les représailles des Anglais contre les civils étaient terribles. Ils détruisaient les fermes, les récoltes, enlevaient des chevaux, des vaches, des moutons, tout ce qui pouvait alimenter les résistants. Finalement, ils enlevèrent femmes et enfants pour les placer dans ce qu'ils appelaient des camps de réfugiés, et qui furent en fait, les premiers camps de concentration de l'histoire. Vingt-six mille femmes et enfants afrikaners vont y mourir de maladies et de négligence! Les Noirs seront condamnés aux travaux forcés. Mais, contrairement aux Blancs, ils ne seront presque pas nourris. Quatorze mille d'entre eux mourront dans ces camps de concentration. Les livres d'histoire oublient souvent de mentionner ces quatorze mille victimes.

Aujourd'hui, cent ans après la guerre des Boers, des montagnes de déchets miniers encerclent Johannesburg. Capitale mondiale de l'or et cœur de l'activité économique du pays, Johannesburg est une immense métropole avec sa ville noire adjacente, Soweto, où nous ferons notre premier arrêt...

J'adore Soweto. Mais j'ai peur de Soweto. Soweto, noire et risquée. Belle et laide à la fois. Douce et captivante, mais brutale et meurtrière aussi. Soweto nous dépayse en un clin d'œil. Richard n'a pas assez d'une caméra. La tête lui tourne comme une girouette. Et celle de Jean n'a pas assez de trois cent soixante degrés pour tout regarder.

Mandla et Max nous accompagnent. Mandla est le garde du corps de Jay, et Max, son chauffeur. Je les ai «empruntés». Nous les payons grassement. Mandla s'assoit à côté de moi. Il a une bosse sous son gilet à la hauteur de la ceinture… Je conduis. Max nous suit dans l'autre auto.

À un moment donné, nous nous arrêtons sur le boulevard principal. Jean et Richard tournent des images avec Mandla. Je suis avec Guy et Max. Deux gars, dans un *kombi* tout troué (par les balles et non par la rouille!), s'arrêtent en apercevant notre équipement. Ils ont des «signes de piastres» dans les yeux. Ils discutent, à quelques mètres de nous, du contenu de notre véhicule et du prix que tout cela peut valoir. Max s'approche et leur dit de déguerpir. Ce qu'ils font. Ils étaient armés, me dira Max après coup, information que je garderai pour moi pour éviter d'ajouter des rides au visage de Jean. Nous partons aussitôt.

Au prochain arrêt, devant le plus gros hôpital de l'hémisphère Sud, le Baragwanath Hospital, nous déposons Mandla, Jean et Richard qui partent à pied pour tourner des images. Max reste avec Guy et moi. Nous nous arrêtons sur le bord de la route, Max garant son auto nez au mur alors que, moi, je l'aurais tout simplement placée parallèlement à la route. Mais je fais comme lui. Max me donne un petit cours sur la protection : «Toujours le nez au mur. Il faut toujours le plus d'obstacles possible pour empêcher les voleurs de partir facilement.» Ses longues années d'entraînement dans les camps en Russie, en Tanzanie et en Angola lui ont valu ce poste qui consiste à assurer la protection d'un ministre. Max et Mandla feraient n'importe quoi pour Jay Naidoo. N'importe quoi. Et la dernière chose qu'ils voudraient, c'est que la femme du ministre se fasse tuer. Je me sens donc en sécurité…

Max continue son «cours de sécurité 101». Le langage du corps est crucial, dit-il. Il faut avoir un langage corporel offensif. Quand on adopte une attitude défensive, c'est toujours plus difficile de s'en sortir. Ainsi, il valait mieux aller à la rencontre de ces types qui lorgnaient notre équipement et leur dire de déguerpir immédiatement, le corps droit et raide, la tête haute, une main sur la hanche (ce qui veut dire : «Je suis armé, moi aussi»). Max et Mandla sont d'anciens soldats de l'Umkhonto we Sizwe. L'Afrique du Sud est pleine de soldats. Du jour au lendemain, ou presque, la plupart de ces soldats se sont retrouvés sans job, sans formation autre que celle de combattre dans une guerre. Cette génération est aujourd'hui perdue, frustrée. Et armée.

Richard et Jean passeraient des heures à Soweto. Mais nous devons rentrer à Johannesburg. Nous allons dîner dans un quartier riche, Sandton City, le quartier blanc des affaires. Le tableau social a changé dernièrement, ici. Il n'est plus rare de voir des Noirs se promener, serviette à la main, cellulaire à l'oreille, bien mis, dans ce labyrinthe souterrain de magasins, de restaurants et de bureaux haut de gamme. Il y a quelques années seulement, cette scène aurait fait scandale. Comme celle des mendiants blancs dans les rues, aujourd'hui, fait scandale.

Nous sommes au cœur du poumon économique de Johannesburg. Jean me demande où il peut filmer des Blancs marchant sur les trottoirs et traversant la rue. Le hic, c'est qu'il n'y en a pas. Jean ne me croit pas. Les Blancs s'enferment. Ils entrent au bureau par les stationnements souterrains et repartent dans des voitures, aux portes bien verrouillées, retrouver leur maison blottie derrière d'immenses murs. Bien qu'on ne les voie pas, les Blancs sont ici, dans les centres commerciaux, dans les tours à bureaux ultra-protégées, dans des restaurants bien gardés. Mon ami Luc Chartrand était d'ailleurs resté surpris en quittant un restaurant, un soir. Le gardien avait déverrouillé la porte et s'était assuré que la voie était libre avant de le laisser sortir...

Donc, pas un Blanc en vue! Et pourtant, les trottoirs grouillent de monde! Nous sommes à l'heure de pointe, en plein quartier des affaires. Les Blancs restent cachés. Les Noirs sont dans la rue. Les Blancs souffrent de leur passé. Ils se sont construit une prison, avec des barreaux en or, mais une prison quand même.

Un autre jour, nous nous rendons à Gold Reef City, à Soweto, un immense parc d'attractions. Il s'agit d'une ancienne mine d'or qu'on a transformée en attraction touristique et où il est possible de descendre plus d'un kilomètre sous terre. L'extraction de l'or, un travail pénible et dangereux, a inspiré chez les mineurs une forme de musique de libération. Ces travailleurs, venus de partout, parlant des langues et des dialectes différents, ont utilisé leurs bottes de caoutchouc comme instruments de musique pour communiquer entre eux. Une danse, née trois kilomètres sous terre, est aujourd'hui très populaire : le *gumboot dancing*. Cinq hommes, qui font des spectacles quotidiens pour les touristes, dansent pour nous. Après une semaine passée en Afrique du Sud, c'est la première fois que l'équipe goûte à la culture africaine, la vraie. Celle qui vibre. Celle qui colore la vie et chatouille les tripes.

Le voyage « en Afrique » ne fait que commencer. Nous passons une journée avec un clan du peuple ndebele avant d'arriver chez les Zoulous. Nous nous rendons au cœur du Kwazulu-Natal, à Nongoma, chez le roi des Zoulous, Goodwill Zwelithini.

Nous avions rendez-vous avec le roi à onze heures, et nous arrivons à onze heures pile. L'aide de camp du roi nous félicite pour notre ponctualité. Mais pour ce qui est de celle de Sa Majesté, il faudra repasser… On nous fait attendre dans un petit salon. On nous apporte quelques sandwichs. La grande aiguille fait le tour de l'horloge une fois. Cela fait partie des privilèges de la royauté que de faire attendre les invités. Moins nous sommes importants, plus on attend ! Et cinq minutes de retard de notre part auraient suffi à faire annuler la rencontre !

Le roi Goodwill Zwelithini arrive deux heures plus tard… en costume-cravate. Je demande à son assistant si Sa Majesté peut revêtir le costume traditionnel des Zoulous : peau de léopard à la taille, couronne en peau de léopard autour de la tête, torse nu, plume sur la tête. Nous attendons une autre heure pour avoir un roi des Zoulous « authentique ».

Selon le protocole, on n'interrompt pas le roi. Résultat : trois questions, quarante-cinq minutes de réponses ! J'ai laissé tomber la quatrième…

Sa Majesté le roi Goodwill Zwelithini est un descendant du père de Shaka. Il a été nommé roi des Zoulous en 1971. Il accorde au chant et à la danse une importance primordiale dans la culture zouloue. Et la liberté des Zoulous, selon Sa Majesté, passe par le roi. Il nous explique, avec passion, le rôle, la place et l'évolution des chants de libération dans l'histoire zouloue. Puis, il danse et chante pour nous, avec une trentaine d'autres Zoulous, des artistes dont la profession est de jouer pour le roi et ses invités, quand celui-ci l'exige.

À la fin, je demande au roi si on peut me photographier avec lui. Il accepte avec plaisir et, en se retournant pour se placer à mes côtés, il me pique accidentellement la jambe avec sa lance. Je fais mine de rien, car il paraît que lorsqu'un roi zoulou fait ça à une femme, c'est qu'il la veut en mariage…

Le lendemain, en plein tournage à Shakaland, pendant que nous reconstituons la vie du roi Shaka, mon téléphone sonne. C'est Maria. Sa fille de dix-neuf ans, qui vit à Johannesburg, vient de se faire violer. Pendant une heure, entre les chants zoulous, j'appelle tous mes anciens contacts : centre de femmes, hôpital, clinique, médecin légiste, psychologue, travailleuse sociale. Je lui organise toutes sortes de rendez-vous. Et puis j'appelle Jay.

— Jay ? As-tu entendu ? La fille de Maria…

— Je sais! J'ai entendu! Catastrophe. Ces maudits hommes! Quel fléau...

Jay est à Johannesburg. Il ira porter de l'argent à la fille de Maria et demandera à son chauffeur de l'amener aux différents rendez-vous.

Je rappelle Maria.

— Va à Johannesburg. Ta fille a besoin de toi.

— Mais je n'ai pas d'argent, Lucie.

— Tu auras un billet d'avion demain matin. Fais ta valise. Je te paie le billet.

— Merci, Lucie! Merci. Je ne sais pas ce que je ferais sans toi.

— Va t'occuper de ta fille. Elle a besoin de toi.

Maria est dans tous ses états. Moi aussi, je panique. Je songe que la fille de Maria a peut-être, en plus, attrapé le VIH.

66

Le chant du président

J'ai cinquante Xhosas devant moi. Je les veux torse nu, pieds nus. Je les veux passionnés. Je les veux en vie. Depuis le début, c'est cette journée qui me rend le plus nerveuse. Parce que c'est aujourd'hui que nous tournerons la scène illustrant le chant de libération qui résonne en moi depuis un an : *Nanzi Indoda Enmyama, Verwoerd* (Attention, Verwoerd, l'homme noir vous aura), chanté par Vuyisili Mini lorsqu'il a été pendu le 6 novembre 1964. Il était natif du Cap-Oriental, de la même région que Nelson Mandela, Steve Biko, Walter Sisulu et tant d'autres illustres militants politiques d'Afrique du Sud. Le Cap-Oriental est considéré comme le berceau de la lutte contre l'apartheid.

Nous sommes à la Lock Street Jail, une prison, devenue musée, construite en 1880 pour les exécutions par pendaison. Le trou béant, profond de trois mètres, au-dessus duquel les pendus étaient balancés, est encore là. En réalité, Vuyisili Mini a été pendu à Pretoria, mais je n'ai pas pu obtenir la permission d'y tourner. Nous allons donc simuler une pendaison ici. Craig Nancarrow, directeur du tourisme, a accepté de nous ouvrir les portes de l'établissement. Il a fallu que je choisisse soigneusement mes mots pour le convaincre de « vendre » sa région en montrant une pendaison !

J'ai dû aussi convaincre Jean. Car la série à laquelle nous participons se veut apolitique. En écrivant le scénario, j'ai tout de même insisté pour placer une scène de pendaison politique dès le début. J'ai dû me battre pour qu'on n'évacue pas du documentaire les aspects les plus cruciaux de la libération du pays. On ne peut tout de même pas cacher la réalité de cette nation pour ménager la susceptibilité de Relais & Châteaux! Jean devra défendre ce choix devant le diffuseur.

La chorale est muette. La cinquantaine de travailleurs devant moi ont réussi à obtenir une journée de congé pour ce tournage. On n'a que quelques heures pour tourner cette scène compliquée, la plus importante du documentaire, à mes yeux. Il faut qu'ils en comprennent l'importance. En deux minutes, je leur décris ce que je recherche. Avec la passion, on peut faire ce qu'on veut. Les obstacles se transforment comme par magie en beaux défis.

Ils connaissent tous Vuyisili Mini et ses chants. Je leur demande de s'imaginer qu'ils étaient là, le 6 novembre 1964, chantant sa mort et ainsi communiquant son héritage, avec lui. Je leur demande de chanter ce qu'ils ont dans le cœur, ce qu'ils voudraient dire, eux, au gouvernement de l'apartheid qui a assassiné tant de leurs camarades, mais avec leur ventre et leur voix. Je crois que le message était clair...

Ils chantent avec leurs tripes. Le corps pendu se balance au-dessus de la fosse pendant que les «détenus» chantent et tournent en rond autour du trou. La salle vibre. Craig Nancarrow me montre les poils dressés sur ses bras. Un Sud-Africain blanc qui a la chair de poule... *Nanzi Indoda Enmyama, Verwoerd...*

Je repense à ce que Desmond Tutu me disait de la force des chants. Ils décontenançaient les policiers et les soldats. Ça leur donnait la chair de poule et des frissons dans le dos. Le chant était une arme. Au sens propre du terme.

«*Cut!*» Jean et Guy sont en larmes. Je les ai serrés dans mes bras dans un coin à l'abri des regards.

Les chants de libération sont comme une drogue. On en veut toujours plus.

Je suis galvanisée et je crie, comme je l'ai tant de fois vu faire dans des rassemblements :
— *Amandla!* (Pouvoir!)
Les autres hurlent :
— *Uwethu!* (Au peuple!)
— *Amandla!*
— *Uwethu!*
— *Viva Vuyisili Mini! Viva!*
— *Viva!*
— *Viva East London*[1] *! Viva!*
— *Viva!*
— *Viva South Africa! Viva!*
— *Vivaaaa!*

Leur dernier cri a duré plusieurs secondes. Son écho profond, dans cette chambre des morts, nous a donné, à tous, la chair de poule. Leur éclat est sorti tout seul, spontanément, comme un vrai cri du cœur. Et ces hommes, torse nu, m'ont tous regardée, un sourire silencieux aux lèvres, pendant que l'écho se perdait au fond du trou.

Le documentaire serait réellement complet si, en plus de cette séquence de la pendaison, il comprenait une entrevue avec Nelson Mandela! Nous n'avons pas cessé les appels pour obtenir un rendez-vous avec lui. Cela fait huit ans que moi-même je tente le coup. Huit ans de télécopies, de courriels, de téléphones, de rencontres. En vain. Trop occupé. «Il a déjà donné une entrevue à la CBC (réseau anglais de Radio-Canada). Traduisez-la», me suis-je déjà fait répondre.

J'ai écrit le scénario comme si Nelson Mandela n'allait pas figurer dans le documentaire. J'ai écrit, parce que je le sais, parce qu'il l'a dit dans ses récits, dans des entrevues, que «la musique, le chant et la danse ont occupé une

---

1. La ville du Cap-Oriental où nous étions.

place très importante tout au long de sa vie. Dans sa lutte contre l'apartheid, et pendant ses vingt-sept ans en prison, Mandela a chanté, comme tant d'autres prisonniers noirs, l'un des chants de libération parmi les plus populaires d'Afrique du Sud, composé par Vuyisili Mini». Je suis absolument certaine que Mandela a chanté ce chant de Mini. *Nanzi Indoda Enmyama, Verwoerd* ou *Strijdom* ou *Botha.* On en adaptait les paroles à la réalité politique de l'époque en question. «Attention, chef d'État, l'homme noir s'en vient.» Tout le monde l'a chanté.

Mais nous n'avons toujours pas de nouvelles du président, et sommes pourtant si près de lui…

Nous sommes à Qunu, un petit village perdu dans le fin fond de la province du Cap-Oriental, qui n'est même pas sur la carte! Qunu est bien connu des journalistes par contre. Ils y sont passés si souvent, avec leurs caméras de télévision, pour en ramener des images de «la maison de Mandela», qu'on distingue à peine derrière le mur, les barreaux et les barbelés. Cette demeure, qu'il a récemment fait construire, est une réplique de la maison qui lui servait de prison pendant ses cinq dernières années de détention. Mandela est né à Mvezo, mais sa famille a déménagé à Qunu alors qu'il était encore bambin. C'est ici qu'il a passé la majeure partie de son enfance.

Il faut trouver des images de la vie quotidienne, qui bougent, qui parlent, des images valant mille mots. Elles s'improvisent, les unes après les autres. Le grain moulu sous la grosse pierre par une femme xhosa, de la tribu des Thembus, celle de Mandela. Des chèvres et des enfants, certains nus, d'autres sales. Tous pleins de vie. Une femme entonne un chant. La foule suit. Le village chante. La grosse *mama* part, puis revient avec sa cuvette en plastique, dans laquelle elle lave la vaisselle, les vêtements et les enfants. Le récipient devient tambour. Le rythme de la vie s'anime et se déroule, devant nous, pour nous, pour notre caméra et notre ruban qui vole ce petit bout de vie. La *mama* frappe sur sa cuvette. Un vieux à la couverture blanc sale, canne sculptée et vernie à la main, symbole hiérarchique, passe au milieu du groupe de femmes et danse. Une transe commune les unit. Le village n'est rien sur une carte. Il est tout avec ces vibrations.

Une petite hutte ronde avait été transformée par les gens du village en salle de classe d'il y a soixante-quinze ans. Je leur avais dit qu'on voulait faire la reconstitution historique du petit Rolihlahla recevant le nom de Nelson, lors de sa première journée d'école. La classe est pleine d'écoliers et d'écolières. Un descendant de Mandela, qui porte lui-même le nom de Mandela, joue le futur président.

Nelson Rolihlahla Mandela raconte ainsi sa première journée d'école dans son autobiographie :

Le premier jour de classe, mon institutrice, Miss Mdingane, nous a donné à chacun un prénom anglais et nous a dit que dorénavant, ce serait notre prénom à l'école. À cette époque, c'était la coutume, sans doute à cause de la prévention des Britanniques envers notre éducation. Celle que j'ai reçue était britannique et les idées britanniques, la culture britannique, les institutions britanniques étaient censées être supérieures. La culture africaine n'existait pas.

Les Africains de ma génération — et encore ceux d'aujourd'hui — ont en général un prénom anglais et un prénom africain. Les Blancs ne pouvaient ou ne voulaient pas prononcer un prénom africain, et ils considéraient qu'en porter un était non civilisé. Ce jour-là, Miss Mdingane m'a dit que mon nouveau prénom serait Nelson. Pourquoi m'a-t-elle attribué celui-là en particulier, je n'en ai aucune idée. Cela avait peut-être quelque chose à voir avec le grand capitaine Lord Nelson, mais ce n'est qu'une supposition.

Tous les habitants du village nous suivent ensuite jusqu'à la rivière. Une quinzaine de petits garçons, nus, se baignent. Comme Mandela le faisait il y a sept ou huit décennies, ici même, sur ces berges de sable rougeâtre.

Rolihlahla Mandela jouait au *thinti*, un jeu consistant à essayer de frapper un grand bout de bois planté dans le sol avec un long bâton qu'on lançait d'une distance de plusieurs dizaines de mètres. Mandela conserve encore une cicatrice sur la jambe, souvenir d'une partie de thinti. Notre petit Mandela s'est avéré talentueux à ce jeu.

La reine du village ayant demandé à me voir, j'en profite pour lui remettre la petite somme que nous avons prévue pour l'école et les enfants du village, en la remerciant infiniment. Elle me remercie à son tour chaleureusement.

Le lendemain matin, nous retournons à Qunu pour filmer les femmes qui fument la longue pipe, un privilège qu'elles acquièrent à la ménopause. Ah! comme les hormones changent la vie!

* * *

Il reste quelques milliers de kilomètres à faire. Nous nous rendons dans le nord du pays, dans le désert du Kalahari, où les gens portent des t-shirts sur lesquels on peut lire : «J'ai survécu à 52 degrés.» Nous y tournons une scène où des Sans chantent et dansent pour appeler la pluie. Il a plu...

De retour au Cap, je laisse mon téléphone cellulaire allumé en permanence, même pendant les tournages, car Graça Machel m'a informée que j'aurais enfin dix minutes avec son mari, à midi trente! «On t'appellera pour tout confirmer», m'a-t-elle promis. Demain, c'est notre dernière journée de tournage. Après, c'est foutu.

Il est midi. Graça a dit midi trente. Midi dix, pas de nouvelles. À midi trente, assis dans un petit café de mon quartier, à cinq minutes de chez Mandela, nous sommes prêts à bondir si on nous appelle. À treize heures, le téléphone sonne.

— Neuf heures demain matin. Dix minutes seulement!

— Y a-t-il une possibilité que le rendez-vous soit annulé?

— C'est toujours possible avec un président.

Le lendemain matin, à huit heures trente, nous sommes prêts à partir. Dieu merci, personne n'a encore appelé pour annuler! Je révise, mille fois, le résumé de trois minutes que je ferai à Mandela pour expliquer notre projet.

Nous arrivons chez Mandela, à cent mètres de chez moi, mais cela semble si loin quand il s'agit d'aller l'interviewer! C'est la première fois que j'entre chez lui. Un garde du corps, debout, droit comme un soldat, dans un coin du grand salon, observe chaque mouvement de l'équipe. Je suis surprise qu'il soit blanc…

Ces dernières minutes sont agonisantes. Nous sommes prêts.

Neuf heures dix; l'atmosphère de la pièce change. Nelson Mandela fait son entrée.

— Bonjour, Lucie! Heureux de te voir ici!

— Bonjour, Monsieur le Président Mandela. Heureuse de vous voir aussi! Comment vous portez-vous?

Et puis, nous nous embrassons, nous donnant une bonne accolade. Il sent si bon. Je lui dis :

— Puis-je garder mon nez dans votre cou?

Il rit.

Il remarque que j'ai mis un ensemble xhosa, que j'ai acheté à Qunu, fabriqué par les femmes du village. Un costume de son village, de sa tribu. Je lui présente les membres de l'équipe, Richard, Jean, Guy, et Louise (qui nous a accompagnés tout simplement parce qu'elle voulait le revoir). Il se souvient de ma mère, l'embrasse chaleureusement.

Nous nous asseyons. La caméra tourne. Mandela n'aime pas parler de lui-même. Mais il ne se fait pas prier pour parler du rôle du chant et de la danse dans sa vie. «Le chant et la danse ont été présents tout au long de ma vie», dit-il.

Je lui demande de chanter ses deux chants de libération préférés, comme j'avais prévenu Graça que j'allais le faire. «Vous savez, Lucie, on m'a dit que vous vouliez entendre mes deux chants de libération favoris. Eh bien, je ne me souviens que de celui-ci.»

Et, des centaines et peut-être des milliers de chants de libération qui existent en Afrique du Sud, il entonne celui-là même que j'avais choisi comme fil conducteur du documentaire, le chant de Vuyisili Mini marchant à l'échafaud. Nous avons tous eu la chair de poule tellement la coïncidence était exceptionnelle.

La version qu'il chante comporte une variante toutefois : *Nanzi Indoda Enmyama, Strijdom.* «Attention, Strijdom, l'homme noir s'en vient.» Il nomme Strijdom plutôt que Verwoerd. Il explique qu'il s'agissait d'un des premiers ministres de l'apartheid. Puis il nous parle de Vuyisili Mini, un héros du peuple selon lui. Il rappelle que l'être humain, partout dans le monde, mais en Afrique surtout, bien avant l'époque des colonisations, chantait et dansait, et qu'aujourd'hui il chante et danse encore. Et que les chants de libération de l'apartheid ont galvanisé le peuple et l'ont uni dans la poursuite d'un même objectif.

On ne pouvait pas demander mieux de dix minutes dans la vie. En fait, douze minutes et six secondes. Le garde du corps tapait du doigt sur sa montre.

En sortant, je trouve Jean Leclerc dans la voiture, figé comme un bloc de glace. Il se tourne lentement vers moi et me dit : «Je suis si content que j'aurais envie de crier.» Puis il sort doucement de l'auto, sans dire un mot.

67

Le rallye à travers l'Afrique

Deux jours après mon périple des chants de libération, je pars rejoindre Jay à Tunis, la capitale de la Tunisie. J'ai dormi tout mon soûl dans l'avion. Je suis accueillie à l'aéroport par deux déléguées de l'ambassade sud-africaine, un chauffeur et un bouquet de fleurs.

Je serai Mme Naidoo pour quelques jours.

Jay n'est pas à son hôtel, mais la chambre lui ressemble tellement. Je vois où il a installé son coin méditation. Ses chaussettes traînent. Le tube de dentifrice n'a pas été rebouché. La serviette de bain est mal pliée, mouillée. J'ai arrêté de m'en faire. Il fait cependant des efforts en ma présence.

Un bouquet de roses m'accueille. Une note dit qu'un massage m'attend.

Un peu plus tard, j'entends la porte s'ouvrir et Jay qui crie aussitôt : «Lucie? Lucie? Es-tu ici, Lucie?» En me voyant, il me prend dans ses bras. Il m'embrasse, me cajole, rit, me dit qu'il m'aime. Il me déshabille, dans une hâte douce, et ne cesse de me répéter qu'il m'aime, qu'il est content que je sois là, qu'il a besoin de moi, de ma force, de mon énergie. Jay est heureux. Nous vivons un tendre moment d'amour avant notre session de bain de boue. Tous les jours pendant quatre jours, nous aurons, à divers moments de la journée, des soins de santé exquis, des bains et des massages de toutes sortes. Jay a passé les six derniers mois à s'entraîner, à suivre un régime sévère, à méditer et, maintenant, à dorloter son corps, pour pouvoir survivre à douze heures de route par jour pendant les vingt et un jours du formidable rallye qu'il s'apprête à entreprendre.

Jay, ministre des Télécommunications du gouvernement le plus en vue de l'Afrique, est aussi président d'un conseil qui regroupe tous les ministres des Télécommunications du continent. Leur mandat est de sensibiliser l'Afrique, et le monde, au besoin de «brancher» le continent. Jay prend le projet au sérieux. Il veut faire la promotion du nouvel espoir pour le continent que représente la libération par les communications. Il veut le faire lui-même, physiquement, sur le terrain, du nord au sud. Baptisé *The African Connection Rally*, le projet a pour but d'insister sur la nécessité de bâtir une «autoroute dans le ciel», pour relier l'Afrique au reste du monde. Jay conduira une Pajero 4X4, avec Geoff Dalglish, un reporter automobile qui a fait des dizaines de rallyes dans sa vie. Mais celui-ci est pour lui ce que le mont Everest est pour un alpiniste. Navin Kapila, un Indien (de l'Inde), dont le rallye de trente-neuf jours autour de la Terre est inscrit dans le livre des records Guinness, et deux mécaniciens prendront place dans une autre jeep. Au-dessus de leurs têtes, un hélicoptère et un avion-cargo, transportant l'équipement de rechange et quelques douzaines de journalistes, les suivront.

Certains disent que ce rallye est un coup publicitaire en vue des prochaines élections qui se tiendront dans moins de deux mois, le 2 juin 1999. Ils ne comprennent pas cette campagne. Jay rêve vraiment de brancher l'Afrique. Il a un message pour les Tunisiens, les Égyptiens, les Somaliens, les Sud-Africains, blancs, noirs, indiens et autres : «Nous sommes tous des Africains.»

C'est son âme qui le mène. Ce n'est pas un coup de marketing politique puisqu'il veut abandonner ce monde.

Il a passé la dernière année à s'y préparer. Mais Gabriela, notre thérapeute, et moi sommes les seules à le savoir. Il gardera ce secret jusqu'aux élections, car, dit-il, «l'ANC a besoin de moi». Il veut faire cette campagne dans toute l'Afrique, un trajet physique et spirituel qui couronnera sa vie politique.

Aujourd'hui, à Tunis, j'accompagne mon mari dans sa mission. Je nage parfois dans son monde, mais, le plus souvent, je reste dans le mien, seule, avec mes enfants. Je regarde Jay et je me demande quelle puissante force le guide et le fait agir. Pourquoi ne vient-il pas vivre un moment avec nous, au Québec? Qui fournira jamais la réponse à la question suivante : choisit-on de se donner une mission ou est-on choisi pour une mission?

Ma dépression a déclenché chez Jay le besoin de se retrouver intérieurement. Il a compris qu'il ne peut pas garder fermées, pour l'éternité, les petites bouteilles colorées d'émotions qu'il garde depuis toujours scellées au fond de lui.

Jay est déchiré. Déchiré entre sa mission et sa famille. Albertina Sisulu avait raison de dire, à notre mariage, que je serais la deuxième femme de Jay, que celui-ci était marié avant tout au pays, comme son mari, Walter. Jay ne vient à la maison que pour changer de chemise une fois de temps en temps. J'exagère à peine. Bien sûr, je le soutiens dans ses projets. Mais je n'ai pas le mariage dont je rêvais. Que le mari.

Et ma mission, quelle est-elle? «Nos missions sont entremêlées», dit Jay.

Me voici maintenant à Bizerte, sur la pointe la plus nordique du continent africain, à deux pas de la Méditerranée. Jay a besoin de moi, maintenant. Je suis son pilier moral. «J'ai besoin de ton énergie.» Il part dans quelques minutes...

Pendant les discours, je tiens Jay par le bras, assise à ses côtés sur l'estrade. Je pense à cet immense continent qu'il va traverser, en suivant un itinéraire que, parfois, aucun véhicule n'a encore jamais emprunté dans le sable du désert, les montagnes et les rivières. Les cinq hommes traverseront quelques régions en guerre et des pays ravagés par le crime. J'ai peur, mais j'ai confiance, aussi.

«Lorsque j'ai tourné la clé du véhicule, racontera Jay par la suite, je n'avais qu'un but en tête, celui de me rendre à l'autre bout en un seul morceau. Cecil Rhodes voulait construire un chemin de fer du Cap au Caire, dans le but de subjuguer le continent. Maintenant, nous voulons construire une autoroute technologique du Cap au Caire dans le but de libérer le continent.»

Jay voudrait que chaque école, chaque clinique, chaque village, aussi reculé soit-il, soit relié au monde. Dans chaque ville ou village où il s'arrêtera, Jay tentera de communiquer sa passion en disant que «la réalisation de ce rêve nous catapultera dans le XXIe siècle, vers un développement soutenu, vers l'enrichissement social de la population et vers la liberté qui ne peut venir que du savoir et de l'information». Il précise toujours que, «sur un continent de plus de sept cents millions de personnes, il n'y a que quatorze millions de téléphones. Il s'agit de la télédensité la plus faible au monde. Il y a plus de téléphones à Tokyo ou à New York que sur notre continent tout entier!» Puis, sa voix s'enflamme. Son langage du corps devient plus expressif. «Des millions de gens sur notre continent n'ont jamais regardé la télévision (seulement cinq pour cent de la population y a accès), ou n'ont même jamais écouté la radio (vingt pour cent a accès à un poste de radio). Seulement quarante millions d'Africains peuvent utiliser le téléphone. Et la majorité de ces gens "fortunés" vivent en ville.» Il fait toujours une pause avant d'ajouter : «La moitié de l'humanité n'a jamais fait un appel téléphonique de sa vie!» Ce périple, c'est aussi celui d'une unité africaine, d'une renaissance africaine. Car tout le mouvement de lutte

445

contre l'apartheid a été animé par cette conscience conti-
nentale nouvelle. L'autoroute de l'information n'est qu'un
instrument de ce réveil.

Jay fera des dizaines de discours. Lorsqu'il parle à une
foule, il est embrasé. Et son charisme enflamme l'auditoire.
Cela me manque, de le voir parler à une foule. C'est dans
ce rôle que je l'ai d'abord connu, que je l'ai vu pour la
première fois. Jay peut contenir une foule, peu importe qu'il
y ait cent ou cent mille personnes. Il a ce don, ce pouvoir...
Lorsqu'une foule de cent mille personnes est devenue folle,
un soir, lors d'un concert de Whitney Houston, au stade
Ellis Park à Johannesburg, c'est à Jay qu'on a fait appel
pour la calmer.

Il parle aujourd'hui en Tunisie. Puis, ce sera en Libye.
Il ouvrira la frontière entre le Soudan et l'Égypte, après
cinq ans de crise entre les deux pays, à cause d'une tenta-
tive d'assassinat contre le président égyptien Moubarak. Jay
réunira les ministres des Télécommunications des deux
pays, et les trois, bras dessus, bras dessous, entameront une
nouvelle ère «parce que la communication est la seule voie
viable». Il aidera à dégager la Libye de son isolement mon-
dial, par le biais des télécommunications. Il sera accueilli
par des dizaines de milliers de personnes tout le long de
son périple, des gens simples, ordinaires, qui croient à son
rêve et qui veulent le réaliser, avec lui, pour tous.

J'ai été étouffée par les larmes lorsque la Pajero grise
est partie. Les caméras de télévision se sont ruées sur moi.
J'ai eu à peine deux secondes pour m'essuyer les joues.
Karen Lubbe, la copine de Geoff Dalglish, le copilote de
Jay, était pendue à mon bras, en gros sanglots. Mais je
devais reprendre le contrôle de moi-même, ayant accepté
d'être «Mme Jay Naidoo» et de remplir le rôle médiatique
auquel on s'attend en de telles occasions. Je suis repartie
pour Johannesburg après quelques entrevues.

Dix jours plus tard, je me rends au Kenya avec Karen
Lubbe pour rejoindre nos «hommes» à mi-chemin. Ils

arriveront un jour en retard à Nairobi, après avoir subi des dommages causés par un mauvais carburant. Les deux mécaniciens qui accompagnent l'équipe auront eu fort à faire pour réparer les dégâts.

En attendant, je suis restée à l'hôtel. Il paraît que Nairobi est devenu plus dangereux, du point de vue du crime, que Johannesburg. Un membre de l'équipe de planification du rallye a été menacé avec un couteau sur la gorge.

Il est tard le soir quand on nous annonce, par le biais des walkie-talkies de la police, que le cortège arrive. Je m'avance dans la rue devant l'hôtel. Le ministre des Télécommunications du Kenya me suit. «Je reste à vos côtés, car je sais que c'est vers vous qu'il ira en premier!» Comme de fait. En sortant de la voiture, sous les regards de la tapée de journalistes, de caméras, de photographes, de ministres, d'officiels, et de quidams, Jay me saute dans les bras. Nous devons nous prêter au jeu des discours, du souper officiel et des rassemblements médiatiques avant de nous retrouver, aux petites heures du matin, dans la chambre d'hôtel.

Le groupe reprend la route tôt dès le lendemain matin. «Si tu savais combien j'avais besoin de ces quelques heures avec toi. Je crois que je n'aurais pas pu faire la traversée sans y penser», m'a dit Jay dans le creux de l'oreille avant de partir.

Dix jours sont vite passés et Jay arrive enfin en Afrique du Sud. Je peux tout suivre sur le site Internet <africanconnection.org>, où de nouvelles photos sont ajoutées quotidiennement. De plus, la télévision de la SABC couvre le rallye en y consacrant cinq minutes chaque matin. À Nairobi, on m'avait interviewée, à l'aube, en direct, par satellite. On avait également réussi à rejoindre Jay grâce à un téléphone satellite portatif et nous avions parlé ensemble, en ondes, en direct. Jay affirmant qu'il était perdu dans le fin fond de la brousse, je lui avais demandé si c'était cela son excuse pour ne pas m'avoir appelée la veille…

La fin du rallye est spectaculaire, car Jay est dans son propre pays. Le petit village habituellement très tranquille de Cape Aghulas (village où, dans un restaurant, en avril 1996, on avait refusé de nous servir à cause de la couleur de notre famille) grouille de monde ; un hélicoptère survole la pointe de l'Afrique, où nous attendons tous, sous un vent à en perdre sa perruque. Les chants et les danses accueillent les gars qui arrivent, finalement, à la pointe la plus au sud de ce sacré continent. Jay est soulagé. C'est le moins que l'on puisse dire. Mais la route n'est pas finie. La cavalcade doit continuer jusqu'au Cap, encore à trois heures de route. Jay monte avec les enfants et moi dans la Toyota Previa.

Ce fut un grand moment. Ce fut une grande aventure. J'ai travaillé de près avec Sue De Villiers, une des coordonnatrices du projet. Par moments, nous avions des crises à régler. Le public n'a vu que les sourires et les promesses de communication. Mandy Woods et Joan Nowak, les secrétaires de presse et d'administration de Jay, ont travaillé comme des folles, le suivant partout, préparant tout au fur et à mesure, parfois à la seconde près. Une dizaine de personnes ont travaillé jour et nuit pendant plus de deux mois pour que ce projet devienne réalité. Et Jay en est conscient, même si la gloire, aujourd'hui, lui est attribuée.

Quelques jours plus tard, à l'occasion d'un grand banquet, on a exposé, dans le hall de l'endroit où il avait lieu, une des deux Pajero qui avaient fait le voyage. La jeep était sale, pleine de boue, comme si elle sortait de la jungle. Selon Jay, jamais les véhicules n'avaient été sales à ce point. On a intentionnellement barbouillé celui qui était exposé.

Toute la famille assiste à la fête (sauf Léandre), même Maria, qui est habillée comme pour le mariage d'un roi.

Sue De Villiers et moi avons préparé une petite surprise pour Jay : je ferai un discours durant le banquet. Jay n'est au courant de rien. Le maître de cérémonie, une personnalité télé du nom de Bobby Brown, est dans le coup. Donnent d'abord leur discours, entre autres, le ministre Kader Asmal, qui parle au nom du vice-président Thabo Mbeki, les présidents ou directeurs généraux des trois grandes compagnies qui ont financé le rallye — Siemens (technologie), Vodacom (cellulaire), Telkom (téléphone) — et le vice-maire de la ville du Cap. Et puis, par vidéo, le secrétaire général de l'Organisation de l'unité africaine, le docteur Salim Salim, félicite Jay pour cette grande mission accomplie.

Vient ensuite mon tour. Les feuilles sur lesquelles j'ai écrit mon texte ne tiennent pas en place sur le lutrin. Je m'y accroche comme à une bouée sur la mer. Je ne vois pas devant moi, les projecteurs sont trop puissants. Je ne vois pas non plus, heureusement, l'écran géant derrière moi, grâce auquel, il me semble, on peut déceler le moindre tic de nervosité. Certains dignitaires qui ont suivi mes cours de communication sont dans la salle. Je dois mettre en pratique ce que je leur ai enseigné! Ce n'est pas évident! Je leur disais, entre autres, de ne pas lire, mais de parler directement aux gens. Je suis cependant incapable de le faire sans mes feuilles devant moi.

J'ai commencé en français. «Monsieur le Vice-Maire, ministres, dignitaires, mesdames et messieurs, bonsoir.» Puis, je suis passée à l'anglais.

Je vais continuer en anglais, ai-je expliqué, parce que même Jay, après huit ans de vie commune dans une maison canadienne-française, ne parle pas vraiment le français. Quand j'ai déménagé ici en 1991, mon fils Léandre, qui avait quatre ans, ne parlait pas un mot d'anglais. Deux mois plus tard, il était parfaitement bilingue, avec un petit accent indien de Durban, alors que Jay ne pouvait dire en

français que : «Bonjour, comment ça va?» Ensuite est venu
Kami. Il a dit, au moins, avec Kami, je pars de zéro. À l'âge
de trois ans, Kami était parfaitement bilingue. Et Jay? Pas
impressionnant. Ensuite est venue Shanti. Il a dit, OK, là,
c'est vrai. J'apprendrai le français. Elle a trois ans main-
tenant, et est presque bilingue. Et Jay? Il ne parle pas vrai-
ment encore français. Alors j'ai dit, Jay, tu y es presque.
Encore un enfant et tu parleras français. Il a dit, non, non,
non, c'est correct. Je vais aller m'acheter un cédérom!

Il est allé s'acheter un cédérom et a commencé à
apprendre, à la maison, sur l'ordinateur. L'ordinateur, qui
fait partie des meubles, comme Internet, comme le courriel,
comme le télécopieur et le téléphone, bien sûr. Tout ça fait
partie des meubles, des besoins de base. Nos trois enfants,
douze, six et trois ans, utilisent l'ordinateur quotidien-
nement, soit pour jouer, soit pour apprendre, soit pour
communiquer.

Il y a deux ans, Jay est revenu à la maison après une
«soirée de gars» passée en compagnie de Navin Kapila,
un des chauffeurs de ce rallye, mais aussi le détenteur d'un
record du monde, dans le livre des records Guinness, pour
son rallye autour de la planète en moins de quarante jours.
En arrivant ce soir-là, Jay m'a demandé : «Que dirais-tu
si je traversais le continent africain, en voiture?» J'ai dit :
«T'es fou! Pourquoi ferais-tu ça?» Il a dit que c'était parce
que la majorité des enfants de ce continent n'ont pas la
chance que d'autres enfants ont. Il a dit que ce n'était pas
qu'un rallye en auto, mais un rallye dans le sens large du
terme, dans le sens de «rallier» des gens autour d'une
même cause. Un rallye pour ouvrir des télécentres, pour
mettre des téléphones, des télécopieurs, Internet et le
courriel à la disposition de tous, pour que les enfants, notre
futur, fassent partie de l'avenir. Un rallye pour mettre en
marché un continent dont l'image dérange, une image qui
dit aux gens : «Ne venez pas ici à moins d'y être vraiment

obligés.» Parce que, quand nous parlons de l'Afrique, on entend toujours dire : «L'Afrique? Quel est le problème, encore?»

Jay est allé se coucher ce soir-là avec un rêve, le rêve de découvrir l'autre Afrique dont personne ne parle; un rêve de brancher les Africains entre eux, et l'Afrique sur le monde. Un rêve pour relier les enfants d'aujourd'hui à l'avenir du monde.

Je suis sûre que certains d'entre vous connaissent Marshall McLuhan, un écrivain canadien, un grand théoricien des communications, le plus grand de son époque. McLuhan est connu pour sa formule «le medium est le message», très populaire dans les années soixante. Ses théories hétérodoxes des communications venaient de sa conviction que les médias électroniques en soi avaient un impact beaucoup plus grand que les messages qui y étaient diffusés. Il a soutenu que la technologie transforme les structures de base mêmes d'une société. McLuhan a aussi été le premier à prédire que chaque recoin de cette planète serait électroniquement branché, ce qui créerait, à la fin, un immense «village global».

Chaque recoin de cette planète, a-t-il dit. Cela inclut Bizerte et Cape Agulhas. Cela inclut Botlokwa, Sirte, Alexandra et Alexandria. Cela inclut Wadougane, Yabelo, Morogoro, Mzuzu, Chipata et Hadar. Tous ces endroits étant des villes ou des villages africains.

Ironiquement, la chose la plus frustrante durant ce rallye fut de ne pas pouvoir communiquer avec Jay. Il n'y avait pas de téléphone où il se trouvait! On éprouve un sentiment d'impuissance lorsqu'on est incapable de communiquer, de téléphoner quand et où l'on veut. Et depuis que Jay est ministre, le téléphone est le moyen que nous utilisons pour faire nos confidences sur l'oreiller — je mets mon téléphone sur l'oreiller... Le téléphone remplit le besoin essentiel de dire «Allô, comment ça va? Je pense à toi, je t'aime». Jay et moi ne serions pas ensemble aujourd'hui s'il n'y avait pas eu le téléphone. C'est par téléphone que nous avons développé notre union. Je répondais au téléphone, il me faisait la cour. Le téléphone change des vies. Le téléphone peut aussi en sauver. Avec la «télémédecine», par exemple.

La première fois que j'ai pu vraiment avoir une conversation téléphonique avec Jay durant le rallye, sans nous faire couper ou être obligés de crier, a été vendredi dernier, lorsqu'il se trouvait au Malawi. Il était fatigué, épuisé, mais avait un bon moral. Après une bonne quinzaine de minutes de conversation, je lui ai demandé : «Jay, es-tu heureux?» Il a répondu : «Oh! C'est un cauchemar logistique, c'est difficile et...» J'ai dit : «Non, Jay. Es-tu heureux, dans ton for intérieur?» Il y a eu un silence de trois secondes. Et puis, il a dit : «Lucie, je crois en ce que je fais.»

Je crois que cela dit tout. Je crois que l'African Connection Rally est un premier pas pour donner entièrement raison à Marshall McLuhan, pour concrétiser son affirmation d'il y a plus de trente ans. Parce que le village global ne veut rien dire sans l'Afrique!

Je vais maintenant demander à un Africain, un vrai, un Africain de cœur, un Africain d'esprit, le ministre Jay Naidoo, de bien vouloir venir nous adresser la parole. Merci.

Ce fut mon dernier discours prononcé en Afrique du Sud. Il était différent des autres. Je n'étais pas journaliste, cette fois, mais épouse. Jay a dit que ce discours était le plus beau cadeau qu'il pouvait espérer recevoir. Et le sien, qui suivit, fut électrisant. «J'ai un bon prof, comme vous voyez», a-t-il dit.

Sa mission politique est finie. Une nouvelle mission commence : celle de brancher l'Afrique. Est-il possible de le faire du Québec? Car, pour moi, le moment de rentrer approche. Je veux vivre près de Léandre, qui habite l'Outaouais. Avec ou sans Jay, je partirai. Aussitôt les élections terminées, dans deux mois, je mettrai fin au «mandat» que je m'étais assigné : couvrir l'ère Mandela, de sa libération de prison à sa retraite de la vie publique.

Lorsque je rentre à la maison, ce soir-là, une femme «de mission», elle aussi, m'appelle. Sa voix est faible. Sue Sparks est très malade. Son cancer s'attaque maintenant au foie. Elle me remercie pour tout et me dit qu'elle est fière de Jay et qu'elle croit en lui. Elle demande à lui parler. Elle veut parler à ma mère aussi.

Le lendemain, 28 avril 1999, je l'appelle pour lui dire que j'irai la voir samedi prochain, le 1er mai. Elle aura cinquante-cinq ans le 8 mai et je veux la voir avant. «J'irai déjeuner avec toi.» Malgré sa maladie, malgré son état faible, j'ai besoin de sa force, de son énergie, de son positivisme.

Vingt-quatre heures plus tard, le 29 avril, Allister me téléphone. Sue vient de s'éteindre. Le samedi suivant, je suis allée… à ses funérailles. Je n'avais pas encore vraiment réalisé ce qui venait de se passer. Tous ses amis étaient là, sauf elle. C'est lorsque j'ai vu le cercueil que j'ai pleuré.

Sue avait préparé ses propres funérailles, jusque dans les moindres détails. Elle nous a laissé un petit mot que je conserverai à jamais. Elle y cite un psychologue français : «Ce n'est pas la foi, mais l'épaisseur de vie que l'on a derrière soi qui permet de s'abandonner dans les bras de la mort.»

Puis elle ajoute : «J'espère que ceci ne ressemble pas à de l'autosatisfaction, mais je crois que ma vie n'a pas manqué de sens. Je me sens privilégiée d'avoir rencontré des gens intègres et de grande stature et d'avoir été influencée par eux, mais j'en aurai appris autant de gens pauvres et démunis pour qui la survie quotidienne était une lutte, mais qui ont triomphé malgré tout et qui en sont devenus des gens héroïques.»

Allister m'a dit plus tard que, deux semaines avant que Sue meure, le président Mandela avait appelé. Il savait qu'elle était malade. Il était dans le quartier. « J'arrive dans dix minutes », a dit Mandela.

Allister et Sue ont accueilli le cortège. Nelson Mandela est resté une heure avec eux sur la terrasse. Ils ont beaucoup parlé. Comme s'il ne restait qu'une heure pour tout dire. Puis il est parti.

Sue était africaine dans l'âme. Elle croyait en la philosophie de l'*ubuntu,* un mot qui signifie « une personne est une personne à travers d'autres personnes ». Une espèce d'antithèse de l'individualisme. Par sa façon de vivre, parce qu'elle croyait à l'*ubuntu*, elle vivra pour toujours, à travers les vies des gens qu'elle a changées et influencées.

68

La caméra cachée

Le téléphone sonne. C'est Jay. Il est à Johannesburg, en campagne électorale.

— Lucie, je suis en train de clore tous mes dossiers et j'ai besoin de m'occuper de l'argent que je t'ai confié au Kenya, tu sais, les dollars américains.

— Oui, je sais. Ne t'inquiète pas.

À Nairobi, il m'avait confié son allocation de dépenses. Il n'aime pas se trimballer avec des dollars. Il préfère les cartes de crédit. Lorsque j'étais revenue au Cap, j'avais caché les billets avec mon propre argent liquide. Trois mille dollars américains en tout, dans une enveloppe, au fond d'un tiroir de ma chambre, là où personne n'irait les chercher. Même Maria, discrète, ne fait pas le ménage dans ces tiroirs.

En raccrochant, je vais tout de même fouiller dans ce tiroir pour m'assurer que l'argent y est encore.

Catastrophe! L'enveloppe n'y est plus! J'allais sortir et je ne peux pas me permettre d'être en retard. Je vais trouver Maria à la cuisine. J'ai les genoux qui tremblent. Trois mille dollars, c'est beaucoup d'argent. C'est presque le salaire annuel de Maria. Je doute de moi. Peut-être ai-je caché les billets ailleurs.

Je demande à Maria si elle a vu une enveloppe blanche avec beaucoup d'argent dedans. Elle me dit que non. Et puis, elle se met à paniquer avec moi. Elle dit qu'elle va chercher, de ne pas m'inquiéter, que l'argent doit sûrement être quelque part dans la maison. Je cherche dans mon bureau, puis retourne dans ma chambre et rappelle Jay. Je lui crie, devant Maria : «Mais pourquoi m'as-tu confié cet argent! Je l'ai perdu! Je l'ai perdu!» Je suis en larmes.

Louise se lève, réveillée par le vacarme. Kami et Shanti ne comprennent rien. Je leur demande s'ils ont vu l'enveloppe. «Quelle enveloppe, maman?» Ils ne l'ont pas vue. Je le vois dans leurs yeux. Louise regarde Maria et lui lance d'un ton sec : «J'espère que ce n'est pas toi, encore une fois!» Quoi? Une insulte! Comment ose-t-elle accuser Maria? Parce que c'est une domestique noire, il faut tout de suite supposer que c'est elle, la coupable?

J'en veux à ma mère d'être aussi brusque avec Maria, qui a maintenant les larmes aux yeux. «Mais ce n'est pas elle! C'est moi qui l'ai perdu, cet argent! C'est de ma faute! Tout est de ma faute!» Puis je quitte la maison en demandant à Maria de *tout* vider dans la chambre, de regarder partout, dans chaque recoin, même dans les bas et les sous-vêtements.

J'arrive à ma séance de massage épuisée, gênée par la scène que j'ai causée. J'ai crié après Louise, Shanti et Kami. Liz, la masseuse, dit de laisser couler les larmes. Qu'il faut faire le vide. Je ferme les yeux. Je me dis que ce n'est que de l'argent après tout. Que de l'argent. Beaucoup d'argent. Nous sommes toujours à court d'argent. J'en ai besoin pour travailler. J'en ai besoin pour mes enfants, pour le déménagement, pour mon retour au Québec. Mais ce n'est que de l'argent.

Deux heures plus tard, je reviens à la maison. Ma chambre semble avoir subi le passage d'un ouragan. Ma mère a vidé les tiroirs et les armoires. «J'ai dit à Maria que je le ferais», dit-elle en scrutant chaque pièce de vêtement.

— Rien?

— Rien.

— Lucie... J'ai des doutes au sujet de Maria. Les deux valises qu'elle avait mises près de la porte la semaine dernière... Elle n'arrêtait pas d'en parler.

Maria avait posé deux valises à côté de la porte. Elles y sont restées deux semaines, fermées à clé. Mon collègue de Radio-Canada, Sylvain Desjardins, et l'assistante qu'il avait engagée, mon amie Karen Lubbe, avaient promis de les apporter à Johannesburg avec eux, pour elle, et de les déposer chez sa sœur. Elle aurait ainsi moins de bagages à traîner dans l'autobus quand elle retournerait chez elle. Nous déménageons sous peu et je n'y voyais aucun signe louche.

Louise et Maria passent plusieurs heures par jour à placoter.

— Elle n'a pas arrêté de me dire, la semaine dernière, qu'elle espérait que tu ne croyais pas qu'elle partirait avec des choses qui t'appartenaient.

Ça ne m'avait même pas effleuré l'esprit.

— Maria ne me volerait pas, Louise. Jamais. Pas Maria.

Louise sait toute l'affection que j'éprouve pour Maria. Elle sait aussi que Maria nous adore et qu'elle ne nous ferait jamais de tort. C'est si facile d'accuser un plus faible que soi, surtout, me dis-je, quelqu'un qui a été opprimé toute sa vie. Et puis, non seulement Maria ne me ferait pas pareille chose, mais elle le ferait encore moins à Jay, lui qui se bat depuis toujours pour les droits des travailleurs, des Noirs, des pauvres, des femmes.

Toutefois, plus Louise parle, plus j'ai des doutes.

—Tu penses que l'argent pourrait être dans ses valises? On va en avoir le cœur net.

J'appelle Karen à Johannesburg pour lui demander où elle a laissé les valises. Je veux qu'elle aille les reprendre et qu'elle les ouvre. Elle m'interrompt.

— Lucie, je suis désolée, les valises sont encore ici. Je n'ai pas eu le temps d'aller les porter.

— Quoi? Elles sont chez toi? Ouvre-les!

— Mais elles sont fermées à clé.

Il faut la permission de Maria pour les ouvrir. Nous devons rester dans la légalité afin d'éviter que les preuves que nous pourrions découvrir soient inutilisables. Récemment, un violeur a marché vers la liberté à cause d'un point de droit — un policier n'avait pas suivi la procédure réglementaire de recueil de preuves.

Si Maria a volé cet argent, ce serait la pire des trahisons après tout ce que nous avons fait pour elle. Mais je ne veux pas croire à sa culpabilité. Je mijote un plan pour prouver à tous, y compris à moi-même, que Maria n'est pas une voleuse.

Je m'enferme dans mon bureau, disant à Louise et aux enfants que j'ai du travail à faire, des reportages à préparer. Ce qui est vrai. Mais je veux aussi mettre mon plan à exécution : cacher ma caméra vidéo dans le bureau et filmer Maria. Elle y vient tous les matins lorsque je suis partie conduire les enfants à l'école. À mon retour, mon bureau est toujours rangé, mes papiers, bien ordonnés.

J'y laisserai mon sac à main. Les voleurs, les vrais, les compulsifs, ne peuvent s'empêcher de voler. Ou du moins de vérifier s'il y a quelque chose à voler.

Lundi matin, 31 mai, c'est la routine. Je n'ai pas bien dormi, mais je ne laisse rien transparaître. Je me sens traître envers Maria. Ces mots, qu'elle répète si souvent, me reviennent : «Je ne travaillerais pour aucune autre famille après avoir travaillé pour vous. C'est le paradis, travailler pour vous. Tout le monde m'envie!» Et elle dit à Léandre : «Tu vas voir, je vais changer la couche de tes enfants.» Je m'en veux de la mettre à l'épreuve. Je m'en veux de la soupçonner. Mais Louise a l'air certaine de son flair. Et puis il arrive souvent que de l'argent disparaisse dans la maison. «Il faut faire attention aux jardiniers, Lucie, me répète Maria. Tu laisses trop souvent les portes ouvertes.»

Ce matin, avant de partir, j'ai mis la caméra en marche. J'ai laissé mon sac dans le bureau après avoir marqué d'un minuscule point rouge chaque billet se trouvant dans mon portefeuille.

Je dépose les enfants à l'école. Maria est sûrement dans mon bureau. Je lui ai dit que j'avais quelques courses à faire. Elle se sentira donc moins pressée... Je sais que le ruban m'apprendra la vérité. Si elle ne regarde même pas dans mon sac à main, je serai presque certaine qu'elle est innocente.

Je rentre à la maison, des papillons dans l'estomac. Je ne peux pas aller dans mon bureau tout de suite. La routine veut que j'aille à la cuisine me préparer un café tout en lisant la première page du journal. La routine veut que j'échange quelques mots avec Maria, sur mon travail, sur le souper de ce soir, sur le costume de Jay qu'il faut faire nettoyer.

Calmement, avec mon sourire habituel et les quelques mots d'encouragement que je prodigue quotidiennement à Maria, je quitte la cuisine, le feu dans les tripes. Je veux exploser, mais je fais comme si ce lundi matin était comme tous les lundis matin.

En entrant dans mon bureau, je dépose nerveusement mon café sur le coin du bureau. J'en renverse une petite flaque. Je tremble! Trahir ou être trahi, c'est terrible.

Je grimpe sur la chaise pour récupérer la caméra, cachée parmi les livres et les documents. Je rembobine la cassette. C'est la minute de vérité.

Je m'assois à mon bureau, prends ma tasse de café. Une gorgée. C'est chaud. J'ouvre le petit écran et je presse sur PLAY.

La scène qui se déroule sous mes yeux me démolit. Non seulement Maria fouille-t-elle dans mon sac à main, dans mon portefeuille (elle compte l'argent sans le prendre), mais elle ouvre mon agenda, prends connaissance de mes rendez-vous. Elle fouille dans les moindres compartiments de mon sac à main. Elle sort les reçus et les analyse avant de les replacer *exactement* où ils étaient. Ensuite, elle fait le ménage du bureau en lisant tous les papiers. Elle ouvre les tiroirs, examine les objets, sort les papiers qui s'y trouvent et les parcourt du regard. On l'entend soulever des cassettes — j'ai quelques centaines de cassettes d'enregistrements de toutes sortes — et les replacer. Elle passe à un cheveu de regarder droit dans la lentille, mais elle n'a rien vu. Un cheveu et tout était foutu. Son manège n'est pas terminé, mais j'arrête la caméra. Je m'effondre! Des sanglots profonds me secouent le corps entier. Je n'y crois pas. Je ne veux pas y croire. J'appelle Jay, toujours en larmes. Je lui relate mon plan et son résultat. Et je lui parle des valises.

Jay est foudroyé. «Mais je l'ai traitée mieux qu'un membre de ma propre famille pendant toutes ces années!» Il est toujours en pleine campagne électorale — les élections ont lieu dans deux jours. «J'arrive avec les valises», dit-il, encore incrédule. Et il laisse tomber toutes ses activités, ses rendez-vous, ses discours pour sauter dans l'avion. Jay n'a aucune pitié pour les voleurs. «Surtout, ne laisse rien transparaître, m'avertit Jay. Ne dis rien. Fais comme d'habitude.»

Une heure plus tard, je sors de mon bureau, la caméra dans les mains, et je croise Maria. Pour elle, il n'y a rien d'anormal à me voir avec une caméra dans les mains. Ça fait partie de mon travail. Elle me voit souvent avec des écouteurs sur la tête ou un micro dans les poches. Je lui fais un beau grand sourire et lui dis que les élections s'en viennent, qu'elle va pouvoir aller voter pour la deuxième fois de sa vie. J'entre dans la chambre de Louise et fait jouer le bout de ruban où elle passe une bonne quinzaine de minutes à fouiller dans mes affaires. Louise blêmit. «Je le savais.»

J'ai un topo à préparer, la tête ailleurs. Je vais chercher les enfants à l'école. Pour eux, la vie est on ne peut plus normale. Mais la mienne vient de frapper un mur. L'énergie qu'il faut déployer pour faire semblant que tout va bien est incroyable. Je suis épuisée. Le souper doit se dérouler normalement. Heureusement que les enfants sont là! Louise et moi les faisons parler, pour alléger l'atmosphère et pour pouvoir nous réfugier dans le silence, qui demande moins d'énergie que la parole. Maria vient jouer, comme d'habitude, quelques minutes avec Shanti pendant le repas. Jay devrait arriver bientôt. Avec les valises. «Dis à Maria qu'elle a fait un bon souper, Shanti.» L'argent est-il dans les valises? «As-tu fait tes devoirs, Kami?» Le téléphone sonne. «*Hello, may I help you?*» dit Maria, de cette voix douce, parfaite, polie, pleine de respect, qui m'avait séduite. C'est Radio-Canada. Non, ce n'est pas pour me demander un topo, c'est encore un journaliste qui cherche un Sud-Africain parlant français.

Jay arrive enfin. Il range les valises dans le garage, où Maria ne devrait pas les voir.

Nous couchons les enfants. Jay et moi nous rencontrons ensuite dans mon bureau pour planifier notre stratégie. Il veut interroger Maria — sans lui dire qu'on a la bande vidéo. Il veut lui faire avouer. Si elle avoue, on lui demandera d'écrire une lettre de démission et de disparaître de notre vie.

La semaine précédente encore, je lui avais répété que je prendrais soin d'elle jusqu'à la fin de ses jours. Je lui avais fait don de diverses choses — mon malaxeur, mon grille-pain, la machine à coudre que j'avais achetée pour Louise, des vêtements, des draps et des couvertures, des jouets, un vélo, des lampes, un poste de radio —, en partie pour me faire pardonner de l'abandonner après ses quatre ans de services. J'avais aussi prévu quelque chose pour la remercier de son dévouement : un bouquet de fleurs et une gratification de quelques milliers de rands.

Nous sommes prêts. Jay me demande d'aller chercher Maria. Je vais à la cuisine, où elle ramasse la vaisselle du

461

souper, et lui dis que Jay veut la voir dans mon bureau. Elle fait signe qu'elle a compris. Je crois qu'elle perçoit la tension dans l'air. Elle ne chantonne pas dans la cuisine, ce soir, comme elle le fait normalement.

J'ai installé, à la demande de Jay, mon magnétophone dans le bureau. Il tourne. Nous voulons des preuves.

Quinze minutes, vingt minutes, trente minutes passent. Maria est toujours dans la cuisine. Ce n'est pas son genre. Elle «obéit» immédiatement lorsque Jay lui demande quelque chose. Jay, qui attend dans le bureau, nerveux, cultivant encore un doute quant à la culpabilité de Maria (elle ne prend rien dans le portefeuille, sur la cassette vidéo), s'impatiente et demande à ce qu'elle vienne tout de suite. Je suis trop nerveuse moi-même pour faire encore face à Maria. Je délègue la tâche à Louise. Elle va dans la cuisine, et d'un ton ferme dit que Jay l'attend *tout de suite*.

Maria laisse ses chaudrons et avance, d'un pas qui recule presque, vers mon bureau. Louise et moi sommes dans le petit salon, nerveuses, ne sachant pas du tout à quoi nous attendre.

La porte reste fermée quinze minutes.

— As-tu déjà pris de l'argent dans cette maison?

— Non, jamais.

— As-tu déjà fouillé dans le sac à main de Lucie?

— Non, jamais. Je ne ferais jamais ça.

— As-tu déjà ouvert le portefeuille de Lucie sans sa permission?

— Non, jamais. Je ne ferais jamais ça, Jay. Je vous aime. Vous êtes ma famille.

— Tu nies avoir volé de l'argent ou fouillé dans les affaires à Lucie, dans son sac à main?

— Je nie tout. Je ne ferais jamais ça.

Maria sort sans dire un mot. Elle va dans sa chambre et laisse la cuisine dans un désordre qui ne reflète pas ses habitudes.

Jay est démoli.

— Elle nie tout.

— Tout?

— Elle nie avoir jamais fouillé dans ton sac. Elle nie avoir pris de l'argent. Elle nie avoir pris les trois mille dollars. Elle nie tout.

Nous ne savons plus quoi faire. Nous n'avons pas de preuve suffisante de sa culpabilité puisqu'elle n'a rien pris lorsque je l'ai enregistrée, ce matin.

C'est alors que je mentionne à Jay que j'ai visionné toute l'heure et demie de la bande vidéo et que Maria y fait des appels téléphoniques, un premier en anglais, puis un deuxième en sotho du nord, sa langue maternelle, en utilisant une autre ligne, celle du modem de l'ordinateur. Jay trouve bizarre qu'elle ait ainsi changé de ligne.

Nous faisons jouer de nouveau la cassette. Dans la conversation en anglais, Maria parle de l'atmosphère qui devient dangereusement chaude. Elle dit croire que j'ai posé un piège en laissant mon sac à main dans mon bureau, chose que je ne fais jamais. Pourquoi utiliserait-elle le mot «piège» si elle n'a pas l'habitude de fouiller dans le sac des autres? Un sac à main laissé à la vue ne constitue pas un piège pour quiconque ne fouille pas dans les affaires d'autrui. Je sais maintenant pourquoi elle n'a pas pris l'argent : elle se doutait qu'il s'agissait d'un piège.

Elle rapporte aussi dans sa conversation que j'ai énoncé mon intention d'appeler la police si je ne retrouvais pas l'argent volé. Elle mentionne qu'elle a maintenant une adversaire de plus, Louise, qui a changé d'attitude et ne lui parle plus; que ma mère est de mon côté…

Environ quinze minutes plus tard, elle revient dans le bureau et prend le téléphone du modem pour faire l'appel dans sa langue maternelle. Nous saurons plus tard que c'est à sa sœur, sa complice, qu'elle parlait. C'est chez elle que Karen devait déposer les valises…

L'histoire se complique. Ce qui nous inquiète — ce qui inquiète Jay surtout —, c'est qu'elle change d'appareil pour le deuxième appel. Ce n'est pas une attitude normale. Cela rappelle à Jay les précautions prises dans la clandestinité, au temps de la lutte contre l'apartheid. Jay est aujourd'hui ministre. Maria serait-elle une espionne? Jay a toujours des dossiers chauds entre les mains. S'il n'a rien d'illégal à cacher, il a toutefois en mains des dossiers secrets du gouvernement, comme celui de la privatisation du tiers de Telkom, la compagnie de téléphone.

— Il faut appeler la police, Jay. C'est trop sérieux. Et si c'était plus sérieux qu'un simple vol? Si notre sécurité était menacée? La tienne, la nôtre, celle de nos enfants?

— Tu as raison. J'appelle.

Jay a des «amis» partout. Il appelle le frère d'une de ses collègues. Appelons-le «Joe». Cet homme est un chef des services de renseignements sud-africains. Jay veut son avis avant d'entreprendre une action en justice, de porter des accusations.

— Joe viendra demain, dit Jay en raccrochant. Allons nous coucher. Il est tard.

— Où sont les valises?

— Dans le garage. Maria ne risque pas de les trouver.

— Ne devrions-nous pas regarder dedans?

— Nous n'avons pas le droit. Il faut sa permission. Allons nous coucher, Lucie.

Ce soir, nous nous couchons la tête pleine de questions sans réponses. Qui est Maria? Qui est donc cette femme avec qui nous vivons depuis quatre ans? J'ai encore un doute. Je garde encore espoir que nos preuves s'expliquent autrement et que Maria soit innocentée.

69

L'aveu

Le lendemain matin, il faut continuer à faire semblant de rien. Maria n'est pas au courant de l'existence de la bande vidéo. Mais la tension est palpable. Louise est très tendue. Maria n'a, de toute évidence, pas fermé l'œil de la nuit. Elle a les yeux cernés et le teint pâle.

Shanti se lève.

— Allô, Maria! Mangeons-nous des crêpes ce matin?

— Bien sûr, ma chérie.

Shanti adore les crêpes de Maria. Shanti est née avec Maria. C'est sa nounou. C'est son amie. C'est quelqu'un en qui elle a confiance. Je peux laisser mes enfants à deux personnes sans m'inquiéter : ma mère et Maria.

Kami déguste ses deux crêpes. «Elles sont bonnes, tes crêpes, Maria», dit-il à sa nounou. La famille s'affaire comme tous les matins.

Les élections auront lieu demain. C'est la fin de l'ère Mandela qui, comme il l'a promis en 1994, se retire au terme de son mandat. La fin de l'ère Mandela marquera la fin d'une période de ma vie en Afrique du Sud. Et j'ai tant de reportages à faire avant de partir! Jay, lui, est théoriquement encore en campagne électorale.

Joe ne viendra pas avant le souper. Il est débordé de travail avec les besoins en matière de sécurité entourant les élections. Mais il viendra ce soir parce que c'est de Jay qu'il s'agit.

Maria fait le ménage dans la maison, comme d'habitude, mais sans chantonner. Je passe la journée dans mon bureau à lire les journaux, à écouter les bulletins d'informations et à écrire des reportages pour Radio-Canada. Préparer des topos est le meilleur remède pour m'empêcher de me faire du souci.

Maria doit commencer à se demander ce que nous mijotons. Tout est trop calme, comme si rien ne s'était passé. Mais il est possible qu'elle s'imagine que j'ai simplement eu un mouvement de panique à cause de la disparition de l'argent et que Jay, pour me rassurer, l'a soumise à un interrogatoire qui n'était qu'une formalité. Maria est intelligente. Très. Et rusée aussi. Trop.

Le souper se déroule normalement. Les enfants racontent leur journée à l'école. Nous parlons des élections du lendemain. Le repas terminé, l'heure du bain sonne en même temps que Joe à la porte d'entrée. Louise s'occupe des petits. Maria range la cuisine. Jay et moi nous asseyons avec Joe dans le grand salon où nous recevons nos invités. J'ai allumé un feu dans le foyer. Il fait froid. Je tremble. Je ne sais pas si c'est à cause du froid ou de la peur. Jay résume l'histoire, puis nous allons dans le bureau et visionnons la cassette vidéo. Joe est sidéré. Et impressionné par mon initiative d'avoir caché une caméra. «Nous avons assez de matériel pour ouvrir une enquête. J'appelle mes collègues immédiatement pour procéder à un pré-interrogatoire.»

Joe n'est pas policier à proprement parler. Il doit donc faire appel à des agents de la paix pour l'interrogatoire, conformément à la procédure légale.

Trente minutes plus tard, on sonne de nouveau à la porte. Ce sont les policiers. Ils sont à la fois émus de rencontrer Jay et inquiets, parce que l'affaire concerne sa sécurité.

Les quatre hommes s'assoient à la grande table au fond du salon. Ils préparent l'interrogatoire, discutant de leur

466

stratégie, puis visionnent la cassette. Ils affirment n'avoir jamais rien vu de pareil.

Je m'apprête à aller réconforter Louise quand Jay m'appelle.

— Va chercher Maria.

— C'est prêt?

— Oui, c'est prêt. Va la chercher.

Je sors par la porte de la cuisine qui donne sur la chambre de Maria. Je cogne et, sans attendre qu'elle ouvre, dis :

— Jay veut te voir tout de suite.

Je ne peux pas la regarder dans les yeux.

Maria entre dans le grand salon et s'installe au bout de la table. Joe et les deux policiers nous remercient et nous disent qu'ils nous appelleront sous peu.

Nous fermons les deux portes donnant accès au grand salon pour nous installer dans le petit salon familial. Louise fume une cigarette après l'autre. Elle se rappelle, à voix haute, toutes les occasions où elle a «perdu» de l'argent. Elle nous raconte comment, un jour, elle avait surpris Maria tenant, ouvert, le portefeuille de Jay. «Je l'ai trouvé par terre», avait-elle lancé comme excuse. «Pourquoi ne m'as-tu pas dit ça avant?» ai-je demandé à Louise. Les moindres incidents dont nous nous souvenons deviennent louches. Jay et moi nous remémorons toutes les fois, à Johannesburg ou au Cap, où de l'argent a disparu.

Il est passé vingt-deux heures. Nous sommes crevés. Mais nous avons tous les nerfs à fleur de peau.

J'entends se refermer la porte du grand salon. Ont-ils fini? Je vais voir. Maria est partie. J'appelle Jay. Nous nous asseyons tous à la grande table.

— Elle nie tout.

— Tout?

— Tout.

Ils ont regardé la cassette vidéo avec elle et, malgré cela, elle continue de nier! Je ne comprends pas.

— Elle passerait un test de détecteur de mensonge sans problème. Cette femme a une maîtrise de soi exceptionnelle.

Moi qui croyais lui faire signer une lettre de démission ce soir même! J'aurais voulu qu'elle parte dès le lendemain, à l'aube, pour Johannesburg. J'étais prête à lui payer son billet d'autobus pour qu'elle disparaisse de nos vies.

— Je ne peux rien faire de plus, dit Joe. C'est maintenant à la police d'ouvrir une enquête et de suivre la procédure.

Jay acquiesce et remercie les gars.

Je m'écrie :

— Attendez! Donnez-moi encore quelques minutes. Vous avez besoin d'un aveu, c'est ça?

— Un aveu sur papier, signé, oui.

— M'accordez-vous deux minutes avec Maria? Je vous l'aurai, votre aveu!

Ils sont sceptiques. Jay regarde sa montre, mais j'insiste du regard. Ils font signe qu'ils sont d'accord.

— Viens avec moi, Jay. J'ai besoin de ton soutien.

Nous nous asseyons tous les deux dans le petit salon familial. J'envoie Louise chercher Maria.

— Tu penses vraiment qu'elle va avouer?

— Laisse-moi faire. Je connais Maria. Je sais ce qu'il faut dire.

Maria entre dans le salon, la tête un peu moins haute qu'en présence des policiers. Jay est nerveux. Je ne l'ai jamais vu aussi tendu! Moi, je tremble. Tout cela me paraît aussi irréel qu'un mauvais rêve.

Maria s'assoit sur le canapé. J'esquisse un petit sourire. Et je lance ma brique.

— Maria, je sais que tu prends de l'argent dans mon portefeuille de temps à autre. Nous avons tous des défauts et des qualités. J'ai appris à vivre avec ton défaut comme tu as appris à vivre avec les miens. Je sais que tu as besoin d'argent et que tu as trois enfants que tu adores, et je sais que tu fais de ton mieux. Je sais que tu as besoin d'argent pour eux parce que tu veux leur offrir le mcilleur. Alors j'ai appris à fermer les yeux sur ces petits vols presque insignifiants. Mais, dernièrement…

Elle m'interrompt. Je ne m'y attendais pas.

— Oui, Lucie, j'avoue que je prends un petit vingt rands dans ton portefeuille de temps en temps.

Je suis sidérée. Complètement sidérée. Ses mots me résonnent dans la tête — *j'avoue que je vole de temps en temps*. J'espérais encore qu'elle proteste de son innocence; que ma belle et douce Maria, qui a porté Shanti sur son dos pendant des années, nous a cuisiné des repas délicieux tous les soirs, m'embrassait pour me dire combien elle était heureuse chez nous, ne nous ait pas trahis. Maria avait dit, un jour, à ma mère : «Lucie n'a même pas lavé les draps après que j'ai couché dans son lit quand elle était partie à Johannesburg. Je ne connais pas d'autres Blancs qui feraient ça!» Maria, mon amie au-delà des barrières de race ou de classe sociale. *J'avoue que je vole de temps en temps…*

Elle continue :

— Mais l'argent américain, jamais! Je te le jure, Lucie! Je ne volerais pas autant d'argent que ça! Ce n'est pas moi. Ça, je te le jure, ce n'est pas moi.

Je veux la croire. Je la crois. Puis, je doute. Une seconde, je lui fais confiance; la suivante, je doute. Un pendule qui me rend folle! Jay se lève d'un coup et quitte la pièce. Il est démoli. Il ne s'attendait pas, lui non plus, à cet aveu. Il est incapable de digérer les émotions suscitées par la trahison.

— Maria, tout cela me fait de la peine. Mais la police, de l'autre côté, ne rigole pas. Ces hommes sont sérieux. Ils font leur job. Ils vont t'arrêter et te mettre en prison.

— Mais je ne peux pas aller en prison! J'ai mes enfants. Que feront mes enfants? Lucie, je t'en prie, aide-moi. Je t'en prie, Lucie!

— Je t'aide parce que tu as des enfants. C'est la raison pour laquelle je t'aide. J'ai des enfants et je sais que leur vie serait foutue en l'air si je devais aller en prison.

Silence.

— J'ai tout fait pour toi, Maria! J'ai tout fait! Je ne comprends pas comment tu as pu nous faire ça. Mais je vais t'aider. Regarde. Si tu m'écris, tout de suite, un aveu signé, et une lettre de démission, je te laisse partir. Tu partiras demain matin à la première heure. Tu vas voter, puis tu sautes dans l'autobus. Je ne porterai pas plainte. Je te laisse partir à ces conditions.

— D'accord. Qu'est-ce que je dois écrire?

— Attends-moi ici. Je reviens tout de suite.

Je vais rejoindre les gars, qui m'observent tous d'un regard inquisiteur, Jay compris.

— Elle va écrire une lettre et la signer. Qu'est-ce qu'elle doit écrire?

Les hommes se regardent. Ils ne me demandent pas comment j'ai eu la confession. Ils enlèvent leur manteau et s'assoient. L'affaire vient de prendre un nouveau tour. J'ajoute quelques bûches dans le foyer, puis vais faire du café. La nuit risque d'être longue.

Jay se lève pour aller appeler un ami avocat qui lui dira exactement comment structurer la lettre. Il ne ressort de la chambre que quarante minutes plus tard, avec une lettre d'une page, détaillée et formulée d'une manière qui tiendrait en cour.

Il est vingt-trois heures passées. Maria attend toujours, assise, passive, dans le salon. Je lui fais signe de venir avec moi. Nous nous installons à la petite table ronde dans le cubicule familial où nous mangeons. Jay s'assoit sans dire un mot. Il ne maîtrise plus ses émotions. Il ne sait plus comment les refouler. C'est moi qui dois m'assurer que les choses se passent comme prévu. Il m'a expliqué ce que Maria doit faire. Elle n'a qu'à recopier la lettre, telle quelle, la dater et la signer. C'est tout.

C'est long. Maria écrit en lettres carrées. Elle n'est pas capable d'écrire en cursive. Elle fait des fautes. Je corrige. Elle écrit, lettre par lettre, sa confession. Noir sur blanc, je peux lire sa trahison. Je ne me laisse pas abattre. Il faut que je fasse la femme forte. Il faut montrer à Maria qui, finalement, a le pouvoir. Je garde mon calme. Je lève la tête. Je glisse mon doigt de mot en mot sur l'écriture de Jay, l'aide à épeler. «J'avoue avoir volé de l'argent de la famille Naidoo-Pagé», écrit-elle sans broncher, penchée sur son stylo, la langue en coin, pareille à Shanti quand elle essaie de reproduire les lettres de son nom. «Par la présente, je soumets aussi ma démission au gouvernement sud-africain, mon employeur…» Nous avions dû effectuer tant de démarches pour qu'elle obtienne ce job! Je lui payais même un supplément.

Elle signe au bas de la page.

— C'est tout pour l'instant. Va attendre dans ta chambre. Je t'appellerai plus tard.

Elle se lève doucement, calmement. Maria a toujours été si calme, en toutes circonstances. Mais son calme prend une tout autre signification aujourd'hui. Son calme est louche.

Je retourne voir les gars, qui ne démontrent aucune impatience, malgré l'heure tardive. Pourtant les élections auront lieu dans quelques heures! Je leur donne la confession. Ils restent stupéfaits. Puis, les trois hommes parcourent l'aveu manuscrit. Joe et les deux policiers se regardent. Leur regard veut tout dire.

— Si elle avoue cela, c'est qu'elle en cache encore beaucoup plus. Ce n'est que la pointe de l'iceberg.

Comment peuvent-ils en être certains? C'est qu'un criminel, acculé au pied du mur, avouera un petit crime s'il voit dans cet aveu une porte de sortie assez sûre. Leur expérience leur a appris que l'aveu d'un délit mineur cache généralement une montagne de secrets.

Nous faisons venir M. Duncan, le responsable de l'entretien des maisons ministérielles. Il est, en fait, le patron immédiat de Maria. Il arrive dans les minutes qui suivent, n'habitant qu'à une centaine de mètres. Nous l'informons de la confession de Maria et de sa démission.

— Vous savez que, si elle démissionne, elle conservera tous ses avantages sociaux et bénéficiera d'une pension. Si elle est coupable, il faut la congédier. Alors elle perdra tout. Vous lui rendez un grand service en ne la renvoyant pas.

— Je me fous de l'argent, dis-je. Je ne peux tout simplement plus vivre avec elle dans ma maison. Elle doit partir dès demain matin.

La procédure de congédiement des domestiques à l'emploi du gouvernement est longue. Comble de l'ironie, c'est à cause de Jay, qui s'est battu pour leur protection syndicale !

— Je garde la lettre jusqu'à demain matin, mais il faut bien réfléchir à vos démarches, dit M. Duncan.

— Que savez-vous de Maria ? demande Jay.

— Je sais qu'elle reçoit de gros colis, presque toutes les semaines, dernièrement.

— Quel genre de colis ?

— Des choses qu'elle achète par catalogue. De la vaisselle, toutes sortes de choses.

M. Duncan nous quitte, suivi de Joe et des deux policiers.

Jay referme la porte et me prend dans ses bras.

— Attends ! J'ai oublié quelque chose !

Je cours dehors et rattrape Joe.

— Il y a encore un détail.

Je me fais soudainement penser au lieutenant Colombo, le célèbre détective de la série télévisée, qui revient toujours, pour un dernier détail.

472

— Qu'est-ce qu'il y a?

— C'est que j'ai écrit, récemment, une lettre de recommandation pour Maria, puisque nous quittons le pays. Je dis dans la lettre que Maria est d'une intégrité inébranlable, qu'elle est honnête et que je la recommande fortement, même pour le président Mandela!

Joe me regarde, incrédule. Puis il lance :

— Il faut trouver la lettre.

— Il faut la détruire?

Son regard répond à ma question. Il faut la détruire, et tout de suite!

Je rentre dans la maison. J'avais informé Jay il y a quelques semaines que Maria m'avait demandé une lettre de recommandation. Je lui apprends maintenant le contenu de cette lettre. Jay a le visage défait.

— Il faut porter plainte, dis-je, et intenter une action en justice.

Il hausse les épaules.

— N'es-tu pas le premier à dire que tu n'hésiterais pas à porter plainte contre quelqu'un qui vole, même dix sous?

— Oui, mais contre Maria… Elle est comme un membre de la famille. Je ne savais pas que cette trahison me ferait un tel effet. Je ne veux plus la voir.

— Viens, on se prend un petit brandy et on va discuter avec Loulou.

70

Les valises

Jay et moi rejoignons Louise dans sa chambre. La pièce est enfumée. Il est presque minuit. Pendant que Jay et Louise discutent, je ressors sans rien dire. Je dois trouver cette lettre. Dire que j'avais même poussé le zèle jusqu'à la remettre à Maria en quatre exemplaires! Ils sont peut-être dans les valises.

Je vais dans le garage chercher les deux valises, en passant à pas feutrés devant la chambre de Maria. La lumière y est encore allumée. Il est tard. J'ai une grosse journée de travail demain. Jay et moi avons tellement à faire pour les élections.

Je reviens dans la chambre de Louise avec les valises. L'une est très grosse et lourde; l'autre est plus petite, mais presque aussi lourde, comme si elle contenait des documents ou des livres. La petite n'est fermée qu'au moyen d'une bande de plastique, facile à ouvrir et à refermer. En prenant un gros élan, je les lance, une à une, sur le grand lit de Loulou.

Nous regardons les valises pendant dix bonnes minutes. Nous discutons des conséquences qu'entraînerait le fait de les ouvrir. Nous discutons de stratégie.

Enfin, je défais la petite bande de plastique, réussissant à la faire passer entre les dents de la boucle, sans laisser de trace.

Je trouve d'abord de nombreux vêtements neufs. Plusieurs sous-vêtements, dont des soutiens-gorges et des petites culottes. L'étiquette du prix y est encore attachée. Des pièces très sexy.

— Cent soixante rands pour un soutien-gorge! Je ne peux même pas me payer ça!

Au fond de la valise, il y a une pile de documents. C'est ça qui m'intéresse.

Maria est minutieuse, comme moi. Tout est bien classé, bien ordonné. Ses documents, toutes sortes de documents, sont glissés dans des pochettes en plastique. Je sors, méticuleusement, le contenu de chaque pochette. Si je peux retrouver cette lettre — en fait, les quatre lettres —, je pourrai dormir tranquille, pendant les quelques heures qu'il me reste avant demain.

Page par page, méthodiquement, je passe à travers les documents. Des documents juridiques, des polices d'assurance-vie, beaucoup de polices d'assurance-vie.

— Mais qu'est-ce qu'elle fait avec toutes ces assurances-vie?

— Elle m'a dit souvent, dernièrement, qu'elle partait en voyage, pour longtemps, dit Louise. Elle s'est même acheté un nouvel ensemble de valises.

— Mais pourquoi tant de polices d'assurance?

Je continue mon inspection des documents. Enfin, je tombe sur les lettres que je cherchais.

— Brûle-les! me dit Louise.

— Il faut aussi que j'efface le dossier dans l'ordinateur! Ne touchez à rien. Je reviens tout de suite.

Je cours dans le bureau effacer le dossier en question. Il n'y a plus de traces de mon texte. Je vais ensuite dehors et brûle les lettres. Les cendres s'envolent dans le ciel étoilé.

Je reviens, essoufflée, soulagée, dans la chambre de Loulou. Rien n'a bougé. Je me remets au boulot, continuant la vérification du contenu des pochettes. À part les polices d'assurance, je ne trouve aucune preuve qui pourrait lier Maria au vol de mon enveloppe de dollars américains.

Je ne suis pas satisfaite. Maria est méthodique. Des reçus de transactions bancaires ou autres doivent bien se trouver quelque part.

J'ouvre d'autres dossiers. Il y a un cahier de notes. Je reconnais l'écriture de Maria. Je blêmis et commence à lire tout haut. Jay et Louise se taisent.

— *Comment faire des lettres et des colis piégés.*

— Laisse-moi voir ça!

Jay s'affole et m'arrache le cahier des mains. Il le parcourt rapidement et me le redonne. Son regard est consterné.

Au haut d'une page est écrit le titre suivant : *Entraînement militaire des services secrets.* Cela ressemble au titre d'un cours que Maria aurait suivi. On y explique comment faire des bombes, toutes sortes de bombes, entre autres des petites destinées à être cachées dans les affaires personnelles des victimes. Il y a un chapitre sur les armes, sur l'écoute électronique, sur d'autres techniques d'espionnage, sur l'inspection du contenu des poubelles. Soudainement, quelque chose me revient.

— Te souviens-tu, il y a trois ans, quand nous avons déménagé au Cap, et que Maria avait insisté pour aller chercher notre courrier? Elle voulait absolument la clé de notre boîte aux lettres. Elle avait prétexté que cela la forcerait à faire une promenade tous les jours.

J'avais trouvé l'idée bonne et l'avais même encouragée à faire de l'exercice, elle qui souffre du diabète et d'obésité. Je lui avais donné la clé de la boîte aux lettres et, depuis trois ans, c'est elle qui apportait le courrier à la maison. Fidèlement…

Si Louise pouvait s'allumer deux cigarettes à la fois, elle le ferait. Elle paraît avoir vu un monstre.

Je continue à lire les titres des chapitres. Puis, au beau milieu du cahier, plus rien. Les pages suivantes sont blanches. Je les feuillette jusqu'à la fin. Les dernières contiennent du texte.

— Qu'est-ce qu'il y a? demandent en chœur Louise et Jay, en voyant une expression abasourdie se dessiner sur mon visage.

— Vous savez, notre pure et sainte Maria, celle qui ne couche pas à gauche et à droite, celle qui est aussi pure, sexuellement, qu'une religieuse?

— Oui, quoi?

— Écoutez bien ça.

Je leur lis les quelques lignes de ces notes, qui n'ont aucun rapport avec les notes de cours du début du cahier. Elle y fait la description de scènes de sexe de façon très explicite, avec des détails si pornographiques que les cheveux nous dressent sur la tête.

Nous ne savons plus si nous devons rire ou pleurer. Mais plus je lis les descriptions de plus en plus vicieuses, plus je ris. Je suis fatiguée.

Les découvertes ne sont pas finies. Je tombe sur un certificat confirmant que Maria a suivi, «avec succès», un cours sur le maniement des armes à feu. Un autre document y est attaché avec un trombone. C'est un certificat de possession, et un permis de port d'arme à feu.

— Elle a une arme.

— Quoi?!

— Et elle sait comment l'utiliser. C'est un revolver.

71

Des micros cachés

À pas feutrés, je vais dans le grand salon chercher la bouteille de brandy qui a survécu à nos trois déménagements en huit ans. Elle ne survivra pas à cette nuit! Je fais un détour par la cuisine et je soulève le rideau au-dessus de l'évier, celui de la fenêtre qui donne sur la petite cour intérieure et sur la chambre de Maria. J'aperçois un rai de lumière sous sa porte. Elle est encore réveillée. Ce n'est pas normal. A-t-elle son arme avec elle?

Je sers des verres de brandy pour Jay, Louise et moi, puis continue mon exploration des documents. Je trouve quelques factures, mais rien d'anormal.

Soudain, un déclic se produit :

— Il manque quelque chose…

— Quoi?

— Je ne sais pas. Il manque quelque chose. Je vais revoir le contenu de la chemise.

— Lucie, cesse de jouer à Colombo, dit Jay. Va te coucher.

— Non, il manque quelque chose.

Je reprends la chemise contenant les pochettes en plastique. J'avais mal inspecté le contenu des première et dernière pochettes, qui sont protégées par un carton. Je retourne y voir de plus près.

Voilà! Je trouve ce que je cherchais depuis le début. Des reçus. Des reçus pour l'achat d'une chaîne stéréo neuve, de chaudrons, d'un téléviseur, d'un ensemble de salon et d'un ensemble de cuisine. Je trouve aussi des reçus de dépôts bancaires, dont un dans le compte de sa sœur complice à Johannesburg. Je fais la somme des reçus, tous datés de la même semaine, celle de mon retour du Kenya, quelques jours seulement après que j'avais placé l'enveloppe dans le tiroir de ma chambre. À quelques rands près, le total équivaut à l'argent volé. Enfin, j'ai ce qui ressemble à une preuve. Il faudra bien que Maria explique comment elle a mis la main sur un an de salaire en une semaine !

Nous sommes saturés. Comme si plus on trouvait, moins on voulait savoir, mais plus on devait savoir. Et la grosse valise ? On verra demain. Nous décidons que Maria devra ouvrir ses valises, devant nous, devant les policiers, si elle veut partir d'ici.

Jay est trop fatigué pour réfléchir davantage. Il est démoli.

— Allons nous coucher, dit-il. J'appellerai Joe demain matin.

Louise ne dormira pas cette nuit-là. Elle a trop peur. Elle a mis les chaînes sur les portes de la maison. Elle a coincé certaines portes intérieures avec des chaises. Elle a fait le tour de toute la maison pour voir si les fenêtres étaient bien fermées. Elle a découvert du même coup qu'une des portes-fenêtres du grand salon avait été délicatement enlevée et simplement reposée, hors de ses rails ! Nous ne comprenons plus rien. Cela me rappelle l'incident qui s'est produit l'année dernière : pendant que nous étions au Québec, quelqu'un avait fouillé la maison, le bureau surtout, que Jay et moi partageons, et la chambre à coucher. On avait ouvert mon ordinateur. Rien n'avait été volé. Mais tout avait été inspecté.

Je pose ma tête sur l'oreiller en essayant de penser aux élections. J'ai un reportage à faire dans quelques heures.

Jay et moi nous serrons l'un contre l'autre et tombons endormis dans une étreinte silencieuse, seul remède contre le désespoir. Il n'y a plus rien à dire, aucun mot ne peut exprimer le mal que nous ressentons.

Le lendemain matin, le cauchemar ne s'est pas dissipé. Plus nous découvrons les secrets de Maria, moins nous la reconnaissons.

Maria n'est au courant d'aucune de nos découvertes. Ce matin, elle n'est pas dans la cuisine comme d'habitude, à préparer le gruau, les crêpes ou les céréales.

— Où est Maria? demandent Kami et Shanti.

Jay et moi avons convenu de leur dire la vérité une fois que Maria serait partie de nos vies.

— Elle est allée voter.

Maria n'a de toute évidence pas fermé l'œil de la nuit. Je l'ai aperçue par la fenêtre de la cuisine alors qu'elle sortait de sa salle de bains. Elle revenait du bureau de vote.

Jay et moi déposons les enfants à l'école. C'est toujours un grand événement pour eux lorsque nous allons tous les deux les reconduire. Kami est fier d'entrer à l'école avec son père.

De retour à la maison, je vais voir Maria pour l'informer de la situation. Jay n'est pas capable de lui faire face. Lui, qui n'a pas eu peur de risquer sa vie pour son travail, est incapable d'aller annoncer à Maria ce qui l'attend.

Joe, alerté par les multiples messages de Jay, arrive à la maison.

— Pourquoi ne m'avez-vous pas appelé hier soir! s'exclame-t-il quand Jay le met au courant de la suite de l'histoire. Votre vie est peut-être en danger!

Jay dit qu'il ne voulait pas le déranger après la soirée de la veille.

— Mais c'est sérieux!

Joe se lève, un peu énervé, et sort son téléphone cellulaire. Il fait plusieurs appels, certains en afrikaans, d'autres en anglais, puis nous annonce que ses collègues sont en route.

Jay est allé voter ce matin, à sept heures. Pour ma part, j'ai des topos à faire. Radio-Canada n'accepterait absolument pas que je prenne congé aujourd'hui! Joe et Jay me prient de vaquer à mes occupations. Ils auront bien des chats à fouetter aujourd'hui. Mais le cas de Maria vient d'être classé «priorité nationale».

Pendant que j'écris mon topo, j'entends des autos qui arrivent. Il me semble qu'il y en a plusieurs, mais je n'ai pas le temps d'aller fouiner. Une fois mon premier reportage terminé, je sors de mon bureau. Il y a plus de quinze policiers dans la maison et presque autant de voitures dans l'entrée! Je ne m'attendais pas à un tel déploiement. Jay m'informe que Maria sera formellement arrêtée.

Je me fraye un chemin à travers l'attroupement de policiers et de barbouzes quand deux agents en civil font leur entrée avec deux grosses caisses. Joe leur fait signe d'aller s'installer dans le grand salon. «Balayez la maison», leur dit-il. Les types se coiffent de casques d'écoute et se lancent à la recherche de micros cachés.

Je suis retournée travailler dans mon bureau quand un des techniciens frappe à ma porte.

— Pardon, madame Naidoo. Pouvons-nous venir ici quelques minutes?

— J'ai un travail à faire. Ça peut attendre dix minutes?

— Nous ne vous dérangerons pas, c'est promis! dit-il en entrant, ignorant ma demande. Continuez à travailler.

Il entre avec ses aides. Il dépose une des grosses caisses bourrées d'équipement électronique. Je suis fascinée par ce qui se trouve à l'intérieur. Ça me rappelle l'émission *Mission impossible*. Il défait une des prises de téléphone et y branche des fils.

— Vous pouvez continuer à travailler, insiste-t-il, accroupi par terre, avec son tournevis.

Quelques minutes plus tard, je reviens au salon. Il n'y a plus personne! Tout équipement a été emporté dehors, dans la cour.

— Qu'est-ce qui se passe?

Joe me fait signe de me taire, le doigt sur les lèvres. Il m'invite à sortir avec lui. Dehors, il me demande :

— Pouvez-vous me décrire en détail les problèmes que vous avez eus avec votre téléphone?

— Eh bien, depuis quelques années, la ligne se coupe en pleine conversation, après un bruit de roulette. Parfois, j'entends des gens parler en afrikaans. Ça semble des conversations entre policiers.

— Qu'entendez-vous quand la communication s'interrompt?

— Moins d'une minute après avoir engagé une conversation, j'entends un petit clic et puis la ligne est coupée. C'est tout.

— Nous avons trouvé deux micros cachés dans vos prises téléphoniques. Le clic que vous entendez et l'interruption de la communication proviennent de l'interférence entre les deux micros.

Des micros cachés dans mon bureau! On m'apprend que mes conversations téléphoniques étaient écoutées et mes courriels, lus. Même les mots tendres entre Jay et moi l'ont donc été. Je demande à Jay s'ils ont trouvé des micros dans notre chambre à coucher. Puis, avant qu'il ait le temps de répondre, horrifiée par cette idée, je dis : «Si tu le sais, je ne veux jamais le savoir. Jamais!»

Un événement me revient soudain. J'en fais part à Jay et à Joe. Quelques mois après notre déménagement, il y a trois ans, deux employés de Telkom se sont présentés pour faire une réparation. Je leur avais dit que nous n'avions appelé personne. Mais, sans réfléchir, je les avais laissés entrer et ils s'étaient affairés dans une des prises de mon bureau. J'avais trouvé ça un peu louche et je leur avais demandé une pièce d'identité. Ils m'avaient montré un papier tout chiffonné, daté de l'année précédente. Joe est stupéfié de ma naïveté !

Tant de souvenirs prennent maintenant un sens nouveau. L'année dernière, nous avions planifié une fête pour le troisième anniversaire de Shanti. Jay et moi en avions discuté au téléphone. Le lendemain matin, Jay était encore à Johannesburg quand un policier m'a appelée pour savoir combien de personnes seraient de la fête. J'étais restée estomaquée. Comment pouvait-il savoir que nous donnerions une fête ? Nous n'en avions parlé à personne.

On me demande d'assister à l'ouverture des valises de Maria. Je pourrai enfin voir ce que contient la grosse valise. J'ai peur. Et s'il y avait une arme ? Si elle s'en emparait et se mettait à tirer, comme une folle, comme on fait aux États-Unis dans les écoles, comme on fait dans les rues de Soweto pour voler une auto ou tuer sa femme ?

Un policier et une policière m'amènent à la chambre de Maria. Je dois lui demander si elle accepte qu'on ouvre les valises. Il doit y avoir un témoin. Tout doit être fait selon les règles.

— Es-tu d'accord pour ouvrir tes valises devant nous avant de partir ?

Elle croit encore qu'elle pourra partir. Elle donne son accord. Elle a du culot. Il y a longtemps que je me serais effondrée. Nous allons tous dans le garage. Nous sommes une dizaine autour des valises : Maria, des policiers, Joe, Jay, Louise et moi. La conversation se déroule en afrikaans, une langue que Maria parle couramment. Ce détail, auquel je n'avais jamais porté attention, me semble louche maintenant.

Maria ouvre la petite valise. La policière me fait signe d'en sortir le contenu. Je sors les objets un à un, vêtements, photos, bibelots et documents. Maria ne sait pas que la chemise n'y est plus. Elle repasse à travers les documents.

483

Elle cherche la chemise maintenant, tout en replaçant ses affaires. Mais elle demeure d'un calme extraordinaire. Elle ouvre la seconde valise, la grosse. Sur le dessus, je découvre un gros sac en plastique. À l'intérieur, je trouve l'ensemble en cuir khoisan que j'avais fait faire pour le tournage des *Plus Belles Routes du monde*.

— Mais c'est à moi!

La policière sursaute. Maria rétorque :

— Mais il était dans le garage. Je croyais que tu le jetais.

— Tu aurais pu me poser la question!

Une policière confisque la preuve et remet l'ensemble à un collègue. Je continue la fouille. Je trouve le chapeau africain que j'avais acheté, le mois passé, au marché au Waterfront.

— Ça, ce n'était pas dans le garage! C'était dans ma garde-robe!

Pour la première fois, le visage de Maria laisse transparaître un peu d'émotion. Elle sait qu'elle m'a blessée. La policière prend cette deuxième preuve et la remet au même policier, qui note des informations sur son calepin. Je vide la valise : un ensemble de casseroles neuves aux poignées plaquées or, beaucoup de vêtements neufs... Je découvre ma boîte de parfum *Opium*. Elle contient des photos. La bouteille n'y est plus. Une semaine après que Jay me l'avait rapportée d'un voyage, elle avait disparu. Je n'avais évidemment pas soupçonné Maria.

Dans une pochette intérieure de la valise, je trouve un agenda dans lequel elle tenait un petit journal. Je l'ouvre et lis tout ce que je peux en feuilletant les pages rapidement. Sur une page, au mois de mars, elle avoue : «J'en ai marre d'être une voleuse dans cette maison.» Ailleurs : «Louise est maintenant une ennemie.»

Les valises sont vides. Je me sauve dans mon bureau. Je ne veux plus rien savoir! Je dois faire le deuil de la nounou de mes enfants, de ma gardienne, de ma confidente, d'une amie. Quelque chose est mort.

Maria a finalement été arrêtée et emmenée par la police. Ils sont partis. Enfin.

* * *

Jay et moi avons décidé de dire la vérité aux enfants, dès leur retour de l'école. Ils doivent savoir. Ils apprendront tout un jour de toute façon. Et le fait que Maria soit partie sans leur donner un bisou, une caresse, exige une explication.

— Kami, Shanti, écoutez-moi. Maria a volé de l'argent et la police l'a emmenée en prison.

— Maman, arrête de faire des farces. Où est Maria?

— Elle est en prison, Kami, parce qu'elle nous a volé de l'argent.

— Maman! Arrête! Maria ne ferait jamais ça. Où est Maria?

— Mais je te jure que c'est vrai! Maria est en prison.

— Maman, t'es pas drôle. C'est pas gentil de faire ça à Maria. Où est-elle?

Ils n'en croient pas leurs oreilles. Shanti rit et me dit que je suis drôle avec mes farces. Kami, lui, dit que ce n'est pas drôle de faire des farces comme ça.

Nous en parlons toute la soirée. C'est l'occasion d'une bonne leçon de vie. Nous en parlerons pendant des jours. Il faudra du temps aux enfants pour assimiler cette nouvelle. Je ne sais pas comment annoncer la nouvelle à Léandre. Il a une photo — précieuse — de lui et de Maria. Il a passé de longs moments avec cette dernière dans la cuisine. Quand il apprendra la nouvelle, il sera complètement atterré.

Ce qui demeure toujours sans réponse est la question suivante : pour qui Maria travaillait-elle? L'ANC? L'extrême droite? Le monde des affaires? Des collègues de Jay?

J'apprendrai que Maria a tout avoué, du moins en ce qui concerne les vols. Pour le reste, impossible de savoir où a conduit l'enquête.

Dix jours après son arrestation, alors que Jay et moi nous préparions pour assister à un banquet avec le colonel Kadhafi et le président Mandela, le téléphone a sonné. J'ai répondu. On me demandait si j'acceptais les frais d'appel d'une dénommée Maria Rasodi. Je suis restée figée, puis j'ai dit oui. Maria appelait de la prison.

— S'il te plaît, Lucie, aide-moi.

Elle pleurait.

— Je souffre ici. Je souffre tellement. C'est sale. C'est froid. Mes enfants ont besoin de moi.

— Mais tu nous as trahis!

— Je m'excuse, Lucie. Je promets que je ne le ferai plus. Je m'excuse sincèrement. Je ne le ferai plus. Je te le promets!

Elle me suppliait. J'ai dit que je verrais ce que je pouvais faire et j'ai raccroché, sans aucune intention de l'aider.

J'ai appris qu'elle avait été libérée sous caution le jour même. Je n'ai pas pu savoir qui avait payé la caution. Peut-être Maria s'imagine-t-elle que sa libération est une conséquence de mon appel!

Je n'ai plus jamais réentendu parlé de Maria. On m'avait dit que je devais témoigner à son procès, en septembre 1999. On ne m'a jamais convoquée. Je ne sais toujours pas pour qui elle nous avait espionnés. Je ne sais pas où elle est. Je ne sais rien. Elle me hante toujours.

72

La décennie

Le 16 juin 1999, le jour des quatre ans de Shanti, et deux semaines seulement après notre «Mariagate», je me rends à Pretoria pour couvrir le grand événement de la décennie : la fin de l'ère Mandela. Je m'étais donné cette date comme échéance pour retourner au Québec. Je me préparais depuis des années, car je voulais finir ma couverture journalistique avec un gros boum. J'étais heureuse mais triste à la fois; heureuse d'avoir eu le privilège de vivre et de couvrir l'ère Mandela en tant que journaliste; triste de laisser mon travail de correspondante pour Radio-Canada, un travail qui avait été le cordon ombilical me reliant au Québec. Je m'étais toutefois imaginé cette journée autrement. Je me voyais, enthousiaste, parlant de la foule — cent mille personnes sont massées sur les terrains des Union Buildings —, du rassemblement de dirigeants politiques venus de partout, de Nelson Mandela qui démissionnait avec un sourire fier et heureux. Il a dit : «Je veux maintenant jardiner et jouer avec mes petits-enfants.» Mais le spectacle devant moi ne me pénétrait pas. J'étais émotivement épuisée. À cause de Maria. Il me manquait l'énergie pour savourer pleinement ce moment qui marquait, pour moi, la fin de mon séjour en Afrique du Sud.

J'ai fait mon dernier reportage en pesant chaque mot, en vivant chaque virgule, car je savais que ces soixante-dix secondes étaient les dernières. Ça me faisait mal. Après avoir mis fin à la communication avec la salle des nouvelles de Radio-Canada, je me suis effondrée. Je ne savais plus si je devais pleurer ou rire, célébrer ou faire le deuil.

J'ai écrit une lettre aux gens de Radio-Canada pour les remercier d'avoir été là, de m'avoir écoutée, d'avoir cru en moi, en l'information que je leur avais livrée pendant toutes ces années. Mais je n'ai reçu aucun accusé de réception. Pas un mot. Pas un coup de téléphone. Jour après jour, Jay disait : «Mais attends, ils vont te répondre!» Rien.

Cette lettre est restée épinglée un certain temps au babillard de la salle des nouvelles de Radio-Canada. Comme une feuille d'automne, elle a fini par être emportée. Et en moi, le besoin de raconter cette expérience, de faire le bilan de cette décennie, ou presque, passée en Afrique du Sud, s'est fait pressant, plus vif que jamais. Voilà pourquoi j'ai entrepris la rédaction de ce livre.

J'avais hâte de partir. Shanti était déjà au Québec avec sa mamie Loulou depuis deux semaines. Les boîtes étaient parties. Je vivais dans deux valises. Mais le départ a dû être retardé puisque Kami est tombé gravement malade et s'est retrouvé à l'hôpital souffrant d'une pneumonie. Réaction au fait de quitter son pays natal? Il affirme pourtant avoir hâte de découvrir le Québec. Il a hâte de retrouver son frère. Léandre me manque à moi aussi, terriblement. J'ai un fils que j'adore sur un continent et un mari que j'adore sur un autre. Que faire?

Je suis revenue au Québec avec les enfants, sans Jay, espérant jusqu'à la dernière minute qu'il parte avec nous. Mais il ne peut pas. Tout le monde me l'a dit. J'espérais quand même. Un bon ami, Sam Pitroda, a bien résumé la situation : «Impossible, Lucie. Sa mission est en Afrique. Il est africain. Et l'Afrique a besoin de lui.»

Sam me dit que je rêve. Mes thérapeutes m'ont toutes dit que je rêvais. Tout le monde me dit que je rêve. *Jay est né avec une mission.* Mais il continue pourtant d'affirmer : «Un jour, Lucie, bientôt. Bientôt, un jour.»

J'attends toujours. J'y crois toujours. Jay a toujours tenu ses promesses...

J'avais si hâte de rentrer, mais je suis perdue au Québec. L'adaptation à une vie totalement différente est difficile pour nous tous. Jay est à l'autre bout du monde. «Dans combien de dodos papa viendra-t-il?» La sempiternelle question est maintenant inversée. Ce sont Kami et Shanti qui veulent voir leur père. Mais quand il viendra, ce ne sera pas pour plus d'une ou deux semaines à la fois, tous les deux mois. C'est toujours la même réponse : «Bientôt, mes cocos. Bientôt...»

Six mois après le déménagement au Québec, j'ai failli tout lâcher, tout abandonner. J'ai appelé Jay. Je lui ai posé la question fatidique : «Si tu avais à choisir, ce serait moi et les enfants, ou ta mission en Afrique?» Il n'a pas répondu. Il a attendu. Je n'ai rien dit. Et puis, il a soufflé : «Ça me tuerait de laisser l'Afrique.»

Je ne veux pas que Jay ait à choisir entre son travail et sa famille. Nous vivons un amour certain, profond. Mais pour le moment, je dois être ici, au Québec. Quant à Jay, il a fondé, avec Jayendra Naidoo, une entreprise, à Johannesburg, dont l'objectif est d'implanter la technologie moderne des télécommunications en Afrique. Leur compagnie s'appelle *J and J.* Jay a aussi été nommé président de la Banque de développement d'Afrique australe par le président Thabo Mbeki. Puis le bureau du secrétaire général des Nations unies, Kofi Annan, lui a demandé de faire partie d'une équipe qui le conseillerait sur les télécommunications dans les pays en voie de développement. Il est difficile de critiquer Jay de vouloir se consacrer à toutes ces causes nobles...

Il nous rend visite, mais il passe toujours en coup de vent. Son absence est une bonace difficile à supporter.

Je suis revenue avec deux enfants, pour rejoindre le troisième, parti depuis un an. Je suis revenue pour me bâtir un nouveau rêve, et poser sur papier celui que je viens de vivre pendant neuf ans. Je dois faire le vide. Je dois extraire de moi cette décennie africaine, cette ère Mandela que j'ai vécue, déchirée entre deux continents. J'ai besoin d'un automne. J'en rêve. J'ai besoin de la neige, de glisser sur mes skis à travers la forêt, sans protocole ni règles de diplomatie. J'ai besoin de me sentir près de ma famille, de mes amis; j'ai besoin de l'hiver, des lacs et du mont Mégantic. Je veux que Kami et Shanti connaissent l'autre moitié de leur héritage, de leur culture, même s'ils parlent français avec l'accent du Québec comme s'ils étaient nés ici, même s'ils mangent des crêpes avec du sirop d'érable depuis qu'ils sont tout jeunes. J'aurais voulu partager la beauté, la paix, la tranquillité de ce pays avec Jay. Mais c'est impossible. En tout cas, ce n'est pas pour tout de suite…

Si je trouve l'absence continuelle de Jay lourde à porter, je serais incapable de le laisser. Parce que je l'aime, malgré son absence. Le fait qu'il soit un leader aussi est passionnant. C'est vivre un roman fantastique tous les jours. Il voyage dans le monde entier, me parle des défis de la planète, m'appelle pour me dire que Mandela me fait dire bonjour, qu'il doit se rendre à New Delhi, que l'Afrique est un bijou. Il m'écrit pour m'apprendre qu'il vient de refuser un job qui paie plusieurs centaines de milliers de dollars par année, alors qu'on a de la difficulté à arrondir les fins de mois. «J'ai refusé parce que je veux que mon travail rapporte aux gens ordinaires», dit-il. Rien n'est jamais ennuyant avec Jay. Il est impitoyable dans sa guerre pour la justice pour tous. Mon désir de le voir à la maison à dix-sept heures trente chaque soir, et vingt-quatre heures sur vingt-quatre les fins de semaine, est en contradiction avec mon désir de le voir agir, travailler et se battre pour la justice. Un leader ne travaille pas de neuf à cinq.

Maman, dans combien de dodos papa vient-il?
Bientôt, mes cocos. Bientôt...
En attendant, nous communiquons, quotidiennement, par téléphone ou par ordinateur.

Johannesburg, 20 août 2000

Allô, ma chérie,
 Quelles émotions tu as dû ressentir en rembobinant, si rapidement, la dernière décennie! Cela a dû être épuisant, mon amour. Mais bientôt tu enverras ce manuscrit à l'éditeur. Je prie pour toi et je t'envoie une montagne d'énergie et de bonne volonté. Tu es sur une rivière de la vie. Il y a eu des obstacles. Parfois, tu as dû bifurquer vers un affluent. Mais ta détermination t'a toujours ramenée au cours d'eau principal. Et maintenant, tu vois l'estuaire. Tu as parcouru un long trajet éprouvant. Tu as fait face à de gigantesques défis. Mais bientôt tu distingueras une vue imprenable. Toi-même, qui s'avance vers toi. Confiante, souriante, heureuse avec toi-même. Tu vas te regarder droit dans les yeux et tu y verras la paix. Et ton intérieur sourira.
 Je serai là pour te tenir la main, comme tu es là pour tenir la mienne. Nous sommes nés du même esprit. Nos âmes sont entrelacées dans l'histoire du temps. Et nous avons encore tant à partager. Puise dans ta force intérieure. Et puise dans notre amour. Il est inépuisable. Une source d'énergie passionnée. Je t'aime, mon amour.
 Je dois te quitter. La nuit est tombée. La solitude ronge. Je dois fermer les rideaux.

Ton mari

Cette histoire est loin d'être finie...

Remerciements

Ce livre n'existerait pas sans le soutien inestimable de mon ami et collègue, l'auteur et journaliste Luc Chartrand, qui a passé des jours et des semaines à lire et à corriger mon manuscrit ; des mois et des années à me pousser et à m'encourager. Je tiens à remercier ma chère amie Louise Sarrasin qui a toujours été là, avec sa plume, ses oreilles et son cœur pour m'aider à traverser les passages difficiles du travail d'écriture. Merci à ma mère, Louise Grondin, toujours là pour ses enfants, sans juger. Merci à mon ami Marc Cossette, à l'écoute avec ses grammaires et dictionnaires innés, et son amitié sept jours sur sept. Merci à mon cher ami Jacques Larue-Langlois, qui, pendant vingt ans, m'a appuyée et aidée dans mes projets et qui, pour ce livre, a passé beaucoup de temps à corriger et à me conseiller dans l'écriture. Malheureusement, Jacques n'aura pas vécu assez longtemps pour en voir le produit final mais bien assez longtemps pour m'avoir légué une richesse de vie. Merci à Fannie Morin des Éditions Libre Expression pour son soutien, ses corrections et sa confiance en moi. Merci, enfin, à mon mari, Jay Naidoo, pour sa patience, son soutien, ses encouragements continuels et, surtout, pour son amour sans bornes.

TABLE DES MATIÈRES